CALCULATRICES ET PROBABILITÉS

Exemple : X est une variable aléatoire qui suit la loi binomiale de paramètres *n*

Calculer la probabilité P(X = 5) et la probabilité

Casio	TI
• Pour P(X = 5) MENU 2 (STAT) F5 (DIST) F5 (BINM) F1 (Bpd) Renseigner la boîte de dialogue. Se placer sur Execute, puis EXE	• Pour P(X = 5) distrib 2nde var A (BinomFdp()) Renseigner la boîte de dialogue. Se placer sur Coller puis entrer entrer

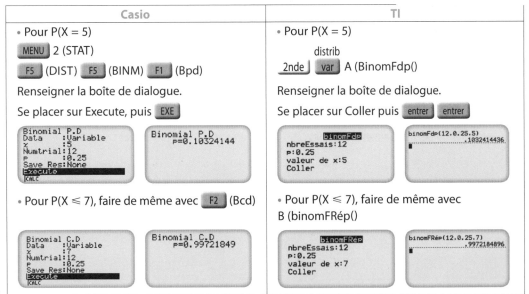

Casio	TI
• Pour P(X ≤ 7), faire de même avec F2 (Bcd)	• Pour P(X ≤ 7), faire de même avec B (binomFRép())

Afficher la table des valeurs de P(X ≤ k), pour *k* allant de 0 à 12

Casio	TI
MENU 2 (STAT) Se placer sur List 1 OPTN F1 (LIST) F5 (Seq) X,θ,T , X,θ,T , 0 , 12 , 1) EXE	stats (EDIT) 1 (Modifier…) Se placer sur L1 listes 2nde stats ▶ (OP) 5 (suite()) Renseigner la boîte de dialogue. Se placer sur Coller puis entrer entrer

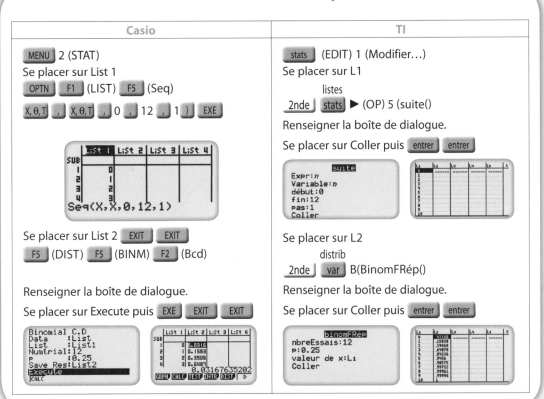

Casio	TI
Se placer sur List 2 EXIT EXIT F5 (DIST) F5 (BINM) F2 (Bcd) Renseigner la boîte de dialogue. Se placer sur Execute puis EXE EXIT EXIT	Se placer sur L2 distrib 2nde var B(BinomFRép()) Renseigner la boîte de dialogue. Se placer sur Coller puis entrer entrer

1re ES-L

HYPERBOLE

MATHÉMATIQUES

ÉDITION 2015

Sous la direction de
Joël Malaval

Mickaël Védrine

Anne Crouzier

Pierre-Antoine Desrousseaux

Danièle Eynard

Joël Ternoy

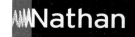

Sommaire

Fonctions et suites

© Nathan 2015 – ISBN : 978-2-09-172884-1

Statistiques et probabilités

Des outils pour l'utilisation des TICE, pour l'Algorithmique et la Logique

Note des auteurs

Ce livre est conforme à l'esprit du programme de mathématiques applicable à la rentrée 2015 et a pour ambition d'accompagner au mieux l'élève dans l'apprentissage des mathématiques et d'être un réel support pédagogique pour les enseignants.

> **La résolution de problèmes** occupe une place essentielle et se décline sous des formes variées (activités de découvertes, travaux pratiques, exercices d'entraînement, exercices d'approfondissement).

> Un soin particulier a été apporté à la rédaction **d'exercices et de problèmes résolus**. Des conseils méthodologiques précis permettent de guider l'élève dans son travail. De plus, les énoncés proposés à travers les différentes rubriques d'exercices sont d'un niveau progressif.

> Ce livre de Première ES-L s'appuie largement sur **l'utilisation des outils TICE** : calculatrices graphiques, logiciels de géométrie dynamique, logiciels de calcul formel et tableur. Une rubrique, en fin d'ouvrage, permet d'initier les élèves à l'ensemble de ces outils.

> **L'algorithmique** est également abordée dans tous les chapitres, toujours dans un souci de progressivité. Les langages utilisés sont très accessibles de façon à faciliter la familiarisation avec cette branche des mathématiques. En fin de manuel, une rubrique est consacrée à l'algorithmique.

> Une rubrique d'exercices « **S'entraîner à la logique** » présente dans chaque chapitre, permet de fixer les notions et le vocabulaire de la logique mathématique. Le vocabulaire de la logique est rappelé en fin de manuel.

> Deux rubriques « **Sans intermédiaire** » et « **Prendre des initiatives** » proposent des exercices plus ouverts afin de développer la capacité des élèves à innover et expérimenter.

> Une page « **Pour se tester** » propose des Q.C.M. de niveaux progressifs et un Vrai-Faux, corrigés en fin d'ouvrage, pour favoriser l'auto-évaluation. Des exercices signalés par le logo ci-contre se proposent déjà de préparer les élèves à l'examen.

> **L'accompagnement personnalisé est un élément central de ce manuel** : dans chaque chapitre des « exercices test » suivis d'exercices de remédiation sont proposés. Une dernière rubrique « **Approfondissement** » permet de différencier le travail des élèves.

Appelez le professeur pour qu'il contrôle vos réponses et qu'il vous indique la suite.

> Des pictogrammes dans les exercices indiquent  clairement les travaux en groupe ou en autonomie et les narrations de recherche.

> **De nombreuses ouvertures culturelles** sont proposées : **Au fil des siècles, Défis, énoncés en anglais** …

Afin de favoriser une acquisition progressive et rassurante des connaissances et des méthodes, la structure de chaque chapitre est identique.

Le lien www.nathan.fr/hyperbole1reESL-2015 conduit à un portail Hyperbole et propose de multiples ressources pour les élèves et les enseignants.

Nous remercions par avance les collègues qui voudront bien nous faire part de leurs remarques.

Les auteurs

Proposition de progression organisée par chapitre

Ordre dans l'année	Titre du chapitre du manuel	Numéro du chapitre du manuel	Domaine
1	Pourcentages	5	Pourcentages et suites
2	Second degré	1	Fonctions
3	Statistiques	7	Statistiques et probabilités
4	Fonction racine carrée. Fonction cube	2	Fonctions
5	Probabilités	8	Statistiques et probabilités
6	Suites	6	Pourcentages et suites
7	Dérivation	3	Fonctions
8	Loi binomiale	9	Statistiques et probabilités
9	Applications de la dérivation	4	Fonctions
10	Échantillonnage	10	Statistiques et probabilités

Motivation

Cette proposition de progression alterne les chapitres relatifs aux fonctions, aux pourcentages et suites, et aux statistiques et probabilités. Elle permet de suivre les recommandations du programme officiel.

En particulier, l'introduction des nouvelles notions sur les fonctions, la dérivation et les suites numériques est réalisée de façon progressive. La répartition des chapitres de statistiques et probabilités facilite la mise en place des notions nouvelles du programme.

Découvrez votre manuel

› Ouverture

Une photographie et un texte permettent de situer le chapitre dans le **monde** qui nous entoure et dans l'**histoire des sciences**.

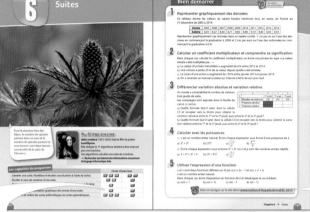

› Bien démarrer

Un test permet de faire le point sur les **acquis** antérieurs utiles pour le chapitre.

Des aides et corrigés sont disponibles sur le site élève.

Deux choix d'exercices sont proposés en liaison avec les capacités attendues du programme officiel. Pastille verte : exercices corrigés en fin de manuel.

› Découvrir

Deux pages d'**activités** introduisent de nouvelles notions.

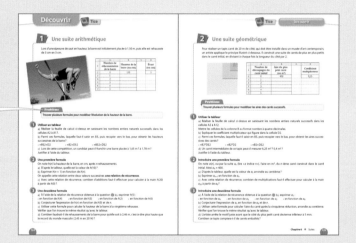

Le problème à résoudre dans l'activité est signalé par un encadré bleu.

› Cours

Le cours présente les définitions et les propriétés.

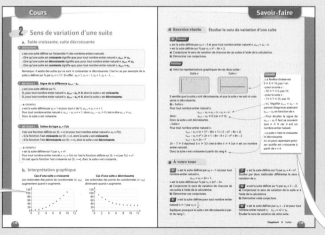

Le cours est illustré par des exemples et des graphiques.

› Savoir-faire

• Un exercice corrigé présente une ou plusieurs méthodes de résolution.
• Plusieurs exercices du même type sont proposés pour travailler ces méthodes. Ceux qui sont signalés par une pastille verte **5** sont corrigés en fin de manuel.

Des conseils méthodologiques sont donnés au fur et à mesure de l'exercice résolu.

› Résoudre des problèmes

• Des **problèmes résolus** sont proposés sur deux ou trois pages.

🔴 **À votre tour**

propose des problèmes sur le même thème.

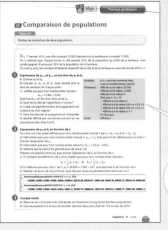

› Travaux pratiques

Plusieurs **travaux pratiques** permettent d'expérimenter à l'aide d'outils TICE.

Au moins l'un des **Résoudre des problèmes** ou des T.P. permet de travailler en algorithmique.

› Les différentes rubriques d'exercices

Elles permettent de soigner la progressivité et de diversifier l'activité mathématique, avec de nombreuses situations en lien avec l'économie, la géographie et l'art…

Pour s'entraîner

Pour se tester

Pour aller plus loin

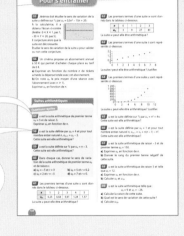

Pastille verte : l'exercice est corrigé en fin de manuel.

Des questions rapides pour démarrer chaque rubrique dans tous les chapitres.

Des exercices pour entraîner l'élève à résoudre un problème ouvert « **Sans intermédiaire** ».

Des exercices pour « **S'entraîner à la logique** ».

Des exercices pour « **Prendre des initiatives** » dans la résolution de problèmes.

Deux pages dédiées à un travail d'**accompagnement personnalisé**, de soutien ou d'approfondissement.

Deux Q.C.M. de niveau gradué.

Un vrai-faux avec justification.

De vrais « **défis** » à relever…

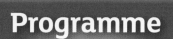

D'après le B.O. spécial n° 9 du 30 septembre 2010

1. Algèbre et analyse

CONTENUS	CAPACITÉS ATTENDUES
Second degré Forme canonique d'une fonction polynôme de degré deux. Équation du second degré, discriminant. Signe du trinôme.	• Utiliser la forme la plus adéquate d'une fonction polynôme de degré deux en vue de la résolution d'un problème : développée, factorisée, canonique.
Étude de fonctions Fonctions de référence $x \mapsto \sqrt{x}$ et $x \mapsto x^3$. Nombre dérivé d'une fonction en un point. Tangente à la courbe représentative d'une fonction dérivable en un point.	• Connaître les variations de ces fonctions et leur représentation graphique. • Tracer une tangente connaissant le nombre dérivé.
Fonction dérivée Dérivée des fonctions usuelles : $x \mapsto \sqrt{x}$. $x \mapsto \dfrac{1}{x}$ et $x \mapsto x^n$ (n entier naturel non nul). Dérivée d'une somme, d'un produit et d'un quotient. Lien entre signe de la dérivée et sens de variation. Extremum d'une fonction.	• Calculer la dérivée de fonctions. • Exploiter le sens de variation pour l'obtention d'inégalités.
Pourcentages Lien entre une évolution et un pourcentage. Évolutions successives ; évolution réciproque.	• Calculer une évolution exprimée en pourcentage. • Exprimer en pourcentage une évolution. • Connaissant deux taux d'évolution successifs, déterminer le taux d'évolution global. • Connaissant un taux d'évolution, déterminer le taux d'évolution réciproque.
Suites Modes de génération d'une suite numérique. Sens de variation d'une suite numérique. Suites arithmétiques, suites géométriques de raison positive.	• Modéliser et étudier une situation simple à l'aide de suites. • Mettre en œuvre un algorithme permettant de calculer un terme de rang donné. • Exploiter une représentation graphique des termes d'une suite. • Écrire le terme général d'une suite arithmétique ou géométrique définie par son premier terme et sa raison. • Connaître le sens de variation des suites arithmétiques et des suites géométriques de terme général q^n.

2. Statistiques et probabilités

CONTENUS	CAPACITÉS ATTENDUES
Statistique descriptive, analyse de données Caractéristiques de dispersion : variance, écart-type. Diagramme en boîte.	• Utiliser de façon appropriée les deux couples usuels qui permettent de résumer une série statistique : (moyenne, écart-type) et (médiane, écart interquartile). • Étudier une série statistique ou mener une comparaison pertinente de deux séries statistiques à l'aide d'un logiciel ou d'une calculatrice.
Probabilités Variable aléatoire discrète et loi de probabilité. Espérance.	• Déterminer et exploiter la loi d'une variable aléatoire. • Interpréter l'espérance comme valeur moyenne dans le cas d'un grand nombre de répétitions.

CONTENUS	CAPACITÉS ATTENDUES
Modèle de la répétition d'expériences identiques et indépendantes à deux ou trois issues. Épreuve de Bernoulli, loi de Bernoulli. Schéma de Bernoulli, loi binomiale (loi du nombre de succès). Coefficients binomiaux. Espérance de la loi binomiale.	• Représenter la répétition d'expériences identiques et indépendantes par un arbre pondéré. • Utiliser cette représentation pour déterminer la loi d'une variable aléatoire associée à une telle situation. • Reconnaître des situations relevant de la loi binomiale. • Calculer une probabilité dans le cadre de la loi binomiale. • Utiliser l'espérance d'une loi binomiale dans des contextes variés.
Échantillonnage Utilisation de la loi binomiale pour une prise de décision à partir d'une fréquence.	• Exploiter l'intervalle de fluctuation à un seuil donné, déterminé à l'aide de la loi binomiale, pour rejeter ou non une hypothèse sur une proportion.

Algorithmique

En seconde, les élèves ont conçu et mis en œuvre quelques algorithmes. Cette formation se poursuit tout au long du cycle terminal.
Dans le cadre de cette activité algorithmique, les élèves sont entraînés à :
– décrire certains algorithmes en langage naturel ou dans un langage symbolique ;
– en réaliser quelques-uns à l'aide d'un tableur ou d'un programme sur calculatrice ou avec un logiciel adapté ;
– interpréter des algorithmes plus complexes.
Aucun langage, aucun logiciel n'est imposé.
L'algorithmique a une place naturelle dans tous les champs des mathématiques et les problèmes posés doivent être en relation avec les autres parties du programme (algèbre et analyse, statistiques et probabilités, logique), mais aussi avec les autres disciplines ou le traitement de problèmes concrets.
À l'occasion de l'écriture d'algorithmes et de programmes, il convient de donner aux élèves de bonnes habitudes de rigueur et de les entraîner aux pratiques systématiques de vérification et de contrôle.

Instructions élémentaires (affectation, calcul, entrée, sortie) Les élèves, dans le cadre d'une résolution de problèmes, doivent être capables : • d'écrire une formule permettant un calcul ; • d'écrire un programme calculant et donnant la valeur d'une fonction ; ainsi que les instructions d'entrées et sorties nécessaires au traitement.
Boucle et itérateur, instruction conditionnelle Les élèves, dans le cadre d'une résolution de problèmes, doivent être capables de : • programmer un calcul itératif, le nombre d'itérations étant donné ; • programmer une instruction conditionnelle, un calcul itératif, avec une fin de boucle conditionnelle.

Notations et raisonnement mathématiques

Cette rubrique, consacrée à l'apprentissage des notations mathématiques et à la logique, ne doit pas faire l'objet de séances de cours spécifiques mais doit être répartie sur toute l'année scolaire.

Notations mathématiques Les élèves doivent connaître les notions d'élément d'un ensemble, de sous-ensemble, d'appartenance et d'inclusion, de réunion, d'intersection et de complémentaire et savoir utiliser les symboles de base correspondants : $\in$, $\subset$, $\cup$, $\cap$ ainsi que la notation des ensembles de nombres et des intervalles. Pour le complémentaire d'un ensemble A, on utilise la notation des probabilités $\overline{A}$.
Pour ce qui concerne le raisonnement logique, les élèves sont entraînés, sur des exemples à : • utiliser correctement les connecteurs logiques « et », « ou » et à distinguer leur sens des sens courants de « et », « ou » dans le langage usuel ; • utiliser à bon escient les quantificateurs universel, existentiel (les symboles $\forall$, $\exists$ ne sont pas exigibles) et à repérer les quantifications implicites dans certaines propositions et, particulièrement, dans les propositions conditionnelles ; • distinguer, dans le cas d'une proposition conditionnelle, la proposition directe, sa réciproque, sa contraposée et sa négation ; • utiliser à bon escient les expressions « condition nécessaire », « condition suffisante » ; • formuler la négation d'une proposition ; • utiliser un contre-exemple pour infirmer une proposition universelle ; • reconnaître et utiliser des types de raisonnement spécifiques : raisonnement par disjonction des cas, recours à la contraposée, raisonnement par l'absurde.

1 Second degré

Le nombre d'or, ou «divine proportion» intervient dans ce tableau de Dali. C'est ici le rapport d'une diagonale du pentagone régulier central à un de ses côtés. Ce nombre, noté φ, est la solution positive de l'équation du second degré $x^2 - x - 1 = 0$.

Au fil des siècles

Cette tablette babylonienne du XVIIIe siècle av. J.-C. contient plusieurs problèmes mathématiques. Le premier problème de la tablette peut être traduit par : « J'ai additionné la surface et le côté de mon carré, je trouve 45 ».

● *Par quelle équation se traduit ce problème de nos jours ?*

Les capacités du programme

	Choix d'exercices		
• Utiliser la forme canonique d'une fonction polynôme de degré 2.	28	31	42
• Utiliser la forme la plus adéquate d'une fonction polynôme de degré 2 : développée, factorisée, canonique.		2	80
• Résoudre une équation du second degré.	5	48	57
• Étudier le signe d'un trinôme du second degré.	9	73	83

Bien démarrer

 Travailler en autonomie

1 Développer une expression

Développer et réduire chaque expression.

a) $5(x + 1)(3 - x)$ b) $4(x - 5)^2$ c) $(2x - 3)(2x + 3) + 9$

2 Représenter graphiquement une fonction polynôme de degré 2

f est la fonction définie sur $\mathbb{R}$ par $f(x) = -2x^2 - 4x + 6$.

a) Calculer $f(-4)$ et $f(2)$.

b) En déduire l'abscisse, puis l'ordonnée du sommet de la parabole $\mathscr{P}$ représentative de la fonction f dans un repère. Tracer la parabole $\mathscr{P}$.

3 Retrouver graphiquement une forme canonique

Dans le repère ci-dessous (unité : 0,5 cm représente 10 m sur chaque axe), on a modélisé l'arche d'un pont par un arc de parabole.

1. Déterminer graphiquement la hauteur et la longueur du pont.

2. L'arc de parabole représente une fonction f définie sur l'intervalle $[0 ; 80]$.

Laquelle de ces expressions est celle de $f(x)$?

① $-80(x - 40)^2 + 25$ ② $-\dfrac{1}{64}(x - 40)^2 + 25$

③ $80(x - 40)^2 + 25$ ④ $-\dfrac{1}{64}(x - 25)^2 + 40$

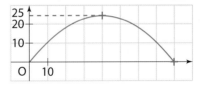

4 Résoudre une équation

Résoudre l'équation : a) $x^2 = 4$ b) $(x - 2)^2 = 0$ c) $(x + 1)^2 = 9$

5 Établir une inégalité

f, g et h sont les fonctions définies sur $\mathbb{R}$ par :

$$f(x) = 3(x - 4)^2 + 5 \qquad g(x) = (x - 5)^2 - 1 \qquad h(x) = -2(x - 1)^2 + 5$$

Dans chaque cas, compléter par $f(x)$, $g(x)$ ou $h(x)$ de façon que l'inégalité soit vraie pour tout nombre réel x.

a) ... $\leqslant 5$ b) ... $\geqslant 5$ c) ... $\geqslant -1$

6 Utiliser un tableau de signes

a) Recopier et compléter ce tableau de signes.

b) En déduire les solutions de l'inéquation :

$$(2x + 1)(3 - 2x) \leqslant 0.$$

c) Avec la calculatrice, contrôler graphiquement la réponse à la question b).

x	$-\infty$		$-\dfrac{1}{2}$		...		$+\infty$
$2x + 1$		...	0	...			...
$3 - 2x$		...		...		0	...
$(2x + 1)(3 - 2x)$		...	0	...		0	...

 Aide et corrigés sur le site élève **www.nathan.fr/hyperbole1reESL-2015**

Déterminer l'équation d'une parabole

Un poisson saute hors de l'eau pour attraper une mouche (M). Le saut qu'il effectue ne peut dépasser 18 cm de haut.

Dans un repère d'origine O, position initiale du poisson, on modélise la position de la mouche par le point M(10 ; 10) et le saut du poisson par un arc de parabole représentant une fonction polynôme f de degré 2.

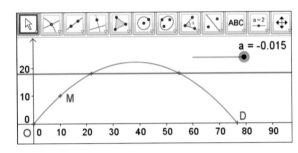

Problème

Obtenir l'expression de la fonction f lorsque le poisson attrape la mouche, puis saute à 18 cm de haut.

1 Représenter la situation à l'aide d'une fonction

La fonction f est définie par une expression du type $f(x) = ax^2 + bx + c$, où a, b, c sont des nombres réels et $a \neq 0$.

a) Quel doit être le signe de a ?

b) La parabole passe par le point O(0 ; 0). Que peut-on en déduire pour c ?

c) La parabole passe par le point M(10 ; 10). En déduire que $b = 1 - 10a$.

d) Exprimer alors $f(x)$ en fonction de a et de x.

2 Conjecturer avec GeoGebra

a) Afficher le repère et dans la zone de saisie, taper O=(0,0) et M=(10,10).

b) Créer un curseur a allant de -1 à 0 avec un incrément de 0,001.

c) Dans la zone de saisie, taper f(x)=a*x²+(1−10a)x, puis y=18.

Créer les points d'intersection, lorsqu'ils existent, de cette parabole et de cette droite.

d) Faire varier le curseur a et conjecturer les deux valeurs de a pour lesquelles le poisson attrape la mouche et fait un saut de 18 cm de haut.

Expliquer pourquoi pour l'une de ces valeurs, la fonction f obtenue ne modélise pas le saut du poisson.

3 Résoudre le problème

On suppose que $a = -0,02$.

a) Donner l'expression de $f(x)$.

b) Utiliser l'écran de calcul formel ci-contre pour établir que pour tout nombre réel x, $f(x) \leqslant 18$.

c) Calculer la longueur OD du saut du poisson.

> FormeCanonique[-0.02*x²+1.2x]
>
> $\rightarrow \quad -\dfrac{1}{50}(x-30)^2 + 18$

2 Signe d'un trinôme

Un jardinier souhaite créer un parterre rectangulaire adossé à un mur et entouré d'une bordure de petits buis.

Il dispose de suffisamment de petits buis pour 10 m de bordure et souhaite que le parterre ait une aire au moins égale à 10,5 m².

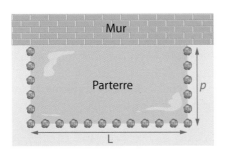

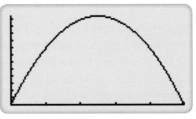

Aire du parterre en fonction de sa profondeur p.

Problème

Quelles dimensions donner à ce parterre pour obtenir une aire d'au moins 10,5 m² ?

1 Modéliser la situation

On note L et p les dimensions du parterre, comme indiqué sur la figure de gauche.

a) À partir de la contrainte concernant la longueur totale de la bordure, exprimer L en fonction de p.

b) Quelles sont les valeurs possibles pour la dimension p ?

c) Exprimer l'aire du parterre, en m², notée $\mathcal{A}(p)$, en fonction de p.

$\mathcal{A}$ est une fonction polynôme de degré 2 ou trinôme de degré 2.

2 Conjecturer avec la calculatrice

a) Avec la calculatrice, tabuler la fonction $\mathcal{A}$ de 0 à 5 avec le pas 1.

b) Citer deux valeurs de p qui ont la même image par la fonction $\mathcal{A}$.

En déduire l'abscisse, puis l'ordonnée du sommet de la parabole représentative de la fonction $\mathcal{A}$ dans un repère.

c) En utilisant les résultats des questions précédentes, tracer à l'écran de la calculatrice la courbe représentative de la fonction $\mathcal{A}$, dans une fenêtre optimale (comme sur l'écran ci-dessus).

d) Tracer dans la même fenêtre la droite d'équation $y = 10,5$, et conjecturer les valeurs p_1 et p_2 de p pour lesquelles $\mathcal{A}(p) = 10,5$.

e) Tabuler la fonction $\mathcal{A}$ avec le pas 0,1 et préciser les valeurs de p_1 et p_2.

f) Utiliser les questions précédentes pour conjecturer les valeurs de p pour lesquelles $\mathcal{A}(p) \geqslant 10,5$.

3 Démontrer les conjectures

a) Développer $-2(p - 1,5)(p - 3,5)$.

b) Expliquer pourquoi résoudre l'inéquation $\mathcal{A}(p) \geqslant 10,5$ revient à résoudre l'inéquation :
$$-2(p - 1,5)(p - 3,5) \geqslant 0$$

c) Dresser le tableau de signes du produit $-2(p - 1,5)(p - 3,5)$ sur l'intervalle $[0 ; 5]$.

d) En déduire l'ensemble des solutions de l'inéquation $\mathcal{A}(p) \geqslant 10,5$.

e) Répondre alors au problème posé.

1 Fonctions polynômes de degré 2

a. Les fonctions $x \mapsto ax^2 + bx + c$ avec $a \neq 0$

▶ **DÉFINITION**

Une fonction polynôme de degré 2 est une fonction définie sur $\mathbb{R}$ par $f(x) = ax^2 + bx + c$ où a, b et c désignent des nombres réels avec $a \neq 0$.

● **EXEMPLES**

• $f : x \mapsto -2x^2 + 3x - 1$ est une fonction polynôme de degré 2 avec $a = -2$, $b = 3$, $c = -1$.
f est ici donnée sous **forme développée**.
• $g : x \mapsto (x - 2)(3x + 5)$ est une fonction polynôme de degré 2 donnée sous **forme factorisée**.
Sa forme développée est $g(x) = 3x^2 - x - 10$ et donc $a = 3$, $b = -1$, $c = -10$.

b. Forme canonique

▶ **PROPRIÉTÉ-DÉFINITION**

Toute fonction polynôme de degré 2 définie par $f(x) = ax^2 + bx + c$ avec $a \neq 0$ admet pour **forme canonique** $f(x) = a(x - \alpha)^2 + \beta$, où α et β sont les coordonnées du sommet de la parabole représentative de f dans un repère. De plus, $\alpha = -\dfrac{b}{2a}$ et $\beta = f(\alpha)$.

● **EXEMPLE**

f est la fonction polynôme de degré 2 définie par $f(x) = \mathbf{3}x^2 - 6x - 2$. Ainsi $\alpha = -\dfrac{-6}{2 \times \mathbf{3}} = 1$ et $\beta = f(1) = -5$.
La forme canonique de la fonction f est donc $f(x) = \mathbf{3}(x - 1)^2 - 5$.

c. Sens de variation et représentation graphique

▶ **PROPRIÉTÉ**

f est une fonction polynôme de degré 2 de forme canonique $f(x) = a(x - \alpha)^2 + \beta$, avec $a \neq 0$.
Son tableau de variation est donné ci-dessous suivant le signe de a.

• **Cas où $a > 0$**

x	$-\infty$	α	$+\infty$
$f(x)$		$\searrow \quad \nearrow$ β	

• **Cas où $a < 0$**

x	$-\infty$	α	$+\infty$
$f(x)$		$\nearrow \quad \beta \quad \searrow$	

Dans un repère, la courbe $\mathcal{P}$ représentative de f est une **parabole** de sommet $S(\alpha\,;\beta)$ qui admet pour axe de symétrie la droite d'équation $x = \alpha$.

• **Cas où $a > 0$**

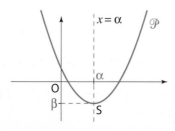

• **Cas où $a < 0$**

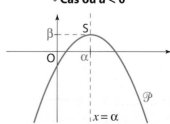

● Exercice résolu Utiliser la forme adéquate

1 Énoncé

Une entreprise fabrique et vend des boîtes de biscuits.

Pour x centaines de boîtes vendues, le bénéfice réalisé en euros est donné par la fonction B définie sur $[0\,;200]$ par $B(x) = -2x^2 + 252x - 2736$.

On a obtenu à l'aide d'un logiciel de calcul formel la forme canonique et la forme factorisée de B.

Répondre à chaque question en utilisant la forme adéquate.

a) Quel est le montant des coûts lorsque la production est nulle ?

b) Pour quelle production le bénéfice est-il maximal, et quelle est alors la valeur de ce bénéfice ?

c) Pour quelles productions le bénéfice est-il nul ?

1	FormeCanonique[-2x²+252x-2736]
○	$\rightarrow$ $-2\,(x-63)^2 + 5202$

2	Factoriser[-2x²+252x-2736]
○	$\rightarrow$ $-2\,(x-114)\,(x-12)$

Solution

a) Lorsque la production est nulle, $x = 0$.

On utilise la forme développée pour calculer : $B(0) = -2736$.

Cette valeur négative correspond à des coûts fixes de 2736 €.

b) Le maximum est l'ordonnée du sommet de la parabole représentative de la fonction B dans un repère.

D'après la forme canonique, il est obtenu pour $x = 63$, soit 6300 boîtes produites et vendues, et il est égal à 5202 €.

c) Le bénéfice est nul quand $B(x) = 0$.

D'après la forme factorisée, c'est le cas pour $x = 114$ et pour $x = 12$.

Cela correspond à une production de 1200 et 11400 boîtes.

Conseils

• La fonction bénéfice prend des valeurs négatives lorsque les frais de production sont supérieurs à la recette. Elle donne alors l'opposé des pertes subies.

• Attention aux unités indiquées dans l'énoncé.

● À votre tour

2 L'altitude d'une fusée de feu d'artifice est donnée, en fonction de la distance horizontale x parcourue en mètres, par la fonction f définie sur $[0\,;2,25]$ par $f(x) = -12x^2 + 24x + 6,75$.

Voici l'affichage d'un logiciel de calcul formel.

1	Factoriser[-12x²+24x+27/4]
○	$\rightarrow$ $-3\,(4x-9)\,\dfrac{4x+1}{4}$

2	FormeCanonique[-12x²+24x+27/4]
○	$\rightarrow$ $-12\,(x-1)^2 + \dfrac{75}{4}$

Répondre à chaque question en utilisant la forme adéquate.

a) De quelle altitude la fusée a-t-elle été tirée ?

b) Quelle est l'altitude maximale de la fusée ?

c) À quelle distance horizontale de son point de départ la fusée retombe-t-elle au sol ?

3 f est la fonction polynôme de degré 2 dont la forme développée est $f(x) = 2x^2 + 4x + 11$.

On a obtenu la forme canonique de f à l'aide d'un logiciel de calcul formel.

1	FormeCanonique[2x²+4x+11]
○	$\rightarrow$ $2\,(x+1)^2 + 9$

a) Cette fonction admet-elle un maximum ou un minimum ?

b) En utilisant la forme adéquate, déterminer la valeur de l'extremum de f, ainsi que la valeur de son antécédent.

c) En utilisant la forme adéquate, calculer la valeur de $f(0)$.

d) En utilisant la forme adéquate, résoudre l'équation $f(x) = 9$.

e) Tracer la courbe représentative de f à l'écran de la calculatrice.

2 Équations du second degré

a. Discriminant d'une fonction polynôme de degré 2

f est une fonction polynôme de degré 2 définie sur $\mathbb{R}$ par $f(x) = ax^2 + bx + c$ avec $a \neq 0$.

Sa forme canonique est $f(x) = a(x - \alpha)^2 + \beta$ avec $\alpha = -\dfrac{b}{2a}$ et $\beta = f(\alpha)$.

Or $\beta = a\alpha^2 + b\alpha + c = a\left(-\dfrac{b}{2a}\right)^2 + b\left(-\dfrac{b}{2a}\right) + c = \dfrac{b^2}{4a} - \dfrac{b^2}{2a} + c = \dfrac{b^2 - 2b^2 + 4ac}{4a} = -\dfrac{b^2 - 4ac}{4a}$.

On pose $\boldsymbol{\Delta = b^2 - 4ac}$, alors $f(x) = a(x - \alpha)^2 - \dfrac{\Delta}{4a} = a\left[(x - \alpha)^2 - \dfrac{\Delta}{4a^2}\right]$.

La factorisation de $(x - \alpha)^2 - \dfrac{\Delta}{4a^2}$ dépend du signe du nombre Δ.

> **▶ DÉFINITION**
>
> Le nombre réel $\boldsymbol{b^2 - 4ac}$, noté Δ, est appelé **discriminant de f**.

b. Résolution de l'équation $ax^2 + bx + c = 0$ avec $a \neq 0$

• **1er cas : $\Delta > 0$**

Pour tout nombre réel x, $f(x) = a\left[(x - \alpha)^2 - \dfrac{\Delta}{4a^2}\right] = a\left(x - \alpha + \dfrac{\sqrt{\Delta}}{2a}\right)\left(x - \alpha - \dfrac{\sqrt{\Delta}}{2a}\right)$.

L'équation $f(x) = 0$ a deux solutions distinctes : $x_1 = \alpha - \dfrac{\sqrt{\Delta}}{2a} = \dfrac{-b - \sqrt{\Delta}}{2a}$ et $x_2 = \alpha + \dfrac{\sqrt{\Delta}}{2a} = \dfrac{-b + \sqrt{\Delta}}{2a}$.

• **2e cas : $\Delta = 0$**

Pour tout nombre réel x, $f(x) = a(x - \alpha)^2$. L'équation $f(x) = 0$ a une seule solution $x_0 = \alpha = -\dfrac{b}{2a}$.

• **3e cas : $\Delta < 0$**

$-\dfrac{\Delta}{4a^2} > 0$ donc pour tout nombre réel x, $(x - \alpha)^2 - \dfrac{\Delta}{4a^2} > 0$. L'équation $f(x) = 0$ n'a pas de solution.

> **▶ PROPRIÉTÉS**

Signe de Δ	$\Delta > 0$	$\Delta = 0$	$\Delta < 0$
Solutions de l'équation $ax^2 + bx + c = 0$	$x_1 = \dfrac{-b - \sqrt{\Delta}}{2a}$ $x_2 = \dfrac{-b + \sqrt{\Delta}}{2a}$	$x_0 = -\dfrac{b}{2a}$	Pas de solution
Courbe représentative de f dans un repère (dans le cas où $a > 0$)			

Vocabulaire

Les solutions de l'équation $f(x) = 0$ sont aussi appelées **racines ou zéros de la fonction polynôme f**.

Dans le cas où $\Delta = 0$, l'unique solution x_0 est appelée **racine double de f** (dans ce cas $x_1 = x_2$).

● Exercice résolu — Résoudre une équation du second degré

4 | Énoncé

1. Dans chaque cas, calculer le discriminant et résoudre l'équation.

a) $2x^2 + 3x - 1 = 0$ **b)** $4 - 12x + 9x^2 = 0$ **c)** $-x^2 + 2x - 5 = 0$

2. Dans chaque cas, résoudre l'équation sans utiliser le discriminant.

a) $-x^2 + 3x = 0$ **b)** $2x^2 - 16 = 0$ **c)** $3x^2 + 12 = 0$

Solution

1. a) Le discriminant est $\Delta = 3^2 - 4 \times 2 \times (-1) = 17$.

$\Delta > 0$ donc l'équation a deux solutions :

$$x_1 = \frac{-3 - \sqrt{17}}{2 \times 2} = \frac{-3 - \sqrt{17}}{4} \quad \text{et} \quad x_2 = \frac{-3 + \sqrt{17}}{2 \times 2} = \frac{-3 + \sqrt{17}}{4}.$$

b) L'équation s'écrit $9x^2 - 12x + 4 = 0$.

Le discriminant est $\Delta = (-12)^2 - 4 \times 9 \times 4 = 0$.

$\Delta = 0$ donc l'équation a une solution unique :

$$x_0 = \frac{-(-12)}{2 \times 9} = \frac{12}{18}, \text{ c'est-à-dire } x_0 = \frac{2}{3}.$$

c) Le discriminant est $\Delta = 2^2 - 4(-1)(-5) = -16$.

$\Delta < 0$ donc l'équation n'a pas de solution.

2. a) $-x^2 + 3x = 0$ équivaut à $x(-x + 3) = 0$.

L'équation a donc deux solutions : $x_1 = 0$ et $x_2 = 3$.

b) $2x^2 - 16 = 0$ équivaut à $x^2 = 8$. L'équation a donc deux solutions :

$$x_1 = \sqrt{8} \text{ et } x_2 = -\sqrt{8}, \text{ c'est-à-dire } x_1 = 2\sqrt{2} \text{ et } x_2 = -2\sqrt{2}.$$

c) Pour tout nombre réel x, $3x^2 \geqslant 0$ donc $3x^2 + 12 > 0$.

L'équation n'a donc pas de solution.

> **Conseils**
>
> • $a = 2$, $b = 3$ et $c = -1$, donc $b^2 - 4ac = 3^2 - 4 \times 2 \times (-1)$.
>
> • Avant de calculer le discriminant, bien veiller à écrire l'équation sous la forme $ax^2 + bx + c = 0$.
>
> • Lorsque l'équation du second degré est de la forme $ax^2 + bx = 0$ ou $ax^2 + c = 0$, il est inutile de calculer le discriminant.

● À votre tour

5 | **1.** Dans chaque cas, calculer le discriminant et résoudre l'équation.

a) $-12 + 11x - 2x^2 = 0$

b) $x^2 + x + 1 = 0$

c) $-4x + 4x^2 + 1 = 0$

2. Dans chaque cas, résoudre l'équation sans utiliser le discriminant.

a) $2x + 7x^2 = 0$

b) $2x^2 + 25 = 0$

c) $-3 + 4(x - 2)^2 = 0$

6 | Dans chaque cas, utiliser une identité remarquable pour résoudre l'équation.

a) $x^2 - 49 = 0$

b) $(x + 3)^2 - (1 - 2x)^2 = 0$

c) $9x^2 - 81 = 0$

7 | Dans chaque cas, conjecturer les solutions de l'équation à l'aide de l'écran de la calculatrice (*fenêtre :* $-10 \leqslant X \leqslant 10$, pas 1 ; $-10 \leqslant Y \leqslant 10$, pas 1), puis résoudre l'équation algébriquement.

a) $-x^2 - 2x + 15 = 0$

b) $7x + 3x^2 = 0$

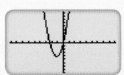

3 Signe d'un trinôme

f est une fonction polynôme de degré 2 définie sur $\mathbb{R}$ par $f(x) = ax^2 + bx + c$ avec $a \neq 0$.

Son discriminant est $\Delta = b^2 - 4ac$.

On dit aussi que **f est un trinôme de degré 2** ou plus simplement que $ax^2 + bx + c$ est un trinôme.

a. Forme factorisée d'une fonction polynôme de degré 2

▶ **PROPRIÉTÉ**

- Si $\Delta > 0$, alors pour tout nombre réel x, $\boldsymbol{f(x) = a(x - x_1)(x - x_2)}$ où x_1 et x_2 sont les racines de f.
- Si $\Delta = 0$, alors pour tout nombre réel x, $\boldsymbol{f(x) = a(x - x_0)^2}$ où x_0 est la racine double de f.

Remarque : si $\Delta < 0$, on ne retient pas de forme factorisée pour $f(x)$.

b. Signe de $ax^2 + bx + c$ avec $a \neq 0$

- **1er cas : $\Delta > 0$**

Pour tout nombre réel x, $ax^2 + bx + c = a(x - x_1)(x - x_2)$.

On obtient le signe de $ax^2 + bx + c$ grâce au tableau suivant (on suppose $x_1 < x_2$).

x	$-\infty$		x_1		x_2		$+\infty$
$x - x_1$		$-$	$\varnothing$	$+$		$+$	
$x - x_2$		$-$		$-$	$\varnothing$	$+$	
$a(x - x_1)(x - x_2)$	**signe de a**		$\varnothing$	**signe de $-a$**	$\varnothing$	**signe de a**	

- **2e cas : $\Delta = 0$**

Pour tout nombre réel x, $ax^2 + bx + c = a(x - x_0)^2$.

Le signe de $ax^2 + bx + c$ est celui de a sauf pour $x = x_0$ où $ax^2 + bx + c$ s'annule.

- **3e cas : $\Delta < 0$**

Pour tout nombre réel x, $ax^2 + bx + c = a\left[\left(x + \dfrac{b}{2a}\right)^2 - \dfrac{\Delta}{4a^2}\right]$ (voir **§2.a.** du cours).

Or $-\dfrac{\Delta}{4a^2} > 0$, donc $\left(x + \dfrac{b}{2a}\right)^2 - \dfrac{\Delta}{4a^2} > 0$ donc le signe de $ax^2 + bx + c$ est celui de a.

▶ **PROPRIÉTÉS**

Signe de Δ	$\Delta > 0$			$\Delta = 0$		$\Delta < 0$	
Signe de $f(x) = ax^2 + bx + c$	$\begin{array}{c} x \\ f(x) \end{array}$	$\begin{array}{cccc} -\infty & x_1 & & x_2 & +\infty \\ \text{signe de } a & \varnothing & \text{signe de } -a & \varnothing & \text{signe de } a \end{array}$		$\begin{array}{cc} x \\ f(x) \end{array}$ $\begin{array}{ccc} -\infty & x_0 & +\infty \\ \text{signe de } a & \varnothing & \text{signe de } a \end{array}$		$\begin{array}{cc} x \\ f(x) \end{array}$ $\begin{array}{cc} -\infty & +\infty \\ \text{signe de } a \end{array}$	
Courbe représentative de f dans un repère	$a > 0$	$a < 0$		$a > 0$ $a < 0$		$a > 0$ $a < 0$	

● **Exercice résolu**   **Étudier le signe d'un trinôme de degré 2**

8 **Énoncé**

f est la fonction définie sur $\mathbb{R}$ par $f(x) = -3x^2 + 4x + 4$.
a) Dresser le tableau de signes de $f(x)$ sur $\mathbb{R}$.
b) En déduire les solutions de l'inéquation $-3x^2 + 4x + 4 \geqslant 0$. Contrôler graphiquement à la calculatrice.

Solution

a) Le discriminant est $\Delta = 4^2 - 4 \times (-3) \times 4 = 64$.
$\Delta > 0$ donc le trinôme $-3x^2 + 4x + 4$ a deux racines :
$$x_1 = \frac{-4 - \sqrt{64}}{2 \times (-3)} = 2 \quad \text{et} \quad x_2 = \frac{-4 + \sqrt{64}}{2 \times (-3)} = -\frac{2}{3}.$$
Sachant que $a = -3$, donc $a < 0$, on peut établir le tableau de signes de $f(x)$.

x	$-\infty$		$-\dfrac{2}{3}$		2		$+\infty$
$f(x)$		$-$	0	$+$	0	$-$	

b) D'après le tableau de signes, les solutions de l'inéquation
$-3x^2 + 4x + 4 \geqslant 0$ sont les nombres réels de l'intervalle $\left[-\dfrac{2}{3}; 2\right]$.

La courbe représentative de f semble bien être au-dessus de l'axe des abscisses entre les racines de f.

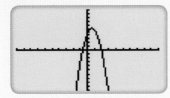

Conseils

● Il faut vérifier l'ordre des racines afin de les placer correctement dans le tableau de signes. Ici, on constate que $x_1 > x_2$.

● Le trinôme est du signe de a, sauf sur l'intervalle $\left[-\dfrac{2}{3}; 2\right]$.

● La courbe représentative de f est tracée à l'écran de la calculatrice avec la fenêtre : $-10 \leqslant X \leqslant 10$, pas 1 ; $-10 \leqslant Y \leqslant 10$, pas 1.

● **À votre tour**

9 f est la fonction définie sur $\mathbb{R}$ par :
$$f(x) = x^2 - 4x + 2.$$
a) Dresser le tableau de signes de f sur $\mathbb{R}$.
b) En déduire les solutions de l'inéquation :
$$x^2 - 4x + 2 \geqslant 0.$$
Contrôler graphiquement à la calculatrice.

10 Dans chaque cas, résoudre l'inéquation donnée, puis contrôler graphiquement à la calculatrice.
a) $2x^2 - 2\sqrt{6}x + 3 \leqslant 0$
b) $-9x^2 + 6x - 1 > 0$

11 Résoudre les inéquations suivantes sans utiliser le discriminant.
a) $x(3 - 5x) < 0$ **b)** $x^2 - 9 \geqslant 0$

12 Un professeur projette au tableau cet écran :

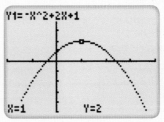

Par lecture graphique, un élève affirme que l'ensemble des solutions de l'inéquation est :
$$]-\infty; x_1[\cup]x_2; +\infty[\text{ avec } x_1 \approx -0,4 \text{ et } x_2 \approx 2,4.$$
a) Quelle était l'inéquation à résoudre ?
b) Résoudre cette inéquation algébriquement.

Résoudre des problèmes

Utiliser une équation du second degré

13 Énoncé

Une photo est encadrée dans un cadre rectangulaire de 40 cm sur 50 cm. L'aire de la photo seule est de 1 344 cm². La largeur de la bordure du cadre est uniforme. Déterminer cette largeur.

Solution

• **Mathématisation**

x désigne la largeur en cm de la bordure du cadre.
La largeur de la photo est donc $40 - 2x$ et sa longueur $50 - 2x$.
On cherche donc un nombre réel positif x tel que :
$$(40 - 2x)(50 - 2x) = 1\,344.$$

• **Résolution**

On développe le membre de gauche ; l'équation s'écrit :
$$2\,000 - 80x - 100x + 4x^2 = 1\,344,$$
ce qui équivaut à :
$$4x^2 - 180x + 656 = 0$$
$$4(x^2 - 45x + 164) = 0$$
$$x^2 - 45x + 164 = 0$$
Le discriminant est $\Delta = (-45)^2 - 4 \times 1 \times 164 = 1\,369$.
$\Delta > 0$ donc l'équation a deux solutions :
$$x_1 = \frac{-(-45) - \sqrt{1\,369}}{2} = 4 \quad \text{et} \quad x_2 = \frac{-(-45) + \sqrt{1\,369}}{2} = 41.$$

• **Conclusion :** la solution $x_2 = 41$ ne convient pas dans le contexte du problème car elle est supérieure à la largeur totale du cadre. La largeur de la bordure du cadre est donc de 4 cm.

Conseils

• La première étape de la résolution consiste à choisir l'inconnue, souvent appelée x. On utilise ensuite cette inconnue pour mettre en équation le problème.

• Avant de calculer le discriminant, on peut penser à mettre 4 en facteur, puis simplifier.

À votre tour

14 Un fabricant produit des sets de table rectangulaires qui mesurent 24 cm sur 36 cm.
Il crée un nouveau modèle plus grand, en ajoutant une bordure de largeur uniforme.

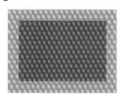

Il obtient ainsi des sets qui ont une aire deux fois plus grande que les anciens modèles.
Trouver les dimensions de ces nouveaux sets de table.

15 Une piscine rectangulaire de 4 m sur 8 m est installée sur une terrasse rectangulaire de 92,16 m². La position de la piscine sur la terrasse est donnée par le schéma ci-dessous.

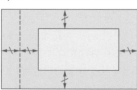

La distance entre la piscine et le bord de la terrasse est uniforme en haut, en bas et à droite, mais double à gauche.
Déterminer cette distance à droite de la piscine.

Problème résolu   Résoudre un problème du type $ax^2 + bx + c \geqslant 0$

16 **Énoncé**

L'évolution des ventes de souris d'ordinateur dans une ville peut être modélisée par une fonction f qui au nombre x de souris, en milliers, vendues un certain jour, associe le nombre de souris, en milliers, vendues le jour suivant.

La fonction f est définie sur l'intervalle $[0\,;2]$ par :

$$f(x) = 1{,}8x(2 - x).$$

Selon ce modèle, combien faut-il vendre de souris d'ordinateur un jour donné pour en vendre plus de 1 350 le lendemain ?

Solution

• **Mathématisation**

$f(x)$ est exprimé en milliers.

On cherche donc x, en milliers, tel que $f(x) \geqslant 1{,}35$.

Il faut donc résoudre l'inéquation $1{,}8x(2 - x) \geqslant 1{,}35$.

• **Résolution**

L'inéquation $1{,}8x(2 - x) \geqslant 1{,}35$ équivaut à $-1{,}8x^2 + 3{,}6x - 1{,}35 \geqslant 0$.

Le discriminant du trinôme $-1{,}8x^2 + 3{,}6x - 1{,}35$ est :

$$\Delta = 3{,}6^2 - 4 \times (-1{,}8) \times (-1{,}35) = 3{,}24$$

$\Delta > 0$ donc l'équation $-1{,}8x^2 + 3{,}6x - 1{,}35 = 0$ a deux solutions :

$$x_1 = \frac{-3{,}6 - \sqrt{3{,}24}}{2 \times (-1{,}8)} = 1{,}5 \quad \text{et} \quad x_2 = \frac{-3{,}6 + \sqrt{3{,}24}}{2 \times (-1{,}8)} = 0{,}5.$$

On étudie le signe du trinôme $-1{,}8x^2 + 3{,}6x - 1{,}35$ sur l'intervalle $[0\,;2]$.

x	0		0,5		1,5		2
$-\mathbf{1{,}8}x^2 + \mathbf{3{,}6}x - \mathbf{1{,}35}$		$-$	0	$+$	0	$-$	

Conseils

• Il faut transformer l'équation pour la mettre sous la forme $ax^2 + bx + c \geqslant 0$ ou $ax^2 + bx + c \leqslant 0$.

• Après avoir établi le tableau de signes, il ne faut pas oublier de donner l'ensemble des solutions de l'inéquation.

L'ensemble des solutions de l'inéquation $-1{,}8x^2 + 3{,}6x - 1{,}35 \geqslant 0$ est donc l'intervalle $[0{,}5\,;1{,}5]$.

• **Conclusion :** d'après le modèle des ventes retenu, il faut vendre entre 500 et 1 500 souris d'ordinateur un jour donné pour en vendre plus de 1 350 le lendemain.

À votre tour

17 Une entreprise produit et commercialise x centaines d'objets. La différence entre la recette et le coût de production est donnée, en centaines d'euros, par la fonction B définie sur l'intervalle $[0\,;50]$ par :

$$B(x) = 0{,}1x^2 - 2x - 10$$

Dans quel intervalle doit se situer la production pour que l'entreprise réalise un bénéfice, c'est-à-dire que $B(x) > 0$?

18 Durant l'été, des enfants souhaitent planter un drapeau sur la pente d'une dune à au moins 200 m au-dessus du niveau de la mer.

L'altitude, en m, à laquelle se trouvent les enfants est donnée en fonction de leur distance x, en m, à la mer par la fonction g définie par $g(x) = -\dfrac{1}{1\,600}x^2 + x$.

Déterminer la distance à la mer à partir de laquelle le drapeau peut être planté.

Problème résolu — Coder et tester un algorithme

19 Énoncé

Voici un algorithme de résolution de l'équation $ax^2 + bx + c = 0$ avec $a \neq 0$.

1. Recopier et compléter cet algorithme.

2. Coder cet algorithme dans le langage de la calculatrice.

3. Résoudre chacune des équations suivantes algébriquement, puis avec le programme.

a) $4x^2 + 8x - 5 = 0$

b) $-3x^2 - x + 2 = 0$

Variables :	a, b, c, d, x, y sont des nombres réels
Entrées :	Saisir a, b, c
Traitement et sorties :	Affecter à d la valeur $b^2 - 4ac$
	Afficher d
	Si $d > 0$ alors
	Affecter à x la valeur ... **(1)**
	Affecter à y la valeur ... **(2)**
	Afficher x, y
	Fin Si
	Si $d = 0$ alors
	Affecter à x la valeur ... **(3)**
	Afficher x
	Fin Si
	Si ... alors **(4)**
	Afficher «Pas de solution»
	Fin Si

Solution

1. On complète les lignes de l'algorithme de la façon suivante :

(1) $\dfrac{-b + \sqrt{d}}{2a}$ **(2)** $\dfrac{-b - \sqrt{d}}{2a}$ **(3)** $-\dfrac{b}{2a}$ **(4)** $d < 0$

2. L'algorithme est traduit ci-contre dans les langages des calculatrices.

3. a) $\Delta = 8^2 - 4 \times 4(-5) = 144$

Donc l'équation a deux solutions :

$$\dfrac{-8 + 12}{8} = \dfrac{1}{2}$$

$$\dfrac{-8 - 12}{8} = -\dfrac{5}{2}$$

La calculatrice affiche les mêmes valeurs.

b) $\Delta = (-1)^2 - 4(-3) \times 2 = 25$

Donc l'équation a deux solutions :

$$\dfrac{-(-1) + 5}{-6} = -1$$

$$\dfrac{-(-1) - 5}{-6} = \dfrac{2}{3}$$

La calculatrice affiche une valeur approchée de l'une des solutions et la valeur exacte de l'autre.

Casio   **TI**

```
======DEGRE 2 ======
"A=":?→A↵
"B=":?→B↵
"C=":?→C↵
B²-4×A×C→D↵
D↵
If D>0↵
Then ↵
(-B+√D)÷(2×A)→X↵
(-B-√D)÷(2×A)→Y↵
X↵
Y↵
IfEnd↵
If D=0↵
Then ↵
-B÷(2×A)→X↵
X↵
IfEnd↵
If D<0↵
Then ↵
"PAS DE SOLUTION"↵
IfEnd↵
"FIN DU PROGRAMME"↵
```

```
PROGRAM:DEGDEUX
:Prompt A
:Prompt B
:Prompt C
:B²-4*A*C→D
:Disp D
:If D>0
:Then
:(-B+√(D))/(2*A)
→X
:(-B-√(D))/(2*A)
→Y
:Disp X
:Disp Y
:End
:If D=0
:Then
:-B/(2*A)→X
:Disp X
:End
:If D<0
:Then
:Disp "PAS DE SO
LUTION"
:End
:Disp "FIN DU PR
OGRAMME"
```

À votre tour

20 Dans le programme de l'exercice **19**, on souhaite afficher, de plus, «Deux solutions distinctes» et «Une seule solution».

Effectuer les modifications nécessaires.

21 Écrire un algorithme avec pour entrées trois nombres réels a, b, c, avec a non nul, qui affiche l'ensemble des solutions de l'inéquation $ax^2 + bx + c > 0$.

22 Un algorithme d'Al-Khwarizmi

Objectif

Découvrir d'autres méthodes de résolution.

Au début du IXe siècle, le mathématicien arabe Al-Khwarizmi propose des algorithmes pour résoudre certaines équations du second degré. Il n'utilise à l'époque que des nombres positifs et classifie donc les équations en trois types différents : $x^2 + bx = c$, $x^2 = ax + b$ et $x^2 + a = bx$ (avec a, b, c, x positifs).

On s'intéresse au problème d'Al-Khwarizmi : « Que le carré et dix racines égalent trente-neuf unités ».

La « racine » représente le nombre cherché et dont on considère le carré.

Cette équation s'écrit de nos jours $x^2 + 10x = 39$. On se propose d'étudier plusieurs méthodes de résolution.

1 Avec la géométrie

Pour Al-Khwarizmi, résoudre l'équation $x^2 + 10x = 39$ revenait à trouver la longueur x telle que l'aire du rectangle ACDF ci-contre soit égale à 39.

Pour cela, il découpait le rectangle BCDE en deux rectangles de dimensions 5 et x, puis il construisait le carré ci-contre.

a) À l'aide de ces figures, expliquer pourquoi résoudre l'équation $x^2 + 10x = 39$ revient à résoudre l'équation $(x + 5)^2 = 39 + 25$.

b) Résoudre la nouvelle équation sans utiliser le discriminant.

c) Conclure sur la longueur trouvée par Al-Khwarizmi avec cette méthode.

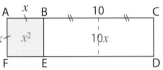

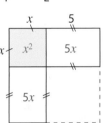

2 Avec un programme de calcul

Pour les équations du type $x^2 + bx = c$, Al-Khwarizmi donne un programme de calcul qui revient à calculer successivement :

$$\bullet \frac{b}{2} \qquad \bullet \left(\frac{b}{2}\right)^2 \qquad \bullet \left(\frac{b}{2}\right)^2 + c \qquad \bullet \sqrt{\left(\frac{b}{2}\right)^2 + c} - \frac{b}{2}$$

Appliquer ce programme à l'équation $x^2 + 10x = 39$ et vérifier que la valeur obtenue est bien la solution.

3 Avec un algorithme

Recopier et compléter l'algorithme suivant, qui donne une version moderne du programme de calcul précédent.

Variables :	b, c, x sont des nombres réels
Entrées :	Saisir b, c
Traitement :	Affecter à x la valeur $\dfrac{b}{2}$
	Affecter à x la valeur x^2
	Affecter à x la valeur $x + \ldots$
	Affecter à x la valeur $\sqrt{x} - \ldots$
Sortie :	Afficher x

4  **Travailler en autonomie** **Compte-rendu**

a) Résoudre l'équation $x^2 + 10x = 39$ avec la méthode du discriminant. Que remarque-t-on ?

b) Résoudre l'équation $x^2 + bx = c$ avec la méthode du discriminant.

Vérifier que l'expression obtenue pour la solution positive est bien la même que celle obtenue par le programme d'Al-Khwarizmi présenté à la question **2**.

23 Efficacité d'une campagne publicitaire

Objectif

Étudier l'effet de la variation d'un paramètre.

Une société numérise des photos et des films sur DVD. Chaque DVD est vendu 30 €.

Le coût de réalisation de x centaines de DVD est donné, en milliers d'euros, par la fonction C définie par :

$$C(x) = -0,06x^2 + 1,8x + 1,26.$$

La société décide de faire appel à une agence publicitaire. Cette agence lui assure que chaque millier d'euros investi fera vendre 50 DVD en plus.

On se propose de savoir si cette offre est intéressante pour la société.

Dans tout l'exercice, les résultats seront si nécessaire arrondis au millième pour les sommes en milliers d'euros, et au centième pour les quantités en centaines.

1 **Étude de la situation sans campagne publicitaire**

a) Justifier que le bénéfice réalisé par l'entreprise est donné par la fonction B définie par :

$$B(x) = 0,06x^2 + 1,2x - 1,26.$$

b) La société est à l'équilibre, c'est-à-dire qu'elle réalise un bénéfice nul.

En déduire le nombre de DVD qu'elle produit.

2 **Étude de l'offre de campagne publicitaire**

a) Pour chaque millier d'euros dépensé, quel est le gain attendu sur la recette ?

Cela couvre-t-il les frais de publicité ?

b) La société envisage d'investir deux milliers d'euros dans cette campagne publicitaire, pour vendre 100 DVD supplémentaires.

Exprimer alors, en milliers d'euros et en fonction de x, le bénéfice réalisé $B_2(x)$.

c) Dans ce cas, combien la société doit-elle vendre de DVD pour être à l'équilibre ? Arrondir à l'unité.

3 **Étude du seuil de rentabilité**

a) Vérifier que le bénéfice réalisé après un investissement de a milliers d'euros dans cette campagne publicitaire est donné, en fonction de x, par la fonction B_a définie par $B_a(x) = 0,06x^2 + 1,2x - 1,26 - a$.

b) À l'aide d'un logiciel de calcul formel, on a résolu l'équation $B_a(x) = 0$ pour exprimer le seuil de rentabilité en fonction de a. Laquelle des deux valeurs affichées est la solution adéquate ?

> Résoudre(0.06x²+1.2x-1.26-a=0)
>
> 1
> ○ → $\left\{ x = \dfrac{\sqrt{50\,a + 363} - 10\sqrt{3}}{\sqrt{3}}, x = \dfrac{-\sqrt{50\,a + 363} - 10\sqrt{3}}{\sqrt{3}} \right\}$

c) Justifier que, si l'affirmation de l'agence publicitaire est vraie, et si l'on part de la situation initiale à l'équilibre, les ventes réalisées après la campagne publicitaire devraient s'élever à $1 + 0,5a$.

d) À l'aide de la calculatrice, comparer en fonction de a le seuil de rentabilité et les ventes réalisées après la campagne.

4 Travailler en autonomie **Compte-rendu**

À la lumière des éléments précédents, rédiger un rapport sur l'efficacité de cette offre de campagne publicitaire, du point de vue de la société.

Fonctions polynômes de degré 2

Questions rapides

24 Présenter chaque expression sous la forme $ax^2 + bx + c$ et donner les valeurs des coefficients a, b et c.

a) $x + 3x^2 - 2$ **b)** $5 - 4x^2$

c) $3x - x^2$ **d)** $x(x + 2) - 3$

25 Dans chaque cas, l'expression peut s'écrire sous la forme $ax^2 + bx + c$.
Déterminer mentalement la valeur de a.

a) $-2x(1 + 3x) + 4$ **b)** $(2x + 1)(7 - 5x)$

c) $3x^2 - 2(x + 3)^2$ **d)** $(x - 3)x + 3(x + 1)(x - 2)$

26 f est la fonction polynôme de degré 2 définie sur $\mathbb{R}$ par $f(x) = 2x^2 - 12x + 5$.
Reconnaître mentalement, parmi les expressions suivantes, celle qui est sa forme canonique.

a) $2(x + 3)^2 - 5$ **b)** $2\left(x + \dfrac{1}{2}\right)^2 + 5$

c) $-2(x + 1)^2 + 4$ **d)** $2(x - 3)^2 - 13$

27 $\mathscr{P}$ est la parabole représentative dans un repère d'une fonction polynôme de degré 2.
Son sommet est S et A est un point de $\mathscr{P}$.
Dans chaque cas, donner les coordonnées d'un troisième point de la parabole $\mathscr{P}$.

a) $S(2 ; 5)$ et $A(7 ; -2)$

b) $S(-2 ; 3)$ et $A(4 ; 5)$

c) $S(1,5 ; 0)$ et $A(-3 ; 4)$

28 Dans chaque cas, dire si la fonction admet un maximum ou un minimum.
Donner mentalement cet extremum et la valeur de x pour lequel il est atteint.

a) $f(x) = -2(x + 3)^2 - 1$

b) $g(x) = 3(x - 1)^2 + 4$

c) $h(x) = 4x^2 - 3$

d) $k(x) = -5(x - 1)^2 + 2$

29 Développer et réduire mentalement chaque expression.

a) $2(x + 1)^2 - 5$ **b)** $(x - 2)(x + 3)$

c) $-3(x - 1)(x + 2)$ **d)** $3(x - 1)^2 + 2$

30 Développer et réduire chaque expression. Préciser celles qui sont du second degré.

a) $\dfrac{1}{2}\left(x + \dfrac{1}{2}\right)^2 - \dfrac{1}{2}$ **b)** $x^2 - (x + 1)^2$

c) $\left(x + \dfrac{2}{3}\right)\left(\dfrac{3}{2}x - 1\right)$ **d)** $\left(x + \dfrac{2}{5}\right)\left(x - \dfrac{2}{5}\right)$

31 Associer chaque fonction à sa courbe représentative dans le repère ci-dessous.

a) $f(x) = x^2 - 1$ **b)** $g(x) = (x + 1)^2 - 1$

c) $h(x) = (x - 1)^2 - 1$

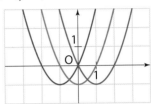

32 Violette a cherché la forme canonique d'une fonction du second degré à l'aide d'un logiciel de calcul formel. Mais elle a fermé la fenêtre trop rapidement, et ne se souvient que du début de l'affichage :

> 1 FormeCanonique[-x²+8x-15]
> o → $-(x - 4)^2$

Retrouver le terme manquant.

33 f est la fonction polynôme de degré 2 définie sur $\mathbb{R}$ par $f(x) = \dfrac{1}{2}x^2 - 4x + 1$.
Recopier et compléter pour tout nombre réel x,

$$f(x) = \dfrac{1}{2}(x - \ldots)^2 - \ldots$$

34 f est la fonction polynôme de degré 2 définie sur $\mathbb{R}$ par $f(x) = 2x^2 + 12x + 13$.
a) Résoudre l'équation $f(x) = 13$.
b) En déduire les coordonnées du sommet de la parabole représentative de f dans un repère.
c) En déduire la forme canonique de f.

35 f est la fonction polynôme de degré 2 définie sur $\mathbb{R}$ par $f(x) = -3x^2 + 6x + 1$.
a) Avec la calculatrice, tabuler la fonction f de -5 et 5 avec le pas 1.
b) En déduire les coordonnées du sommet de la parabole représentative de f dans un repère.
c) En déduire la forme canonique de f.

36 g est la fonction polynôme de degré 2 définie sur $\mathbb{R}$ par $f(x) = 4x^2 - 12x + 9$.

a) Afficher la courbe représentative de g à l'écran de la calculatrice.

b) Conjecturer, par lecture graphique, la forme canonique de g. Vérifier cette conjecture par le calcul.

37 Voici la courbe représentative d'une fonction polynôme f de degré 2.

Utiliser le graphique pour donner la forme canonique de f.

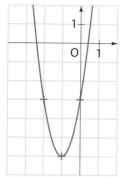

38 Hugo utilise un logiciel de calcul formel pour obtenir la forme canonique de la fonction f définie sur $\mathbb{R}$ par $f(x) = 0{,}25x^2 + 1{,}5x + 2{,}25$.

> FormeCanonique[0.25x²+1.5x+2.25]
>
> $\dfrac{1}{4}(x+3)^2$

Hugo est surpris car il a obtenu une forme factorisée. Commenter ce résultat.

39 Voici le tableau de variation d'une fonction polynôme f de degré 2.

x	$-\infty$		3		$+\infty$
$f(x)$		↗	1	↘	

Parmi les quatre expressions suivantes, laquelle peut être la forme canonique de f ?

a) $f(x) = (x - 3)^2 + 1$ **b)** $f(x) = -\dfrac{1}{2}(x - 1)^2 + 3$

c) $f(x) = -2(x - 3)^2 + 1$ **d)** $f(x) = (x - 1)^2 + 3$

40 Voici le tableau de variation d'une fonction polynôme f de degré 2.

x	$-\infty$		-2		$+\infty$
$f(x)$		↘	1	↗	

Sachant que $f(0) = 9$, déterminer la forme canonique de f.

41 Dans chaque cas, dresser le tableau de variation de la fonction.

a) $f(x) = 2(x - 5)^2 - 3$ **b)** $g(x) = -(x + 1)^2 + 2$

c) $h(x) = -3(x - 4)^2 + 1$

42 À Terrassa, en Catalogne, la Masia Freixa est une ancienne fabrique textile, remodelée par l'architecte Lluis Muncunill. On retrouve l'influence de Gaudí dans la profusion de formes paraboliques.

Dans un repère, on peut modéliser une de ces arches par un arc de la parabole représentative de la fonction f définie sur l'intervalle $[0\,;11]$ par :

$$f(x) = 2{,}2x - 0{,}2x^2.$$

L'unité de longueur est le mètre.

a) Les points de contact entre l'arche et le sol sont les points tels que $f(x) = 0$.

En déduire la largeur de l'arche au sol.

b) Déterminer les coordonnées du sommet de l'arche, puis en déduire la forme canonique de f.

43 Dans un parc de jeux d'eau, les jets sortant d'un axe cylindrique percé décrivent des arcs de paraboles. Deux jets particuliers situés dans un même plan vertical sortent à 14 dm et 16 dm du sol, puis terminent leur course respectivement à 10 dm et 5 dm du pied de l'axe, comme indiqué sur la figure ci-dessous.

 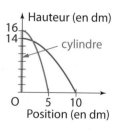

a) Justifier, sans calcul, que chacune des deux paraboles représente une fonction de la forme $x \mapsto ax^2 + \beta$.

b) Dans chaque cas, déterminer a et β.

c) À quelle hauteur les deux jets d'eau se croisent-ils ?

Équations du second degré

44 Dans chaque cas, dire si le nombre m proposé est une solution de l'équation.
a) $3x^2 + 2x + 1 = 0$ et $m = 0$.
b) $-3x^2 + 2x + 1 = 0$ et $m = 1$.
c) $(x + 1)^2 - 1 = 0$ et $m = -1$.
d) $x^2 - 5x + 6 = 0$ et $m = 2$.

45 Chaque courbe représente une fonction polynôme f de degré 2.
Dans chaque cas, donner le signe du discriminant de f.

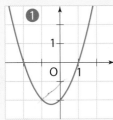

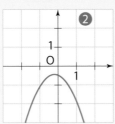

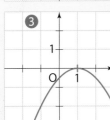

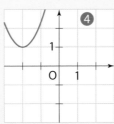

46 Dans chaque cas, donner, sans les calculer, le nombre de solutions de l'équation, puis le signe du discriminant.
a) $(5x - 2)(7 - 3x) = 0$ **b)** $x^2 + 1 = 0$
c) $(x + 4)^2 = 0$ **d)** $5(x + 1)^2 - 18 = 0$

Pour les exercices **47** à **51**, résoudre chaque équation proposée.

47 **a)** $2x^2 + 9x + 10 = 0$ **b)** $2x^2 + 3x - 2 = 0$

48 **a)** $3t^2 + t = 2$ **b)** $4x^2 + 49 = 28x$

49 **a)** $6a - a^2 - 14 = 0$ **b)** $\sqrt{5}x^2 - 10x + 5\sqrt{5} = 0$

50 **a)** $10x^2 - 13x - 3 = 0$ **b)** $u^2 + u + 1 = 0$

51 **a)** $x^2 - 2x - 2 = 0$ **b)** $\dfrac{1}{2}x^2 + 3 - \dfrac{1}{3} = 0$

52 Dans chaque cas, résoudre l'équation, puis vérifier à l'aide de la calculatrice graphique.
a) $2(x + 1)^2 - 2x - 6 = 0$
b) $8x^2 + \dfrac{33}{2} + 4x = 0$

53 f est la fonction polynôme de degré 2 définie sur $\mathbb{R}$ par $f(x) = x^2 + 0,5x - 0,375$.
a) Utiliser la calculatrice pour conjecturer graphiquement le nombre de solutions de l'équation $f(x) = 0$ et des valeurs approchées de ces solutions.
b) Résoudre algébriquement l'équation $f(x) = 0$. Arrondir ces solutions au centième.

54 f est la fonction polynôme de degré 2 définie sur $\mathbb{R}$ par $f(x) = -x^2 + 6x - 14$.
Dans chaque cas, résoudre l'équation proposée.
a) $f(x) = 0$ **b)** $f(x) = -6$ **c)** $f(x) = -10$

55 f et g sont les fonctions définies sur $\mathbb{R}$ par :
$f(x) = 3x^2 + 3x - 10$ et $g(x) = 2x^2 - 2x + 4$.
a) Résoudre l'équation $f(x) = g(x)$.
b) En déduire les coordonnées des points d'intersection des courbes représentatives de f et g dans un repère.

56 f est une fonction polynôme de degré 2 de discriminant Δ.
Dans un repère, tracer, lorsque c'est possible, une parabole représentant f dont le sommet a pour coordonnées $(\alpha\,;\beta)$.
a) $\Delta > 0$, $\alpha = 1$, $\beta = -2$
b) $\Delta > 0$, $\alpha = -2$, $\beta = 3$
c) $\Delta < 0$, $\alpha = 1$, $\beta = 0$
d) $\Delta < 0$, $\alpha = -1$, $\beta = -\dfrac{5}{2}$
e) $\Delta = 0$, $\alpha = 2$, $\beta = 0$
f) $\Delta = 0$, $\alpha = -1$, $\beta = 4$

57 Les équations suivantes sont de la forme $ax^2 + bx + c = 0$.
(1) $7x^2 - 13x - 15 = 0$
(2) $-21x^2 + 7x + 36 = 0$
(3) $x^2 + 5x + 7 = 0$
(4) $5x^2 + 4x - 5 = 0$
a) Résoudre chaque équation.
b) Dans chaque cas, calculer le produit ac.
Conjecturer une condition suffisante pour que l'équation ait deux solutions.

58 Un artiste doit réaliser sur le mur d'un immeuble, une œuvre de 114 m². Il souhaite construire son œuvre comme illustré ci-contre avec un carré de côté x mètres et une bande rectangulaire de largeur 2,5 m.

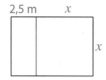

Quelle dimension x, en mètres, doit-il choisir ? Arrondir au centième.

59 La trajectoire du ballon dégagé par un gardien de but est modélisée dans un repère par un arc de parabole.

La parabole représente la fonction f définie par :

$$f(x) = -\frac{x^2}{32} + x.$$

a) À quelle distance du gardien le ballon retombe-t-il ?
b) Quelle est la hauteur maximale atteinte par le ballon ?

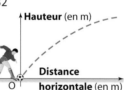

60 On dit qu'un rectangle ABCD est un rectangle d'or lorsque, avec les notations du schéma ci-contre, où ABFE est un carré,

$$\frac{AB}{BC} = \frac{FC}{CD}. \quad (1)$$

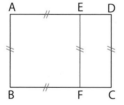

On pose AB = 1 et BC = x avec x nombre réel strictement positif.

a) Exprimer CD et FC en fonction de x.
b) Exprimer à l'aide de x la condition **(1)**.
c) Utiliser l'égalité des produits en croix pour montrer que la condition **(1)** est équivalente à une équation du second degré.
d) Quelle doit être la valeur de x pour que ABCD soit un rectangle d'or ? Cette valeur est appelée nombre d'or.

61 Un épargnant a placé 20 000 € sur un compte rémunéré.

La première année, le taux de rémunération est de t % (t nombre réel positif), et les intérêts sont ajoutés au solde du compte. La seconde année, le taux est majoré et devient $(t + 1)$ %.

Sachant qu'à la fin de la seconde année, l'épargnant a 20 807,50 € sur son compte, trouver la valeur de t.

Signe d'un trinôme

62 Voici la courbe représentative d'une fonction polynôme f de degré 2 affichée à l'écran d'une calculatrice (*fenêtre* : $-2 \leqslant X \leqslant 4$, pas 1 ; $-5 \leqslant Y \leqslant 5$, pas 1).

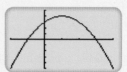

Parmi les propositions suivantes, choisir l'expression qui convient pour $f(x)$.
a) $f(x) = (x + 1)(x - 3)$
b) $f(x) = -(x + 1)(x - 3)$
c) $f(x) = -(x - 1)(x - 3)$

63 Associer à chaque courbe le tableau de signes qui convient.

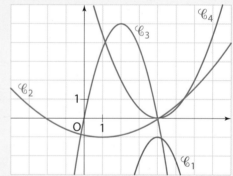

x	$-\infty$		-2		4		$+\infty$
$f_1(x)$		+	0	−	0	+	

x	$-\infty$		4		$+\infty$
$f_2(x)$		+	0	+	

x	$-\infty$		0		4		$+\infty$
$f_3(x)$		−	0	+	0	−	

x	$-\infty$		$+\infty$
$f_4(x)$		−	

64 Dans chaque cas, donner mentalement le signe de l'expression.
a) $3(x - 2)^2 + 1$ **b)** $-(x - 1)^2 - 5$
c) $\frac{1}{3}(x - 5)^2$ **d)** $-2(x + 5)^2 - 1$

65 Dans chaque cas, décrire le signe du trinôme de degré 2, dont les racines x_1 et x_2 sont données.
a) $x^2 - 5x + 6$, $x_1 = 2$ et $x_2 = 3$
b) $x^2 + 3x - 4$, $x_1 = -4$ et $x_2 = 1$

66 Dans chaque cas, donner, sans utiliser le discriminant, le signe de l'expression et préciser les éventuelles racines.

a) $-4x^2 - 1$ **b)** $-4(x-1)^2$ **c)** $2(x-3)^2$

67 $\mathscr{C}$ est la courbe représentative d'une fonction polynôme f de degré 2 dans le repère ci-contre.
À l'aide du graphique, déterminer la forme factorisée de f.

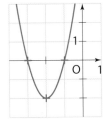

68 Dans un repère, $\mathscr{C}$ est la courbe représentative d'une fonction polynôme f de degré 2.

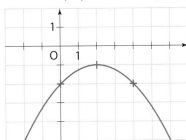

a) Utiliser le graphique pour donner la forme canonique de la fonction f.
b) Pourquoi est-il impossible d'obtenir une forme factorisée pour f ?

69 f et g sont les fonctions définies sur $\mathbb{R}$ par :
$$f(x) = 2x^2 + 2x - 12 \quad \text{et} \quad g(x) = -8x^2 + 40x - 50.$$
a) Représenter chaque fonction à l'écran de la calculatrice et conjecturer ses racines.
b) En déduire une factorisation de chaque trinôme, puis vérifier en la développant.

70 Dans chaque cas, factoriser l'expression sans utiliser le discriminant.

a) $2x - 6x^2$ **b)** $18 - 2x^2$
c) $4x^2 - 20x + 25$ **d)** $x^2 - 1 + x(x+1)$

Pour les exercices **71** et **72**, donner lorsque c'est possible, la forme factorisée de chaque expression.

71 **a)** $-3x^2 + 2x + 1$ **b)** $u^2 + 2u + 9$

72 **a)** $-\dfrac{1}{2}x - 1 + \dfrac{1}{16}x^2$ **b)** $0,25t^2 + 0,75t + 0,5$

73 f est la fonction définie sur $\mathbb{R}$ par :
$$f(x) = (2x+1)(x-2).$$
a) Jérôme affirme : « Je connais immédiatement les solutions de l'équation $f(x) = 0$ ».
Expliquer son affirmation.
b) Jenny affirme : « Je sais dresser le tableau de signes de $f(x)$ sans développer et sans calculer le discriminant ». Procéder comme Jenny pour dresser le tableau de signes de $f(x)$.

74 Sans utiliser le discriminant, déterminer les racines de chaque trinôme, puis étudier son signe.

a) $-3(x+2)(x-7)$ **b)** $5(1-x)(x+8)$
c) $4(2-x)(11-x)$ **d)** $\dfrac{1}{3}\left(x - \dfrac{1}{2}\right)\left(x + \dfrac{3}{4}\right)$

Pour les exercices **75** et **76**, étudier le signe de chaque trinôme.

75 **a)** $-x^2 + 2x - 24$ **b)** $t^2 + 1,5t - 1,6$

76 **a)** $7y^2 + y - 8$ **b)** $u^2 + u\sqrt{2} - 4$

77 Développer, réduire, puis étudier le signe de chaque expression.

a) $(x+2)^2 - 3(x^2 - x) + 11$ **b)** $(6+x)(1-x) + 8$

Pour les exercices **78** et **79**, résoudre chaque inéquation.

78 **a)** $(x-3)(x+1) > 0$ **b)** $t^2 - 7t + 12 > 0$
c) $-x^2 + 7x - 6 \geqslant 0$ **d)** $3u^2 - 5u + 3 \leqslant 0$

79 **a)** $-2a^2 + 13a > 15$ **b)** $x^2 + 2,1 \leqslant 3,52$
c) $10x^2 + 0,1 > -2x$ **d)** $t^2 + \dfrac{13}{16} \leqslant \dfrac{1}{2}t$

80 f est une fonction polynôme de degré 2 dont les trois expressions sont indiquées ci-dessous.

Forme développée	$f(x) = 3x^2 + 3x - 60$
Forme canonique	$f(x) = 3\left(x + \dfrac{1}{2}\right)^2 - \dfrac{243}{4}$
Forme factorisée	$f(x) = 3(x-4)(x+5)$

Choisir l'expression la plus appropriée pour résoudre chaque inéquation.

a) $f(x) \leqslant 0$ **b)** $f(x) \geqslant -60$ **c)** $f(x) \geqslant -\dfrac{243}{4}$

81 Dans un repère, $\mathscr{P}$ est la parabole représentant la fonction f définie sur $\mathbb{R}$ par :
$$f(x) = -5x^2 + 14x + 12.$$
et d est la droite d'équation $y = 4,7x + 4$.
a) Déterminer les coordonnées des points d'intersection de la parabole et de la droite.
b) Étudier la position relative de la droite d et de la parabole $\mathscr{P}$.

82 Dans un repère, $\mathscr{P}_1$ et $\mathscr{P}_2$ sont les courbes représentatives des fonctions f et g définies par :
$$f(x) = 3x^2 + 5x - 4 \quad \text{et} \quad g(x) = 2x^2 - 7x + 9.$$
a) Déterminer les coordonnées des points d'intersection éventuels des deux courbes.
b) Étudier la position relative des deux courbes.

83 Une entreprise fabrique x dizaines d'objets par jour. Son bénéfice, exprimé en centaines d'euros, est donné par la fonction B définie sur l'intervalle $[0\,;10]$ par $B(x) = -2x^2 + 12x - 10$.
a) Dresser le tableau de signes de la fonction B sur l'intervalle $[0\,;10]$.
b) En déduire les quantités produites pour lesquelles l'activité de l'entreprise est rentable, c'est-à-dire pour lesquelles le bénéfice est positif.

84 *objectif Bac* **Étude d'une fonction coût**
Une entreprise produit de la pâte à papier.
On note q la masse de pâte produite, exprimée en tonnes, avec $q \in [0\,;60]$.

Le coût total de production, en euros, pour une quantité produite q est $C(q) = q^2 + 632q + 1\,075$. L'entreprise vend toute sa production à un prix à la tonne fixe. L'activité est à l'équilibre pour la production et la vente de 25 tonnes de pâte.
a) Déterminer le prix de vente à la tonne.
b) En déduire l'expression du bénéfice en fonction de q.
c) Dans quel intervalle doit se situer la production pour que l'activité soit rentable ?

Sans intermédiaire

85 Dans une pièce sont archivés des livres anciens. Pour que les livres ne se dégradent pas, on contrôle la température, mesurée en degrés Celsius.

Au cours d'une journée, l'évolution de la température peut être modélisée, en fonction du temps t exprimé en heures, par la fonction f définie sur l'intervalle $[0\,;24]$ par :
$$f(t) = -0,01t^2 + 0,24t + 1,72.$$
En dessous de 3 °C, un chauffage se déclenche pour protéger les livres.
Déterminer les heures de la journée durant lesquelles le chauffage a fonctionné.

S'entraîner à la logique

86 **Implication et réciproque**
f est une fonction polynôme de degré 2 de la forme $x \mapsto ax^2 + bx + c$ (avec $a \neq 0$) et de discriminant Δ.
1. Pour chaque implication, indiquer si elle est vraie ou fausse. Donner un contre-exemple pour chaque implication fausse.
a) Si pour tout nombre réel x, $f(x) > 0$, alors $\Delta < 0$.
b) Si $\Delta \geqslant 0$, alors l'équation $f(x) = 0$ admet deux solutions distinctes.
c) Si $ac < 0$, alors $\Delta > 0$.
2. Énoncer la réciproque de chaque implication, puis indiquer si elle est vraie ou fausse.

87 **Quantificateur universel**
f est une fonction polynôme de degré 2 dont voici le tableau de signes.

x	$-\infty$		-3		$1,5$		$+\infty$
$f(x)$		$+$	0	$-$	0	$+$	

Dans chaque cas, dire si l'affirmation est vraie ou fausse. Justifier.
a) Tous les nombres inférieurs à 1,5 ont une image négative par f.
b) Tous les nombres dont l'image par f est négative appartiennent à l'intervalle $]-4\,;4[$.

88 Dans chaque cas, donner **la** réponse exacte **sans justifier**.

		A	B	C	D
1	Le discriminant de l'équation $3x - 2x^2 + 1 = 0$ est …	$\Delta = -8$	$\Delta = 17$	$\Delta = 1$	$\Delta = -16$
2	La fonction f définie sur $\mathbb{R}$ par $f(x) = 3(x-2)^2 - 5$ admet …	un minimum en -5	un minimum en -2	un maximum en -2	un minimum en 2
3	Les solutions de l'inéquation $(x-2)(x+4) \leqslant 0$ sont les nombres réels de l'ensemble …	$]-4\,;2[$	$[-4\,;2]$	$]-\infty;-4[\cup]2;+\infty[$	$]-\infty;-4]\cup[2;+\infty[$
4	Si x_1 et x_2 sont les solutions de l'équation $ax^2 + bx + c = 0$, alors les solutions de l'équation $2ax^2 + 2bx + 2c = 0$ sont …	x_1 et x_2	$2x_1$ et $2x_2$	$\dfrac{1}{2}x_1$ et $\dfrac{1}{2}x_2$	$2x_1$ et $\dfrac{1}{2}x_2$

89 Dans chaque cas, donner **la ou les** réponses exactes **sans justifier**.

		A	B	C	D
1	Si dans un repère, une fonction f est représentée par une parabole de sommet $S(3\,;7)$, alors …	il existe un unique nombre réel x tel que $f(x) = 7$	pour tout nombre réel x, $f(x) \leqslant 7$	$f(3) = 7$	$f(7) = f(3)$
2	a, b, c désignent des nombres réels, $a \neq 0$. Si le discriminant du trinôme $f(x) = ax^2 + bx + c$ est nul, alors …	f n'a pas de forme factorisée	$f(x) = 0$ n'a pas de solution	$f(x)$ est soit du signe de a, soit nul	$b = 0$ implique $c = 0$
3	Si la forme canonique d'un polynôme f de degré 2 est $f(x) = -3(x+1)^2 + 7$, alors …	le discriminant de f est strictement positif	l'inéquation $f(x) < 7$ n'a pas de solution	l'équation $f(x) = 7$ a une solution unique	l'équation $f(x) = \dfrac{7}{3}$ a une solution unique
4	Une fonction polynôme f de degré 2 qui s'annule en -1 et 3 peut être définie par $f(x) = $ …	$(x+3)(x-1)$	$(x-1)^2 - 4$	$2(3-x)(x+1)$	$(x-3)^2 + (x+1)^2$

90 Pour chaque affirmation, dire si elle est **vraie ou fausse en justifiant**.

Voici la parabole représentative, dans un repère, d'une fonction polynôme f de degré 2 définie par :
$$f(x) = ax^2 + bx + c$$
(avec a, b, c nombres réels, $a \neq 0$).
La droite d'équation $y = 3$ passe par le sommet de la parabole.

1. c est strictement positif.

2. a est strictement positif.

3. a et c sont de signes contraires.

4. Le discriminant Δ est strictement positif.

5. L'inéquation $f(x) \geqslant 3$ n'a pas de solution.

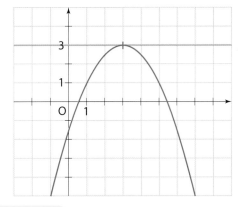

Vérifiez vos réponses : p. 264

91 Avec un guide

Très pressé de s'acheter une nouvelle tablette, Florian emprunte 180 € à ses parents qui lui demandent de s'engager à rembourser une somme fixe de x euros par mois, pendant n mois, pour avoir tout remboursé.

Florian demande à rembourser 2 € de moins par mois, mais il devra alors rembourser 3 mois de plus.

a) Écrire les équations qui expriment que dans les deux cas le remboursement total est de 180 €.

b) Déduire de ces deux équations une équation du second degré d'inconnue x.

Conseil

Exprimer n en fonction de x grâce à l'équation la plus simple (on sait que x n'est pas nul), puis remplacer dans l'autre équation.

c) Résoudre l'équation du second degré ainsi obtenue.

d) En déduire le montant et la durée du remboursement mensuel demandé par les parents.

92 Réaliser un bénéfice maximal

Une grande surface vend chaque jour 8 000 L d'essence à 1,42 € le litre.

Le bénéfice par litre est de 0,02 €.

Le gérant constate qu'une baisse de 0,001 € par litre augmente ses ventes de 200 L et qu'inversement, une hausse de 0,001 € par litre diminue ses ventes de 200 L.

Il veut augmenter son bénéfice total en modifiant le prix de vente au litre.

a) Pour un nouveau prix égal à 1,42 + 0,001n, où n est un nombre entier positif pour une hausse, négatif pour une baisse, quel est le volume d'essence vendu ?

b) Exprimer en fonction de n le nouveau bénéfice total.

c) Dans quel intervalle doit se trouver le prix de vente pour que le bénéfice soit positif ?

d) Déterminer le prix permettant de réaliser le bénéfice maximum, et la valeur de ce bénéfice.

93 Travailler en groupe — Écrire un programme

Voici quatre programmes de calcul.

Programme 1
Choisir un nombre réel x.
Élever x au carré.
Multiplier le résultat par 3.
Ajouter 6x au résultat.
Soustraire 24 au résultat.

Programme 2
Choisir un nombre réel x.
Multiplier x par 3.
Ajouter 6 au résultat.
Multiplier le résultat par x.
Soustraire 24 au résultat.

Programme 3
Choisir un nombre réel x.
Ajouter 1 à x.
Élever le résultat au carré.
Multiplier le résultat par 3.
Soustraire 27 au résultat.

Programme 4
Choisir un nombre réel x.
Soustraire 2 à x.
Ajouter 4 à x.
Multiplier les deux résultats précédents.
Multiplier le résultat par 3.

Chaque groupe prend en charge un des programmes de calcul pour répondre aux questions ci-dessous.

Un rapporteur présentera ensuite les réponses de son groupe.

a) Quel résultat obtient-on lorsqu'on choisit pour x le nombre : • −3 ? • 1 ? • 5 ?

b) Quelle est l'expression algébrique que le programme permet d'évaluer ?

Développer et réduire cette expression.

c) Modifier le programme de calcul afin qu'il évalue l'expression $2x^2 - 11x + 15$.

94 objectif Bac — Imaginer une stratégie

Dans son œuvre *Montagne*, réalisée sur une toile carrée de 109 cm de côté, Vassili Kandinsky joue avec les paraboles et les couleurs.

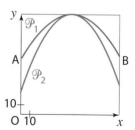

Deux paraboles ont été reproduites sur la figure ci-dessus.

Dans le repère indiqué, où l'unité est le cm, la parabole rouge $\mathscr{P}_1$ et la parabole verte $\mathscr{P}_2$ représentent respectivement les fonctions f et g définies par :

$$f(x) = -\frac{1}{64}x^2 + \frac{7}{4}x + 60 \quad \text{et} \quad g(x) = -0,025x^2 + 2,9x + 24,7.$$

Les paraboles $\mathscr{P}_1$ et $\mathscr{P}_2$ ont-elles un point commun ?

95 **Trouver un profit maximal**

Bruno a écrit un nouveau livre. Son éditeur désire le vendre en France et en Belgique au prix de x €.
Il estime que la demande (nombre d'exemplaires) est donnée :
• en France par $d_1(x) = 50\,000 - 2\,000x$;
• en Belgique par $d_2(x) = 10\,000 - 500x$.
Le coût de production s'élève (en €) à $50\,000 + 2n$ où n est le nombre d'exemplaires vendus.
Déterminer le prix de vente pour lequel le profit est maximal. En déduire, dans ce cas, le nombre d'exemplaires vendus dans chacun des deux pays.

96 **Making a box**

A box without a top is to be made by cutting squares measuring 6 cm on a side from each corner of a square piece of cardboard, and folding up the sides.
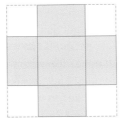
Find the area of the original piece of cardboard if the volume of the box is to be 1944 cm³.

97 **Résoudre une inéquation**

Écrire un algorithme selon le cahier des charges ci-dessous.
• Entrées : le coefficient a et les racines x_1 et x_2 d'un trinôme $ax^2 + bx + c$.
• Sortie : l'ensemble des solutions de l'inéquation $ax^2 + bx + c \geqslant 0$.

98 **Situer le point culminant**

Rédiger les différentes étapes de la recherche, sans omettre les fausses pistes et les changements de méthode.

Problème Une sauterelle saute d'un mur avant de se poser sur le sol. On admet que sa trajectoire est un arc de parabole.
Les caractéristiques connues du saut sont données sur le schéma ci-dessus.
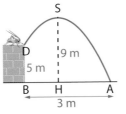
Déterminer à quelle distance du mur la sauterelle atteint le point culminant du saut.

99 **Retrouver des dimensions**

Un exploitant agricole achète un terrain rectangulaire de 8 hectares dont le périmètre est égal à 1 800 m.
Quelles sont les dimensions de son terrain ?
Rappels : l'are (abréviation officielle a) est une unité d'aire.
1 are = 100 m² et 1 hectare = 100 ares.

100 **Caractériser des droites**

Avec un logiciel de géométrie dynamique, Silambu a tracé la parabole $\mathscr{P}$ qui représente, dans un repère, la fonction f définie par :
$$f(x) = 2(x - 1)^2 - 1.$$
Le point A de coordonnées $(2 ; 1)$ est un point de la parabole et B est un point libre de l'axe des abscisses.
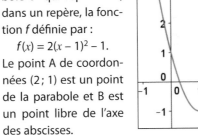
Silambu constate que, sur son écran, certaines droites ne coupent la parabole $\mathscr{P}$ qu'une fois.
Caractériser ces droites en fonction des coordonnées du point B.

Des défis

101 **Résoudre une énigme**

Il y a exactement un an, le père de Stacey avait 8 fois l'âge de sa fille.
Aujourd'hui, son âge est le carré de celui de sa fille.
Trouver l'âge actuel du père.

102 **Calculer une longueur**

Léopoldine a deux types de cubes : certains ont des arêtes de x centimètres, les autres des arêtes de $x + 2$ centimètres.
Le volume d'un gros cube dépasse de 56 cm³ le volume d'un petit cube.
Déterminer la longueur de l'arête d'un petit cube.

Accompagnement personnalisé

Utiliser la forme canonique d'une fonction polynôme de degré 2

103 **Exercice test**

f est la fonction définie sur $\mathbb{R}$ par :
$$f(x) = (x - 1)^2 + 4.$$
Déterminer les coordonnées du sommet de la parabole représentative de f dans un repère.

Appelez le professeur pour qu'il contrôle vos réponses et qu'il vous indique la suite.

104 f est la fonction polynôme de degré 2 définie sur $\mathbb{R}$ par $f(x) = (x - 2)^2 + 1$.
a) Justifier que, pour tout nombre réel x, $(x - 2)^2 \geqslant 0$. Préciser l'unique valeur de x pour laquelle $(x - 2)^2 = 0$.
b) Déduire des questions précédentes la valeur du minimum de la fonction f, puis les coordonnées du sommet de la parabole représentative de f dans un repère.

105 f est la fonction définie sur $\mathbb{R}$ par :
$$f(x) = -2(x - 3)^2 + 5.$$
a) Quel est le signe de $-2(x - 3)^2$?
b) En déduire la valeur du maximum de la fonction f, puis les coordonnées du sommet de la parabole représentative de f dans un repère.

Soutien **Utiliser la forme la plus adéquate d'une fonction polynôme de degré 2**

106 **Exercice test**

f est la fonction polynôme de degré 2 définie sur $\mathbb{R}$ par $f(x) = 2x^2 + 4x - 6$.
On admet que la forme canonique de f est :
$$f(x) = 2(x + 1)^2 - 8$$
et que sa forme factorisée est $f(x) = 2(x - 1)(x + 3)$.
Utiliser la forme adéquate pour répondre à chaque question.
a) Calculer $f(0)$.
b) Résoudre l'équation $f(x) = 0$.
c) Résoudre l'équation $f(x) = -8$.

Appelez le professeur pour qu'il contrôle vos réponses et qu'il vous indique la suite.

107 f est la fonction polynôme de degré 2 définie sur $\mathbb{R}$ par $f(x) = 3x^2 - 18x + 24$.
On admet que la forme canonique de f est :
$$f(x) = 3(x - 3)^2 - 3$$
et que sa forme factorisée est $f(x) = 3(x - 2)(x - 4)$.
a) Quelle forme permet de trouver facilement que $f(0) = 24$?
b) Résoudre l'équation $(x - 2)(x - 4) = 0$, puis en déduire les solutions de l'équation $f(x) = 0$.
c) Montrer que l'équation $f(x) = -3$ équivaut à l'équation $(x - 3)^2 = 0$, puis déterminer l'unique solution de cette équation.

108 f est la fonction polynôme de degré 2 définie sur $\mathbb{R}$ par $f(x) = -x^2 - 3x + 4$.
On admet que la forme canonique de f est :
$$f(x) = -(x + 1,5)^2 + 6,25$$
et que sa forme factorisée est $f(x) = -(x + 4)(x - 1)$.
Résoudre les trois équations ci-dessous en utilisant à chaque fois une forme différente de f.
a) $f(x) = 6,25$ **b)** $f(x) = 0$ **c)** $f(x) = 4$

Soutien **Résoudre une équation du second degré**

109 **Exercice test**

Dans chaque cas, résoudre l'équation.
a) $x^2 - 3x - 10 = 0$ **b)** $9x^2 - 18x + 9 = 0$
c) $3x^2 - x + 7 = 0$ **d)** $5 + 3x - 2x^2 = 0$

Appelez le professeur pour qu'il contrôle vos réponses et qu'il vous indique la suite.

110 On s'intéresse à l'équation $x^2 - 2x - 35 = 0$.
a) Calculer le discriminant Δ.
En déduire le nombre de solutions de l'équation.
b) Utiliser les formules du cours pour déterminer les solutions de l'équation.

111 f est la fonction polynôme de degré 2 définie par $f(x) = -2x^2 - 5x + 3$.
a) Afficher la courbe représentative de f à l'écran de la calculatrice.
b) Conjecturer graphiquement les solutions de l'équation $-2x^2 - 5x + 3 = 0$.
c) Résoudre algébriquement cette équation.

112 Voici trois équations du second degré.

(1) $2x^2 + 4x + 13 = 0$ **(2)** $3x^2 - 23{,}25x - 6 = 0$

(3) $0{,}5x^2 + 2x + 2 = 0$

a) Calculer le discriminant de chaque équation.

b) Indiquer le nombre de solutions de chaque équation.

c) Calculer les solutions éventuelles de chaque équation.

d) Vérifier les réponses à la calculatrice.

Soutien

Étudier le signe d'un trinôme de degré 2

113 **Exercice test**

a) Vérifier que les solutions de l'équation

$3x^2 - 5x - 28 = 0$ sont $x_1 = 4$ et $x_2 = -\dfrac{7}{3}$.

b) Dresser le tableau de signes du trinôme $3x^2 - 5x - 28$ selon les valeurs de x.

 Appelez le professeur pour qu'il contrôle vos réponses et qu'il vous indique la suite.

114 f est la fonction définie sur $\mathbb{R}$ par :

$$f(x) = x^2 - \frac{3}{2}x - 1.$$

$\mathscr{C}$ est sa courbe représentative dans un repère.

On admet que les solutions de l'équation $f(x) = 0$ sont 2 et $-\dfrac{1}{2}$.

a) $f(x)$ est de la forme $ax^2 + bx + c$.

Préciser la valeur de a. Que peut-on en déduire pour la courbe $\mathscr{C}$?

b) Tracer à main levée la courbe $\mathscr{C}$, en faisant apparaître clairement les solutions de l'équation $f(x) = 0$.

c) Dresser le tableau de signes de $f(x)$.

115 f est la fonction définie sur $\mathbb{R}$ par :

$$f(x) = -2x^2 + 8x - 6.$$

$\mathscr{C}$ est sa courbe représentative dans un repère.

On admet que les solutions de l'équation $f(x) = 0$ sont 1 et 3.

a) Tracer à main levée la courbe $\mathscr{C}$, en faisant apparaître clairement les solutions de l'équation $f(x) = 0$.

b) Dresser le tableau de signes de $f(x)$.

Approfondissement

Appliquer le bon tarif

116 Pour la visite d'un château, le prix du billet est 10 €. Les groupes de plus de 20 personnes bénéficient d'une réduction : 2 % pour 21 billets achetés, 4 % pour 22 billets achetés, puis le taux de réduction augmente ainsi de 2 points par personne supplémentaire.

La réduction totale ne peut pas dépasser 30 %.

Voici un algorithme qui permet de calculer le prix total à payer pour un groupe de x personnes.

Variables :	x est un nombre entier naturel
	t, C sont des nombres réels
Entrée :	Saisir x
Traitement :	Si $x \leqslant 20$ alors
	$\quad$| Affecter à C la valeur $10x$
	Fin Si
	Si $20 < x \leqslant \ldots$ alors
	$\quad$| Affecter à t la valeur $0{,}02(x - 20)$
	$\quad$| Affecter à C la valeur $10(1 - t)$ …
	Fin Si
	Si $x > \ldots$ alors
	$\quad$| Affecter à C la valeur 10 …
	Fin Si
Sortie :	Afficher C

a) Recopier et compléter cet algorithme.

b) Appliquer l'algorithme pour :

$\quad$ • $x = 15$ $\quad$ • $x = 25$ $\quad$ • $x = 35$ $\quad$ • $x = 45$

c) Un groupe paie 240 €.

Combien compte-t-il de personnes ?

Approfondissement

Calculer une hauteur

117 Un architecte souhaite connaître la hauteur de la voûte parabolique d'une cathédrale. Il évalue la hauteur des piliers latéraux à 30 m, et observe qu'un échafaudage situé à 1 m du pilier toucherait la voûte à une hauteur de 40 m. Les piliers sont séparés de 8 m.

Déterminer la hauteur H de la voûte.

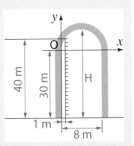

2 Fonction racine carrée. Fonction cube

La fonction racine carrée intervient dans de nombreux phénomènes physiques. Par exemple, la fréquence de vibration d'une corde de guitare est proportionnelle à la racine carrée de sa tension.

Au fil des siècles

La cathédrale de Strasbourg a été construite de 1176 à 1439. Le rapport de la hauteur de sa façade rectangulaire par sa largeur est égal à la racine carrée du nombre d'or.

● *Rechercher ces dimensions sur Internet et vérifier ce résultat.*

Les capacités du programme

	Choix d'exercices	
• Connaître les variations de la fonction racine carrée.	2 26	49
• Connaître la représentation graphique de la fonction racine carrée.	25	47
• Connaître les variations de la fonction cube.	6 56	72
• Connaître la représentation graphique de la fonction cube.	55	71

Manipuler des racines carrées

1. Calculer mentalement.

a) $\sqrt{25}$　　**b)** $\sqrt{100}$　　**c)** $\sqrt{9}$　　**d)** $\sqrt{16}$

2. Dans chaque cas, écrire le nombre sous la forme $a\sqrt{b}$ avec a et b nombres entiers positifs.

a) $\sqrt{45}$　　**b)** $\sqrt{12}$　　**c)** $\sqrt{75}$　　**d)** $\sqrt{63}$

Utiliser un tableau de variation

Voici le tableau de variation d'une fonction f définie sur l'intervalle $[-6\,;6]$.

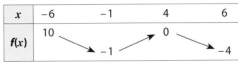

Dans chaque cas, si c'est possible, comparer les deux nombres donnés.

a) $f(-5)$ et $f(-4)$　　**b)** $f(0)$ et $f(1)$　　**c)** $f(2)$ et $f(5)$　　**d)** $f(3)$ et $f(-6)$　　**e)** $f(-1)$ et $f(6)$

Connaître les fonctions affines

Dans chaque cas, représenter la fonction affine dans un repère, puis donner son tableau de variation.

a) $f(x) = 2x - 1$　　**b)** $g(x) = -\dfrac{1}{2}x + 3$　　**c)** $h(x) = \dfrac{3}{2} - 3x$

Connaître la fonction carré

f est la fonction carré définie sur $\mathbb{R}$ par $f(x) = x^2$.

1. Donner l'image par la fonction f de chaque nombre.

a) 3　　**b)** -5　　**c)** 0,1

2. Tracer la courbe représentative de la fonction f dans un repère.

3. Donner le tableau de variation de la fonction f.

Connaître la fonction inverse

g est la fonction inverse définie sur $\mathbb{R}^*$ par $g(x) = \dfrac{1}{x}$.

1. Donner l'image par la fonction g de chaque nombre.

a) 2　　**b)** -10　　**c)** 0,25

2. Tracer la courbe représentative de la fonction g dans un repère.

3. Donner le tableau de variation de la fonction g.

Relier ordre et sens de variation

Dans chaque cas, comparer les deux nombres réels sans les calculer.

a) 3^2 et $\left(\dfrac{13}{4}\right)^2$　　**b)** $(1 - \sqrt{3})^2$ et $(-2)^2$　　**c)** $\dfrac{1}{-5}$ et $\dfrac{1}{-3}$　　**d)** $\dfrac{1}{\sqrt{2}}$ et $\dfrac{1}{2}$

Aide et corrigés sur le site élève **www.nathan.fr/hyperbole1reESL-2015**

1 La fonction racine carrée

Quand on plonge une pomme de terre à chair rouge, épluchée, dans une solution de chlorure de sodium à 7 %, on observe un blanchiment progressif de la chair.

On peut observer la progression du blanchiment en plongeant plusieurs pommes de terre dans la solution et en les retirant après des durées différentes. On découpe la pomme de terre pour mesurer l'épaisseur blanchie.

Le tableau ci-dessous donne l'épaisseur blanchie pour différentes durées.

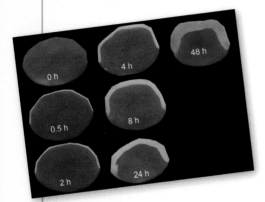

	A	B	C	D
1	Durée x (en h)	Épaisseur y (en mm)	y^2	y^2/x
2	0	0		
3	4	3,4		
4	8	5		
5	12	6,2		
6	16	7,1		
7	20	7,6		
8	24	8,5		
9	28	9,2		
10	32	9,8		

Problème

Étudier la relation entre le temps passé dans la solution et l'épaisseur blanchie.

1 **Modéliser à l'aide d'un tableur**

a) Réaliser la feuille de calcul ci-dessus.

b) Afficher dans la colonne C les carrés des valeurs de y, puis dans la colonne D les rapports entre les valeurs de y^2 et celles de x. Dans la colonne D, les nombres sont proches d'un nombre entier. Lequel ?

c) Déduire de l'observation précédente une relation approchée simple entre y^2 et x, puis une expression approchée de y en fonction de x.

d) Selon ce modèle, quelle épaisseur serait blanchie au bout de 48 h ?

2 **Étudier les propriétés d'une fonction**

f est la fonction définie sur l'intervalle [0 ; 48] par $f(x) = \sqrt{3} \times \sqrt{x}$.

a) Afficher la courbe représentative de f à l'écran de la calculatrice (*fenêtre* : $0 \leqslant X \leqslant 48$, pas 2 ; $0 \leqslant Y \leqslant 13$, pas 1).

b) Quel est le signe de $f(x)$ sur l'intervalle [0 ; 48] ?

c) Conjecturer le sens de variation de la fonction f et dresser son tableau de variation.

3 **Résoudre des problèmes graphiquement et algébriquement**

a) Utiliser le graphique de la question **2** a) pour estimer l'épaisseur blanchie après 14 h.
Retrouver le résultat algébriquement.

b) Utiliser le graphique de la question **2** a) pour estimer la durée nécessaire au blanchiment d'une épaisseur de 9 mm. Retrouver ce résultat algébriquement.

2 La fonction cube

Noémie est passionnée par les cubes. Elle a reçu en cadeau un «cube magnétique» : l'ensemble de base est constitué de billes aimantées formant un cube de côté 6 billes.

On peut séparer les billes et associer plusieurs ensembles de base de ce type pour construire de nouvelles figures, par exemple des cubes de tailles différentes.

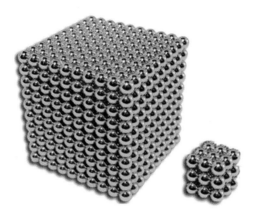

	A	B
1	Côté du cube	Nombre de billes
2	1	
3	2	
4	3	
5	4	
6	5	
7	6	
8	7	
9	8	
10	9	
11	10	

Problème

Comprendre la relation entre le nombre de billes sur un côté du cube et le nombre total de billes constituant le cube.

1 **Calculer avec le tableur**

a) Combien de billes constituent l'ensemble de base, c'est-à-dire un cube de côté 6 billes ?

b) On se propose d'automatiser le calcul du nombre de billes à l'aide du tableur.

Réaliser la feuille de calcul ci-dessus.

Quelle formule faut-il saisir dans la cellule B2 et recopier vers le bas ?

c) Lire dans la feuille de calcul le nombre de billes nécessaires pour un cube de côté 12 billes.

2 **Observer les propriétés d'une fonction**

f est la fonction définie sur l'intervalle $[-10 ; 10]$ par $f(x) = x^3$.

a) Afficher la courbe représentative de f à l'écran de la calculatrice (*fenêtre :* $-10 \leqslant X \leqslant 10$, pas 2 ; $-1\,000 \leqslant Y \leqslant 1\,000$, pas 100).

b) Conjecturer le sens de variation de la fonction f.

3 **Augmenter la taille du cube**

Noémie affirme : «Pour obtenir un cube de côté 2 fois plus grand, il suffit d'avoir 2 fois plus de billes. Je commande donc un second ensemble de base».

Cette affirmation est-elle vraie ou fausse ? Justifier.

4 **Pour aller plus loin**

En ajoutant 217 billes à un cube de côté x billes, Noémie a construit un cube de côté $(x + 1)$ billes.

Quel est ce nombre x ?

On pourra utiliser un tableur ou un logiciel de calcul formel.

1 La fonction $x \mapsto \sqrt{x}$

a. La fonction racine carrée

Rappels

x désigne un nombre réel **positif**.

La **racine carrée** de x est le nombre **positif**, noté $\sqrt{x}$, dont le carré est x.

Par conséquent, pour tout nombre réel $x \geqslant 0$, $\quad \sqrt{x} \geqslant 0 \quad$ et $\quad (\sqrt{x})^2 = x$.

▶ **DÉFINITION**

La fonction **racine carrée** est la fonction définie sur l'intervalle $[0 ; +\infty[$ qui à tout nombre réel x positif ou nul associe sa racine carrée $\sqrt{x}$.

b. Sens de variation de la fonction racine carrée

▶ **PROPRIÉTÉ**

La fonction racine carrée $f : x \mapsto \sqrt{x}$ est **croissante** sur l'intervalle $[0 ; +\infty[$.

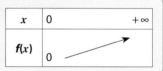

● **DÉMONSTRATION**

u et v désignent deux nombres positifs tels que $u \leqslant v$.

Leurs racines carrées $\sqrt{u}$ et $\sqrt{v}$ sont les nombres positifs tels que $u = (\sqrt{u})^2$ et $v = (\sqrt{v})^2$.

La fonction carré est croissante sur $[0 ; +\infty[$, donc les deux nombres positifs $\sqrt{u}$ et $\sqrt{v}$ sont rangés dans le même ordre que leurs carrés u et v.

Or $0 \leqslant u \leqslant v$, donc $\sqrt{u} \leqslant \sqrt{v}$. Ainsi, la fonction racine carrée est croissante sur $[0 ; +\infty[$.

c. Courbe représentative de la fonction racine carrée

Le tableau ci-dessous donne quelques valeurs particulières de la fonction racine carrée.

x	0	0,25	1	2	3	4	5	9
$\sqrt{x}$	0	0,5	1	$\sqrt{2}$	$\sqrt{3}$	2	$\sqrt{5}$	3

Dans un repère orthonormé, la fonction racine carrée est représentée par la courbe ci-dessous.

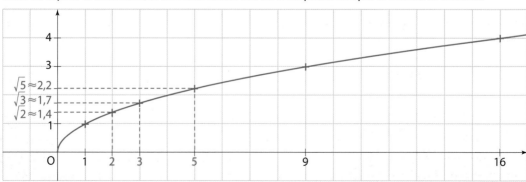

● Exercice résolu — Comparer les racines carrés de nombres positifs

1 Énoncé

Dans chaque cas, donner l'information la plus précise possible sur la racine carrée du nombre réel x.

a) $1 \leqslant x \leqslant 4$ **b)** $x \geqslant 5$

Solution

• Première méthode

a) $1 \leqslant x \leqslant 4$ donc les nombres 1, x et 4 sont positifs. Or, deux nombres positifs et leurs racines carrées sont rangées dans le même ordre.
Par conséquent $\sqrt{1} \leqslant \sqrt{x} \leqslant \sqrt{4}$, c'est-à-dire :

$$1 \leqslant \sqrt{x} \leqslant 2.$$

b) $x \geqslant 5$ donc les nombres x et 5 sont positifs. Or deux nombres positifs et leurs racines carrées sont rangés dans le même ordre.
Par conséquent, $\sqrt{x} \geqslant \sqrt{5}$.

• Deuxième méthode

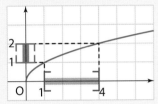 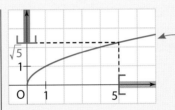

a) $1 \leqslant x \leqslant 4$
On lit sur l'axe des ordonnées qu'alors $1 \leqslant \sqrt{x} \leqslant 2$.

b) $x \geqslant 5$
On lit sur l'axe des ordonnées qu'alors $\sqrt{x} \geqslant \sqrt{5}$.

> **Conseils**
>
> Pour comparer les racines carrées de deux nombres positifs :
>
> • soit on utilise les variations de la fonction racine carrée : cette fonction est croissante sur $[0 ; +\infty[$, donc **deux nombres positifs et leurs racines carrées sont rangés dans le même ordre** ;
>
> • soit on utilise la courbe de la fonction racine carrée ;
>
> • soit on utilise le tableau de variation de la fonction racine carrée.

• Troisième méthode

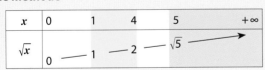

a) La fonction racine carrée est croissante sur $[0 ; +\infty[$, donc si $1 \leqslant x \leqslant 4$, alors $1 \leqslant \sqrt{x} \leqslant 2$.
b) La fonction racine carrée est croissante sur $[0 ; +\infty[$, donc si $x \geqslant 5$, alors $\sqrt{x} \geqslant \sqrt{5}$.

● À votre tour

2 Dans chaque cas, donner l'information la plus précise possible sur la racine carrée du nombre réel x.

a) $0 < x < 3$ **b)** $x \geqslant 4$
c) $4 < x \leqslant 9$ **d)** $x > 0,25$
e) $1,21 \leqslant x \leqslant 6,25$ **f)** $x \geqslant 2,25$

3 Mahdi affirme : « Pour tout nombre réel x, $\sqrt{x^2 + 4}$ est supérieur ou égal à 2 ».
Cette affirmation est-elle vraie ? Justifier.

4 Voici le tableau de variation de la fonction racine carrée sur l'intervalle $[0 ; +\infty[$.

Utiliser ce tableau pour, dans chaque cas, donner l'information la plus précise possible sur la racine carrée du nombre réel x.

a) $x > 0,01$ **b)** $2 < x < 8$ **c)** $x \geqslant 4,9$

2 La fonction $x \mapsto x^3$

a. La fonction cube

▶ **DÉFINITION**

La **fonction cube** est la fonction définie sur $\mathbb{R}$ qui à tout nombre réel x associe son cube x^3.

b. Sens de variation de la fonction cube

▶ **PROPRIÉTÉ**

La fonction cube $f : x \mapsto x^3$ est **croissante** sur $\mathbb{R}$.

x	$-\infty$		0		$+\infty$
$f(x)$			0		

● **DÉMONSTRATION**

On se propose de démontrer que la fonction cube est croissante sur $]-\infty\,;\,0]$ et sur $[0\,;\,+\infty[$.
Puisque $f(0) = 0$, cela impliquera qu'elle est croissante sur $\mathbb{R}$.
u et v désignent deux nombres réels tels que $u \leqslant v$ **(1)**.

1er cas : $u \leqslant v \leqslant 0$

La fonction carré est décroissante sur $]-\infty\,;\,0]$ donc $u^2 \geqslant v^2$ **(2)**.
En multipliant chaque membre de **(1)** par v^2, qui est positif, on obtient $v^2 u \leqslant v^3$ soit $v^3 \geqslant v^2 u$.
En multipliant chaque membre de **(2)** par u, qui est négatif, on obtient $u^3 \leqslant v^2 u$ soit $v^2 u \geqslant u^3$.
Par conséquent, $v^3 \geqslant u^3$, c'est-à-dire $u^3 \leqslant v^3$.
La fonction cube est donc croissante sur $]-\infty\,;\,0]$.

2e cas : $0 \leqslant u \leqslant v$

La fonction carré est croissante sur $[0\,;\,+\infty[$ donc $u^2 \leqslant v^2$ **(3)**.
En multipliant chaque membre de **(1)** par u^2, qui est positif, on obtient $u^3 \leqslant u^2 v$.
En multipliant chaque membre de **(3)** par v, qui est positif, on obtient $u^2 v \leqslant v^3$.
Par conséquent, $u^3 \leqslant v^3$.
La fonction cube est donc croissante sur $[0\,;\,+\infty[$.

c. Courbe représentative de la fonction cube

Ce tableau donne quelques valeurs particulières de la fonction cube.

x	-2	-1	0	1	2
x^3	-8	-1	0	1	8

Dans un repère orthonormé, la fonction cube est représentée par la courbe ci-contre.

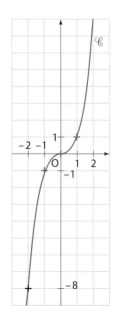

▶ **PROPRIÉTÉ**

Dans un repère d'origine O, la courbe $\mathscr{C}$ représentative de la fonction cube est symétrique par rapport au point O.

● **DÉMONSTRATION**

Pour tout nombre réel x, le point $M(x\,;\,x^3)$ appartient à la courbe $\mathscr{C}$.
Le symétrique de M par rapport à O est le point $M'(-x\,;\,-x^3)$.
Or $(-x)^3 = -x^3$, donc M' appartient à $\mathscr{C}$.

● **Exercice résolu**　　**Comparer les cubes de nombres réels**

5 | **Énoncé**

Dans chaque cas, donner l'information la plus précise possible sur x^3.

a) $1 \leqslant x \leqslant 2$　　**b)** $x \leqslant -1$

Solution

• **Première méthode**

a) Deux nombres et leurs cubes sont rangés dans le même ordre.
Donc de $1 \leqslant x \leqslant 2$ on déduit que $1^3 \leqslant x^3 \leqslant 2^3$, c'est-à-dire $1 \leqslant x^3 \leqslant 8$.

b) Deux nombres et leurs cubes sont rangés dans le même ordre.
Donc de $x \leqslant -1$ on déduit que $x^3 \leqslant (-1)^3$, c'est-à-dire $x^3 \leqslant -1$.

• **Deuxième méthode**

On utilise le tableau de variation de la fonction cube.

x	$-\infty$	-1	0	1	2	$+\infty$
x^3		-1	0	1	8	

a) La fonction cube est croissante sur $\mathbb{R}$, donc si $1 \leqslant x \leqslant 2$, alors $1 \leqslant x^3 \leqslant 8$.

b) La fonction cube est croissante sur $\mathbb{R}$, donc si $x \leqslant -1$, alors $x^3 \leqslant -1$.

Conseils

Pour comparer les cubes de deux nombres réels :

• soit on utilise les variations de la fonction cube : cette fonction est croissante sur $\mathbb{R}$, donc **deux nombres et leurs cubes sont rangés dans le même ordre** ;

• soit on utilise le tableau de variation de la fonction cube ;

• soit on utilise la courbe de la fonction cube (voir exercice **11**).

● **À votre tour**

6 | Dans chaque cas, donner l'information la plus précise possible sur x^3.

a) $-1 < x < 2$　　**b)** $x < 0$

c) $0,5 \leqslant x \leqslant 1,5$　　**d)** $x \leqslant 0,1$

e) $-2 \leqslant x < 2$　　**f)** $x > -3$

Pour les exercices **7** à **9**, donner l'information la plus précise possible sur le cube du nombre réel a.

7 | **a)** $a > 4$　　**b)** $-5 > a$

8 | **a)** $a > 5 \times 10^2$　　**b)** $a < -2 \times 10^{-3}$

9 | **a)** $\dfrac{1}{2} < a < \dfrac{3}{4}$　　**b)** $-\dfrac{5}{2} < a < \dfrac{2}{3}$

10 | x est un nombre réel positif. Dans chaque cas, ranger les cubes des nombres donnés.

a) $x - 1, x + 1$ et x.

b) $x, -x$ et 0.

c) $2x, x$ et $\dfrac{1}{2}x$.

11 | Voici la courbe représentative de la fonction cube.
Dans chaque cas, donner l'information la plus précise sur x^3.

a) $0 < x \leqslant 2$

b) $x \geqslant -1$

c) $-1,5 \leqslant x \leqslant 1,5$

d) $-2,4 \leqslant x \leqslant -1,3$

e) $x < 2,8$

f) $10 \leqslant x \leqslant 25$

g) $x \leqslant -20$

h) $-10 < x < -1$

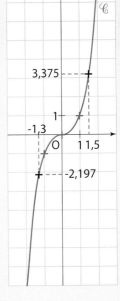

12 | Perrine affirme : « Pour tout nombre réel x, $(x^2 - 1)^3$ est inférieur à $(x^2 + 1)^3$ ».
Cette affirmation est-elle vraie ? Justifier.

Résoudre des problèmes

Résoudre une inéquation

13 Énoncé

Le 26 décembre 2004, un tsunami allant jusqu'à 12 m de hauteur a frappé l'Indonésie, le Sri Lanka, l'Inde et la Thaïlande.

La vitesse v d'un tsunami (en mètres par seconde) est liée à la profondeur de l'eau P (en mètres) par la formule suivante :

$$v = \sqrt{10P}.$$

Quelle doit être la profondeur de l'eau pour que la vitesse d'un tsunami soit supérieure ou égale à 20 m/s ?

Solution

• **Mathématisation**

Dire que la vitesse est supérieure ou égale à 20 m/s signifie que $v \geqslant 20$ c'est-à-dire $\sqrt{10P} \geqslant 20$.

On doit donc résoudre l'inéquation $\sqrt{10P} \geqslant 20$.

• **Résolution du problème**

$\sqrt{10P}$ et 20 sont des nombres positifs.

Or on sait que deux nombres positifs et leurs carrés sont rangés dans le même ordre. ◄——

Ainsi, $\sqrt{10P} \geqslant 20$ équivaut à $(\sqrt{10P})^2 \geqslant 20^2$, c'est-à-dire $10P \geqslant 400$.

Par conséquent, en divisant chaque membre par 10, $\sqrt{10P} \geqslant 20$ équivaut à $P \geqslant 40$. ◄——

• **Conclusion**

Pour que la vitesse d'un tsunami soit supérieure ou égale à 20 m/s, il faut que la profondeur de l'eau soit supérieure ou égale à 40 m.

Conseils

• On utilise la croissance de la fonction carré sur $[0 ; +\infty[$ et le fait que pour tout nombre réel $x \geqslant 0$, $(\sqrt{x})^2 = x$.

• Lorsque l'on divise les deux membres d'une inégalité par un nombre strictement positif, on ne change pas le sens de l'inégalité.

● À votre tour

14 Au cours d'une éruption explosive de volcan, la vitesse initiale v_0 d'un morceau de lave expulsé (en mètres par seconde) est liée à la distance d que ce morceau parcourt avant de toucher le sol (en mètres) par la formule :

$$v_0 = \sqrt{10d}.$$

Un morceau de lave est expulsé avec une vitesse initiale de plus de 50 m/s.

Selon ce modèle, quelle distance va-t-il parcourir avant de toucher le sol ?

15 La fréquence f (en hertz) du son d'une corde de guitare est proportionnelle à la racine carrée de la tension T (en newtons). Plus précisément, la fréquence et la tension sont liées par la formule :

$$f = 10\sqrt{T}.$$

Les sons émis par cette corde deviennent identifiables par l'oreille humaine lorsque la fréquence dépasse 20 hertz.

Déterminer la tension minimale d'une corde pour que le son émis soit identifiable.

● **Problème résolu** **Retrouver l'expression d'une fonction**

16 | **Énoncé**

f est une fonction définie sur $\mathbb{R}$ par :
$$f(x) = ax^3 + b$$
où a et b désignent deux nombres réels.
Voici ci-contre sa courbe représentative dans un repère.
On sait que $f(1) = 3{,}2$ et $f(-1) = 2{,}8$.
Retrouver les valeurs de a et b.

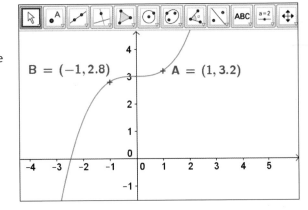

Solution

• **Mathématisation**

$f(1) = 3{,}2$ donc $a \times 1^3 + b = 3{,}2$ c'est-à-dire $a + b = 3{,}2$.

$f(-1) = 2{,}8$ donc $a \times (-1)^3 + b = 2{,}8$ c'est-à-dire $-a + b = 2{,}8$.

• **Résolution du problème**

a et b vérifient donc les équations :
$$\begin{cases} a + b = 3{,}2 \\ -a + b = 2{,}8 \end{cases}$$

En additionnant les deux équations membre à membre, on obtient $2b = 6$ c'est-à-dire $b = 3$.

En remplaçant b par 3 dans la première équation, on obtient $a + 3 = 3{,}2$ c'est-à-dire $a = 0{,}2$.

• **Conclusion**

Pour tout nombre réel x, $f(x) = 0{,}2x^3 + 3$.

Conseils

• Chaque image donnée permet d'écrire une équation faisant intervenir a et b.

• On aurait pu aussi soustraire les deux équations et ainsi trouver la valeur de a, puis en déduire celle de b.

● **À votre tour**

17 g est une fonction définie sur $[0\,;+\infty[$ par :
$$g(x) = a\sqrt{x} + b$$
où a et b désignent deux nombres réels.
On sait que $g(1) = 0$ et $g(4) = -2$.
Retrouver les valeurs de a et b.

18 h est une fonction définie sur l'intervalle $[0\,;+\infty[$ par $h(x) = a\sqrt{x} + bx^3$ où a et b désignent deux nombres réels.
On sait que $h(1) = -1$ et $h(4) = -33$.
Retrouver les valeurs de a et b.

19 k est une fonction définie sur $\mathbb{R}$ par :
$k(x) = (x + a)^3 + b$ où a et b désignent deux nombres réels, avec a positif.
On sait que $k(0) = -26$ et $k(1) = -7$.

a) Justifier que $b = -26 - a^3$.

b) En utilisant la formule $(1 + a)^3 = 1 + 3a + 3a^2 + a^3$ et la question précédente, justifier que a est solution de l'équation $3a^2 + 3a - 18 = 0$.

c) Résoudre l'équation $3a^2 + 3a - 18 = 0$, puis en déduire les valeurs de a et b.

20 L'échelle de Beaufort

Pour mesurer la force du vent en météorologie, on utilise l'échelle de Beaufort qui comporte 13 degrés (de 0 à 12).
La force d du vent exprimée en degrés Beaufort est liée à la vitesse moyenne du vent (en km/h) par la relation :
$$v = 3\sqrt{d^3}.$$

1 De la force à la vitesse

a) Avec le tableur, réaliser la feuille de calcul ci-contre pour d variant de 0 à 12. Saisir la formule qui convient dans la cellule B2 et la recopier vers le bas.

b) En mer, on parle de «Grand frais» pour un vent de force 7.

Quelle est alors la vitesse moyenne du vent en km/h ? Arrondir à l'unité.

	A	B
1	Force du vent d	Vitesse v (en km/h)
2	0	
3	1	
4	2	
5	3	
6	4	
7	5	

c) Le dernier degré Beaufort est le degré 12 ; il correspond à un ouragan. Selon le tableau, à partir de quelle vitesse moyenne du vent en km/h, arrondie à l'unité, est-on dans cette situation ?
(La formule précédente ne donne qu'une approximation de la vitesse v. En réalité, le degré 12 correspond à des vents de vitesse 118 km/h ou plus.)

2 De la vitesse à la force

Dans la pratique, on mesure la vitesse du vent à l'aide d'un anémomètre, puis on détermine dans quel degré de l'échelle on se situe.
C'est ce qu'accomplit l'algorithme ci-contre.
La notation $\sqrt[3]{d}$ désigne la racine cubique de d, c'est-à-dire le nombre réel dont le cube est d.
À la calculatrice, on saisit $d\wedge(1/3)$.

a) Appliquer l'algorithme avec $v = 81$.
b) À partir de la formule $v = 3\sqrt{d^3}$, exprimer d^3 en fonction de v.
Quelle ligne de l'algorithme retrouve-t-on ainsi ?
c) Expliquer l'instruction conditionnelle «Si $v < 118$ alors … sinon … »
d) Mettre en œuvre cet algorithme dans une nouvelle feuille de calcul, où l'on fera apparaître les vitesses entières de 0 à 150 km/h.

Variables :	v, d sont des nombres réels
Entrée :	Saisir v
Traitement :	Si $v < 118$ alors
	$\quad$ Affecter à d la valeur $\dfrac{v^2}{9}$
	$\quad$ Affecter à d la valeur $\sqrt[3]{d}$
	$\quad$ Affecter à d la valeur approchée par défaut de d à 10^{-2} près
	$\quad$ sinon
	$\quad$ Affecter à d la valeur 12
	Fin Si
Sortie :	Afficher d

3  Travailler en autonomie — Compte-rendu

Dresser un tableau indiquant les intervalles de vitesses (en km/h) correspondant à chaque degré Beaufort. Arrondir les vitesses à l'unité.

21 Un prix d'équilibre

Objectif

Déterminer un prix de vente unitaire tel que la demande soit égale à l'offre.

Une entreprise produit des tablettes tactiles d'entrée de gamme.

Pour un prix unitaire de x euros, la quantité quotidienne pouvant être produite et mise en vente, c'est-à-dire l'offre du fabricant, est donnée par la fonction f définie sur l'intervalle [50 ; 200] par $f(x) = 0,25x + 65$.

La quantité quotidienne demandée par les consommateurs dans le monde, c'est-à-dire la demande, est donnée par la fonction g définie sur l'intervalle [50 ; 200] par $g(x) = 130 - 4\sqrt{x}$.

On se propose de déterminer le prix d'équilibre, c'est-à-dire le prix unitaire x tel que l'offre soit égale à la demande, c'est-à-dire $f(x) = g(x)$.

1 **Résolution graphique avec GeoGebra**

a) Indiquer le sens de variation de la fonction f, puis interpréter cette propriété pour la situation concrète étudiée.

b) On admet que la fonction g est décroissante sur [50 ; 200]. Interpréter cette propriété pour la situation concrète étudiée.

c) Tracer avec GeoGebra les courbes représentatives des fonctions f et g dans un même repère en saisissant $f(x)$=Fonction[0.25x+65,50,200] et $g(x)$=Fonction[130–4*sqrt(x),50,200].

d) Créer le point d'intersection de ces deux courbes et afficher son étiquette (Nom&Valeur).

En déduire le prix d'équilibre et la recette journalière dans ce cas.

2 **Résolution algébrique**

Pour déterminer le prix d'équilibre, on doit résoudre l'équation $f(x) = g(x)$.

Pour cela on va se ramener à une équation du second degré.

a) Justifier que l'équation $f(x) = g(x)$ équivaut à l'équation $0,25x + 4\sqrt{x} - 65 = 0$.

b) En posant $X = \sqrt{x}$, l'équation $0,25x + 4\sqrt{x} - 65 = 0$ équivaut à l'équation $0,25X^2 + 4X - 65 = 0$.

Déterminer les solutions X_1 et X_2 de cette équation, avec $X_1 < X_2$.

c) Justifier qu'il n'existe aucun nombre réel x tel que $\sqrt{x} = X_1$.

d) Déterminer l'unique nombre réel x tel que $\sqrt{x} = X_2$.

e) Conclure sur le prix d'équilibre.

3 Travailler en autonomie **Compte-rendu**

a) Rédiger un compte-rendu expliquant ce que représente le prix d'équilibre et quels sont les avantages à choisir ce prix.

b) Le coût de chaque tablette fabriquée est de 25 €.

Un responsable de l'entreprise affirme : «Le prix d'équilibre n'est pas celui qui permet d'obtenir le bénéfice maximal». A-t-il raison ?

La fonction $x \mapsto \sqrt{x}$

22 Dans chaque cas, donner l'image du nombre réel par la fonction racine carrée.
a) 121   **b)** 49   **c)** 0   **d)** 4

23 Dans chaque cas, donner l'antécédent du nombre réel par la fonction racine carrée.
a) 4   **b)** 1   **c)** 0,01   **d)** 9

24 Marina affirme : «Tout nombre réel positif admet un unique antécédent et une unique image par la fonction racine carrée».
Cette affirmation est-elle vraie ?

25 Sur l'un de ces quatre écrans on a représenté la fonction racine carrée. Lequel ?

26 Parmi ces trois tableaux de variation, lequel est celui de la fonction racine carrée ?

27 Dans chaque cas, indiquer mentalement lequel des deux nombres est le plus grand.
a) $\sqrt{1,2}$ et $\sqrt{2,1}$ **b)** $\sqrt{8,07}$ et $\sqrt{7,08}$
c) $\sqrt{13,099}$ et $\sqrt{13,909}$ **d)** $\sqrt{\dfrac{4}{5}}$ et $\sqrt{\dfrac{3}{4}}$

28 Avec la calculatrice, tabuler la fonction racine carrée de 0 à 5 avec le pas 0,5. Arrondir, si besoin est, au centième.

29 Pour lire graphiquement l'image d'un nombre a par la fonction racine carrée, Manon a effectué la construction ci-dessous.

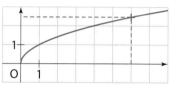

a) Quelle est la valeur de ce nombre réel a ?
b) Lire graphiquement une valeur approchée de l'image de a par la fonction racine carrée.

> **Pour les exercices 30 à 32, dans chaque cas, donner la valeur exacte de l'image du nombre réel par la fonction racine carrée.**

30   **a)** 400   **b)** 196   **c)** 144   **d)** 225

31   **a)** 0,16   **b)** 2,25   **c)** 0,01   **d)** 0,49

32   **a)** $\dfrac{1}{4}$ **b)** $\dfrac{16}{9}$ **c)** $\dfrac{4}{25}$ **d)** $\dfrac{1}{100}$

33 Dans chaque cas, donner l'arrondi au centième de l'image du nombre réel par la fonction racine carrée.
a) 17   **b)** 2,5   **c)** 11,1   **d)** 38

34 Dans chaque cas, déterminer le ou les antécédent(s) éventuel(s) du nombre réel par la fonction racine carrée.
a) 8   **b)** $-\sqrt{10}$ **c)** $\dfrac{3}{4}$ **d)** $\sqrt{23}$

35 On a tracé la courbe $\mathscr{C}$ représentative de la fonction racine carrée dans un repère et placé le point $A(5 ; 2,24)$.
Ce point appartient-il à $\mathscr{C}$? Justifier.

A(5 ; 2,24)

36 $\mathscr{C}$ est la courbe représentative de la fonction racine carrée dans un repère. Dans chaque cas, dire si le point appartient à $\mathscr{C}$. Justifier.
a) A(64 ; 8)   **b)** B(-16 ; -4)   **c)** C(2 ; 1,41)

37 Justifier à l'aide d'un calcul l'affichage sur cet écran de calcul formel.

> Résoudre[sqrt(x)=1.2]
>
> 1
> ○ → $\left\{ x = \dfrac{36}{25} \right\}$

38 Justifier l'affichage sur cet écran de calcul formel.

> Résoudre[sqrt(x)=-1]
>
> 1
> ○ → {}

39 f est la fonction racine carrée.
a) Dresser le tableau de variation de la fonction f sur l'intervalle $[0\,;+\infty[$.
b) Indiquer dans le tableau de variation les nombres réels 3 et 7 ainsi que leurs images par la fonction f.
c) En déduire un encadrement de $\sqrt{x}$ quand x vérifie $3 \leqslant x \leqslant 7$.

40 À l'aide de l'écran de calculatrice ci-dessous (fenêtre : $0 \leqslant X \leqslant 10$, pas 1 ; $0 \leqslant Y \leqslant 4$, pas 1), que l'on pourra reproduire, déterminer un encadrement de x quand $0,5 \leqslant \sqrt{x} \leqslant 3$.

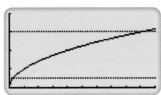

41 À l'aide de la courbe représentative de la fonction racine carrée dans un repère, donner dans chaque cas un encadrement de x.
a) $1 < \sqrt{x} \leqslant 4$　　　**b)** $2 < \sqrt{x} < 2,25$
c) $1,21 \leqslant \sqrt{x} < 1,44$　　**d)** $0 \leqslant \sqrt{x} \leqslant 1$
e) $3 < \sqrt{x} < 9$　　　　**f)** $\dfrac{1}{2} \leqslant \sqrt{x} < \dfrac{3}{2}$

42 Recopier et compléter les pointillés en utilisant un symbole parmi $<$, $>$, $\leqslant$, $\geqslant$.
a) Si $0 \leqslant x \leqslant 3$, alors $\sqrt{x}$ ... $\sqrt{3}$.
b) Si x ... 5, alors $\sqrt{x} > \sqrt{5}$.
c) $\dfrac{3}{4}$ ... $\dfrac{1}{4}$, donc $\dfrac{\sqrt{3}}{2}$ ... $\dfrac{1}{2}$.
d) π ... 4, donc $\sqrt{\pi}$ ... 2.
e) 18 ... 8, donc $3\sqrt{2}$ ... $2\sqrt{2}$.

43 Dans chaque cas, comparer les nombres A et B sans calculatrice. Expliquer.
a) $A = \sqrt{3,2} + 11,7$　et　$B = \sqrt{3,21} + 11,7$
b) $A = 5\sqrt{17} - 1$　　et　$B = 5\sqrt{11} - 1$
c) $A = -\sqrt{2} + 3$　　et　$B = -\sqrt{3} + 2$

44 Dans un exercice, Lalaina devait compléter des pointillés avec des intervalles.
Voici ses réponses, indiquées en bleu.
a) Si $x \in [1\,;64]$, alors $\sqrt{x} \in$ **[1 ; 8]**.
b) Si $x \in [0\,;4]$, alors $\sqrt{x} \in$ **[−2 ; 2]**.
c) Si $x \in [25\,;+\infty[$, alors $\sqrt{x} \in$ **]5 ; +∞[**.
Corriger les éventuelles erreurs et justifier les réponses correctes.

45 Nassim a tracé la courbe représentative de la fonction racine carrée et la droite d'équation $y = 1,5$ (fenêtre : $0 \leqslant X \leqslant 4$, pas 1 ; $-1 \leqslant Y \leqslant 3$, pas 1), puis il a utilisé la commande Trace pour résoudre l'équation $\sqrt{x} = 1,5$.

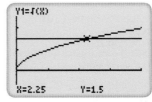

a) Lire sur la copie d'écran la solution de l'équation $\sqrt{x} = 1,5$, puis vérifier par le calcul que cette solution convient.
b) En déduire l'ensemble des solutions de l'inéquation $\sqrt{x} \geqslant 1,5$.
c) Donner l'ensemble des solutions de l'inéquation $\sqrt{x} < 1,5$.

46 On a utilisé un logiciel de calcul formel pour résoudre une inéquation.

> Résoudre[sqrt(x)<3]
>
> 1
> ○ → {0 ≤ x < 9}

a) Quelle inéquation a-t-on résolu ?
b) Donner sous forme d'intervalle l'ensemble des solutions de cette inéquation donné par le logiciel.

47 Résoudre dans l'intervalle $[0\,;+\infty[$ chaque inéquation en s'aidant de la courbe représentative de la fonction racine carrée.
a) $\sqrt{x} \geqslant 3$　　**b)** $\sqrt{x} > 1$　　**c)** $\sqrt{x} < 10$
d) $\sqrt{x} \leqslant 4$　　**e)** $\sqrt{x} < 1,6$　　**f)** $\sqrt{x} \geqslant 0,5$

48 Résoudre dans l'intervalle $[0\,;+\infty[$ chaque inéquation.

a) $2\sqrt{x} > 6$ **b)** $\sqrt{x} + 3 < 1,2$

c) $3\sqrt{x} \leqslant 7,5$ **d)** $-2\sqrt{x} + 3 \leqslant 0$

49 Audric affirme : « Si x appartient à un intervalle de la forme $[0\,;a[$, où a est un nombre réel supérieur à 1, alors $\sqrt{x}$ appartient aussi à cet intervalle ».

Jeanne ajoute : « C'est aussi vrai pour un intervalle de la forme $[a\,;+\infty[$ ».

Pour chaque affirmation, dire si elle est vraie ou fausse. Si elle est fausse, proposer un contre-exemple.

50 La distance de freinage d (en mètres) d'une voiture sur route sèche est donnée par la relation :

$$d = \frac{v^2}{160}$$

où v est la vitesse du véhicule (en km/h).

a) Exprimer v en fonction de d.

b) À quelle vitesse faut-il rouler pour que la distance de freinage soit égale à 10 m ?

c) Un accident vient de se produire sur une route limitée à 50 km/h. Les traces de pneus laissées par la voiture à l'origine de l'accident montrent que sa distance de freinage a été de 20 m.

L'automobiliste était-il en excès de vitesse au moment de l'accident ?

51 Dans le cadre de l'installation d'un circuit de chauffage, on utilise des tubes de cuivre afin d'acheminer de l'eau entre la chaudière et les radiateurs.

Le diamètre D de ces tubes (en mm), dépend de la puissance P (en watts) à transporter ; il est donné par la relation :

$$D = \sqrt{\frac{P}{30}}.$$

a) Un tube de diamètre 7 mm est-il suffisant pour transporter une puissance de 1 500 watts ?

b) Quel doit être le diamètre du tube pour transporter une puissance de 3 000 watts ?

c) Dans son stock, un chauffagiste doit avoir des tubes capables de transporter des puissances entre 1 000 et 20 000 watts.

Quels doivent être les diamètres minimum et maximum, en mm, de ces tubes ? Arrondir à l'unité.

La fonction $x \mapsto x^3$

52 Dans chaque cas, calculer mentalement l'image du nombre réel par $x \mapsto x^3$.

a) 1   **b)** 2   **c)** 0   **d)** -3

53 Dans chaque cas, déterminer mentalement l'antécédent du nombre réel par $x \mapsto x^3$.

a) -1 **b)** 0   **c)** 27   **d)** -8

54 Yanis affirme : « Il n'y a que deux nombres réels égaux à leur image par la fonction cube ». Cette affirmation est-elle vraie ?

55 Sur l'un de ces quatre écrans on a représenté la fonction cube. Lequel ?

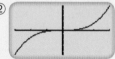

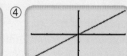

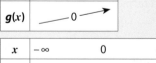

56 Parmi ces trois tableaux de variation, lequel est celui de la fonction cube ?

57 Dans chaque cas, comparer mentalement les deux nombres.

a) 12^3 et 13^3 **b)** $(-42)^3$ et 42^3 **c)** $(-5)^3$ et $(-7)^3$

58 Dans chaque cas, indiquer à quel intervalle appartient x^3.

a) $x \in [0\,;1]$ **b)** $x \in \,]2\,;3]$ **c)** $x \in \,]-1\,;1[$

59 **a)** Reproduire et compléter, à l'aide de la calculatrice, le tableau ci-dessous.

x	0	0,5	1	1,5	2	2,5	3
x^3							

b) À l'aide de la question précédente, et sans utiliser la calculatrice, reproduire et compléter le tableau ci-dessous.

x	-3	$-2,5$	-2	$-1,5$	-1	$-0,5$
x^3						

Pour les exercices **60** à **63**, dans chaque cas, calculer l'image du nombre réel par la fonction cube $x \mapsto x^3$.

60 **a)** 3,5 **b)** -4 **c)** $-1,1$ **d)** 30

61 **a)** $\dfrac{1}{3}$ **b)** $\dfrac{2}{5}$ **c)** $-\dfrac{1}{2}$ **d)** $-\dfrac{3}{7}$

62 **a)** 10^2 **b)** 10^{-3} **c)** 2^4 **d)** 3^{-2}

63 **a)** $\sqrt{2}$ **b)** $-\sqrt{5}$ **c)** $2\sqrt{3}$ **d)** $-4\sqrt{7}$

64 La courbe $\mathscr{C}$ ci-contre représente la fonction cube dans un repère. Le point A(1,5 ; 3,375) appartient-il à la courbe $\mathscr{C}$? Justifier.

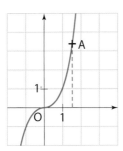

65 Émilie a utilisé un logiciel de calcul formel pour résoudre l'équation $x^3 = 1,5$.

```
1   Résoudre[x^3=1.5]
o   ≈ {x = 1.1447}
```

a) Vérifier à l'aide d'un calcul que la valeur affichée par le logiciel n'est qu'une valeur approchée de la solution.
b) Donner un encadrement d'amplitude 0,01 de la solution de cette équation.

66 **a)** Dresser le tableau de variation de la fonction cube.
b) Expliquer pourquoi, quel que soit le nombre réel k, l'équation $x^3 = k$ ne peut pas avoir plus d'une solution.

67 Sur l'écran de calculatrice ci-dessous, on a tracé la courbe représentative de la fonction cube et la droite d'équation $y = 3$ (fenêtre : $-2 \leqslant X \leqslant 2$, pas 1 ; $-8 \leqslant Y \leqslant 8$, pas 1).
Ensuite on a réalisé la commande Trace.

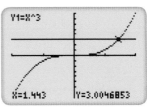

Quelle équation a-t-on voulu résoudre avec cet écran ? Donner une valeur approchée de la solution de cette équation.

68 **1.** Avec la calculatrice, tabuler la fonction cube de -10 à 10 avec le pas 1.
2. En utilisant ce tableau de valeurs, donner la solution de chaque équation.
a) $x^3 = 64$ **b)** $x^3 = -343$ **c)** $x^3 = 729$

69 Recopier et compléter chaque phrase.
a) $\dfrac{3}{2} > 1$ et la fonction cube est ... sur ..., par conséquent $\dfrac{27}{8}$ ... 1.
b) $-2 < -1$ et la fonction cube est ... sur ..., par conséquent -8 ... -1.

70 Recopier et compléter chaque phrase.
a) x est un nombre réel de l'intervalle $[-2 ; 3]$.
La fonction cube est ... sur ..., donc ... $\leqslant x^3 \leqslant$ ... .
b) x est un nombre réel de l'intervalle $]-\infty ; -5]$.
La fonction cube est ... sur ..., donc $x^3 \in$ ... .

71 Tracer la courbe représentative de la fonction cube dans un repère, puis, dans chaque cas, dire à quel intervalle appartient x^3.
a) $x \in [-1 ; 3]$ **b)** $x \in [2 ; +\infty[$
c) $x \in \left]-\infty ; \dfrac{1}{2}\right]$ **d)** $x \in [-2 ; 1,5[$

72 Utiliser les variations de la fonction cube pour compléter les pointillés en utilisant un symbole parmi $<, >, \leqslant, \geqslant$.
a) Si $1 \leqslant x \leqslant 5$, alors $1 \overset{\leqslant}{...} x^3 \overset{\leqslant}{...} 125$.
b) Si $x \overset{>}{...} 1,2$, alors $x^3 > 1,728$.
c) $-\sqrt{2} ... -2$, donc $-2\sqrt{2} ... -8$.
d) $\pi ... 3,5$, donc $\pi^3 ... 42,875$.

Pour s'entraîner

73 Résoudre dans $\mathbb{R}$ chaque inéquation, en s'aidant du sens de variation ou de la courbe représentative de la fonction cube.

a) $x^3 \leqslant 27$ **b)** $x^3 > -1$ **c)** $x^3 < -64$

74 Résoudre dans $\mathbb{R}$ chaque inéquation.

a) $x^3 + 2 < 10$ **b)** $-2x^3 - 1 \geqslant -55$

c) $\dfrac{1}{2}x^3 + 1 \leqslant 5$ **d)** $\sqrt{2}x^3 - 2 > 2$

75 *objectif* **Bac**   **Altitude d'un satellite**

Un satellite évolue sur l'orbite géostationnaire si la distance d en milliers de kilomètres entre le centre de la Terre et sa position dans l'espace est telle que $d^3 = 74959$.

a) À l'aide de la calculatrice, tabuler la fonction cube de 0 à 100 avec le pas 10.
En déduire un encadrement de d d'amplitude 10.

b) En modifiant l'intervalle et le pas, déterminer un encadrement de la distance d par deux nombres entiers consécutifs.

c) Sachant que le rayon de la Terre est d'environ 6 milliers de kilomètres, donner un encadrement par deux nombres entiers consécutifs de l'altitude, en milliers de kilomètres, d'un tel satellite.

76 Un artiste souhaite réaliser une sphère en alliage métallique. Il a pour cela acheté 5 m³ de métal qu'il fera fondre puis mouler par un métallurgiste.

On cherche à déterminer le rayon maximal r de cette sphère.
On rappelle que le volume V d'une sphère de rayon r est donné par la formule :

$$V = \dfrac{4}{3}\pi r^3.$$

a) Justifier que l'équation que l'on doit résoudre équivaut à l'équation $r^3 = \dfrac{15}{4\pi}$.

b) Donner l'arrondi au millième de $\dfrac{15}{4\pi}$.

c) À l'aide de la calculatrice, tabuler la fonction cube de 0 à 2 avec le pas 0,1.
En déduire un encadrement de r d'amplitude 0,1.

d) En modifiant l'intervalle et le pas, donner l'arrondi au centième de r.

Sans intermédiaire

77 La distance (en km) parcourue par une navette spatiale est exprimée en fonction du temps t (en secondes) depuis son lancement par la fonction d définie sur l'intervalle $[0 ; 100]$ par :

$$d(t) = 0,0001t^3.$$

a) Au bout de combien de temps la navette spatiale sortira-t-elle de la troposphère ?
Arrondir à l'unité.

b) Combien de temps (en secondes) la navette mettra-t-elle à traverser la thermosphère ? Arrondir à l'unité.

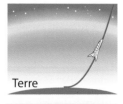
Terre

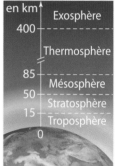

S'entraîner à la logique

78 **Quantificateur universel, existentiel**

Pour chaque affirmation, dire si elle est vraie ou fausse. Illustrer dans chaque cas par un exemple ou un contre-exemple.

a) Pour tout nombre réel x, $x^3 = x$.

b) Il existe un nombre réel x tel que $x^3 = x$.

c) Pour tout nombre réel x, $\sqrt{x} \leqslant x$.

d) Il existe un nombre réel x tel que $\sqrt{x} \leqslant x$.

79 **Conjonction et disjonction**

Dans chaque cas, on donne deux énoncés qui diffèrent seulement par les mots «et» et «ou».
Indiquer les énoncés vrais.

1. a) Sur l'intervalle $[0 ; +\infty[$, la fonction cube est croissante **et** $\sqrt{x}$ est un nombre positif.

b) Sur l'intervalle $[0 ; +\infty[$, la fonction cube est croissante **ou** $\sqrt{x}$ est un nombre positif.

2. Pour tout nombre réel x non nul :

a) x^3 est positif **et** x^3 est négatif.

b) x^3 est positif **ou** x^3 est négatif.

3. Pour tout nombre réel $x \geqslant 0$:

a) $\sqrt{x}$ est négatif **et** $\sqrt{x}$ est supérieur à 1.

b) $\sqrt{x}$ est négatif **ou** $\sqrt{x}$ est supérieur à 1.

80 Dans chaque cas, donner **la** réponse exacte **sans justifier**.

g est la fonction racine carrée définie sur $[0\,;+\infty[$ par $g(x) = \sqrt{x}$.

$\mathscr{C}$ est sa courbe représentative dans un repère.

		A	B	C	D
1	Sur l'intervalle $[0\,;+\infty[$, …	g est croissante	g est décroissante	$g(x) \leqslant 0$	$g(x) > 0$
2	L'ordonnée du point de $\mathscr{C}$ d'abscisse 8 est …	$-\sqrt{8}$	2,828	64	$2\sqrt{2}$
3	L'équation $g(x) = 3$ …	n'admet aucune solution	admet pour solution 9	admet pour solution $\sqrt{3}$	admet deux solutions
4	L'équation $g(x) = x$ …	n'admet aucune solution	admet pour solutions $-1\,;$ 0 et 1	admet une unique solution	admet deux solutions

81 Dans chaque cas, donner **la ou les** réponses exactes **sans justifier**.

f est la fonction cube définie sur $\mathbb{R}$ par $f(x) = x^3$ et $\mathscr{C}$ est sa courbe représentative dans un repère.

		A	B	C	D
1	La fonction f est …	positive sur $[\sqrt{2}-1\,;\sqrt{2}\,]$	négative sur $\mathbb{R}$	positive sur $]-\infty\,;0[$ et négative sur $]0\,;+\infty[$	négative sur $]-\infty\,;0]$ et positive sur $[0\,;+\infty[$
2	Si a et b sont deux nombres réels tels que $a < b$, alors …	$f(a) - f(b) < 0$	$f(a) > f(b)$	$f(a) < f(b)$	$f(a) = f(b)$
3	L'équation $f(x) = -1$ …	admet -1 pour solution	admet une solution positive	admet une unique solution	admet deux solutions
4	La courbe $\mathscr{C}$ est symétrique par rapport …	à l'origine du repère	au point de coordonnées $(0\,;1)$	à l'axe des abscisses	à l'axe des ordonnées

82 Pour chaque affirmation, dire si elle est **vraie ou fausse en justifiant**.

Dans le repère ci-contre, $\mathscr{C}$ est la courbe représentative de la fonction cube $x \mapsto x^3$ et D est la droite d'équation $y = x$.

1. L'équation $x^3 = x$ admet trois solutions.

2. Quel que soit le nombre réel positif x, $x^3 \geqslant x$.

3. Quel que soit le nombre réel x, x^3 et x sont de même signe.

4. Il existe un nombre réel x tel que $x^3 - x = 6$.

5. Il existe un nombre réel x tel que $x^3 - x < -1$.

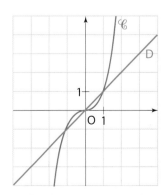

Vérifiez vos réponses : p. 264

83   **Avec un guide**

Un atelier de lutherie fabrique des contrebasses.
Le coût de production mensuel de x instruments, exprimé en dizaines de milliers d'euros, est donné par la fonction C définie sur l'intervalle [0 ; 40] par :
$$C(x) = 0,001x^3 - 0,03x^2 + 0,3x.$$

1. Les instruments sont vendus au prix de 3 000 € pièce.

a) Justifier que la recette, en milliers d'euros, est :
$$R(x) = 0,3x.$$

b) Factoriser la différence R(x) – C(x), puis étudier son signe selon les valeurs de x.

c) En déduire le nombre maximal d'instruments que peut produire l'atelier sans être déficitaire.

2. Pour pouvoir produire davantage d'instruments sans être déficitaire, l'atelier doit augmenter le prix de vente unitaire.

À l'aide d'un logiciel de géométrie dynamique, déterminer le prix de vente unitaire qui permet de construire jusqu'à 40 instruments sans être déficitaire. Vérifier par le calcul le résultat trouvé.

> **Conseil**
>
> On note a le prix unitaire en dizaines de milliers d'euros. Alors $R(x) = ax$.
> Avec le logiciel, on peut créer un curseur a allant de 0,3 à 1 avec un incrément de 0,01.

84 **Imaginer une stratégie**

On se place dans l'intervalle $]0 ; +\infty[$.

f est la fonction cube et $\mathscr{C}$ est sa courbe représentative dans un repère.

g est la fonction racine carrée et $\mathscr{C}'$ est sa courbe représentative dans le même repère.

On se propose d'étudier les positions relatives des courbes $\mathscr{C}$ et $\mathscr{C}'$.

a) Avec la calculatrice, conjecturer les positions relatives de ces courbes.

b) Expliquer pourquoi le problème revient à étudier le signe de $x^3 - \sqrt{x}$ selon les valeurs de x.

c) À l'aide de cet écran de calcul formel, établir le tableau de signes de $x^3 - \sqrt{x}$ sur $]0 ; +\infty[$.

```
     h(x)=x(x - 1) (x⁴ + x³ + x² + x + 1) / (x³ + sqrt(x))
1
  →  h (x) = x³ − √x
```

d) Conclure sur la position relative des courbes $\mathscr{C}$ et $\mathscr{C}'$ sur l'intervalle $]0 ; +\infty[$.

85 **Comprendre un algorithme**

Voici un algorithme.

Variables :	x, y sont des nombres réels
Entrée :	Saisir x
Traitement et sortie :	Affecter à y la valeur $2x - 1$
	Si $y < 0$ alors
	Afficher «Impossible»
	Sinon
	Affecter à y la valeur $\sqrt{y}$
	Afficher y
	Fin Si

a) Faire fonctionner l'algorithme avec l'entrée $x = 2$, puis avec $x = -2$. Que se passe-t-il ?

b) Pour quelles valeurs de x saisies en entrée l'algorithme affiche-t-il «Impossible» ?

c) Expliquer le rôle de l'instruction conditionnelle «Si $y < 0$ alors…».

d) Modifier l'algorithme afin qu'il calcule, pour les valeurs de x adéquates, le nombre réel $\sqrt{ax + b}$, où a et b sont des nombres réels (avec $a \neq 0$) saisis par l'utilisateur.

86 **Immerger un ballon dans l'eau**

Engloutie depuis des siècles, une partie de la ville d'Alexandrie en Égypte gît à une profondeur de 6 à 8 m.

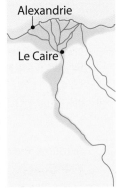

Pour remonter à la surface des vestiges du fond du port d'Alexandrie, les archéologues utilisent des ballons gonflés avec de l'air comprimé.

On note x le rayon (en m) d'un tel ballon sphérique.

1. Exprimer en fonction de x et de π le volume d'air (en m³) occupé par un ballon.

2. La masse volumique de l'eau de la mer Méditerranée est de 1 046 kg/m³.

Déterminer en fonction de x et de π la masse d'eau $m(x)$, en kg, déplacée par l'immersion totale d'un ballon.

3. a) Quelle masse d'eau, en kg, un ballon de 80 cm de diamètre peut-il déplacer ? Arrondir à l'unité.

b) Les archéologues souhaitent remonter à la surface une statue de 400 kg.

Calculer le rayon, en m, du ballon nécessaire. Arrondir au centième.

87 Approcher un nombre

Voici un algorithme programmé avec le logiciel AlgoBox.

```
▼ VARIABLES
  ├─x EST_DU_TYPE NOMBRE
  ├─y EST_DU_TYPE NOMBRE
  └─i EST_DU_TYPE NOMBRE
▼ DEBUT_ALGORITHME
  ├─LIRE x
  ├─y PREND_LA_VALEUR 0
  ▼ TANT_QUE (y*y<x) FAIRE
    ├─DEBUT_TANT_QUE
    ├─y PREND_LA_VALEUR y+1
    └─FIN_TANT_QUE
  ▼ POUR i ALLANT_DE 1 A 5
    ├─DEBUT_POUR
    ├─y PREND_LA_VALEUR (y+x/y)/2
    └─FIN_POUR
  └─AFFICHER y
└─FIN_ALGORITHME
```

À la main ou avec un logiciel, chaque membre du groupe teste cet algorithme avec en entrée un nombre strictement positif différent.

Puis le groupe répond aux questions suivantes en s'appuyant sur l'ensemble des résultats obtenus.

a) Calculer le carré du nombre affiché en sortie. Quel semble être le rôle de cet algorithme ?

b) Appliquer l'algorithme avec une entrée négative ou nulle. Que se passe-t-il ?

c) Expliquer ce que fait la boucle Tant que.

d) Comment faudrait-il modifier l'algorithme pour obtenir un résultat plus précis ?

88 Avoir un regard critique

a) Donner les valeurs de $1{,}000\,000\,000\,1^3$ et $1{,}000\,000\,000\,09^3$ obtenues à la calculatrice. Qu'en pensez-vous ?

b) Comparer, sans calculs, les nombres $1{,}000\,000\,000\,1^3$ et $1{,}000\,000\,000\,09^3$.

89 Comparer des nombres

Rédiger les différentes étapes de la recherche, sans omettre les fausses pistes et les changements de méthode.

Problème Comparer, en étudiant tous les cas possibles, un nombre réel x et son cube x^3.

90 Construire $\sqrt{x}$

A, B et C sont trois points alignés tels que AB = 1 et BC = x.

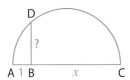

Le point D appartient au demi-cercle de diamètre [AC] et le segment [BD] est perpendiculaire à [AB]. Exprimer BD en fonction de x.

91 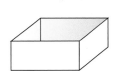 Building a box

An open-top box is to be made by cutting congruent squares from the corners of an 8.5 × 11-inch sheet of paper and folding up the sides.

What is, with two decimal places, the maximum volume of the box?

92 Prouver une symétrie

Dans un repère, les courbes $\mathscr{C}$ et $\mathscr{C}'$ représentent respectivement la fonction carré et la fonction racine carrée sur l'intervalle $[0\,;+\infty[$.

Prouver que ces deux courbes sont symétriques par rapport à la droite d'équation $y = x$.

93 Comprendre une nouvelle notation

La notation des flèches de Donald Knuth (mathématicien et informaticien américain) permet de noter facilement de grands nombres entiers.

Dans ce système, la notation $x \uparrow n$ représente :

$$x^n = \underbrace{x \times \ldots \times x}_{n \text{ facteurs}}$$

La notation $x \uparrow\uparrow n$ représente $x^{x^{\cdots^x}}$, une série de puissances où le nombre x apparaît n fois.

Déterminer les nombres $2 \uparrow\uparrow 3$ et $3 \uparrow\uparrow 4$.

Accompagnement personnalisé

Soutien Connaître les variations
de la fonction racine carrée

94 Dans chaque cas, comparer, sans les calculer, les nombres réels A et B.
a) $A = \sqrt{3}$ et $B = \sqrt{11}$.
b) $A = \sqrt{17,02}$ et $B = \sqrt{17,1}$.
c) $A = \sqrt{\pi + 2}$ et $B = \sqrt{5}$.

*Appelez le professeur pour qu'il contrôle
vos réponses et qu'il vous indique la suite.*

95 *f* est la fonction racine carrée définie sur
l'intervalle $[0 ; +\infty[$ par $f(x) = \sqrt{x}$.
a) Recopier et compléter le tableau de valeurs ci-
dessous. Arrondir au centième si besoin.

x	0	0,5	1	1,5	2	3	4
$f(x)$							

b) À l'aide du tableau de valeurs, compléter les
pointillés avec le symbole > ou <.
• $\sqrt{0,5}$ ... $\sqrt{3}$ • $\sqrt{2}$ ... 0
• $\sqrt{2}$ ... $\sqrt{1,5}$ • $\sqrt{0,5}$ ... 2
c) *a* et *b* désignent deux nombres réels de la première ligne du tableau, tels que $a < b$.
Que peut-on dire de $\sqrt{a}$ et $\sqrt{b}$?

96 *f* est la fonction racine carrée définie sur
l'intervalle $[0 ; +\infty[$ par $f(x) = \sqrt{x}$.
a) Tabuler la fonction *f* de 0 à 6 avec le pas 1.
b) Tracer dans un repère la courbe représentative $\mathscr{C}$
de la fonction *f* sur l'intervalle $[0 ; 6]$.
c) Placer sur l'axe des abscisses les nombres réels 2
et 3,5, puis construire avec la courbe $\mathscr{C}$ leurs images
$f(2)$ et $f(3,5)$ par la fonction racine carrée.
d) Recopier et compléter les pointillés : « La fonction
racine carrée est ... sur ... et $0 < 2 < 3,5$, par
conséquent $\sqrt{2}$ ... $\sqrt{3,5}$ ».
e) De même, comparer $\sqrt{2,5}$ et $\sqrt{5}$.

97 Dans chaque cas comparer, sans les calculer,
les nombres réels A et B.
a) $A = \sqrt{2}$ et $B = \sqrt{7}$.
b) $A = \sqrt{5,5}$ et $B = \sqrt{5,1}$.
c) $A = \sqrt{7,09}$ et $B = \sqrt{7,11}$.
d) $A = \sqrt{\pi + 1}$ et $B = \sqrt{\pi - 1}$.

Soutien Connaître les variations
de la fonction cube

98 Dans chaque cas, comparer, sans les calculer, les nombres réels A et B.
a) $A = 7^3$ et $B = 10^3$.
b) $A = (-5,1)^3$ et $B = (-4,9)^3$.
c) $A = (\sqrt{2} + 1)^3$ et $B = (\sqrt{2} - 1)^3$.

*Appelez le professeur pour qu'il contrôle
vos réponses et qu'il vous indique la suite.*

99 *f* est la fonction cube, définie sur $\mathbb{R}$ par :
$$f(x) = x^3.$$
a) Recopier et compléter le tableau de valeurs ci-
dessous.

x	-3	-2	$-1,5$	0	1	2,5	3
$f(x)$							

b) À l'aide du tableau de valeurs, compléter les
pointillés avec l'un des symboles > ou < ou =.
• $(-2)^3$ ... $(-3)^3$ • 0 ... $(2,5)^3$
• $(2,5)^3$ ... $(-1,5)^3$ • $(-3)^3$ ... $(3)^3$
c) *a* et *b* désignent deux nombres réels de la première ligne du tableau, tels que $a < b$.
Que peut-on dire de a^3 et b^3 ?

100 *f* est la fonction cube définie sur $\mathbb{R}$ par $f(x) = x^3$.
a) Tabuler la fonction *f* de -3 à 3 avec le pas 1.
b) Tracer dans un repère la courbe représentative $\mathscr{C}$
de la fonction *f* sur l'intervalle $[-3 ; 3]$.
c) Placer sur l'axe des abscisses les nombres réels
$-2,5$ et $-1,5$, puis construire avec la courbe $\mathscr{C}$ leurs
images $f(-2,5)$ et $f(-1,5)$ par la fonction cube.
d) Recopier et compléter les pointillés : « La fonction cube est ... sur ... et $-2,5 < -1,5$, par conséquent $(-2,5)^3$ ... $(-1,5)^3$ ».
e) En effectuant les tracés adaptés sur la courbe,
comparer $0,5^3$ et $2,25^3$. Justifier.

101 Dans chaque cas comparer, sans les calculer,
les nombres réels A et B.
a) $A = 14^3$ et $B = 20^3$.
b) $A = (-2,01)^3$ et $B = (-1,98)^3$.
c) $A = (\sqrt{3} + \sqrt{2})^3$ et $B = (\sqrt{3} + 1)^3$.
d) $A = \pi^3$ et $B = (-\pi)^3$.
e) $A = 1\,254\,337^3$ et $B = 1\,254\,376^3$.

Connaître les représentations graphiques de la fonction racine carrée et de la fonction cube

102 Corentin a tracé dans un repère les courbes représentatives des fonctions carré, inverse, racine carrée et cube. Malheureusement, il ne les a pas repérées et ne se souvient plus quelle courbe représente quelle fonction.

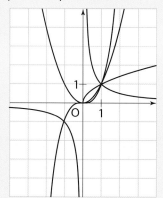

Reproduire son travail en traçant en rouge la courbe représentative de la fonction racine carrée, en vert celle de la fonction cube, en bleu celle de la fonction carré et en noir celle de la fonction inverse.

Appelez le professeur pour qu'il contrôle vos réponses et qu'il vous indique la suite.

103 f est la fonction racine carrée.
a) Afficher à l'écran de la calculatrice la courbe de la fonction f sur l'intervalle $[0\,;9]$.
Indiquer la fenêtre utilisée.
b) Pour chaque point, dire s'il appartient à la courbe $\mathscr{C}$.
- A$(1\,;1)$
- B$(2\,;\sqrt{2})$
- C$(6,25\,;2,5)$
- D$(5\,;2,236)$
- E$(4\,;2)$
- F$(3\,;1,7)$

104 g est la fonction cube.
a) Afficher à l'écran de la calculatrice la courbe de la fonction g sur l'intervalle $[-3\,;3]$.
Indiquer la fenêtre utilisée.
b) Pour chaque point, dire s'il appartient à la courbe $\mathscr{C}$.
- A$(1\,;1)$
- B$(-2\,;8)$
- C$(1,1\,;1,33)$
- D$(-2,5\,;-15,625)$
- E$(3\,;9)$
- F$(2,1\,;9,261)$

Déterminer des points d'intersection

105 f est la fonction définie sur $\mathbb{R}$ par :
$$f(x) = 0,1x^3 - 0,4x^2 + 0,4x - 0,1.$$
$\mathscr{C}$ est sa courbe représentative dans un repère. On se propose de déterminer les points d'intersection de $\mathscr{C}$ avec l'axe des abscisses.
a) À l'aide de la calculatrice, conjecturer le nombre de ces points et des valeurs approchées de leurs abscisses.
b) Vérifier cet écran de calcul formel.

Factoriser[f(x)]
1
$\circ \rightarrow (x-1) \cdot \dfrac{x^2 - 3x + 1}{10}$

c) Résoudre l'équation $f(x) = 0$.
d) En déduire les abscisses exactes des points d'intersection de $\mathscr{C}$ avec l'axe des abscisses.

Minimiser un temps de trajet

106 Le gardien d'un phare situé en A et entouré d'eau souhaite rejoindre la maison côtière située en B. Le point C est le point de la côte le plus proche de A, ainsi les segments [AC] et [BC] sont perpendiculaires.

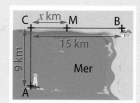

De plus, AC = 9 km et BC = 15 km.
Pour faire le trajet, le gardien part en canot à la vitesse moyenne de 4 km/h. Il accoste en un point M du segment [CB] et parcourt la distance [MB] à pied, à la vitesse moyenne de 5 km/h.
Le gardien choisit l'itinéraire qui lui assure le temps de trajet minimal.
On note x la distance CM (en km) et $f(x)$ le temps de trajet (en h).
a) Justifier que $f(x) = \dfrac{\sqrt{x^2 + 81}}{4} + \dfrac{15 - x}{5}$.
b) À l'aide de la calculatrice, déterminer à quelle distance du point C le gardien doit accoster. Quel est alors son temps de parcours (en heures et minutes) ?

3 Dérivation

Dans le film *Gravity*, Ryan Stone ouvre la porte de la station spatiale en se déplaçant selon la courbe tracée en jaune. Si elle lâchait la poignée, elle serait projetée dans la direction représentée par la flèche rouge, qui est tangente à la courbe.

Au fil des siècles

Isaac Newton, mathématicien et physicien anglais (1642-1727), et **Gottfried von Leibniz**, mathématicien et philosophe allemand (1646-1716), auraient développé indépendamment le principe de la dérivation. Cela a entraîné une controverse sur la paternité de cette découverte.

● *Rechercher sur Internet des informations sur cette controverse.*

Les capacités du programme

	Choix d'exercices		
• Déterminer l'équation d'une tangente à la courbe représentative d'une fonction dérivable en un point.	33 36		41
• Tracer une tangente connaissant le nombre dérivé.		2 35	38
• Connaître les dérivées des fonctions usuelles $x \mapsto \sqrt{x}$, $x \mapsto \dfrac{1}{x}$ et $x \mapsto x^n$.	5 45 51		55
• Calculer la dérivée d'une fonction.	9 67		74

1 Représenter graphiquement une fonction

Dans un repère, représenter graphiquement chaque fonction.

a) f définie sur $\mathbb{R}$ par $f(x) = x^2$. **b)** g définie sur $\mathbb{R}^*$ par $g(x) = \dfrac{1}{x}$.

2 Étudier et représenter une fonction polynôme de degré 2

f est la fonction définie sur $\mathbb{R}$ par $f(x) = -2x^2 + 4x + 3$.

$\mathscr{P}$ est sa parabole représentative dans un repère.

a) La fonction f admet-elle un maximum ou un minimum sur $\mathbb{R}$? Justifier.

b) Vérifier que $f(0) = f(2)$.

En déduire l'abscisse du sommet de la parabole $\mathscr{P}$. Calculer l'ordonnée du sommet.

c) Tracer la courbe $\mathscr{P}$ dans un repère.

3 Identifier le coefficient directeur dans une équation de droite

Dans chaque cas, indiquer le coefficient directeur de la droite dont l'équation dans un repère est donnée.

a) $y = 3x - 1$ **b)** $y = -x + 2$ **c)** $y = 5 - \dfrac{1}{3}x$ **d)** $y = -4$

4 Lire graphiquement un coefficient directeur

Pour chaque droite d_1 à d_5 tracée dans le repère ci-contre, lire graphiquement son coefficient directeur.

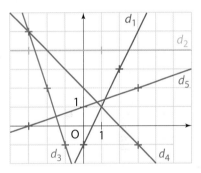

5 Calculer un coefficient directeur

Dans un repère, calculer le coefficient directeur de la droite qui passe par les deux points :

a) A$(1 ; 3)$ et B$(3 ; 7)$ **b)** C$(-1 ; 7)$ et D$(2 ; -2)$ **c)** E$(5 ; -1)$ et F$(3 ; -1)$ **d)** G$(-4 ; 5)$ et H$(-1 ; 7)$

6 Tracer une droite

Dans un repère, tracer la droite de coefficient directeur m et qui passe par le point A.

a) $m = 3$ et A$(-3 -4)$ **b)** $m = \dfrac{1}{2}$ et A$(3 ; 6)$ **c)** $m = 0$ et A$\left(3 ; -\dfrac{3}{2}\right)$

7 Déterminer une équation de droite

Dans un repère, déterminer l'équation de la droite de coefficient directeur m et qui passe par le point A.

a) $m = 1$ et A$(-2 ; 1)$ **b)** $m = 4$ et A$(-2 ; -8)$ **c)** $m = -\dfrac{1}{4}$ et A$(5 ; 4)$

 Aide et corrigés sur le site élève **www.nathan.fr/hyperbole1reESL-2015**

1 Notion de tangente

Un artiste a réalisé une sculpture en forme de parabole, posée sur un socle.
Il souhaite ajouter une poutre qui touche la sculpture au point de contact entre les deux essences de bois. On dit que la poutre est tangente à la parabole en ce point.

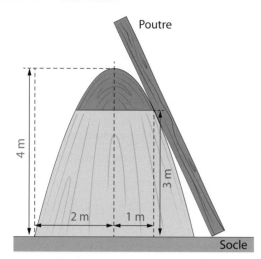

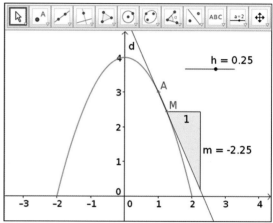

Problème

En quel point du socle l'artiste doit-il poser la poutre ?

1 Modéliser

On modélise la sculpture par un arc de parabole $\mathcal{P}$ dont l'axe de symétrie est l'axe des ordonnées du repère ci-dessus. f est la fonction polynôme de degré 2 définie sur $[-2\,;2]$ associée à cette parabole.
La forme canonique de la fonction f est $f(x) = a(x - \alpha)^2 + \beta$, où a, α, β sont des nombres réels.
a) Quelles sont les coordonnées du sommet de la parabole $\mathcal{P}$? En déduire les valeurs de α et β.
b) En utilisant un autre point de la parabole, déterminer la valeur de a, puis donner l'expression de f.

2 Conjecturer avec GeoGebra

a) Afficher le repère, saisir $f(x)$=Fonction[$-x^2+4,-2,2$], puis saisir A=(1,f(1)).
b) Créer un curseur h allant de -1 à 1 avec un incrément de 0,01. Saisir M=(1+h,f(1+h)).
Tracer la droite d qui passe par A et M, puis afficher son coefficient directeur en saisissant m=pente[d].
c) Déplacer le curseur et conjecturer de quelle valeur s'approche le coefficient directeur de la droite d lorsque h tend vers 0, c'est-à-dire lorsque M s'approche de A sans être confondu avec A.

3 Justifier la conjecture

La position limite de la droite (AM) quand h tend vers 0 est la **tangente** à la parabole $\mathcal{P}$ au point A.
Son coefficient directeur m est appelé **nombre dérivé de la fonction f en 1** et est noté **$f'(1)$**.
a) Exprimer le coefficient directeur de la droite (AM) en fonction de h, pour $h \neq 0$.
b) Que devient ce coefficient directeur lorsque h se rapproche de 0 ? En déduire le nombre dérivé $f'(1)$.
c) En utilisant le fait que la tangente passe par le point A, déterminer son équation.
d) Déterminer en quel point du socle l'artiste doit poser la poutre.

2 Approche du coût marginal

Une entreprise fabrique des appareils électroniques.

Le coût de production de q appareils est donné, en euros, pour tout nombre entier naturel compris entre 0 et 200 par la fonction C définie par $C(q) = \dfrac{1}{3\,000} q^3 + 200$. Le nuage de points représentatif de la fonction C dans un repère est donné ci-dessous (le grand nombre de points fait qu'on voit une courbe). Le **coût marginal** pour q appareils produits, noté $C_m(q)$, et le surcoût engendré pour passer de la production de q appareils à $q + 1$; ainsi $C_m(q) = C(q + 1) - C(q)$.

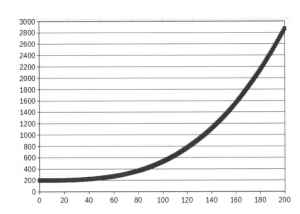

> **Problème**
>
> Comment interpréter graphiquement le coût marginal et l'approcher ?

1 Déterminer le coût marginal

a) On a utilisé un logiciel de calcul formel pour développer l'expression $(q + 1)^3$. En déduire que l'expression du coût marginal en fonction de q est $C_m(q) = \dfrac{q^2}{1\,000} + \dfrac{q}{1\,000} + \dfrac{1}{3\,000}$.

1	Développer[(q+1)^3]
	$\rightarrow\ q^3 + 3\,q^2 + 3\,q + 1$

b) Calculer le coût marginal pour 50 unités produites, arrondi au centième, et interpréter cette valeur.

2 Interpréter graphiquement le coût marginal

Dans cette partie, q est un nombre entier tel que q et $q + 1$ sont compris entre 0 et 200.

Les points $A(q\,;\,C(q))$ et $B(q + 1\,;\,C(q + 1))$ appartiennent à la courbe représentative de la fonction C.

Démontrer que le coefficient directeur de la droite (AB) est égal à $C_m(q)$.

3 Approcher le coût marginal

f est la fonction définie sur l'intervalle $[0\,;\,200]$ par :
$$f(x) = \dfrac{1}{3\,000} x^3 + 200.$$

1	f(x)=(1/3000)*x^3+200
	Dérivée: $f'(x) = \dfrac{1}{1000}\, x^2$

On approche souvent le coût marginal $C_m(q)$ par le nombre dérivé $f'(q)$.

a) Utiliser l'écran de calcul formel pour exprimer l'écart $C_m(q) - f'(q)$ en fonction de q.

b) Pour 50 unités produites, calculer le coût marginal approché à l'aide de la fonction f', puis le pourcentage d'erreur par rapport à la valeur trouvée à la question **1 b)**.

1 Nombre dérivé en un point

f est une fonction définie sur un intervalle I et $\mathcal{C}$ est sa courbe représentative dans un repère.
a et *h* sont des nombres réels de I, avec $h \neq 0$.
A et M sont les points de $\mathcal{C}$ d'abscisses respectives *a* et *a* + *h*.

a. Taux d'accroissement et nombre dérivé

▶ **DÉFINITION**

Le **taux d'accroissement** de *f* entre *a* et *a* + *h* est le coefficient directeur de la droite (AM), c'est-à-dire le rapport $\dfrac{f(a+h) - f(a)}{h}$.

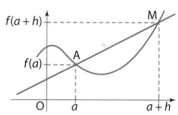

● **EXEMPLE**

g est la fonction carré $x \mapsto x^2$. Le taux d'accroissement de *g* entre 1 et 1 + *h* est $\dfrac{g(1+h) - g(1)}{h} = \dfrac{(1+h)^2 - 1}{h} = \dfrac{2h + h^2}{h} = \dfrac{h(2+h)}{h} = 2 + h$.

▶ **DÉFINITION**

Lorsque le taux d'accroissement de *f* entre *a* et *a* + *h* tend vers un nombre réel quand *h* tend vers 0, on dit que ce nombre réel est le **nombre dérivé de f en a**, et on le note **f′(a)**.
La fonction *f* est alors dite **dérivable en a**.

● **EXEMPLE :** on reprend l'exemple précédent avec la fonction $g : x \mapsto x^2$.

Lorsque *h* tend vers 0, c'est-à-dire lorsque *h* prend des valeurs aussi proches que l'on veut de 0, le taux d'accroissement 2 + *h* tend vers 2. Le nombre dérivé de la fonction *g* en 1 est donc g′(1) = 2.

b. Nombre dérivé et tangente

On suppose que *f* est dérivable en *a*.
Quand *h* tend vers 0, par définition, le taux d'accroissement $\dfrac{f(a+h) - f(a)}{h}$ tend vers le nombre dérivé f′(a).
Géométriquement le point M se rapproche alors du point A sur la courbe $\mathcal{C}$. La droite (AM) a pour position limite une droite passant par A et de coefficient directeur f′(a).

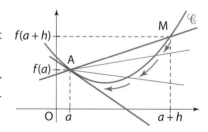

▶ **DÉFINITION-PROPRIÉTÉ**

Dans un repère, la **tangente** à la courbe $\mathcal{C}$ au point A d'abscisse *a* est la droite qui passe par A et de coefficient directeur f′(a). L'équation de cette tangente est **y = f′(a)(x − a) + f(a)**.

Remarque : la tangente à la courbe $\mathcal{C}$ en un point d'abscisse *a* est **parallèle à l'axe des abscisses** si, et seulement si, **f′(a) = 0**.

● **EXEMPLE**

g est la fonction carré. On a vu dans l'exemple du paragraphe **a** que g′(1) = 2. De plus, g(1) = 1.
L'équation de la tangente T à la parabole représentative de la fonction carré au point d'abscisse 1 est donc $y = 2(x - 1) + 1$, c'est-à-dire $y = 2x - 1$.

● **Exercice résolu**   **Tracer une tangente connaissant le nombre dérivé**

1 **Énoncé**

f est la fonction définie sur $\mathbb{R}$ par :
$$f(x) = \left(x - \frac{1}{2}\right)^2 - \frac{9}{4}.$$

a) Dans un repère, tracer la courbe $\mathcal{C}$ représentative de la fonction *f*.
b) On a utilisé un logiciel de calcul formel pour calculer $f'(0)$.
Tracer la tangente à la courbe $\mathcal{C}$ au point d'abscisse 0.

1	f(x):=(x-1/2)²-9/4
○	→ f(x) := x² − x − 2
2	f'(0)
○	→ −1

Solution

a) La courbe $\mathcal{C}$ est la parabole de sommet $S\left(\frac{1}{2}; -\frac{9}{4}\right)$ et qui passe par le point $A(0; -2)$ car $f(0) = \left(0 - \frac{1}{2}\right)^2 - \frac{9}{4} = -2$.

b) $f'(0) = -1$ donc la tangente à $\mathcal{C}$ au point d'abscisse 0 est la droite de coefficient directeur -1 qui passe par le point A.

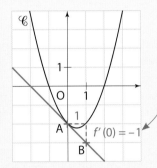

Conseils

• Pour tracer la tangente, à partir du point A on se déplace d'une unité vers la droite et, ici, d'une unité vers le bas (car $f'(0) = -1$).

• On peut aussi déterminer l'équation de cette tangente :
$$y = f'(0)(x - 0) + f(0),$$
avec $f'(0) = -1$ et $f(0) = -2$.
D'où $y = (-1)x + (-2)$, c'est-à-dire $y = -x - 2$.
On peut alors tracer la tangente en choisissant deux valeurs pour *x* qui donneront les coordonnées de deux points.

Remarque : les calculatrices scientifiques permettent de calculer $f'(0)$.

Casio	TI
OPTN F4 (CALC) F2 (d/dx)	math 8 (nbreDérivé( ) X puis
X² − X − 2 , 0) EXE	X² − X − 2 ▶ 0 entrer
d/dx(X²-X-2,0) -1	$\frac{d}{dx}(X^2-X-2)\big\|_{x=0}$ -1

● **À votre tour**

2 *f* est la fonction définie sur $\mathbb{R}$ par :
$$f(x) = (x - 2)^2 - 3.$$

$\mathcal{C}$ est sa courbe représentative dans un repère.
Tracer la courbe $\mathcal{C}$ et utiliser l'écran de calcul formel ci-contre pour tracer ses tangentes aux points d'abscisses 1 et 2,5.

1	f(x):=(x-2)²-3
2	f'(1)
○	→ −2
3	f'(2.5)
○	→ 1

3 *g* est une fonction dérivable sur $[-3; 4]$.
Voici quelques informations sur cette fonction.

x	−2	−1	0	2	3
g(x)	0	2	0	−4	0
g'(x)	5	0	−3	1	7,5

$\mathcal{C}$ est la courbe représentative de la fonction *g* dans un repère.

a) À l'aide des informations du tableau, tracer dans un repère les tangentes à la courbe $\mathcal{C}$ aux points d'abscisses $-2; -1; 0; 2$ et 3.
b) Tracer une allure possible de la courbe $\mathcal{C}$.

2 Fonctions dérivées des fonctions usuelles

▶ **DÉFINITIONS**

Une fonction f dérivable en tout nombre réel d'un intervalle I est dite **dérivable sur I**.
La fonction f' qui, à tout nombre réel x de I, associe le nombre $f'(x)$ est appelée **fonction dérivée** de f.

Remarque : en économie, la fonction dérivée d'un coût total de production C est assimilée au coût marginal (coût engendré par la production d'une unité supplémentaire).

▶ **PROPRIÉTÉS**

Le tableau ci-contre donne les fonctions dérivées des fonctions puissances, définies et dérivables sur $\mathbb{R}$.

Fonction	Expression	Dérivée
Constante	$f(x) = k$ avec k nombre réel	$f'(x) = 0$
Identité	$f(x) = x$	$f'(x) = 1$
Carré	$f(x) = x^2$	$f'(x) = 2x$
Cube (admis)	$f(x) = x^3$	$f'(x) = 3x^2$
Puissance (admis)	$f(x) = x^n$, n nombre entier, $n \geqslant 2$	$f'(x) = nx^{n-1}$

● **DÉMONSTRATIONS**

• **Fonction constante :** $f(x) = k$ avec k nombre réel, donc pour tous nombres réels a et $h \neq 0$,
$\dfrac{f(a + h) - f(a)}{h} = \dfrac{k - k}{h} = 0$, donc $f'(a) = 0$.

• **Fonction identité :** $f(x) = x$, donc pour tous nombres réels a et $h \neq 0$,
$\dfrac{f(a + h) - f(a)}{h} = \dfrac{a + h - a}{h} = \dfrac{h}{h} = 1$, donc $f'(a) = 1$.

• **Fonction carré :** $f(x) = x^2$, donc pour tous nombres réels a et $h \neq 0$,
$\dfrac{f(a + h) - f(a)}{h} = \dfrac{(a + h)^2 - a^2}{h} = \dfrac{a^2 + 2ah + h^2 - a^2}{h} = \dfrac{2ah + h^2}{h} = \dfrac{h(2a + h)}{h} = 2a + h$.

Lorsque h se rapproche de 0, le nombre $2a + h$ se rapproche de $2a$, donc $f'(a) = 2a$.

▶ **PROPRIÉTÉ**

La fonction inverse f définie sur $\mathbb{R}^*$ par $f(x) = \dfrac{1}{x}$ est dérivable sur $]-\infty\,;\,0[$ et sur $]0\,;\,+\infty[$.

Pour tout nombre réel $x \neq 0$, $f'(x) = -\dfrac{1}{x^2}$.

● **DÉMONSTRATION**

Pour tous nombres réels $a \neq 0$ et $h \neq 0$ tels que $a + h \neq 0$,
$\dfrac{f(a + h) - f(a)}{h} = \dfrac{\dfrac{1}{a + h} - \dfrac{1}{a}}{h} = \dfrac{\dfrac{a - (a + h)}{a(a + h)}}{h} = \dfrac{a - (a + h)}{ha(a + h)} = \dfrac{-h}{ha(a + h)} = \dfrac{-1}{a(a + h)}$, donc $f'(a) = -\dfrac{1}{a^2}$.

▶ **PROPRIÉTÉ** ADMISE

La fonction racine carrée f définie sur $[0\,;\,+\infty[$ par $f(x) = \sqrt{x}$ est dérivable sur $]0\,;\,+\infty[$ et, pour tout nombre réel $x > 0$, $f'(x) = \dfrac{1}{2\sqrt{x}}$.

● Exercice résolu **Déterminer une équation de tangente**

4 │ Énoncé

Dans chaque cas, déterminer l'équation de la tangente à la courbe représentative $\mathscr{C}$ de la fonction f dans un repère, au point d'abscisse a.

a) f est la fonction carré définie sur $\mathbb{R}$ par $f(x) = x^2$ et $a = 3$.

b) f est la fonction racine carrée définie sur $[0\,;+\infty[$ par $f(x) = \sqrt{x}$ et $a = 1$.

Solution

a) $f(3) = 3^2 = 9$.

Pour tout nombre réel x, $f'(x) = 2x$.

En particulier $f'(3) = 2 \times 3 = 6$.

L'équation de la tangente à la courbe $\mathscr{C}$ au point d'abscisse 3 est :

$$y = f'(3)(x - 3) + f(3)$$
$$y = 6(x - 3) + 9$$
$$y = 6x - 9$$

b) $f(1) = \sqrt{1} = 1$.

Pour tout nombre réel $x > 0$, $f'(x) = \dfrac{1}{2\sqrt{x}}$.

En particulier, $f'(1) = \dfrac{1}{2\sqrt{1}} = \dfrac{1}{2}$.

L'équation de la tangente à la courbe $\mathscr{C}$ au point d'abscisse 1 est :

$$y = f'(1)(x - 1) + f(1)$$
$$y = \frac{1}{2}(x - 1) + 1$$
$$y = \frac{1}{2}x + \frac{1}{2}$$

Conseil

On peut aussi déterminer l'équation de la tangente, de la forme $y = mx + p$, sans utiliser la formule.

On sait que $m = f'(3) = 6$, par conséquent l'équation est de la forme $y = 6x + p$. Le point de coordonnées $(3\,;9)$ appartient à la droite donc $9 = 6 \times 3 + p$ et $p = -9$.

L'équation est donc $y = 6x - 9$.

● À votre tour

5 │ Dans chaque cas, f est une fonction et $\mathscr{C}$ sa courbe représentative dans un repère.

Déterminer l'équation de la tangente à $\mathscr{C}$ au point d'abscisse 4.

a) f est la fonction cube définie sur $\mathbb{R}$ par $f(x) = x^3$.

b) f est la fonction définie sur $]0\,;+\infty[$ par $f(x) = \dfrac{1}{x}$.

c) f est la fonction définie sur $[0\,;+\infty[$ par $f(x) = \sqrt{x}$.

6 │ f est la fonction définie sur $\mathbb{R}$ par $f(x) = x^4$.

$\mathscr{C}$ est sa courbe représentative dans un repère.

Pour chaque affirmation, dire si elle est vraie ou fausse. Justifier.

a) Pour tout nombre réel x, $f'(x) = x^3$.

b) L'équation de la tangente à la courbe $\mathscr{C}$ au point d'abscisse 1 est $y = 4x - 3$.

7 │ k est la fonction cube définie sur $\mathbb{R}$ par :

$$k(x) = x^3.$$

$\mathscr{C}$ est sa courbe représentative dans un repère.

Annaëlle a tracé à l'écran de sa calculatrice la courbe $\mathscr{C}$ et la tangente à cette courbe au point d'abscisse 2.

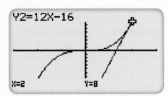

a) Donner l'expression de $k'(x)$ pour tout nombre réel x.

b) Vérifier l'équation de la tangente affichée par la calculatrice.

3 Dérivation et opérations sur les fonctions

u et *v* sont deux fonctions dérivables sur un intervalle I.

a. Dérivée d'une somme

▶ **PROPRIÉTÉ** ADMISE

La fonction $u + v$ définie sur I par $(u + v)(x) = u(x) + v(x)$ est dérivable sur I et $(\boldsymbol{u + v})' = \boldsymbol{u'} + \boldsymbol{v'}$.

b. Dérivée d'un produit

▶ **PROPRIÉTÉ** ADMISE

La fonction uv définie sur I par $(uv)(x) = u(x) \times v(x)$ est dérivable sur I et $(\boldsymbol{uv})' = \boldsymbol{u'v} + \boldsymbol{uv'}$.

● **EXEMPLE**

La fonction f définie sur $]0\,;+\infty[$ par $f(x) = x\sqrt{x}$ est de la forme $f = uv$ avec $u(x) = x$ et $v(x) = \sqrt{x}$.

Pour tout nombre réel $x > 0$, $u'(x) = 1$ et $v'(x) = \dfrac{1}{2\sqrt{x}}$ donc $f'(x) = 1 \times \sqrt{x} + x \times \dfrac{1}{2\sqrt{x}}$ soit $f'(x) = \sqrt{x} + \dfrac{(\sqrt{x})^2}{2\sqrt{x}}$

c'est-à-dire $f'(x) = \sqrt{x} + \dfrac{\sqrt{x}}{2} = \dfrac{3\sqrt{x}}{2}$.

Cas particuliers

- k est un nombre réel. La fonction $ku : x \mapsto k \times u(x)$ est définie et dérivable sur I et $(\boldsymbol{ku})' = \boldsymbol{ku'}$.
- La fonction $u - v : x \mapsto u(x) - v(x)$ est définie et dérivable sur I et $(\boldsymbol{u - v})' = \boldsymbol{u'} - \boldsymbol{v'}$.
- La fonction $u^2 : x \mapsto [u(x)]^2$ est définie et dérivable sur I et $(\boldsymbol{u^2})' = \boldsymbol{2u'u}$.

c. Dérivée d'un quotient

▶ **PROPRIÉTÉ** ADMISE

v est une fonction qui ne s'annule pas sur l'intervalle I.

La fonction $\dfrac{u}{v}$ définie sur I par $\dfrac{u}{v}(x) = \dfrac{u(x)}{v(x)}$ est dérivable sur I et $\left(\dfrac{\boldsymbol{u}}{\boldsymbol{v}}\right)' = \dfrac{\boldsymbol{u'v} - \boldsymbol{uv'}}{\boldsymbol{v^2}}$.

● **EXEMPLE**

La fonction f définie sur $\mathbb{R}$ par $f(x) = \dfrac{x}{x^2 + 1}$ est de la forme $\dfrac{u}{v}$ avec $u(x) = x$ et $v(x) = x^2 + 1$.

Pour tout nombre réel x, $u'(x) = 1$ et $v'(x) = 2x$, donc $f'(x) = \dfrac{1 \times (x^2 + 1) - x \times 2x}{(x^2 + 1)^2} = \dfrac{-x^2 + 1}{(x^2 + 1)^2}$.

Cas particulier : si v ne s'annule pas sur I, alors la fonction $\dfrac{1}{v} : x \mapsto \dfrac{1}{v(x)}$ est définie et dérivable sur I et

$\left(\dfrac{\boldsymbol{1}}{\boldsymbol{v}}\right)' = -\dfrac{\boldsymbol{v'}}{\boldsymbol{v^2}}$. Ceci est une conséquence de la formule précédente avec $u(x) = 1$ et donc $u'(x) = 0$.

● **EXEMPLE**

La fonction f définie sur $\mathbb{R} - \left\{\dfrac{1}{2}\right\}$ par $f(x) = \dfrac{1}{2x - 1}$ est de la forme $\dfrac{1}{v}$ avec $v(x) = 2x - 1$.

Pour tout nombre réel $x \neq \dfrac{1}{2}$, $v'(x) = 2$, donc $f'(x) = -\dfrac{2}{(2x - 1)^2}$.

● **Exercice résolu** **Utiliser les formules $(u + v)' = u' + v'$ et $(ku)' = ku'$**

8 **Énoncé**

a) f est la fonction définie sur $\mathbb{R}$ par $f(x) = x^2 - 5x + 3$.
Déterminer $f'(x)$.

b) g est la fonction définie sur $\mathbb{R}^*$ par $g(x) = \dfrac{1}{3}x^3 + 5x^2 - \dfrac{3}{x}$.
Déterminer $g'(x)$.

Solution

a) f est une fonction polynôme de degré 2, c'est donc une somme de fonctions. Pour tout nombre réel x :
$$f(x) = x^2 - 5x + 3$$
$$f'(x) = 2x - 5 \times 1 + 0$$
$$f'(x) = 2x - 5$$

b) g est une somme de fonctions. Pour tout nombre réel $x \neq 0$:
$$g(x) = \frac{1}{3}x^3 + 5x^2 - \frac{3}{x}$$
$$g'(x) = \frac{1}{3} \times 3x^2 + 5 \times 2x - 3 \times \left(-\frac{1}{x^2}\right)$$
$$g'(x) = x^2 + 10x + \frac{3}{x^2}$$

Conseils

• $f = u + v + w$ avec $u(x) = x^2$, $v(x) = -5x$ et $w(x) = 3$.
• $u'(x) = 2x$ et $w'(x) = 0$
• v est de la forme kz avec $k = -5$ et $z(x) = x$.
On sait que $(kz)' = kz'$ donc $v'(x) = -5 \times 1 = -5$.
• $g = v + w + z$ avec $v(x) = \dfrac{1}{3}x^3$, $w(x) = 5x^2$ et $z(x) = -3 \times \dfrac{1}{x}$.
v, w et z sont de la forme ku, on utilise donc la formule $(ku)' = k \times u'$.

● **À votre tour**

9 **a)** f est la fonction définie sur $\mathbb{R}$ par :
$$f(x) = 2x^3 + 3x^2 - 4x - 5.$$
Déterminer $f'(x)$.
b) g est la fonction définie sur $\mathbb{R}^*$ par :
$$g(x) = \frac{1}{6}x^3 - \frac{2}{3}x + 1 + \frac{5}{x}.$$
Déterminer $g'(x)$.

10 g est la fonction définie sur $\mathbb{R}$ par :
$$g(x) = \frac{1}{40}x^4 - \frac{1}{10}x^2 + \frac{2}{7}x - 3.$$
Tatiana a utilisé un logiciel de calcul formel pour déterminer $g'(x)$.

g(x)=(1/40)x^4-(1/10)x^2+(2/7)x-3
1 Dérivée: $\mathbf{g'(x)} = \dfrac{1}{10} \, x^3 - \dfrac{1}{5} \, x + \dfrac{2}{7}$

Justifier l'affichage du logiciel.

11 f est la fonction définie sur $\mathbb{R}^*$ par :
$$f(x) = \frac{3}{4}x^4 + \frac{2}{3}x^3 - \frac{1}{2}x^2 - x + \frac{2}{x}.$$
Déterminer $f'(x)$.

12 f est la fonction définie sur $\mathbb{R}$ par :
$$f(x) = \frac{2}{x^2 + 1}.$$
Greg a déterminé $f'(x)$. Voici sa copie.

$$f = \frac{u}{v} \text{ avec } u(x) = 2 \text{ et } v(x) = x^2 + 1$$
$$u'(x) = 0 \text{ et } v'(x) = 2x.$$
Pour tout nombre réel x,
$$f'(x) = \frac{0(x^2 + 1) - 2 \times 2x}{(x^2 + 1)^2} = \frac{x^2 - 4x + 1}{(x^2 + 1)^2}.$$

a) Repérer l'erreur de Greg, puis la corriger.
b) Remarquer que pour tout nombre réel x,
$$f(x) = 2 \times \frac{1}{x^2 + 1}$$ et déterminer $f'(x)$ d'une autre façon.

Résoudre des problèmes

Dériver un produit, un quotient

13 Énoncé

Sonia a utilisé un logiciel de géométrie dynamique pour représenter graphiquement les fonctions :
- f définie sur $[0 ; +\infty[$ par $f(x) = (x - 3)\sqrt{x}$;
- g définie sur $\mathbb{R} - \{7\}$ par $g(x) = \dfrac{2x + 2}{-x + 7}$.

Elle affirme : «Les tangentes aux courbes représentatives des fonctions f et g aux points d'abscisse 9 sont parallèles». Justifier cette affirmation.

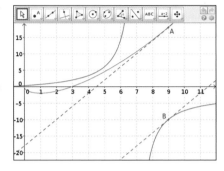

Solution

- **Mathématisation**

Deux droites d'équations $y = mx + p$ et $y = m'x + p'$ sont parallèles si, et seulement si, $m = m'$.

Donc prouver que ces tangentes sont parallèles revient à prouver que $f'(9) = g'(9)$.

- **Résolution du problème**

Pour tout nombre réel $x > 0$,

$$f'(x) = 1 \times \sqrt{x} + (x - 3) \times \frac{1}{2\sqrt{x}} = \sqrt{x} + \frac{x - 3}{2\sqrt{x}}.$$

Donc $f'(9) = \sqrt{9} + \dfrac{9 - 3}{2\sqrt{9}} = 3 + \dfrac{6}{2 \times 3} = 3 + 1 = 4.$

Pour tout nombre réel $x \neq 7$,

$$g'(x) = \frac{2(-x + 7) - (2x + 2) \times (-1)}{(-x + 7)^2} = \frac{16}{(-x + 7)^2}.$$

Donc $g'(9) = \dfrac{16}{(-9 + 7)^2} = \dfrac{16}{4} = 4.$

- **Conclusion**

$f'(9) = g'(9)$ donc l'affirmation de Sonia est vraie.

Conseils

- Le nombre dérivé $f'(a)$ est le coefficient directeur de la tangente au point d'abscisse a.

- f est de la forme uv avec :
$u(x) = x - 3$ et $v(x) = \sqrt{x}$.
$u'(x) = 1$ et $v'(x) = \dfrac{1}{2\sqrt{x}}$.

- g est de la forme $\dfrac{u}{v}$ avec :
$u(x) = 2x + 2$ et $v(x) = -x + 7$.
$u'(x) = 2$ et $v'(x) = -1$.

● À votre tour

14 f est la fonction définie sur $[0 ; +\infty[$ par :
$$f(x) = (x + 8)\sqrt{x}.$$
g est la fonction définie sur $\mathbb{R} - \{3\}$ par :
$$g(x) = \frac{-x - 13}{3x - 9}.$$
$\mathscr{C}$ et $\mathscr{C}'$ sont les courbes représentatives respectives des fonctions f et g dans un repère.
Pablo affirme : «Les tangentes aux courbes $\mathscr{C}$ et $\mathscr{C}'$ aux points d'abscisse 4 sont parallèles».
Cette affirmation est-elle correcte ? Justifier.

15 f est la fonction définie sur $\mathbb{R}$ par :
$$f(x) = (x + 3)(2x - 1).$$
Pour calculer le nombre dérivé $f'(1)$:
- Éléonore considère que f est de la forme uv ;
- Alina développe $f(x)$ et considère que f est de la forme $g + h + k$.
Calculer $f'(1)$ avec le procédé d'Éléonore, puis avec celui d'Alina.

● **Problème résolu**   **Optimiser un coût marginal**

16 Énoncé

Chez un producteur d'aliments pour animaux, le coût de production de q milliers de tonnes est donné, en euros, par la fonction C, définie sur l'intervalle [0 ; 790] par :

$$C(q) = -0,0025q^3 + 3q^2 - 960q + 180\,000.$$

On assimile le coût marginal à la fonction dérivée de C. Trouver la quantité q, en milliers de tonnes, pour laquelle le coût marginal est maximal.

Quel est alors le coût de production ?

Solution

• **Mathématisation**

Pour trouver la quantité q, en milliers de tonnes, pour laquelle le coût marginal est maximal, il faut déterminer la quantité q pour laquelle la fonction dérivée C' atteint son maximum.

• **Résolution du problème**

Pour tout nombre réel q de l'intervalle [0 ; 790] :

$C'(q) = -0,0025 \times 3q^2 + 3 \times 2q - 960 = -0,0075q^2 + 6q - 960.$

C' est une fonction polynôme de degré 2 dont le coefficient de q^2 est négatif ($-0,0075$). Elle admet donc un maximum. On obtient à la calculatrice un tableau de valeurs de la fonction dérivée C'.

On observe que $C'(300) = C'(500) = 165$.

Le maximum de la fonction C' est donc atteint pour :

$$q = \frac{300 + 500}{2} = 400.$$

• **Conclusion**

Le coût marginal est donc maximal pour une production de 400 milliers de tonnes. Or, $C(400) = 116\,000$, donc le coût de production correspondant s'élève à 116 000 €.

Conseils

• La fonction C est une fonction **polynôme**, c'est-à-dire une somme de fonctions puissances.

• On utilise les propriétés des fonctions du second degré vues en Seconde, en particulier l'existence d'un axe de symétrie parallèle à l'axe des ordonnées passant par le sommet.

X	Y1
0	-960
100	-435
200	-60
300	165
400	240
500	165
600	-60

● **À votre tour**

17 Une entreprise fabrique du liquide lave-glace pour automobiles. Le coût total, en euros, d'une production de q milliers de litres est modélisé par la fonction C définie sur [0 ; 60] par :

$$C(q) = 0,001q^3 - 0,045q^2 + 2,1q + 53.$$

On assimile le coût marginal à la fonction dérivée de C.

a) Déterminer la quantité q, en milliers de litres, pour laquelle le coût marginal est minimal.

b) Calculer le coût total pour la quantité qui minimise le coût marginal.

18 Une entreprise produit du jus de fruits. Le coût total d'une production de q dizaines de milliers de litres est donné, en euros, par la fonction C définie sur [0 ; 20] par :

$$C(q) = 0,5q^3 - 15q^2 + 300q + 1\,500.$$

On assimile le coût marginal à la fonction dérivée de C.

a) Déterminer la quantité q, en milliers de litres, pour laquelle le coût marginal est minimal.

b) Calculer le coût total pour la quantité qui minimise le coût marginal.

● Problème résolu Retrouver l'expression d'une fonction

19 **Énoncé**

f est une fonction définie sur l'intervalle [0,2 ; 5] par une expression de la forme :

$$f(x) = a + \frac{b}{x}$$

où *a* et *b* sont deux nombres réels.
$\mathscr{C}$ est la courbe représentative de la fonction *f* dans un repère.
La courbe $\mathscr{C}$ passe par le point A(1 ; 2).
La tangente T à la courbe $\mathscr{C}$ au point A passe par le point B(3 ; 0).
Utiliser ces informations pour déterminer les valeurs de *a* et *b*, puis l'expression de la fonction *f*.

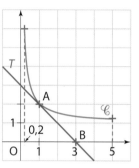

Solution

• Mathématisation

Les informations données dans l'énoncé permettent de déterminer les valeurs de *f*(1) et de *f'*(1).
La courbe $\mathscr{C}$ passe par le point A(1 ; 2) donc *f*(1) = 2.
La droite (AB) est la tangente à la courbe $\mathscr{C}$ au point A.

Son coefficient directeur est $\dfrac{y_B - y_A}{x_B - x_A} = \dfrac{0 - 2}{3 - 1} = -1$ donc *f'*(1) = −1.

• Résolution du problème

Pour tout nombre réel *x* de l'intervalle [0,2 ; 5] :

$f(x) = a + \dfrac{b}{x}$ donc $f'(x) = -\dfrac{b}{x^2}$.

Donc *f*(1) = *a* + *b* et *f'*(1) = −*b*.
De *f'*(1) = −1, on déduit que *b* = 1.
De *f*(1) = 2, on déduit que *a* + *b* = 2 et donc *a* = 1.

• Conclusion

L'expression de la fonction *f* est donc $f(x) = 1 + \dfrac{1}{x}$.

Conseils

● Le coefficient directeur de la tangente au point A d'abscisse 1 est *f'*(1).

● Le terme *a* est constant donc sa dérivée est nulle.

Le terme $\dfrac{b}{x}$ est de la forme

$ku(x)$ avec $k = b$ et $u(x) = \dfrac{1}{x}$ ($x \neq 0$).

On utilise la formule $(ku)' = ku'$.

● À votre tour

20 On reprend la situation de l'exercice **19** avec les points A(1 ; 1) et B(0 ; 0).

Utiliser ces informations pour déterminer les valeurs de *a* et *b*, puis l'expression de la fonction *f*.

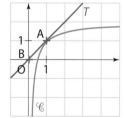

21 *h* est une fonction polynôme de degré 2 de la forme $x \mapsto ax^2 + bx + c$ définie sur l'intervalle [−2 ; 4] (avec *a*, *b*, *c* nombres réels, *a* ≠ 0).
La courbe représentative $\mathscr{C}$ de *h* dans un repère passe par les points A(0 ; 1) et B(2 ; −1).
La tangente T à la courbe $\mathscr{C}$ au point A passe par le point C(1 ; −2).

a) Placer dans un repère les points A, B, C, puis tracer la droite (AC).

b) Déterminer les valeurs de *a*, *b* et *c*.

Travaux pratiques

22 Une arche parabolique

Objectif

Visualiser une courbe à l'aide de ses tangentes.

On trouve dans d'anciens traités d'architecture une méthode pour construire des arches parabo-liques.

Cette méthode est basée sur la construction de droites qui sont les tangentes à la courbe souhaitée. Dans cette activité, on se propose d'effectuer la construction dans un cas particulier, puis de faire quelques vérifications théoriques.

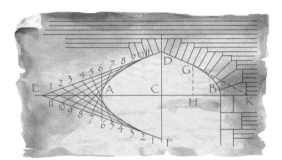

1 Avec un logiciel de géométrie dynamique

a) Afficher les points $A(0 ; 4)$, $B(6 ; -2)$, $C(-6 ; -2)$, puis tracer les segments $[AB]$ et $[AC]$.

b) Sur le segment $[AB]$, construire les points B_1, B_2, B_3, B_4, B_5 d'abscisses respectives 1, 2, 3, 4 et 5.

c) Sur le segment $[AC]$, construire les points C_1, C_2, C_3, C_4, C_5 d'abscisses respectives -5, -4, -3, -2 et -1.

d) Tracer les segments $[B_1C_1]$, $[B_2C_2]$, $[B_3C_3]$, $[B_4C_4]$, $[B_5C_5]$.

e) Placer le point D, milieu du segment $[B_3C_3]$.

2 Vérifications théoriques

On admet qu'il existe une unique parabole $\mathscr{P}$ passant par les points B, C, D, et dont la droite (B_3C_3) est une tangente.

L'expression de la fonction f représentée par la parabole $\mathscr{P}$ est de la forme $f(x) = ax^2 + bx + c$ où a, b, c sont trois nombres réels, $a \neq 0$.

a) Calculer les coordonnées du point D. En déduire la valeur de $f(0)$, puis celle de c.

b) Déterminer le coefficient directeur de la droite (B_3C_3). En déduire la valeur de $f'(0)$, puis celle de b.

c) Déterminer la valeur de $f(6)$ et en déduire la valeur de a.
Donner l'expression de $f(x)$.

d) Vérifier que l'équation de la droite (B_1C_1) est $y = \dfrac{2}{3}x + \dfrac{7}{3}$.

e) Prouver que la courbe $\mathscr{P}$ et la droite (B_1C_1) ont un unique point commun D_1, dont on déterminera les coordonnées.

f) Vérifier que (B_1C_1) est bien la tangente à la courbe $\mathscr{P}$ au point D_1.
On admet que les droites (B_2C_2), (B_4C_4) et (B_5C_5) sont aussi tangentes à la parabole $\mathscr{P}$.

3 Travailler en autonomie **Compte-rendu**

a) Expliquer la méthode utilisée dans cette activité pour tracer des tangentes à une même parabole.

b) À la fin du XIXe et au début du XXe siècle, l'architecte catalan Antoni Gaudí a conçu de nombreux édifices remarquables, en particulier dans la région de Barcelone.
Effectuer des recherches sur le travail de cet architecte et en particulier son utilisation des arches parabo-liques.

23 Construction d'un logo

Objectif

Déterminer une fonction définie par morceaux avec des contraintes sur les dérivées.

Un graphiste doit créer un logo pour une société. Il construit pour cela, dans un repère, une courbe définie **par morceaux**.

• Sur l'intervalle [0 ; 4], la courbe représente la fonction f définie par $f(x) = -\dfrac{1}{8}x^2 + x$.

• Sur l'intervalle [4 ; 7], la courbe représente la fonction g définie par $g(x) = \dfrac{1}{4}x^3 - \dfrac{15}{4}x^2 + 18x - 26$.

• Sur l'intervalle [7 ; 9,45], la courbe représente une fonction polynôme h de degré 2.

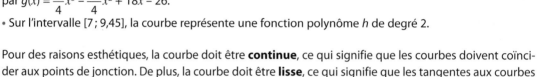

Pour des raisons esthétiques, la courbe doit être **continue**, ce qui signifie que les courbes doivent coïncider aux points de jonction. De plus, la courbe doit être **lisse**, ce qui signifie que les tangentes aux courbes aux points de jonction doivent aussi coïncider.

1 **Vérification au premier point de jonction**

a) Vérifier que $f(4) = g(4)$.

b) Déterminer la fonction f' dérivée de f.

c) Déterminer la fonction g' dérivée de g.

d) Vérifier que $f'(4) = g'(4)$.

Quelle position particulière a la tangente à la courbe au point d'abscisse 4 ?

2 **Détermination de la fonction h**

On sait que la fonction h est de la forme $h(x) = ax^2 + bx + c$, où a, b et c sont trois nombres réels, avec a non nul. L'objectif de cette partie est de déterminer les valeurs de a, b et c.

a) Traduire l'égalité $h(7) = g(7)$ par une relation que doivent vérifier a, b et c.

b) Exprimer $h'(x)$ en fonction de a, b et x.

c) Traduire l'égalité $h'(7) = g'(7)$ par une relation que doivent vérifier a et b.

d) On souhaite de plus que la courbe passe par le point de coordonnées (8 ; 3).

En déduire une nouvelle relation que doivent vérifier a, b et c.

e) À l'aide de la calculatrice ou d'un logiciel de calcul formel, résoudre le système constitué des trois équations trouvées dans les questions précédentes.

En déduire l'expression de la fonction h.

3 **Travailler en autonomie** **Compte-rendu**

a) Avec GeoGebra, représenter la courbe ainsi construite. On utilisera la commande **Fonction[<Fonction>, <x initial>,<x final>]** qui trace une courbe sur un intervalle donné.

b) Le graphiste décide finalement que le logo complet sera constitué de cette courbe et de sa courbe symétrique par rapport à l'axe des abscisses.

Effectuer cette construction à l'aide du logiciel, puis donner les expressions des nouvelles fonctions ainsi représentées.

Nombre dérivé en un point

24 Dans chaque cas, on donne le taux d'accroissement $T(h)$ d'une fonction f entre 1 et $1 + h$ avec $h \neq 0$.
En déduire, mentalement, le nombre dérivé de f en 1.
a) $T(h) = h + 4$
b) $T(h) = h^2 + 6h + 12$
c) $T(h) = 3h + 11$
d) $T(h) = 3h^2 + 18h + 34$

25 Dans chaque cas, on donne le taux d'accroissement $T(h)$ d'une fonction f entre 2 et $2 + h$ avec $h \neq 0$.
En déduire, mentalement, le nombre dérivé de f en 2.
a) $T(h) = -\dfrac{1}{2(2 + h)}$ **b)** $T(h) = -\dfrac{3}{6(6 + 3h)}$

26 f est la fonction carré définie sur $\mathbb{R}$ par $f(x) = x^2$.
a) Vérifier que pour tout nombre réel $h \neq 0$,
$$\frac{f(2 + h) - f(2)}{h} = h + 4.$$
b) En déduire le nombre dérivé de f en 2.

27 f est la fonction définie sur $\mathbb{R}$ par :
$$f(x) = x^2 - x.$$
a) Vérifier que pour tout nombre réel $h \neq 0$,
$$\frac{f(1 + h) - f(1)}{h} = h + 1.$$
b) En déduire le nombre dérivé de f en 1.

28 g est la fonction définie sur $\mathbb{R} - \{2\}$ par :
$$g(x) = \frac{1}{x - 2}.$$
a) Calculer $g(3)$.
b) Avec un logiciel de calcul formel, on a défini la fonction g, puis simplifié l'expression
$$\frac{g(3 + h) - g(3)}{h}.$$
Justifier la formule affichée par le logiciel.
c) En déduire le nombre dérivé de g en 3.

1	$g(x):=1/(x-2)$
	$(g(3+h)-g(3))/h$
2	$\rightarrow \quad -\dfrac{1}{h+1}$

29 f est la fonction cube définie sur $\mathbb{R}$ par :
$$f(x) = x^3.$$
a) Vérifier que pour tout nombre réel $h \neq 0$,
$$\frac{f(h) - f(0)}{h} = h^2.$$
b) En déduire le nombre dérivé de f en 0.

30 f est la fonction définie sur $\mathbb{R}$ par :
$$f(x) = 2x - 5.$$
Justifier que pour tout nombre réel a, $f'(a) = 2$.

31 g est la fonction définie sur $\mathbb{R}$ par :
$$g(x) = x^2 - 1.$$
Maude affirme : « Pour tout nombre réel a, $g'(a) = 2a$ ».
Arthur n'est pas d'accord : « Non, pour tout nombre réel a, $g'(a) = 2a - 1$ ».
Qui a raison ? Justifier.

Équation de tangente

32 Dans un repère, $\mathscr{C}$ est la courbe représentative d'une fonction f dérivable en 3.
Dans chaque cas, on donne l'équation de la tangente à la courbe $\mathscr{C}$ au point d'abscisse 3.
Donner la valeur de $f'(3)$.
a) $y = 2x - 1$ **b)** $y = -x + 3$
c) $y = \dfrac{2}{3}x + 5$ **d)** $y = 1$

33 Dans un repère, $\mathscr{C}$ est la courbe représentative d'une fonction f dérivable en 0.
Dans chaque cas, donner l'équation de la tangente à $\mathscr{C}$ au point A sous la forme la plus simplifiée possible.
a) $A(0 ; 0)$ et $f'(0) = 1$ **b)** $A(0 ; 0)$ et $f'(0) = 3$
c) $A(0 ; 3)$ et $f'(0) = 0$ **d)** $A(0 ; -2)$ et $f'(0) = 5$

34 Dans un repère, $\mathscr{C}$ est la courbe représentative d'une fonction f dérivable en 1, -1 et 2.
Dans chaque cas, donner l'équation de la tangente à $\mathscr{C}$ au point A sous la forme la plus simplifiée possible.
a) $A(1 ; 2)$ et $f'(1) = 1$ **b)** $A(1 ; 1)$ et $f'(1) = 0$
c) $A(-1 ; -3)$ et $f'(-1) = -1$ **d)** $A(2 ; 0)$ et $f'(2) = -2$

35 *f* est la fonction définie sur $\mathbb{R}$ par $f(x) = -x^2$.
On admet que $f'(-2) = 4$.
a) Dans un repère, déterminer l'équation de la tangente T à la courbe représentative $\mathcal{C}$ de la fonction *f* au point d'abscisse -2.
b) Tracer la courbe $\mathcal{C}$ et la tangente T.

36 *g* est la fonction définie sur $\mathbb{R}$ par :
$$g(x) = 2x^2 + x.$$
On admet que $g'(0,5) = 3$.
Dans un repère, déterminer l'équation de la tangente à la courbe représentative $\mathcal{C}$ de la fonction *g* au point d'abscisse 0,5.

37 *f* est la fonction définie sur $\mathbb{R}^*$ par :
$$f(x) = \frac{1}{x} + 1.$$
$\mathcal{C}$ est la courbe représentative de *f* dans un repère.
Charlène a utilisé sa calculatrice pour déterminer le nombre dérivé de *f* en 1.

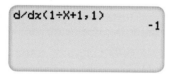

```
d/dx(1÷X+1,1)
                    -1
```

Déterminer l'équation de la tangente à la courbe $\mathcal{C}$ au point d'abscisse 1.

38 *g* est la fonction définie sur $\mathbb{R}$ par :
$$g(x) = 3x^2 - x.$$
$\mathcal{C}$ est la courbe représentative de *g* dans un repère.
a) À l'aide de la calculatrice, déterminer $g'(2)$.
b) Déterminer l'équation de la tangente T à la courbe $\mathcal{C}$ au point d'abscisse 2.
c) Tracer la courbe $\mathcal{C}$ et la tangente T.

39 *f* est une fonction définie sur $\mathbb{R}$ et $\mathcal{C}$ est sa courbe représentative dans un repère.
f est dérivable en 2,5 et la tangente T à la courbe $\mathcal{C}$ au point d'abscisse 2,5 a pour équation $y = 4x - 1$.
a) Quelle est la valeur du nombre dérivé $f'(2,5)$?
b) Calculer $f(2,5)$.

40 *g* est une fonction définie sur $\mathbb{R}$ et $\mathcal{C}$ est sa courbe représentative dans un repère.
g est dérivable en -1 et la tangente T à la courbe $\mathcal{C}$ au point d'abscisse -1 a pour équation $y = 2x + 5$.
a) Donner la valeur de $g'(-1)$.
b) Calculer $g(-1)$.

41 Sur le graphique ci-dessous, la droite T tracée en vert est tangente à la courbe représentative d'une fonction *f*, tracée en rouge, au point M d'abscisse 4.

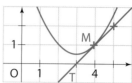

a) Déterminer graphiquement les valeurs de $f(4)$ et de $f'(4)$.
b) En déduire l'équation de la tangente T.

42 La courbe $\mathcal{C}$ ci-dessous représente dans un repère une fonction *f* sur l'intervalle $[0\,;5]$.
Les droites en vert sont les tangentes à $\mathcal{C}$ aux points d'abscisses 0 ; 2 et 4,5.

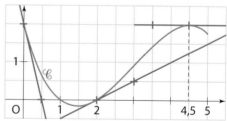

a) Déterminer graphiquement $f(0)$, $f(2)$, $f(4,5)$, puis $f'(0)$, $f'(2)$, $f'(4,5)$.
b) En déduire les équations de ces trois tangentes.

43 La courbe $\mathcal{C}$ ci-dessous représente dans un repère une fonction *f* sur l'intervalle $[-3\,;4,2]$.
La tangente à $\mathcal{C}$ au point d'abscisse -2 est parallèle à l'axe des abscisses.
La droite tracée en bleu est la tangente à $\mathcal{C}$ au point d'abscisse 0.

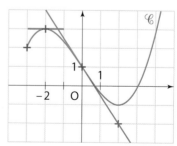

a) Déterminer graphiquement $f(0)$, $f(-2)$, puis $f'(0)$ et $f'(-2)$.
b) En déduire les équations de ces deux tangentes.
c) Déterminer les coordonnées du point d'intersection de ces deux tangentes.

Dérivées des fonctions usuelles

Questions rapides

44 Donner la fonction dérivée de chaque fonction définie sur $\mathbb{R}$ par :
a) $f(x) = 0$ **b)** $g(x) = 5$ **c)** $h(x) = x$

45 Donner la fonction dérivée de chaque fonction puissance définie sur $\mathbb{R}$ par :
a) $f(x) = x^2$ **b)** $g(x) = x^3$ **c)** $h(x) = x^5$

46 Eva affirme : « Aucune fonction constante ne peut être égale à sa propre fonction dérivée ». Qu'en pensez-vous ?

47 f est la fonction carré définie sur $\mathbb{R}$ par $f(x) = x^2$.
a) Déterminer $f'(x)$.
b) En déduire les valeurs de $f'(1)$ et de $f'(3)$.
c) Océane affirme : « Pour la fonction carré, le nombre dérivé en un nombre est toujours égal au double de ce nombre ». Qu'en pensez-vous ?

48 f est la fonction cube définie sur $\mathbb{R}$ par $f(x) = x^3$. Donner mentalement les valeurs de $f'(0)$, $f'(1)$ et $f'(-1)$.

49 n est un nombre entier naturel, $n \geqslant 2$ et f est la fonction définie sur $\mathbb{R}$ par $f(x) = x^n$.
Exprimer $f'(1)$ en fonction de n.

50 Anissa, Lauriane et Sacha doivent déterminer la fonction dérivée de la fonction inverse définie sur $\mathbb{R}^*$ par $f(x) = \dfrac{1}{x}$.

Anissa : « $f'(x) = -\dfrac{1}{x^2}$ ».

Lauriane : « $f'(x) = \dfrac{-1}{x^2}$ ».

Sacha : « $f'(x) = \dfrac{1}{x^2}$ ».

Qui a raison ?

51 f est la fonction inverse définie sur $\mathbb{R}^*$ par :
$$f(x) = \dfrac{1}{x}.$$
Donner mentalement les valeurs de $f'(1)$ et $f'(2)$.

52 f est la fonction racine carrée, définie sur $[0 ; +\infty[$ par $f(x) = \sqrt{x}$.
Donner mentalement les valeurs de $f'(1)$ et $f'(4)$.

53 f est la fonction définie sur $\mathbb{R}$ par :
$$f(x) = x^4.$$
$\mathscr{C}$ est sa courbe représentative dans un repère.
a) Déterminer $f'(x)$.
b) En déduire $f'(2)$, puis l'équation de la tangente à $\mathscr{C}$ au point d'abscisse 2.
c) À l'écran de la calculatrice, tracer la courbe $\mathscr{C}$ et la tangente d'équation trouvée précédemment. Vérifier la cohérence du résultat.

54 f est la fonction définie sur $[0 ; +\infty[$ par :
$$f(x) = \sqrt{x}.$$
$\mathscr{C}$ est sa courbe représentative dans un repère. Imane affirme : « L'ordonnée à l'origine de la tangente à la courbe $\mathscr{C}$ au point d'abscisse 1 est égale à $0,5$ ».
Lucas n'est pas d'accord : « Pas du tout ! L'ordonnée à l'origine de cette tangente est $f(1) = 1$ ».
Qui a raison ?

55 Alexia a utilisé un logiciel de géométrie pour tracer la courbe représentative de la fonction inverse $x \mapsto \dfrac{1}{x}$ et la tangente à cette courbe au point d'abscisse 2.

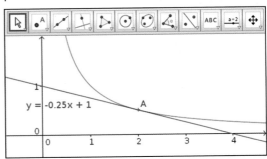

Justifier l'équation de la tangente donnée par le logiciel.

56 g est la fonction définie sur $\mathbb{R}$ par :
$$g(x) = x^3.$$
$\mathscr{C}$ est sa courbe représentative dans un repère.
a) Déterminer $g'(x)$.
b) Déterminer l'unique solution α de l'équation $g'(x) = 0$. Que peut-on dire de la tangente à la courbe $\mathscr{C}$ au point d'abscisse α ?
c) Déterminer les deux solutions a et b de l'équation $g'(x) = 3$.
Que peut-on dire des tangentes à la courbe $\mathscr{C}$ aux points d'abscisses a et b ?

57 f est la fonction inverse définie sur $\mathbb{R}^*$ par :
$$f(x) = \frac{1}{x}.$$
$\mathscr{C}$ est la courbe représentative de f dans un repère.
1. Déterminer $f'(x)$.
2. Existe-t-il des points de $\mathscr{C}$ en lesquels la tangente a pour coefficient directeur : **a)** -4 ? **b)** 9 ?
Si oui, donner les coordonnées de ces points.

58 g est la fonction cube définie sur $\mathbb{R}$ par :
$$g(x) = x^3.$$
$\mathscr{C}$ est la courbe représentative de g dans un repère.
d est la droite d'équation $y = 6x - 1$.
On a tracé la courbe $\mathscr{C}$ et la droite d à l'écran d'une calculatrice (*fenêtre :* $-2 \leqslant X \leqslant 2$, pas 1 ; $-8 \leqslant Y \leqslant 8$, pas 1).

a) Semble-t-il exister une tangente à la courbe $\mathscr{C}$ parallèle à la droite d ?
b) Démontrer la conjecture précédente.

59 Dorian a représenté à l'écran de sa calculatrice la courbe $\mathscr{C}$ représentative de la fonction f définie sur $[0 ; +\infty[$ par $f(x) = \sqrt{x}$ et la droite d d'équation $y = \frac{9}{8}x + \frac{3}{8}$ (*fenêtre :* $0 \leqslant X \leqslant 9$, pas 1 ; $0 \leqslant Y \leqslant 3$, pas 1).

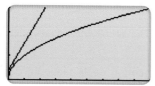

a) La droite d semble-t-elle tangente à la courbe $\mathscr{C}$?
b) Démontrer la conjecture précédente.

60 Dans un repère, les courbes $\mathscr{C}$ et $\mathscr{C}'$ représentent respectivement les fonctions :
• f définie sur $\mathbb{R}$ par $f(x) = x^2$;
• g définie sur $[0 ; +\infty[$ par $g(x) = \sqrt{x}$.
a) Tracer $\mathscr{C}$ et $\mathscr{C}'$ à l'écran de la calculatrice.
b) Tracer la tangente T à $\mathscr{C}$ au point d'abscisse $\frac{1}{8}$ et la tangente T' à $\mathscr{C}'$ au point d'abscisse 4.
Que peut-on conjecturer pour T et T' ?
c) Démontrer cette conjecture.

Dérivation et opérations

Questions rapides

61 Donner la fonction dérivée de chaque fonction définie sur $\mathbb{R}$.
a) $f(x) = x^2 + x$ **b)** $g(x) = x^2 + 1$
c) $h(x) = x^3 + x^2$ **d)** $k(x) = x^3 - 1$

62 f, g, h et k sont les fonctions définies sur $\mathbb{R}^*$ par :
• $f(x) = \dfrac{1}{x} + 3$ • $g(x) = \dfrac{1}{x} - 1$
• $h(x) = \dfrac{1}{x} + 0{,}5$ • $k(x) = \dfrac{3}{2} + \dfrac{1}{x}$
Paloma affirme : « Les fonctions f, g, h et k ont la même fonction dérivée. »
Qu'en pensez-vous ?

63 Donner la fonction dérivée de chaque fonction définie sur $\mathbb{R}$.
a) $f(x) = 4x^3$ **b)** $h(x) = -x^3$
c) $g(x) = \dfrac{1}{3}x^3$ **d)** $k(x) = -\dfrac{3}{2}x^3$

64 f est la fonction définie sur $[0 ; +\infty[$ par :
$$f(x) = 2\sqrt{x}.$$
Stanislas, Alexandra et Ismaïl doivent déterminer la fonction dérivée de f. Ils affirment que pour tout nombre réel x strictement positif :
Stanislas : « $f'(x) = \dfrac{2}{\sqrt{x}}$ ».
Alexandra : « $f'(x) = \dfrac{1}{\sqrt{x}}$ ».
Ismaïl : « $f'(x) = \dfrac{1}{2\sqrt{x}}$ ».
Qui a trouvé la bonne réponse ?

65 h est la fonction définie sur $\mathbb{R}^*$ par :
$$h(x) = -\frac{1}{x}.$$
Inès affirme : « La fonction dérivée de h est positive pour tout nombre réel x non nul ».
A-t-elle raison ? Justifier.

66 Déterminer la fonction dérivée de chaque fonction.
a) f définie sur $\mathbb{R}$ par $f(x) = 5x^4 - x^3 + 1{,}5x^2$.
b) g définie sur $\mathbb{R}^*$ par $g(x) = x + \dfrac{1}{x}$.
c) h définie sur $\mathbb{R} - \{2\}$ par $h(x) = \dfrac{1}{x-2}$.

67 f est la fonction définie sur $\mathbb{R}$ par :
$$f(x) = (x^2 + 1)(3x - 1).$$
1. a) Préciser les fonctions u et v telles que :
$$f(x) = u(x) \times v(x).$$
b) Déterminer la fonction dérivée de f en utilisant les fonctions u et v.
2. a) Développer l'expression de $f(x)$.
b) Déterminer à nouveau la fonction dérivée de f à partir de l'expression développée de $f(x)$.
3. Vérifier la cohérence des réponses obtenues aux questions **1. b)** et **2. b)**.

68 g est la fonction définie sur $\mathbb{R}^*$ par :
$$g(x) = \left(1 - \frac{1}{x}\right)(x^3 + 5).$$
a) Préciser les fonctions u et v telles que :
$$g(x) = u(x) \times v(x).$$
b) Léah affirme : «Pour tout nombre réel $x \neq 0$, $g'(x) = 3$».
A-t-elle raison ? Justifier.

69 f est la fonction définie sur $]0 ; +\infty[$ par :
$$f(x) = (2x - 2)\sqrt{x}.$$
On a utilisé un logiciel de géométrie dynamique et de calcul formel pour tracer les courbes représentatives des fonctions f et f'.

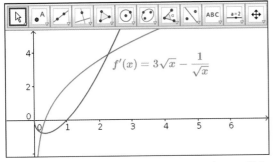

$$f'(x) = 3\sqrt{x} - \frac{1}{\sqrt{x}}$$

Justifier la formule affichée par le logiciel pour $f'(x)$.

70 f est la fonction définie sur $\mathbb{R}$ par :
$$f(x) = (x^3 - 1)(x^2 + x).$$
On a tracé à la calculatrice la courbe $\mathscr{C}$ représentative de la fonction f et la droite d d'équation $y = 2x + 2$.

Justifier algébriquement que la droite d est tangente à la courbe $\mathscr{C}$ au point d'abscisse -1.

71 Voici une copie d'écran d'un logiciel de calcul formel.

> **Fonction**
> $f(x) = (x^2 + 4x - 3)\sqrt{x}$
> $f'(x) = \dfrac{\frac{5}{2}x^2 + 6x - \frac{3}{2}}{\sqrt{x}}$

Justifier l'expression de $f'(x)$ donnée par le logiciel.

72 f est la fonction définie sur $\mathbb{R}^*$ par :
$$f(x) = \frac{x + 1}{x}.$$
a) Irina considère que f est de la forme $\dfrac{u}{v}$ pour dériver cette fonction. Détailler sa démarche.
b) Alan affirme : «Pour tout $x \neq 0$, $f(x) = 1 + \dfrac{1}{x}$».
Justifier, puis utiliser cette expression pour déterminer $f'(x)$.

73 f est la fonction définie sur $\mathbb{R} - \{-3\}$ par :
$$f(x) = \frac{2x - 1}{x + 3}.$$
Fiona a utilisé un logiciel de calcul formel pour déterminer $f'(x)$.

1	f(x):=(2x-1)/(x+3)
2 $\circ$ $\rightarrow$	$f'(x)$ $\dfrac{7}{x^2 + 6x + 9}$

Justifier la formule affichée par le logiciel.

74 g et h sont les fonctions définies sur $\mathbb{R} - \left\{\dfrac{1}{2}\right\}$ par $g(x) = \dfrac{3}{2x - 1}$ et $h(x) = \dfrac{1}{2x - 1}$.
a) Déterminer $h'(x)$.
b) En déduire $g'(x)$.

75 f est la fonction définie sur $\mathbb{R} - \{-1\}$ par :
$$f(x) = x + \frac{3}{x + 1}.$$
Sarah a trouvé comme dérivée :
$$f'(x) = 1 - \frac{3}{(x + 1)^2}.$$
Chloé, pour sa part, a trouvé $f'(x) = \dfrac{x^2 + 2x - 2}{(x + 1)^2}$.
Qui a trouvé une réponse correcte ?

76 f est la fonction définie sur $\mathbb{R} - \{0,5\}$ par :
$$f(x) = \frac{-x + 5}{2x - 1}.$$
$\mathscr{C}$ est la courbe représentative de f dans un repère.
a) Déterminer $f'(x)$.
b) Déterminer l'équation de la tangente à la courbe $\mathscr{C}$ au point d'abscisse 0.
c) Déterminer l'équation de la tangente à la courbe $\mathscr{C}$ au point d'abscisse 1.
d) Que peut-on dire de ces deux tangentes ?

77 f est la fonction définie sur $\mathbb{R} - \{2\}$ par :
$$f(x) = \frac{3x - 5,9}{x - 2}.$$
Agnès a tracé avec un logiciel de géométrie dynamique la courbe représentative de la fonction f et sa tangente au point d'abscisse -2.

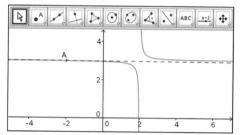

Victor affirme : « Cette tangente est parallèle à l'axe des abscisses ». Est-ce vrai ? Justifier.

78 f et g sont les fonctions définies sur l'intervalle $]1\,;+\infty[$ par :
$$f(x) = \frac{3x + 2}{x - 1} \text{ et } g(x) = \frac{4x^2 + 5}{x - 1}.$$
On a utilisé un logiciel de calcul formel pour déterminer les fonctions dérivées f' et g'.

1	f(x):=(3x+2)/(x-1)
2	g(x):=(4x²+5)/(x-1)
3 ○	f'(x) $\rightarrow -\dfrac{5}{x^2 - 2x + 1}$
4 ○	g'(x) $\rightarrow \dfrac{4x^2 - 8x - 5}{x^2 - 2x + 1}$

a) Justifier les formules données par le logiciel.
b) Déterminer en quels points les courbes représentatives des fonctions f et g, dans un repère, admettent des tangentes parallèles.

Sans intermédiaire

79 Amaury a représenté avec sa calculatrice les courbes représentatives de la fonction f définie sur $\mathbb{R}$ par $f(x) = -x^3 + 5x^2 - 3x + 1$ et de sa fonction dérivée f'.
Associer chaque fonction à sa courbe. Expliquer.

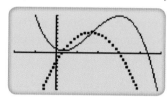

80 Dans un repère, les courbes $\mathscr{C}$ et $\mathscr{C}'$ représentent respectivement les fonctions f et g définies sur $\mathbb{R}$ par :
$$f(x) = -x^2 + 4x - 2 \text{ et } g(x) = x^2 - 8x + 16.$$
Démontrer que $\mathscr{C}$ et $\mathscr{C}'$ ont une tangente commune en un point dont on donnera les coordonnées.

S'entraîner à la logique

81 **Implications et réciproques**
f est une fonction dérivable sur un intervalle I et a est un nombre réel de I.
$\mathscr{C}$ est la courbe représentative de f dans un repère.
1. Justifier chaque implication.
a) Si $f(x) = x^2 + 5$, alors $f'(x) = 2x$.
b) Si T est la tangente à la courbe $\mathscr{C}$ au point A, alors T passe par le point A.
c) Si $f'(a) = 0$, alors la tangente à $\mathscr{C}$ au point d'abscisse a est parallèle à l'axe des abscisses.
2. Énoncer la réciproque de chaque affirmation et indiquer si elle est vraie ou fausse.

82 **Quantificateur universel**
f est la fonction définie sur $\mathbb{R}$ par :
$$f(x) = x^3 - x.$$
Repérer les affirmations fausses et les contredire à l'aide d'un contre-exemple.
a) Pour tout nombre réel x, $f'(x) \geqslant 0$.
b) Pour tout nombre réel $x \geqslant 1$, $f(x) \geqslant 0$.
c) Pour tout nombre réel x, $f'(x) \geqslant f(x)$.
d) Pour tout nombre réel x, $f'(x) \geqslant -1$.

83 Dans chaque cas, donner **la** réponse exacte **sans justifier**.

f est la fonction définie sur $\mathbb{R}$ par $f(x) = 1,5x^2 + 2x - 3$ et $\mathscr{C}$ est la courbe représentative de f dans un repère.

		A	B	C	D
1	Pour tout nombre réel x, $f'(x) = \ldots$	$1,5x + 2$	$3x + 2$	$3x - 1$	$1,5x - 1$
2	$f'(-1) = \ldots$	-1	$0,5$	-4	$-2,5$
3	La tangente à $\mathscr{C}$ au point d'abscisse 2 a pour équation …	$y = 8x - 9$	$y = 5x - 3$	$y = 2x + 3$	$y = 5x + 7$
4	La tangente à $\mathscr{C}$ est parallèle à l'axe des abscisses au point d'abscisse …	$\dfrac{1}{3}$	$\dfrac{2}{3}$	$-\dfrac{2}{3}$	$-\dfrac{4}{3}$

84 Dans chaque cas, donner **la ou les** réponses exactes **sans justifier**.

f et g sont les fonctions définies sur $\mathbb{R} - \left\{\dfrac{1}{3}\right\}$ par $f(x) = \dfrac{x + 1}{3x - 1}$ et sur $\mathbb{R}$ par $g(x) = x^3 - 4x + 1$.

$\mathscr{C}$ et $\mathscr{C}'$ sont les courbes représentatives respectives de f et g dans un repère.

		A	B	C	D
1	Pour tout nombre réel x, $f'(x) = \ldots$	$\dfrac{6x + 2}{(3x - 1)^2}$	$\dfrac{-4}{(3x - 1)^2}$	$\dfrac{-4}{9x^2 - 6x + 1}$	$\dfrac{6x + 2}{9x^2 - 6x + 1}$
2	$g'(1) = \ldots$	-7	0	1	-1
3	Les tangentes à $\mathscr{C}$ et $\mathscr{C}'$ en chacun de leur point d'abscisse 1 …	sont confondues	sont sécantes	ont même ordonnée à l'origine	sont parallèles
4	La tangente à $\mathscr{C}'$ a une équation de la forme $y = k$ (avec k nombre réel) …	au point d'abscisse 0	au point d'abscisse $-\dfrac{2\sqrt{3}}{3}$	au point d'abscisse $\dfrac{2\sqrt{3}}{3}$	au point d'abscisse 2

85 Pour chaque affirmation, dire si elle est **vraie ou fausse en justifiant**.

La courbe $\mathscr{C}$ ci-contre est la courbe représentative dans un repère d'une fonction f définie sur l'intervalle $[0 ; 10]$.

Les points $A(0 ; -4)$, $B(0,5 ; 0)$ et $D(2,5 ; 4)$ appartiennent à $\mathscr{C}$.

La droite T est la tangente à la courbe $\mathscr{C}$ au point A. Elle passe par les points de coordonnées $(1 ; 5)$.

La tangente à $\mathscr{C}$ au point D est parallèle à l'axe des abscisses.

1. L'équation $f(x) = 2$ admet une unique solution dans l'intervalle $[0 ; 10]$.

2. L'ensemble des solutions de l'inéquation $f(x) < 0$ dans $[0 ; 10]$ est l'intervalle $[0 ; 0,5[$.

3. Le nombre dérivé de f en 0 est 9.

4. Le nombre dérivé de f en 2,5 est 1.

5. Pour tout nombre réel x de $[0 ; 10]$, $f(x) \leqslant 4$.

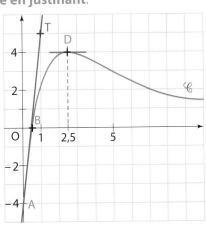

Vérifiez vos réponses : p. 264

86 **Avec un guide**

Une entreprise raffine des métaux précieux pour l'industrie des tablettes et smartphones.

Le coût total de production pour x tonnes de produits est donné, en milliers d'euros, par la fonction C définie sur l'intervalle $[0\,;3]$ par $C(x) = x^3 - x^2 + 3x + 1$.

a) Déterminer le coût marginal $C'(x)$.

b) Un responsable de l'entreprise affirme : «Le coût marginal est toujours supérieur ou égal à $4x$».
Démontrer cette affirmation.

> **Conseil**
>
> Il faut prouver que pour tout x dans $[0\,;3]$, $C'(x) \geqslant 4x$. Pour cela, on étudie le signe de la différence $C'(x) - 4x$.

87 **Exploiter un graphique**

f est une fonction définie sur l'intervalle $[-2\,;4]$.
La courbe $\mathscr{C}$ tracée ci-dessous représente la fonction f.
La tangente T à $\mathscr{C}$ en $B(0\,;2)$ passe par $D(2\,;0)$.
La tangente à $\mathscr{C}$ en $E(2\,;0,5)$ passe par $F(0\,;1)$.
La tangente à $\mathscr{C}$ en $A(-1\,;2,8)$ est parallèle à l'axe des abscisses.

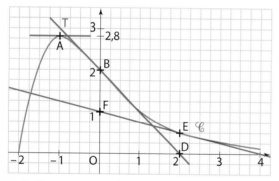

1. Indiquer sans justifier la valeur de $f'(-1)$.

2. Indiquer en justifiant :

a) $f'(0)$;

b) $f'(2)$;

c) celle des trois courbes $\mathscr{C}_1$, $\mathscr{C}_2$ ou $\mathscr{C}_3$ ci-dessous qui représente f'.

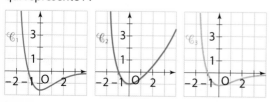

88 **Price elasticity**

The price elasticity of the demand for a product refers to the way the demand reacts to an increase or decrease of the price of that product. A price elasticity between -1 and 0 means that demand is inelastic and that a one percent increase in price yields a smaller percent decrease in demand.
If the price is noted by x and the demand is given by a function f of the variable x, then the price elasticity is given by the formula :

$$E(x) = \frac{x}{f(x)} \times f'(x).$$

Assume that the demand function is defined for $x \in [0\,;100]$ by $f(x) = \dfrac{100}{x+1}$.

a) Use the formula to compute the price elasticity.

b) Prove that the demand is inelastic.

89 **Algo** **Comprendre un algorithme**

Dans l'algorithme ci-dessous, a, b et c sont les coefficients d'une fonction polynôme de degré 2 de la forme $x \mapsto ax^2 + bx + c$ (avec $a \neq 0$).

Variables :	a, b, c, x, y sont des nombres réels
Entrées :	Saisir a, b, c, x
Traitement :	Affecter à y la valeur $2ax + b$
Sortie :	Afficher y

a) Appliquer l'algorithme avec les coefficients de la fonction $f : x \mapsto x^2 - 3x + 1$ et $x = 2$.

b) Appliquer l'algorithme avec les coefficients de la fonction $g : x \mapsto -5x^2 + 4x + 7$ et $x = 1$.

c) Expliquer le rôle de cet algorithme.

d) La variable c n'intervient pas dans le traitement de l'algorithme, et pourrait donc ne pas être demandée en entrée. Expliquer pourquoi.

90 **Travailler en groupe** **Vérifier une propriété**

f, g, h et k sont les fonctions définies sur $[0\,;+\infty[$ par :

• $f(x) = x^2(2x - 3)$; • $g(x) = -\dfrac{x^2}{x^2 + 1}$;

• $h(x) = (x^2 + 1)\sqrt{x}$; • $k(x) = x^4 - x^3 + x^2$.

Sofia affirme : «Ces quatre fonctions s'annulent en 0 et leurs fonctions dérivées aussi».

a) Vérifier la première partie de l'affirmation :
«Ces quatre fonctions s'annulent en 0».

b) En travaillant en groupe, déterminer les fonctions dérivées f', g', h' et k'.

c) L'affirmation de Sofia est-elle vraie ? Si elle est fausse, proposer un énoncé vrai.

91 Utiliser des fonctions en économie

Une entreprise fabrique des voitures haut de gamme, vendues chacune 200 000 €. Le coût total de fabrication, en milliers d'euros, exprimé en fonction de la quantité q de véhicules produits, est modélisé par la fonction C telle que :
$$C(q) = 22q^3 - 231q^2 + 821q - 100.$$
Le coût moyen est défini pour $q \geqslant 1$ par :
$$C_M(q) = \frac{C(q)}{q}.$$
On assimile le coût marginal C_m à la dérivée C' du coût total.
a) Déterminer le coût moyen $C_M(q)$ pour $q \geqslant 1$.
b) Déterminer le coût marginal $C_m(q)$ pour $q \geqslant 1$.
c) En économie, une entreprise a intérêt à produire une certaine quantité lorsque le prix de vente d'une unité est supérieur ou égal au coût moyen et au coût marginal.
L'entreprise a-t-elle intérêt à produire 5 voitures ? 6 voitures ?

92 Imaginer une statégie

Dans un repère, $\mathscr{C}$ est la courbe représentative de la fonction f définie sur $\mathbb{R}$ par :
$$f(x) = -x^4 + 2x^2 + x.$$
Démontrer que la tangente à $\mathscr{C}$ au point d'abscisse – 1 est tangente à $\mathscr{C}$ en un autre point.

93 Rechercher une tangente

Rédiger les différentes étapes de la recherche, sans omettre les fausses pistes et les changements de méthode.

Problème f est la fonction définie sur $\mathbb{R} - \{1\}$ par :
$$f(x) = \frac{x}{x - 1}.$$
$\mathscr{C}$ est la courbe representative de la fonction f dans un repère.
Céline affirme : « Aucune tangente à la courbe $\mathscr{C}$ ne passe par le point de coordonnées $(1 ; 1)$ ».
Cette affirmation est-elle vraie ? Justifier.

94 Trouver des points d'intersection

n est un nombre entier supérieur ou égal à 1.
f est la fonction définie sur $\mathbb{R}$ par $f(x) = x^n$.
Isaure affirme : « Pour tout n, les courbes représentatives de f et f' se coupent en deux points, l'origine du repère et un autre point d'abscisse n ».
La conjecture d'Isaure est-elle vraie ? Justifier.

95 Retrouver une fonction

f est une fonction polynôme de degré 2 telle que $f(0) = f'(0) = 5$ et $f'(1) = 1$.
Retrouver l'expression de la fonction f.

96 Une expression compliquée ?

f est la fonction définie sur $\mathbb{R} - \{0 ; 1\}$ par :
$$f(x) = \frac{\left(x + \dfrac{1}{x}\right)(x - 1)}{x^2 - \dfrac{1}{x}}.$$

Justifier la formule affichée pour $f'(x)$.

1	f(x):=((x+1/x)*(x-1))/(x²-1/x)
2	f'(x)
○ →	$\dfrac{x^2 - 1}{x^4 + 2x^3 + 3x^2 + 2x + 1}$

97 Champ de vision

Un technicien chargé de la maintenance d'un avion de ligne fait face au nez de l'appareil modélisé par la parabole $\mathscr{P}$ qui représente la fonction $x \mapsto \dfrac{1}{4}x^2$.

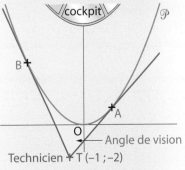

Les droites (TA) et (TB) sont tangentes à $\mathscr{P}$ en A et B.
Quelles sont les coordonnées de A et B ?

Accompagnement personnalisé

Soutien **Déterminer l'équation d'une tangente**

98 Exercice test

f est la fonction définie sur $\mathbb{R}$ par :
$$f(x) = 3x^2 - 5x + 1.$$
$\mathscr{C}$ est sa courbe représentative dans un repère.
On admet que $f'(2) = 7$.
a) Rappeler la formule de l'équation de la tangente à $\mathscr{C}$ au point A d'abscisse 2.
b) Calculer $f(2)$.
c) En déduire l'équation de la tangente en A.

 Appelez le professeur pour qu'il contrôle vos réponses et qu'il vous indique la suite.

99 **a)** Retrouver dans le cours la formule de la tangente à la courbe représentative d'une fonction f en un point d'abscisse a.
b) Recopier la figure ci-dessous et compléter les trois cases en utilisant a, $f(a)$ et $f'(a)$.

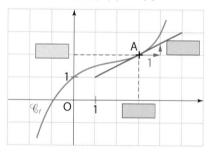

100 f est la fonction définie sur $\mathbb{R}$ par :
$$f(x) = -2x^2 + 3x - 1.$$
$\mathscr{C}$ est sa courbe représentative dans un repère.
Le point A$(0 ; -1)$ appartient à $\mathscr{C}$.
On admet que $f'(0) = 3$ et que $f'(1) = -1$.
a) Justifier que l'équation de la tangente à $\mathscr{C}$ au point A est $y = 3x - 1$.
b) Déterminer l'équation de la tangente à $\mathscr{C}$ au point d'abscisse 1.

101 f est la fonction définie sur $\mathbb{R}$ par :
$$f(x) = x^3 - 4x^2 + 1.$$
On admet que $f'(-1) = 11$.
Déterminer l'équation de la tangente à la courbe représentative de f dans un repère au point d'abscisse -1.

Soutien **Connaître les dérivées des fonctions usuelles**

102 Exercice test

Donner les fonctions dérivées des fonctions définies sur les ensembles indiqués.
a) $f(x) = 3$ sur $\mathbb{R}$ **b)** $g(x) = x$ sur $\mathbb{R}$
c) $h(x) = x^2$ sur $\mathbb{R}$ **d)** $k(x) = x^5$ sur $\mathbb{R}$
e) $t(x) = \dfrac{1}{x}$ sur $\mathbb{R}^*$ **f)** $r(x) = \sqrt{x}$ sur $[0 ; +\infty[$

 Appelez le professeur pour qu'il contrôle vos réponses et qu'il vous indique la suite.

103 À l'aide du cours, recopier et compléter le tableau ci-dessous, où les fonctions sont définies sur $\mathbb{R}$.
k est un nombre réel et n est un nombre entier supérieur ou égal à 2.

$f(x)$	$f'(x)$	$f(x)$	$f'(x)$
k		x^3	
x		x^4	
x^2		x^n	

Soutien **Calculer la dérivée d'un produit**

104 Exercice test

f est la fonction définie sur $\mathbb{R}$ par :
$$f(x) = (2x - 1)(-x^2 + 6).$$
Déterminer $f'(x)$ en détaillant la méthode.

 Appelez le professeur pour qu'il contrôle vos réponses et qu'il vous indique la suite.

105 f est la fonction définie sur $\mathbb{R}$ par :
$$f(x) = (3x - 1)(5x + 2).$$
a) f est de la forme uv.
Recopier et compléter le tableau ci-dessous.

$u(x)$		$u'(x)$	
$v(x)$		$v'(x)$	

b) Rappeler la formule de la dérivée d'un produit de deux fonctions uv.
c) Utiliser les questions précédentes pour déterminer $f'(x)$.

106 f est la fonction définie sur $\mathbb{R}$ par :
$$f(x) = (x^2 + 5)(x^2 - 3).$$

a) f est de la forme uv.

Recopier et compléter le tableau ci-dessous.

$u(x)$		$u'(x)$	
$v(x)$		$v'(x)$	

b) En déduire $f'(x)$.

 Soutien Calculer la dérivée d'un quotient

107 Exercice test

g est la fonction définie sur $\mathbb{R} - \{-4\}$ par :
$$g(x) = \frac{2x + 7}{x + 4}.$$

Déterminer $g'(x)$ en détaillant la méthode.

Appelez le professeur pour qu'il contrôle vos réponses et qu'il vous indique la suite.

108 g est la fonction définie sur $\mathbb{R} - \{3\}$ par :
$$g(x) = \frac{6x + 2}{x - 3}.$$

a) g est de la forme $\dfrac{u}{v}$.

Recopier et compléter le tableau ci-dessous.

$u(x)$		$u'(x)$	
$v(x)$		$v'(x)$	

b) Rappeler la formule de la dérivée d'un quotient de deux fonctions $\dfrac{u}{v}$.

c) Utiliser les questions précédentes pour déterminer $g'(x)$.

109 g est la fonction définie sur $\mathbb{R}$ par :
$$g(x) = \frac{-2x + 5}{x^2 + 2}.$$

a) g est de la forme $\dfrac{u}{v}$

Recopier et compléter le tableau ci-dessous.

$u(x)$		$u'(x)$	
$v(x)$		$v'(x)$	

b) En déduire $g'(x)$.

110 h est la fonction définie sur $\mathbb{R} - \{1\}$ par :
$$h(x) = \frac{x^2}{x - 1}.$$

Déterminer $h'(x)$.

Approfondissement

Étudier des positions relatives

111 f est la fonction définie sur $\mathbb{R}$ par :
$$f(x) = x^3 - 6x^2 + 12x - 7.$$

$\mathscr{C}$ est sa courbe représentative dans un repère.

T est la tangente à $\mathscr{C}$ au point d'abscisse 1.

1. En utilisant l'écran de calculatrice ci-dessous (fenêtre : $0 \leqslant X \leqslant 4$, pas 1 ; $-4 \leqslant Y \leqslant 4$, pas 1), conjecturer la position relative de $\mathscr{C}$ et T.

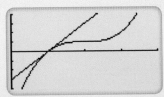

2. On se propose maintenant de prouver la validité ou non de cette conjecture.

a) Déterminer $f'(x)$.

b) Déterminer une équation de la tangente T.

c) Vérifier que pour tout nombre réel x,
$$f(x) - (3x - 3) = (x - 1)^2 (x - 4).$$

d) Étudier le signe de $(x - 1)^2 (x - 4)$.

e) En déduire la position de T par rapport à $\mathscr{C}$.

Approfondissement

Une contrainte sur le coût marginal

112 Dans une entreprise, le coût de fabrication d'un produit, en euros, est exprimé par :
$$C(x) = x^3 - 100x^2 + 3\,000x + 200$$
où x désigne la quantité de produits fabriqués, en tonnes, comprise entre 0 et 60.

Le prix de vente d'une tonne du produit est de 600 €.

a) Déterminer le coût marginal de fabrication, que l'on assimile à la dérivée du coût total.

b) La production de l'entreprise doit être telle que le coût marginal de fabrication soit inférieur au prix de vente. En déduire les quantités, en tonnes, que peut produire l'entreprise.

c) Avec la calculatrice, déterminer la quantité en tonnes à produire pour que le bénéfice soit maximal.

4

Applications de la dérivation

Le toit du stade olympique de Munich imite un film de savon sur une armature. Il a été conçu pour minimiser la quantité de matériaux utilisés, tout en tenant compte des contraintes physiques.

Au fil des siècles

La mathématicienne italienne **Maria Agnesi** (1718-1799) a écrit un traité d'Analyse, « Instituzioni Analitiche », qui a longtemps été un ouvrage de référence sur la dérivation.

● *Rechercher sur Internet quelle courbe étudiée par Maria Agnesi est nommée « la sorcière » et d'où provient cette curieuse appellation.*

Les capacités du programme

	Choix d'exercices		
• Utiliser le signe de la dérivée pour étudier le sens de variation d'une fonction.	2	44	52
• Exploiter le sens de variation d'une fonction pour obtenir des inégalités.	9	54	57
• Déterminer un extremum d'une fonction.	59	61	69
• Traiter des problèmes d'optimisation.	71		74

1 Comprendre le sens de variation d'une fonction

f est une fonction définie sur un intervalle I.

a et b désignent des nombres réels de l'intervalle I tels que $a < b$.

Que peut-on dire de $f(a)$ et $f(b)$ lorsque :

a) f est croissante sur I ?   **b)** f est décroissante sur I ?

2 Lire des informations sur un graphique

Voici, dans un repère, la courbe représentative d'une fonction f définie sur l'intervalle $[-1 ; 2]$.

a) Quel est le maximum de la fonction f sur l'intervalle $[-1 ; 2]$?

Pour quelle valeur de x est-il atteint ?

b) Dresser le tableau de variation de f.

c) Donner le signe de $f(x)$ selon les valeurs de x.

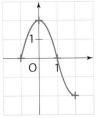

3 Déduire des informations d'un tableau de variation

Voici le tableau de variation d'une fonction g définie sur l'intervalle $[-10 ; 5]$.

x	-10		-2		1		3		5
$g(x)$	7	↘	0	↘ -4		↗	-1	↘	-2

a) Comparer $g(-8)$ et $g(0)$, puis $g\left(\dfrac{3}{2}\right)$ et $g(2)$.

b) Donner le signe de $g(x)$ selon les valeurs de x.

4 Étudier le signe d'une expression

Dans la feuille de calcul ci-contre, on a saisi :

• =2*A2–3 dans la cellule B2 ;

• =3*A2^2+3*A2–6 dans la cellule C2.

a) Donner les expressions de $f(x)$ et $g(x)$ en fonction de x.

b) Donner le signe de $f(x)$ et de $g(x)$ selon les valeurs de x.

	A	B	C
1	x	$f(x)$	$g(x)$
2	-3	-9	12
3	-2	-7	0
4	-1	-5	-6
5	0	-3	-6
6	1	-1	0
7	2	1	12

5 Lire graphiquement un nombre dérivé

Voici, dans un repère, la courbe représentative d'une fonction f définie sur l'intervalle $[-5 ; 4]$.

d, d' et d'' sont les tangentes à cette courbe aux points d'abscisses respectives -2, -4 et 3.

a) Lire les nombres $f(-4)$, $f(-2)$ et $f(3)$.

b) Lire les nombres dérivés $f'(-4)$, $f'(-2)$ et $f'(3)$.

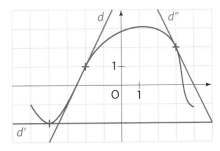

 Aide et corrigés sur le site élève **www.nathan.fr/hyperbole1reESL-2015**

1 Sens de variation et signe de la dérivée

Des scientifiques ont étudié le niveau d'eau, en cm, d'une rivière lors des sept premiers mois de l'année.

Ils ont modélisé ces données par l'expression $\frac{5}{3}n^3 - 18n^2 + 55n - 31$ qui donne le niveau d'eau, en cm,

lors du mois numéro n (1 pour janvier, 2 pour février, …).

On considère la fonction f définie sur l'intervalle [1 ; 7] par :

$$f(x) = \frac{5}{3}x^3 - 18x^2 + 55x - 31.$$

$\mathscr{C}$ est la courbe représentative de la fonction f dans un repère.

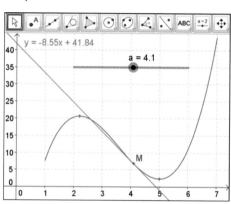

Problème

Relier le sens de variation de la fonction f au signe de sa dérivée.

1 **Conjecturer avec GeoGebra**

a) Afficher le repère et dans la zone de saisie, définir la fonction f en tapant :

$$f(x) = \text{Fonction}[5/3x{\wedge}3 - 18x^2 + 55x - 31,1,7].$$

b) Lire le maximum et le minimum de la fonction f sur l'intervalle [1 ; 7], affichés par le logiciel, en saisissant Max [$f(x)$,1,7], puis Min [$f(x)$,1,7].

c) Conjecturer le sens de variation de f sur l'intervalle [1 ; 7].

d) Créer un curseur a allant de 1 à 7 avec un incrément de 0,1.

Dans la zone de saisie, taper M=(a,$f(a)$).

Créer la tangente en M à la courbe (utiliser [icône]) et afficher son équation sous la forme $y = ax + b$.

e) Déplacer le curseur a, observer le coefficient directeur de la tangente et conjecturer le tableau de signes de $f'(x)$.

f) Quel lien peut-on conjecturer entre le sens de variation de la fonction f et le signe de $f'(x)$?

2 **Étudier le signe de la fonction dérivée**

a) Pour tout nombre réel x de l'intervalle [1 ; 7], déterminer $f'(x)$.

b) Étudier le signe de $f'(x)$ selon les valeurs de x.

Confronter ces résultats à la conjecture émise à la question **1 e)**.

2 Optimiser un profit

Une entreprise produit et vend un nouveau parfum.

La recette quotidienne, en milliers d'euros, réalisée pour la production et la vente de x centaines de litres, est donnée par la fonction R définie sur l'intervalle [0 ; 3] par :

$$R(x) = -x^4 + 6x^3 - 12x^2 + 10x.$$

1	Dérivée[-x^4+6x^3-12x²+10x-2]
○	$\rightarrow \quad -4\,x^3 + 18\,x^2 - 24\,x + 10$
2	Factoriser[-4 x³ + 18x² - 24x + 10]
○	$\rightarrow \quad -2\,(x-1)^2\,(2\,x-5)$

Problème

Quelle quantité de parfum correspond au bénéfice quotidien maximal ?

① Conjecturer avec la calculatrice

a) Les coûts fixes journaliers de l'entreprise s'élèvent à 2 000 €.

On note B la fonction exprimant le bénéfice quotidien, en milliers d'euros, en fonction de la quantité vendue x, en centaines de litres.

Exprimer B(x) en fonction de x.

b) Afficher la courbe représentative de la fonction B à l'écran de la calculatrice (*fenêtre :* $0 \leqslant X \leqslant 3$, pas 1 ; $-2 \leqslant Y \leqslant 3$, pas 1).

c) Conjecturer le maximum de la fonction B sur l'intervalle [0 ; 3] et la valeur de x en laquelle il est atteint.

② Démontrer la conjecture

a) L'écran de calcul formel ci-dessus donne notamment l'expression factorisée de B'(x).

Identifier et vérifier cette expression.

b) Utiliser la ligne 2 de cet écran pour dresser le tableau de signes de cette fonction dérivée sur l'intervalle [0 ; 3].

c) En déduire le tableau de variation de la fonction B sur l'intervalle [0 ; 3].

d) Démontrer la conjecture émise à la question ①.

Conclure en répondant au problème posé.

e) Proposer une condition nécessaire sur sa dérivée pour qu'une fonction admette un maximum en un point.

1 Sens de variation et signe de la dérivée

a. Du sens de variation au signe de la dérivée

▶ **PROPRIÉTÉS**

f est une fonction dérivable sur un intervalle I.
- Si *f* est **croissante** sur I, alors pour tout nombre réel x de I, $f'(x) \geqslant 0$.
- Si *f* est **constante** sur I, alors pour tout nombre réel x de I, $f'(x) = 0$.
- Si *f* est **décroissante** sur I, alors pour tout nombre réel x de I, $f'(x) \leqslant 0$.

● **EXEMPLES**

f est croissante sur $[-1\,;1]$

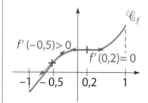

f est constante sur $[-1\,;1]$

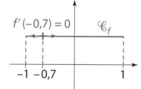

f est décroissante sur $[-1\,;1]$

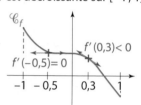

b. Du signe de la dérivée au sens de variation

▶ **PROPRIÉTÉS**

f est une fonction dérivable sur un intervalle I.
- Si pour tout nombre réel x de I, $f'(x) \geqslant 0$, alors *f* est **croissante** sur I.
- Si pour tout nombre réel x de I, $f'(x) = 0$, alors *f* est **constante** sur I.
- Si pour tout nombre réel x de I, $f'(x) \leqslant 0$, alors *f* est **décroissante** sur I.

● **EXEMPLES**

Dans chaque cas, la courbe tracée représente une fonction *f* dérivable sur l'intervalle $[-2\,;4]$.
Cette fonction est telle que pour tout nombre réel x de $[-2\,;4]$, $f'(x) \geqslant 0$.

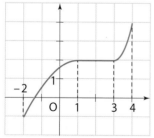

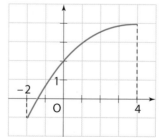

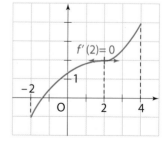

$f'(x)$ s'annule sur l'intervalle $[1\,;3]$ contenu dans $[-2\,;4]$.
On dit que *f* est **croissante** sur $[-2\,;4]$.

$f'(x)$ ne s'annule pas sur l'intervalle $[-2\,;4]$, ou bien seulement en quelques points isolés.
On dit que *f* est **strictement croissante** sur $[-2\,;4]$.

Remarque : quand une fonction ne change pas de sens de variation sur un intervalle I, on dit qu'elle est **monotone** sur cet intervalle.

● **Exercice résolu**   Relier signe de la dérivée et sens de variation

1 **Énoncé**

f est la fonction définie sur l'intervalle $[-4\,;8]$ par $f(x) = \dfrac{1}{6}x^3 - \dfrac{1}{2}x^2 - 4x - 5$.

a) Déterminer $f'(x)$.

b) Étudier le signe de $f'(x)$ selon les valeurs de x et en déduire le tableau de variation de f.

Solution

a) Pour tout nombre réel x de l'intervalle $[-4\,;8]$:

$f'(x) = \dfrac{1}{6} \times 3x^2 - \dfrac{1}{2} \times 2x - 4$ donc $f'(x) = \dfrac{1}{2}x^2 - x - 4$.

b) f' est une fonction polynôme de degré 2.

Son discriminant est $\Delta = (-1)^2 - 4 \times \dfrac{1}{2} \times (-4) = 9$.

$\Delta > 0$ donc l'équation $f'(x) = 0$ admet deux solutions :

$$x_1 = \dfrac{1 - \sqrt{9}}{2 \times \dfrac{1}{2}} = -2 \quad \text{et} \quad x_2 = \dfrac{1 + \sqrt{9}}{2 \times \dfrac{1}{2}} = 4.$$

Donc, $f'(x) \leqslant 0$ pour $x \in [-2\,;4]$

et $f'(x) \geqslant 0$ pour $x \in [-4\,;-2]$ et pour $x \in [4\,;8]$.

On en déduit le tableau de variation de f.

x	-4		-2		4		8
$f'(x)$		$+$	0	$-$	0	$+$	
$f(x)$	$-\dfrac{23}{3}$	↗	$-\dfrac{1}{3}$	↘	$-\dfrac{55}{3}$	↗	$\dfrac{49}{3}$

Conseils

• On utilise la propriété sur le signe d'un trinôme, vue au chapitre 1.

• Sur la ligne « $f(x)$ » du tableau de variation on fait figurer les valeurs exactes des images des nombres réels de la 1re ligne.

• On peut vérifier la cohérence entre les variations et les valeurs particulières indiquées dans le tableau.

On peut aussi vérifier les variations à l'aide de la calculatrice.

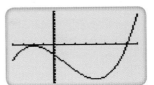

● **À votre tour**

2 f est la fonction définie sur $[-5\,;5]$ par :

$$f(x) = \dfrac{1}{12}x^3 - \dfrac{1}{4}x - 2.$$

a) Déterminer $f'(x)$.

b) Étudier le signe de $f'(x)$ selon les valeurs de x et en déduire le tableau de variation de f.

c) Vérifier la cohérence des résultats obtenus avec la courbe représentative de f affichée à l'écran de la calculatrice.

3 g est la fonction définie sur $[0\,;2]$ par :

$$g(x) = x^3 - x.$$

a) Déterminer $g'(x)$.

b) Dresser le tableau de variation de la fonction g.

4 h est la fonction définie sur $[1\,;4]$ par :

$$h(x) = x + \sqrt{x}.$$

a) Déterminer $h'(x)$.

Expliquer pourquoi $h'(x) > 0$ sur $[1\,;4]$.

b) Dresser le tableau de variation de h.

Pour les exercices 5 à 7, déterminer $f'(x)$, étudier le signe de $f'(x)$ et en déduire le tableau de variation de f sur l'intervalle I.

5 $f(x) = \dfrac{1}{2}x^2 + 3x - 4$ $\quad$ I $= [-10\,;10]$

6 $f(x) = -x + \dfrac{1}{x}$ $\quad$ I $= [1\,;8]$

7 $f(x) = 2x^3 + 3x^2 - 36x$ $\quad$ I $= [-5\,;7]$

2 Extremum d'une fonction

a. Extremum local d'une fonction

▶ **DÉFINITIONS**

f est une fonction définie sur un intervalle I et x_0 est un nombre réel de I.
- Dire que $f(x_0)$ est un **maximum local** (resp. **minimum local**) de f signifie qu'il existe un intervalle ouvert J inclus dans I et contenant x_0 tel que pour tout x de J :

$$f(x) \leqslant f(x_0) \text{ (resp. } f(x) \geqslant f(x_0)).$$

- Un **extremum local** est un maximum local ou un minimum local.

● EXEMPLE

f est une fonction définie sur l'intervalle $[-4\,;6]$. Sa courbe représentative dans un repère est donnée ci-contre.
$f(-2)$ est un minimum local car, $f(-2) = -1$ et pour tout x de $]-4\,;0[$, $f(x) \geqslant -1$.
$f(3)$ est un maximum local car, $f(3) = 2$ et pour tout x de $]2\,;4[$, $f(x) \leqslant 2$.

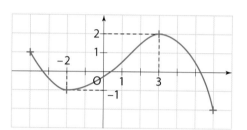

b. Extremum local d'une fonction

▶ **PROPRIÉTÉ** ADMISE

f est une fonction dérivable sur un intervalle I et x_0 est un nombre réel de I.
Si $f(x_0)$ est un extremum local de f, alors $f'(x_0) = 0$.

Remarques : • Graphiquement, si $f(x_0)$ est un extremum local de f, alors la courbe représentative de f admet, au point d'abscisse x_0, une tangente parallèle à l'axe des abscisses.
• La réciproque est fausse.
Par exemple, si f est la fonction définie sur $\mathbb{R}$ par $f(x) = x^3$, alors $f'(0) = 0$ et $f(0)$ n'est pas un extremum local.

▶ **PROPRIÉTÉ** ADMISE

f est une fonction dérivable sur un intervalle I et x_0 est un nombre réel de I qui n'est pas une extrémité de I.
Si f' s'annule en x_0, **en changeant de signe**, alors $f(x_0)$ est un extremum local de f.

● EXEMPLES

Sur I, f admet un minimum en x_0.
Ce minimum est $f(x_0)$.
Pour tout x de I, $f(x) \geqslant f(x_0)$.

Sur I, f admet un maximum en x_0.
Ce maximum est $f(x_0)$.
Pour tout x de I, $f(x) \leqslant f(x_0)$.

● Exercice résolu · **Utiliser les variations pour obtenir une inégalité**

8 | **Énoncé**

f est la fonction définie sur l'intervalle $[-5\,;5]$ par $f(x) = x^3 - 3x$.

a) Vérifier que pour tout nombre réel x de l'intervalle $[-5\,;5]$, $f'(x) = 3(x-1)(x+1)$.

b) Dresser le tableau de variation de f.

c) Préciser les extremums locaux éventuels de f.

d) Déterminer un encadrement de $f(x)$ sur l'intervalle $[1\,;3]$.

Solution

a) Pour tout nombre réel x de $[-5\,;5]$,
$$f'(x) = 3x^2 - 3 = 3(x^2 - 1) = 3(x-1)(x+1).$$

b) f' est une fonction polynôme de degré 2 qui possède deux racines, 1 et -1.

Le coefficient de x^2 est positif, donc $f'(x)$ est positif sur $[-5\,;-1]$ et sur $[1\,;5]$, négatif sur $[-1\,;1]$. On en déduit le tableau de variation de f sur $[-5\,;5]$.

x	-5		-1		1		5
$f'(x)$		$+$	0	$-$	0	$+$	
$f(x)$	-110	↗	2	↘	-2	↗	110

c) D'après le tableau de variation, $f(-1) = 2$ est un maximum local et $f(1) = -2$ est un minimum local.

-1 et 1 sont en effet les deux valeurs de x où $f'(x)$ s'annule en changeant de signe.

d) f est croissante sur l'intervalle $[1\,;3]$, donc si $1 \leqslant x \leqslant 3$, alors $f(1) \leqslant f(x) \leqslant f(3)$, c'est-à-dire $-2 \leqslant f(x) \leqslant 18$.

Conseils

• Il n'est pas toujours utile d'utiliser le discriminant pour trouver les racines d'un trinôme du second degré.

• Sur $[-5\,;1]$, l'allure du tableau correspond à l'un des tableaux du § **b** du cours. On en déduit l'existence d'un extremum local. De même sur $[-1\,;5]$.

• On utilise les variations de f sur l'intervalle donné pour en déduire un encadrement de $f(x)$ sur cet intervalle.

● À votre tour

9 | f est la fonction définie sur $[-5\,;5]$ par :
$$f(x) = x^3 - 12x + 2.$$

a) Vérifier que pour tout nombre réel x de $[-5\,;5]$,
$$f'(x) = 3(x-2)(x+2).$$

b) Dresser le tableau de variation de f.

c) Préciser les extremums locaux éventuels de f.

d) Déterminer un encadrement de $f(x)$ sur $[-1\,;2]$.

10 | f est la fonction définie sur $[0\,;2]$ par :
$$f(x) = 2x^3 - 3x^2.$$

a) Déterminer, puis factoriser $f'(x)$.

b) Dresser le tableau de variation de f.

c) Déterminer un encadrement de $f(x)$ sur $[0\,;2]$.

11 | g est la fonction définie sur $[-3\,;1]$ par :
$$g(x) = x^4 + \frac{8}{3}x^3 + 2x^2 - 2.$$

a) Vérifier que pour tout nombre réel x de $[-3\,;1]$,
$$g'(x) = 4x(x+1)^2.$$

b) Dresser le tableau de variation de g.

c) Préciser les extremums locaux éventuels de g.

d) Déterminer un encadrement de $g(x)$ sur $[-3\,;-1]$.

12 | h est la fonction définie sur $[1\,;5]$ par :
$$h(x) = \frac{x-1}{x}.$$

a) Déterminer $h'(x)$.

b) Dresser le tableau de variation de h.

c) Déterminer un encadrement de $h(x)$ sur $[1\,;5]$.

Résoudre des problèmes

Problème résolu — Tracer une allure possible d'une courbe

13 Énoncé

f est une fonction dérivable sur l'intervalle $[-3 ; 4]$, telle que :
$$f(-3) = f(3) = -2, f(-1) = 3,3 \text{ et } f(4) = -0,8.$$
Sa fonction dérivée f' est représentée dans le repère ci-contre.
Utiliser la courbe représentative de f' et les valeurs particulières de $f(x)$ pour tracer une allure possible de la courbe représentative de f dans un repère.

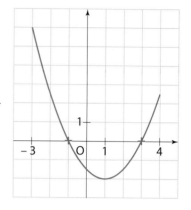

Solution

• Analyse de la courbe

On lit sur la courbe représentative que $f'(x) \geqslant 0$ pour $x \in [-3 ; -1]$ et pour $x \in [3 ; 4]$, et que $f'(x) \leqslant 0$ pour $x \in [-1 ; 3]$.
De plus $f'(-1) = 0$ et $f'(3) = 0$.
On en déduit le tableau de variation de f.

x	-3		-1		3		4
$f'(x)$		$+$	0	$-$	0	$+$	
$f(x)$	-2 ↗		$3,3$ ↘		-2 ↗		$-0,8$

• Résolution du problème

On place les quatre points donnés dans l'énoncé, puis on les relie en respectant les variations trouvées précédemment.

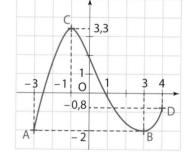

À votre tour

14

g est une fonction dérivable sur l'intervalle $[-1 ; 3]$, telle que :
$g(-1) = -1,5, g(0) = 0,5, g(2) = -1,5 \text{ et } g(3) = 0,5.$

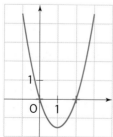

Utiliser la courbe de g' tracée ci-dessus et les valeurs particulières de $g(x)$ pour tracer une allure possible de la courbe représentative de g dans un repère.

15

h est une fonction dérivable sur l'intervalle $[-3 ; 2]$, telle que :
$$h(-3) = 1,5, h(-2) = \frac{2}{3}, h(1) = \frac{7}{6} \text{ et } h(2) = \frac{2}{3}.$$

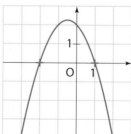

Utiliser la courbe de h' tracée ci-dessus et les valeurs particulières de $h(x)$ pour tracer une allure possible de la courbe représentative de h.

Problème résolu   Résoudre un problème d'optimisation

16 **Énoncé**

Un producteur asiatique cultive et vend entre 10 et 40 tonnes de riz par an. Chaque tonne de riz est vendue 500 €.

On note x la quantité vendue, en tonnes, sur une année, et on admet que le coût total de production, en euros, est donné par la fonction C définie sur l'intervalle [10 ; 40] par :

$$C(x) = x^3 - 60x^2 + 1\,025x.$$

Pour quelle quantité de riz vendue le bénéfice est-il maximal ?

Solution

• **Expression du bénéfice**

Chaque tonne est vendue 500 €, donc pour x tonnes produites et vendues, le bénéfice réalisé est $B(x) = 500x - C(x)$, soit :

$$B(x) = -x^3 + 60x^2 - 525x.$$

• **Résolution du problème**

Pour tout nombre réel x de [10 ; 40], $B'(x) = -3x^2 + 120x - 525$.

$\Delta = 8\,100$ soit $\Delta > 0$ donc B' a deux racines, $x_1 = 5$ et $x_2 = 35$.

On établit le tableau de signes de $B'(x)$ sur [10 ; 40] et le tableau de variation de B.

x	10		35		40
$B'(x)$		+	0	−	
$B(x)$	−250		12 250		11 000

Le bénéfice est donc croissant sur [10 ; 35] et décroissant sur [35 ; 40].

• **Conclusion**

Le bénéfice est maximal pour 35 tonnes de riz produites et vendues.

Conseils

• Lorsqu'un produit est vendu p € par unité, le bénéfice est égal à $p \times x - C(x)$, où C est le coût total.

• Il faut penser à respecter l'intervalle de définition de B. Ainsi la racine $x_1 = 5$ ne figure pas dans le tableau.

• La dérivée s'annule en passant du positif au négatif ce qui justifie l'existence d'un maximum.

À votre tour

17 Une entreprise fabrique et commercialise de l'huile d'olive. Sa capacité annuelle de production est limitée à 5 000 litres.

Chaque litre est vendu 12 €.

Pour x milliers de litres produits, le coût total de production, en milliers d'euros, est donné par la fonction C définie sur l'intervalle [0 ; 5] par :

$$C(x) = x^2 + 6x + 1.$$

Pour quel volume d'huile d'olive produit et vendu le bénéfice est-il maximal ?

18 Une entreprise fabrique et commercialise une boisson.

Pour x centaines de litres produits, le coût marginal de production, en euros, est donné par la fonction C_m définie sur l'intervalle [0 ; 20] par :

$$C_m(x) = 0,02x^2 - 0,36x + 494,4.$$

Pour quel volume de boisson produite le coût marginal est-il minimal ?

Problème résolu — Utiliser un algorithme pour résoudre une équation

19 Énoncé

f est la fonction définie sur l'intervalle $[0\,;5]$ par :
$$f(x) = x^3 - 5x^2 + 2x - 3.$$
On admet qu'il existe un unique nombre réel α dans l'intervalle $[0\,;5]$ tel que $f(\alpha) = 0$.

a) À l'aide de la calculatrice, conjecturer le signe de $f(x)$ selon les valeurs de x dans $[0\,;5]$.

b) Le rôle de l'algorithme ci-contre est d'obtenir une valeur approchée de α.

Compléter les lignes **(1)** et **(2)** de l'algorithme.

c) Coder cet algorithme dans le langage de la calculatrice, puis exécuter ce programme pour obtenir une valeur approchée de α.

Variables :	x, y sont des nombres réels
Traitement :	Affecter à x la valeur 0
	Affecter à y la valeur ... **(1)**
	Tant que $y < 0$
	Affecter à x la valeur $x + 0{,}01$
	Affecter à y la valeur ... **(2)**
	Fin Tant que
Sortie :	Afficher x

Solution

a) Voici la courbe représentative de f affichée à l'écran de la calculatrice (*fenêtre :* $0 \leqslant X \leqslant 5$, pas 1 ; $-20 \leqslant Y \leqslant 10$, pas 5).

Il semble que :
- pour $x \in [0\,;\alpha]$, $f(x) \leqslant 0$;
- pour $x \in [\alpha\,;5]$, $f(x) \geqslant 0$. ◄

b) On complète l'algorithme de la façon suivante :

(1) Affecter à y la valeur -3

(2) Affecter à y la valeur $x^3 - 5x^2 + 2x - 3$ ◄

c) Ces programmes affichent la valeur approchée 4,72.

Casio

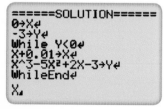

```
======SOLUTION======
0→X↵
-3→Y↵
While Y<0↵
X+0.01→X↵
X^3-5X²+2X-3→Y↵
WhileEnd↵
X◢
```

TI

```
PROGRAM:SOLUTION
:0→X
: -3→Y
:While Y<0
:X+0.01→X
:X^3-5X²+2X-3→Y
:End
:Disp X
```

Conseils

- Cette propriété justifie la condition dans la boucle Tant que.
- La variable y représente $f(x)$, et $f(0) = -3$.

À votre tour

20 On reprend la situation de l'exercice **19**.

a) Comment faut-il modifier l'algorithme pour obtenir une valeur approchée plus précise ?

b) Déterminer ainsi une valeur approchée de α au millième près.

c) Il existe un unique nombre réel β de l'intervalle $[0\,;5]$ tel que $f(\beta) = -1$.

Modifier l'algorithme pour obtenir une valeur approchée de β au millième près.

21 f est la fonction définie sur $]0\,;2]$ par :
$$f(x) = x^2 + x + \frac{1}{x}.$$

a) Déterminer $f'(x)$.

b) Il existe un unique nombre réel α tel que $f'(\alpha) = 0$.

Conjecturer le signe de $f'(x)$ selon les valeurs de x dans $]0\,;2]$.

c) Écrire un algorithme qui permette de trouver une valeur approchée de α au millième près.

22 Les différentes fonctions de coût

> **Objectif**
>
> Étudier, sur un exemple, les différentes fonctions de coût.

Une entreprise cultive et récolte du café.

Chaque année, suivant les conditions météorologiques, elle produit entre 1 et 12 tonnes de café.

Pour une production de x tonnes de café, le coût total de production, en euros, est donné par la fonction C définie sur l'intervalle [1 ; 12] par :

$$C(x) = x^3 - 12x^2 + 72x.$$

1 **La fonction coût total**

a) Déterminer $C'(x)$. Étudier le signe de $C'(x)$ sur l'intervalle [1 ; 12].

b) En déduire que la fonction C est croissante sur l'intervalle [1 ; 12].

c) À l'écran de la calculatrice, tracer la courbe représentative de la fonction C en précisant la fenêtre choisie.

2 **La fonction coût moyen**

Le **coût moyen** de production est le coût par unité produite. C'est le rapport entre le coût total de production $C(x)$ et la quantité produite x. On note C_M la fonction coût moyen.

a) Exprimer $C_M(x)$ en fonction de x.

b) Déterminer la dérivée $C'_M(x)$ de la fonction coût moyen.

c) Dresser le tableau de variation de la fonction C_M.

d) Pour quelle quantité x_0 de café produite le coût moyen est-il minimal ?

e) Vérifier que la tangente à la courbe représentative de la fonction C au point d'abscisse x_0 passe par l'origine du repère.

f) Contrôler la réponse précédente à la calculatrice.

3 **La fonction coût marginal**

Le **coût marginal** est le coût de production engendré par la production d'une unité supplémentaire.

En pratique, on assimile le coût marginal à la dérivée du coût total. On note C_m la fonction coût marginal.

Ainsi, $C_m = C'$.

a) Exprimer $C_m(x)$ en fonction de x.

b) Déterminer $C'_m(x)$.

c) Dresser le tableau de variation de la fonction C_m.

d) Calculer $C_m(x_0)$ et vérifier que $C_m(x_0) = C_M(x_0)$.

e) À l'écran de la calculatrice, tracer les courbes représentatives des fonctions C_m et C_M sur l'intervalle [1 ; 12].

4 **Compte-rendu**

a) Interpréter graphiquement les réponses obtenues aux questions **2 d)** et **3 d)**.

b) De façon générale on note C une fonction coût total définie sur [0 ; +∞[.

Sachant que, pour tout nombre réel $x > 0$, $C_M(x) = \dfrac{C(x)}{x}$, exprimer $C'_M(x)$ en fonction de $C(x)$, $C_m(x)$ et x.

Démontrer que $C'_M(x)$ s'annule si, et seulement si, $C_m(x) = C_M(x)$.

23 Les distances de freinage

Objectif

Évaluer les distances de freinage d'une voiture, en tenant compte du temps de réaction et des conditions climatiques.

La distance d'arrêt d'un véhicule dépend de sa vitesse, mais aussi du temps de réaction du conducteur et des conditions climatiques. Les distances de sécurité recommandées sur différents types de routes sont calculées en fonction de ces paramètres.

1 Conditions optimales

Des expériences ont conduit à considérer que, dans des conditions optimales (route en bon état, pneus récents, …), la distance de freinage, en m, est donnée en fonction de la vitesse v en km/h par la fonction d_1 définie sur l'intervalle $[40\,;150]$ par $d_1(v) = \dfrac{v^2}{290 - v}$.

a) Calculer la distance de freinage, en m, arrondie au dixième, pour une vitesse de :
- 50 km/h
- 90 km/h
- 130 km/h

b) Justifier que, pour toute vitesse v dans l'intervalle $[40\,;150]$, $d'_1(v) = \dfrac{-v(v - 580)}{(290 - v)^2}$.

c) En déduire le tableau de variation de la fonction d_1 sur $[40\,;150]$.

2 Temps de réaction

On estime que, lorsqu'un conducteur visualise un danger, le temps de réaction avant qu'il actionne la pédale de frein est de 1 seconde.

La distance d'arrêt d_2 de la voiture est égale à la somme de la distance parcourue pendant le temps de réaction et de la distance de freinage.

a) Justifier que, dans des conditions optimales,
$$d_2(v) = \dfrac{v}{3,6} + \dfrac{v^2}{290 - v}.$$

b) Utiliser l'écran de calcul formel ci-contre pour dresser le tableau de signes de $d'_2(v)$ sur $[40\,;150]$.

c) En déduire le tableau de variation de d_2 sur $[40\,;150]$.

1	d_2(x):=x/3.6+x²/(290-x)
	$\rightarrow \; d_2(x) := \dfrac{-13\,x^2 - 1450\,x}{18\,x - 5220}$
2	Factoriser[Dérivée[d_2(x)]]
	$\rightarrow \; \dfrac{-13\,x^2 + 7540\,x + 420500}{18\,(x - 290)^2}$

3 Par mauvais temps

Par mauvais temps, on estime que la distance de freinage augmente de 50 %.

a) Exprimer, dans ces conditions, la distance d'arrêt d_3 en fonction de v.

b) Dresser le tableau de variation de d_3 sur $[40\,;150]$.

4 Compte-rendu

a) De manière générale, quelles que soient les conditions, que peut-on dire des variations de la distance d'arrêt en fonction de la vitesse v ?

b) Calculer les distances de sécurité, en m, sur autoroute à la vitesse de 130 km/h, par temps sec, puis par temps de pluie. Arrondir au dixième.

Sens de variation et signe de la dérivée

Questions rapides

24 f est une fonction dérivable sur l'intervalle $[-10 ; 8]$. Utiliser le tableau de signes de $f'(x)$ ci-dessous pour donner les variations de f.

x	-10		2		8
$f'(x)$		$-$	0	$+$	

25 f est une fonction dérivable sur l'intervalle $[0 ; 4]$. Donner les variations de f.

x	0		1		4
$f'(x)$		$+$	0	$+$	

26 f est une fonction dérivable sur l'intervalle $[1 ; 15]$. Utiliser le tableau de variation de f ci-dessous pour donner le signe de $f'(x)$ selon les valeurs de x.

x	1		3		15
$f(x)$	0	↘	-4	↗	7

27 Voici le tableau de variation d'une fonction f dérivable sur l'intervalle $[-10 ; 10]$.

x	-10		-1		3		10
$f(x)$	2	↘	-3	↗	-1	↘	-5

Dresser le tableau de signes de $f'(x)$.

28 Voici le tableau de variation d'une fonction g dérivable sur l'intervalle $[-10 ; 10]$.

x	-10		4		5		8		10
$g(x)$	0	↗	3	↗	100	↘	-1	↗	0

Dresser le tableau de signes de $g'(x)$.

29 Voici la courbe représentative dans un repère d'une fonction f dérivable sur l'intervalle $[-5 ; 6]$. Dresser le tableau de signes de $f'(x)$.

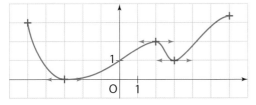

30 Voici la courbe représentative dans un repère d'une fonction f dérivable sur l'intervalle $[-4 ; 4]$. Déterminer graphiquement le signe de :

a) $f'(-4)$
b) $f(-4)$
c) $f'(-1)$
d) $f(-1)$
e) $f'(1)$
f) $f(1)$
g) $f'(4)$
h) $f(4)$

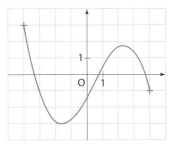

31 f est une fonction dérivable sur $[-2 ; 2]$. On sait que $f(0,5) > 0$ et $f'(0,5) > 0$. Laquelle de ces courbes peut représenter f ?

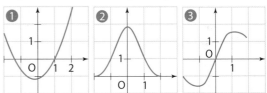

32 f est la fonction dérivable sur l'intervalle $[-2 ; 4]$, représentée sur l'écran de calculatrice ci-contre (*fenêtre* : $-2 \leqslant X \leqslant 4$, pas 1 ; $-8 \leqslant Y \leqslant 8$, pas 1).
Conjecturer, selon les valeurs de x, le signe de $f(x)$ et celui de $f'(x)$.

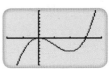

33 Voici le tableau de variation d'une fonction f dérivable sur l'intervalle $[-3 ; 3]$.

x	-3		-1		2		3
$f(x)$	0	↘	-2	↗	3	↘	1

Parmi les courbes ci-dessous, indiquer celle qui peut représenter la fonction dérivée f'.

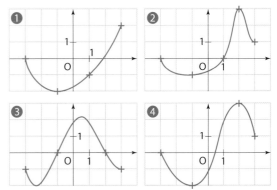

34 f est une fonction dérivable sur l'intervalle $[-7 ; 7]$. Voici la courbe représentative, dans un repère, de sa fonction dérivée f'.

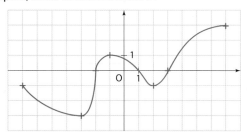

a) Dresser le tableau de signes de $f'(x)$.
b) En déduire le tableau de variation de f.

35 f est une fonction dérivable sur l'intervalle $[-5 ; 5]$. Voici le tableau de signes de $f'(x)$.

x	-5		-1		2		5
$f'(x)$		$+$	0	$-$	0	$+$	

Dans un repère, tracer une allure possible pour la courbe représentative de f.

36 f est une fonction dérivable sur l'intervalle $[-2 ; 2]$. Voici le tableau de signes de $f'(x)$.

x	-2		-1		0		2
$f'(x)$		$+$	0	$-$	0	$+$	

Parmi les courbes ci-dessous, indiquer, en justifiant, celle qui peut représenter f dans un repère.

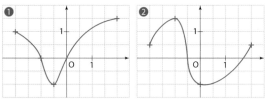

37 f est une fonction dérivable sur $[-2 ; 2]$.
Dans le repère ci-dessous, on a tracé la courbe représentative de la fonction f et celle de sa dérivée f'.
Associer chaque fonction à sa courbe.

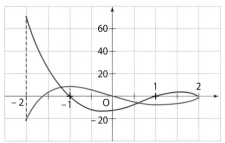

Étude des variations d'une fonction

38 f est la fonction définie sur l'intervalle $[-2 ; 2]$ par $f(x) = x^3$.
a) Déterminer mentalement $f'(x)$.
b) En déduire le sens de variation de f.

39 g est la fonction définie sur l'intervalle $]0 ; 10]$ par $g(x) = \dfrac{1}{x}$.
a) Déterminer mentalement $g'(x)$.
b) En déduire le sens de variation de g.

40 h est la fonction définie sur l'intervalle $[20 ; 50]$ par $h(x) = \sqrt{x}$.
a) Déterminer mentalement $h'(x)$.
b) En déduire le sens de variation de h.

41 f est une fonction dérivable sur l'intervalle $[-10 ; 5]$ et f' est sa fonction dérivée.
Eugénie a déterminé, sans erreur, le signe de $f'(x)$ selon les valeurs de x, puis elle en a déduit les variations de f. Voici son travail.

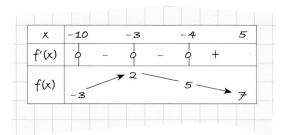

Repérer les erreurs et incohérences dans le tableau de variation de f.

42 f est la fonction définie sur $[-5 ; 0[\cup]0 ; 5]$ par :

$$f(x) = -3 + \frac{1}{x}.$$

a) Déterminer $f'(x)$.
b) Reproduire et compléter ce tableau de variation.

x	-5	0	5
$f'(x)$			
$f(x)$			

c) Décrire le sens de variation de f par une phrase.

43 f est la fonction définie sur $[-3\,;\,0[\,\cup\,]0\,;\,3]$ par :

$$f(x) = 4x + 1 - \frac{1}{x}.$$

Un professeur a demandé à ses élèves de déterminer les variations de f.

Voici la réponse d'Hervé :

« Je trouve $f'(x) = 4 + \dfrac{1}{x^2}$, donc $f'(x) > 0$.

J'en déduis que f est croissante sur $[-3\,;\,0[\,\cup\,]0\,;\,3]$ ».

a) Calculer, puis comparer $f(-0,5)$ et $f(0,2)$.

L'affirmation d'Hervé est-elle correcte ? Justifier.

b) Proposer une réponse correcte.

Pour les exercices **44** à **48**, déterminer $f'(x)$ et étudier son signe, puis en déduire le tableau de variation de f sur l'intervalle **I**.

44 $f(x) = 3x^2 - 4x + 1$ $\quad$ $I = [0\,;\,2]$

45 $f(x) = -5x^2 + 2x - 3$ $\quad$ $I = [-5\,;\,5]$

46 $f(x) = x^3 + 3x^2$ $\quad$ $I = [-3\,;\,1]$

47 $f(x) = 3x + 1 - \dfrac{2}{x}$ $\quad$ $I = [-5\,;\,0[$

48 $f(x) = 4x - 1 + \sqrt{x}$ $\quad$ $I = \,]0\,;\,4]$

---

49 f est la fonction définie sur $[-3\,;\,-1[\,\cup\,]-1\,;\,3]$ par $f(x) = 3 + \dfrac{4}{x+1}$.

On a représenté f à l'écran de la calculatrice (*fenêtre :* $-3 \leqslant X \leqslant 3$, pas 1 ; $-4 \leqslant Y \leqslant 4$, pas 1).

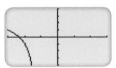

a) Conjecturer, à l'aide de cet écran, les variations de f.

b) Étudier les variations de f.

Comparer avec la conjecture émise au **a)**.

50 g est la fonction définie sur $[-1\,;\,2]$ par :

$$g(x) = 5(x^4 - x^3).$$

On a représenté g à l'écran de la calculatrice (*fenêtre :* $-1 \leqslant X \leqslant 2$, pas 1 ; $-10 \leqslant Y \leqslant 40$, pas 10).

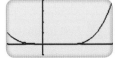

a) Conjecturer, à l'aide de cet écran, les variations de g.

b) Étudier les variations de g.

Comparer avec la conjecture émise au **a)**.

51 f est la fonction définie sur l'intervalle $[-3\,;\,3]$ par $f(x) = x^4 - 2x^2 + 4$.

À l'aide de l'écran de calcul formel ci-dessous, dresser le tableau de variation de f.

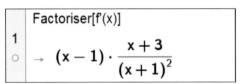

52 f est la fonction définie sur $[-5\,;\,-1[\,\cup\,]-1\,;\,2]$ par $f(x) = \dfrac{x^2 + 3}{x+1}$.

À l'aide de l'écran de calcul formel ci-dessous, dresser le tableau de variation de f.

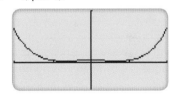

53 f est la fonction définie sur l'intervalle $[-2\,;\,2]$ par $f(x) = 0,05(x^4 - 2x^2 + 1)$.

Voici la courbe représentative de f obtenue à l'écran d'une calculatrice (*fenêtre :* $-2 \leqslant X \leqslant 2$, pas 1 ; $-0,5 \leqslant Y \leqslant 1$, pas 1).

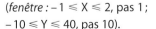

a) Conjecturer les variations de f.

b) Étudier les variations de f.

Comparer avec la conjecture émise au **a)**.

c) Sans calcul, comparer les nombres :

• $f(-0,3)$ et $f(-0,1)$ $\qquad$ • $f(0,2)$ et $f(0,9)$

54 f et g sont les fonctions définies sur $[0\,;\,+\infty[$ par $f(x) = x^3$ et $g(x) = 3x - 2$.

1. Tracer les courbes représentatives de f et g à l'écran de la calculatrice.

Conjecturer leur position relative.

2. h est la fonction définie sur $[0\,;\,+\infty[$ par :

$$h(x) = f(x) - g(x).$$

a) Déterminer $h'(x)$.

b) Étudier le signe de $h'(x)$ selon les valeurs de x et en déduire le tableau de variation de h sur $[0\,;\,+\infty[$.

c) En déduire que pour tout nombre réel $x \geqslant 0$,

$$x^3 \geqslant 3x - 2.$$

55 f est la fonction définie sur l'intervalle $[0\,;12]$ par $f(x) = x^2 - 8x + 20$.

a) Déterminer $f'(x)$, puis étudier son signe selon les valeurs de x.

b) Dresser le tableau de variation de f et en déduire l'existence d'un éventuel extremum, en précisant la valeur de x pour laquelle il est atteint.

c) Vérifier l'écran de calcul formel ci-dessous, puis utiliser cette forme de $f(x)$ pour retrouver le résultat précédent.

1	FormeCanonique[f(x)]
○	$\rightarrow\ (x-4)^2 + 4$

56 f est la fonction définie sur l'intervalle $[-1\,;2]$ par $f(x) = \dfrac{x-2}{x^2+1} - x$.

a) À l'aide de l'écran de calcul formel ci-dessous, étudier le signe de $f'(x)$ sur $[-1\,;2]$.

1	f(x):=(x-2)/(x²+1)-x
○	$\rightarrow\ f(x) := \dfrac{-x^3 - 2}{x^2 + 1}$
2	Factoriser[Dérivée[f(x)]]
○	$\rightarrow\ -x\,(x-1)\,\dfrac{x^2 + x + 4}{(x^2+1)^2}$

b) En déduire le tableau de variation de f.

c) Dans chaque cas, comparer les nombres.
- $f(0,2)$ et $f(0,8)$ ● $f(1,2)$ et $f(1,8)$
- $f(-0,2)$ et $f(-0,8)$

d) Aisha affirme : « Quel que soit le nombre réel x dans $[-1\,;2]$, $f(x)$ est négatif ». A-t-elle raison ?

57 g est la fonction définie sur l'intervalle $[-6\,;2]$ par $g(x) = \dfrac{2}{3}x^3 + \dfrac{7}{2}x^2 - 4x - 30$.

1. Déterminer $g'(x)$, puis étudier son signe selon les valeurs de x.

2. Dresser le tableau de variation de g.

3. Pour chaque affirmation, indiquer si elle est vraie ou fausse en justifiant.

a) $g(-5,8) < g(-5,6)$

b) $g(-2) < g(0)$

c) $g(-2) > g(0,5)$

d) Pour tout x dans $[-6\,;2]$, $g(x) \leqslant 0$.

e) Pour tout x dans $[-6\,;2]$, $g(x) \geqslant -24$.

f) Pour tout x dans $[-6\,;2]$, $g(x) \leqslant -0,7$.

Extremum d'une fonction

58 Voici la courbe représentative d'une fonction f définie sur l'intervalle $\left[-\dfrac{3}{2}\,;\dfrac{3}{2}\right]$.

Lire les extremums de f et préciser en quelle valeur chaque extremum est atteint.

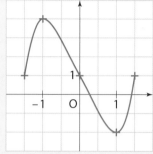

59 Voici le tableau de variation d'une fonction f définie sur l'intervalle $[-3\,;3]$.

x	-3		-1		2		3
$f(x)$	-3	↗	7	↘	-5	↗	1

Lire les extremums locaux de f sur $[-3\,;3]$ et préciser en quelles valeurs ils sont atteints.

60 Voici le tableau de variation d'une fonction f définie sur l'intervalle $[-5\,;10]$.

x	-5		0		3		10
$f(x)$	7	↘	-4	↗	10	↘	-5

Lire les extremums locaux de f sur l'intervalle I.

a) $I = [-5\,;10]$ **b)** $I = [-5\,;3]$

c) $I = [0\,;10]$ **d)** $I = [0\,;3]$

61 f est la fonction définie sur l'intervalle $[-3\,;2]$ par $f(x) = 5x^2 + 10x + 1$.

a) Déterminer $f'(x)$.

b) Dresser le tableau de variation de f.

c) En déduire l'extremum local de f.

62 f est la fonction définie sur l'intervalle $[-4\,;4]$ par $f(x) = 2x^3 + \dfrac{3}{2}x^2 - 30x + 3$.

a) Déterminer $f'(x)$. Étudier son signe.

b) Dresser le tableau de variation de f.

c) En déduire les éventuels extremums de f.

63 f est la fonction définie sur l'intervalle $]1\,;5]$ par $f(x) = \dfrac{x^2}{x-1}$.

a) Vérifier que pour tout x de $]1\,;5]$, $f'(x) = \dfrac{x(x-2)}{(x-1)^2}$.

b) Étudier le signe de $f'(x)$.

c) Dresser le tableau de variation de f.

d) En déduire les éventuels extremums de f.

64 f est la fonction définie sur l'intervalle $]0\,;12]$. par $f(x) = 4(x - 3\sqrt{x})$.
On a représenté f à l'écran de la calculatrice (*fenêtre :* $0 \leqslant X \leqslant 12$, pas 1 ; $-10 \leqslant Y \leqslant 7$, pas 1).

a) Conjecturer les variations de f et l'existence d'un extremum sur $]0\,;12]$.

b) Démontrer ces conjectures par le calcul.

> **Pour les exercices 65 à 68, f est une fonction définie et dérivable sur I.**
> **a)** Représenter f à l'écran de la calculatrice afin de conjecturer l'existence d'extremums locaux.
> **b)** Démontrer chaque conjecture par le calcul.

65 $f(x) = x^4 - 2x^2$ $\qquad$ $I = [-2\,;2]$

66 $f(x) = x^4 - \dfrac{4}{3}x^3 - 2$ $\qquad$ $I = [-1\,;2]$

67 $f(x) = 8\sqrt{x} - 2x + 1$ $\qquad$ $I =]0\,;16]$

68 $f(x) = \dfrac{4}{x} + x + 10$ $\qquad$ $I = [-4\,;0[$

69 f est la fonction définie sur l'intervalle $[-1\,;4]$ par :
$$f(x) = 3x^4 - 16x^3 - 42x^2 + 120x + 5.$$

a) Déterminer $f'(x)$.

b) Vérifier l'affichage de calcul formel ci-dessous.

1	Factoriser[12x^3-48x^2-84x+120]
○	→ 12 (x − 5) (x − 1) (x + 2)

c) Étudier le signe de $f'(x)$.

d) Dresser le tableau de variation de f.

e) En déduire l'existence d'un extremum de f.
Préciser sa nature et la valeur de x pour laquelle il est atteint.

Problèmes d'optimisation

70 Une entreprise extrait et vend une matière première. Pour x tonnes vendues, elle réalise un bénéfice, en euros, donné par la fonction B définie sur l'intervalle $[0\,;50]$ par :
$$B(x) = -x^3 + 10x^2 + 3\,000x.$$

a) Déterminer $B'(x)$ et étudier son signe selon les valeurs de x.

b) En déduire le tableau de variation de B.

c) Quelle quantité de matière première, arrondie au kg, l'entreprise doit-elle vendre pour réaliser un bénéfice maximal ? Quel est alors ce bénéfice ?

d) Contrôler les résultats à la calculatrice.

71 Une entreprise commercialise un liquide industriel. Pour la production et la vente de x m^3 de ce liquide, le coût de production $C(x)$, en euros, est donné pour x dans l'intervalle $[0\,;250]$ par :
$$C(x) = -2x^2 + 580x + 7\,950.$$

a) Déterminer $C'(x)$.

b) Dresser le tableau de variation de C.

c) Pour quel volume de liquide produit et vendu le coût de production est-il maximal ?

72 Une épidémie, désormais enrayée, a sévi dans une région du monde.

Des relevés ont montré que le nombre de personnes malades n jours après le début de l'épidémie était, pour n compris entre 0 et 60, égal à $-n^3 + 60n^2 + 1$.
f est la fonction définie sur l'intervalle $[0\,;60]$ par :
$$f(x) = -x^3 + 60x^2 + 1.$$

a) Calculer les images par f de 0 et de 60. Interpréter ces résultats.

b) À l'aide de la calculatrice, conjecturer le moment où l'épidémie a atteint son plus fort niveau.

c) Dresser le tableau de variation de f et prouver la conjecture précédente.

Pour s'entraîner

73 Une entreprise possède une chaîne de fabrication capable de fabriquer en une semaine entre 6 000 et 32 000 pièces identiques.
Le coût de fabrication, en euros, de x milliers de pièces, pour x compris entre 6 et 32, est noté C(x) où C est la fonction définie sur l'intervalle [6 ; 32] par :
$$C(x) = 2x^3 - 108x^2 + 5\,060x - 4\,640.$$
Toutes les pièces produites sont vendues au prix de 3,50 € l'unité.
On note B(x) le bénéfice réalisé pour la production et la vente de x milliers de pièces.
a) Montrer que, pour tout x appartenant à l'intervalle [6 ; 32] :
$$B(x) = -2x^3 + 108x^2 - 1\,560x + 4\,640.$$
b) Déterminer B'(x).
c) Étudier le signe de B'(x) sur l'intervalle [6 ; 32].
d) En déduire le tableau de variation de la fonction B.
e) Quel est le bénéfice maximal réalisable par l'entreprise ? Donner le nombre de pièces à produire qui réalise ce maximum.

74 **Étude d'une fonction bénéfice**
Un artisan fabrique et vend des meubles.

Son bénéfice, en euros, s'exprime en fonction du nombre x de meubles fabriqués et vendus en une semaine par la fonction B définie sur l'intervalle [1 ; 16] par B(x) = $-100x^2 + 1\,400x - 1\,800$.
a) Déterminer B'(x).
b) Étudier le signe de B'(x). En déduire les variations de la fonction B.
c) Combien de meubles l'artisan doit-il fabriquer par semaine pour que son bénéfice soit maximal ?
d) Calculer ce bénéfice maximal.
e) L'artisan souhaite augmenter son bénéfice maximal. Pour ce faire, il réorganise son mode de production. Le bénéfice est alors donné par la fonction F définie sur l'intervalle [1 ; 16] par :
$$F(x) = -100x^2 + 1\,600x - 1\,800.$$
Le bénéfice maximal va-t-il augmenter ?

Sans intermédiaire

75 Dans une entreprise spécialisée dans la construction de tablettes tactiles, le coût moyen C_M, en milliers d'euros, de q centaines de tablettes est donné pour q dans l'intervalle [1 ; 10] par :
$$C_M(q) = q - 1 + \frac{16}{q}.$$
Déterminer le coût moyen minimal.

76 Sandrine vient de plonger dans la piscine municipale profonde de 5 m.

Sa trajectoire sous l'eau peut-être modélisée pour x dans l'intervalle [0 ; 12] par :
$$f(x) = \frac{1}{2} \times \frac{x^2 - 2x + 5}{x + \frac{1}{2}}$$
où x désigne la distance horizontale, en mètres, parcourue et $f(x)$ la distance par rapport au fond de la piscine.
À quelle distance minimale du fond de la piscine Sandrine est-elle passée lors de son plongeon ?

S'entraîner à la logique

77 **Contre-exemple**
f est une fonction dérivable sur l'intervalle [– 10 ; 10]. Parmi les implications ci-dessous, indiquer celles qui sont vraies. Pour celles qui sont fausses, donner un contre-exemple graphique.
a) Si $f'(x) \geqslant 0$ sur [– 10 ; 10], alors $f(-5) \leqslant f(2)$.
b) Si $f(-10) \leqslant f(10)$, alors $f'(x) \geqslant 0$ sur [– 10 ; 10].
c) Si $f'(x) < 0$ sur [– 10 ; 10], alors $f(10)$ est un minimum local de f.
d) Si $f'(2) = 0$, alors $f(2)$ est un extremum de f.

78 **Réciproque**
« Si, pour tout nombre réel x d'un intervalle I, $f'(x) \geqslant 0$, alors f est croissante sur I ».
Écrire la réciproque de cette propriété et dire si elle est vraie.

Pour se tester

79 Dans chaque cas, donner **la** réponse exacte **sans justifier**.

f est une fonction dérivable sur l'intervalle [– 8 ; 2].

Son tableau de variation est donné ci-dessous.

x	– 8	– 5	0	2
f(*x*)	– 1 ↘ – 8 ↗ 3 ↘ – 6			

		A	B	C	D
1	L'image de – 8 par *f* est …	– 8	5	– 1	2
2	*f*(*x*) ⩽ 0 pour tout nombre réel *x* de …	[– 8 ; – 5]	[– 5 ; 0]	[– 8 ; 0]	[0 ; 2]
3	*f*′(*x*) ⩾ 0 pour tout nombre réel *x* de …	[– 8 ; 3]	[– 8 ; – 5]	[– 5 ; 0]	[0 ; 2]
4	Sur l'intervalle [– 8 ; 2], la fonction *f* …	n'admet aucun extremum	admet un unique extremum	admet deux extremums locaux	admet trois extremums locaux

80 Dans chaque cas, donner **la ou les** réponses exactes **sans justifier**.

f est une fonction dérivable sur l'intervalle [– 3 ; 4] telle que :
- *f*(– 1) = 1 ; *f*(3) = – 2 ; *f*(4) = 3 ; *f*′(– 1) = *f*′(3) = 0 ;
- pour tout *x* de]– 1 ; 3[, *f*′(*x*) < 0 et pour tout *x* de [– 3 ; – 1[∪]3 ; 4], *f*′(*x*) > 0.

		A	B	C	D
1	La fonction *f* est …	croissante sur [– 1 ; 3]	décroissante sur [– 1 ; 3]	décroissante sur [– 3 ; – 1]	croissante sur [3 ; 4]
2	On peut affirmer que …	*f*′(1) < 0	*f*(1) ⩾ *f*(3)	*f*′(2) ⩽ 0	*f*(– 3) ⩾ *f*(– 1)
3	*f* admet un extremum local égal à …	– 2	1	2	3
4	Dans un repère, la tangente à la courbe représentative de *f* au point d'abscisse 3 a pour équation …	*y* = – 2	*y* = – 2*x*	*y* = 0	*y* = 3(*x* + 2)

81 Pour chaque affirmation, dire si elle est **vraie ou fausse en justifiant**.

Dans le repère ci-contre, on a représenté une fonction *f* dérivable sur l'intervalle [– 5 ; 5] telle que :

- *f* s'annule en 0,5 ;
- la courbe représentative de *f* admet des tangentes parallèles à l'axe des abscisses aux points d'abscisses – 2 et 2.

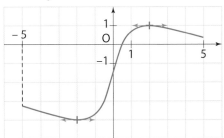

1. Sur [– 5 ; 5], l'équation *f*′(*x*) = 0 admet exactement une solution.

2. Sur [– 5 ; 5], l'inéquation *f*′(*x*) ⩾ 0 admet pour ensemble des solutions l'intervalle [0,5 ; 5].

3. *f*′(1,5) > *f*′(4).

4. Sur [– 5 ; 5], la fonction *f* admet deux extremums locaux.

5. Sur [– 5 ; 5], l'équation *f*(*x*) = 0 admet une seule solution.

Vérifiez vos réponses : p. 264

82 Avec un guide

Un joueur de basket-ball se trouve dans la situation décrite par le schéma ci-contre.

Pour marquer le panier, il souhaite atteindre le panneau à l'endroit indiqué.

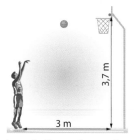

La trajectoire parabolique de sa balle est la courbe représentative de la fonction f définie sur l'intervalle $[0\,;3]$ par :

$$f(x) = -0,5x^2 + bx + c$$

avec b et c nombres réels.

a) Le ballon quitte les mains du joueur à une hauteur de 2,20 m et la direction au départ de son lancer a pour coefficient directeur 2.

Le joueur va-t-il atteindre le point visé ?

Conseil

Traduire l'énoncé par deux équations : l'une faisant intervenir f, l'autre faisant intervenir f'. Ensuite, résoudre le système obtenu.

b) Si la trajectoire permet au joueur d'atteindre le panneau à l'endroit indiqué, quelle doit être la hauteur minimale du plafond de la salle pour que le ballon ne soit pas arrêté ?

83 Imaginer une stratégie

g est la fonction définie sur l'intervalle $]-1\,;0]$ par :

$$g(x) = \frac{1-x}{1+x^3}.$$

Voici l'écran d'un logiciel de calcul formel qui donne l'expression de $g'(x)$.

	Dérivée[(1-x)/(1+x^3)]
1 ○	$\rightarrow \ -3\,x^2 \cdot \dfrac{-x+1}{(x^3+1)^2} - \dfrac{1}{x^3+1}$
	Factoriser[-3 x² (-x + 1) / (x³ + 1)² - 1 / (x³ + 1), x]
2 ○	$\rightarrow \ \dfrac{2\,x^3 - 3\,x^2 - 1}{(x+1)^2\,(x^2 - x + 1)^2}$

a) Expliquer à l'aide de cet écran pourquoi $g'(x)$ a le même signe qu'une fonction polynôme que l'on notera f.

b) Imaginer un procédé pour étudier le signe de $f(x)$ selon les valeurs de x.

c) En déduire le sens de variation de la fonction g sur l'intervalle $]-1\,;0]$.

84 Travailler en groupe — Conjecturer et démontrer

Voici un algorithme.

Variables :	x, p sont des nombres réels
Entrée :	Saisir x
Traitement :	Affecter à p la valeur $0,054x(x-5)^2$
	Affecter à p la partie entière de p
Sortie :	Afficher p

1. Chaque membre du groupe fait fonctionner l'algorithme avec un nombre réel x quelconque entre 1 et 6. Les résultats sont mis en commun et le groupe émet une conjecture suite à ces expérimentations.

2. f est la fonction définie sur l'intervalle $[1\,;6]$ par :

$$f(x) = 0,054x(x-5)^2.$$

a) Déterminer les extremums de f.

b) Indiquer si la conjecture émise à la question **1.** est correcte.

85 objectif Bac — Optimiser des coûts et un bénéfice

Un artisan fabrique et vend des objets en cristal.

On modélise le coût total de production de q objets, en euros, par la fonction C qui à tout nombre réel q de l'intervalle $[1\,;180]$ associe :

$$C(q) = 0,5q^2 - 30q + 600.$$

1. Minimiser les coûts

Le coût moyen de la fabrication d'un objet est :

$$C_M(q) = \frac{C(q)}{q}.$$

a) Déterminer $C'(q)$, puis $C'_M(q)$.

b) Dresser les tableaux de variation des fonctions C et C_M.

c) L'artisan peut-il minimiser à la fois le coût total et le coût moyen ? Justifier.

2. Maximiser le bénéfice

Chaque objet fabriqué est vendu 30 € l'unité par l'artisan.

a) Exprimer le bénéfice B(q), en euros, réalisé pour la vente de q objets.

b) Déterminer B'(q), puis en déduire le tableau de variation de B.

c) L'artisan peut-il optimiser à la fois le coût total et le bénéfice ? Justifier.

86 Participer à un débat

Dany : «La somme d'un nombre réel strictement positif et de son inverse est supérieure ou égale à 2.» Christine répond : «Non! Cela dépend du nombre réel choisi…». Qui a raison ?

87 Vérifier des conjectures

Thomas a représenté à l'écran de sa calculatrice (*fenêtre : –2 ⩽ X ⩽ 4, pas 1 ; –8 ⩽ Y ⩽ 8, pas 1*) la fonction *f* définie sur l'intervalle [– 20 ; 20] par :
$$f(x) = x^3 - 6x^2 - 15x - 9.$$

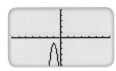

Il a alors émis deux conjectures.

Conjecture 1 : Le tableau de variation de *f* est :

x	– 20		– 1		20
$f(x)$		↗	– 1	↘	

Conjecture 2 : Sur [– 20 ; 20], *f* admet un maximum égal à – 1, atteint en *x* = – 1.

Corriger, en justifiant, les éventuelles erreurs dans ces conjectures.

88 Finding a minimum

Among all possible rectangles with area equal to 10 square feet, what are the dimensions of the one with the minimal perimeter?

89   Modéliser l'attaque d'un prédateur

Rédiger les différentes étapes de la recherche, sans omettre les fausses pistes et les changements de méthode.

Problème Un aigle plane au-dessus du sol à la recherche d'une proie. Soudain, il aperçoit un lapin et fond sur lui.
La trajectoire de l'aigle est modélisée par la fonction *f* définie sur l'intervalle [1 ; 10] par :
$$f(x) = \frac{100}{9}\left(x - 8 + \frac{16}{x}\right)$$
où *x* et *f*(*x*) sont exprimés en mètres.

L'aigle a-t-il attrapé sa proie juste avant de reprendre son envol ?

90 Déterminer un coût moyen minimal

Une entreprise fabrique et commercialise des biscuits au chocolat pour la grande distribution.
Pour la fabrication et la vente de *q* tonnes de biscuits, avec *q* dans l'intervalle [1 ; 10], le coût total de fabrication est modélisé par la fonction C définie par C(*q*) = 2*q*³ + 500.
Déterminer la quantité de biscuits à fabriquer et vendre pour obtenir un coût moyen minimal.

91 Casser un spaghetti

Un spaghetti mesure 24 cm de long.
En le cassant en deux, on peut construire deux côtés d'un triangle rectangle, comme illustré ci-dessous.

Comment faut-il casser le spaghetti pour que l'hypoténuse, en pointillés sur la figure, soit de longueur minimale ?

92 Étudier une trajectoire

La profondeur, en m, d'un plongeur est modélisée en fonction du temps *t*, en dizaines de minutes, par la fonction *p* définie sur [0 ; 5] par :
$$p(t) = t^3 + t^2 - 33t.$$
À quel moment a-t-il amorcé sa remontée ?

Des défis

93 Comparer sans calculer

Comparer les nombres A et B suivants :
A = 987 654 321³ – 987 654 321
B = 987 654 320³ – 987 654 320

94 Retrouver le code

Un code secret mcdu (avec m < c < d < u) est constitué à l'aide des coordonnées des extremums de la fonction *f* définie sur l'intervalle [0,5 ; 3,4] par :
$$f(x) = x^3 - 6x^2 + 9x + 2.$$
Quel est ce code ?

Utiliser le signe de la dérivée pour étudier le sens de variation d'une fonction

95 **Exercice test**

f est une fonction dérivable sur $[-3\,;3]$ telle que :
$$f(-3) = f(3) = 1 \text{ et } f(-1) = -2.$$
Voici le tableau de signes de $f'(x)$.

x	-3		-1		3
$f'(x)$		$-$	0	$+$	

Dresser le tableau de variation de f.

 Appelez le professeur pour qu'il contrôle vos réponses et qu'il vous indique la suite.

96 f et g sont les fonctions définies sur l'intervalle $[-10\,;10]$ par :
$$f(x) = 3x - 1 \text{ et } g(x) = -2x - 2.$$
a) Déterminer $f'(x)$ et $g'(x)$.
b) Rappeler le lien entre le sens de variation d'une fonction et le signe de sa dérivée.
c) En déduire le sens de variation de chacune des fonctions f et g.

97 f est une fonction dérivable sur l'intervalle $[-4\,;2]$ telle que :
• $f'(x) \geqslant 0$ pour $x \in [-1\,:1]$;
• $f'(x) \leqslant 0$ pour $x \in [-4\,;-1] \cup [1\,;2]$.
Tracer une allure possible de la courbe représentative de la fonction f dans un repère.

98 f est la fonction définie sur $[-5\,;5]$ par :
$$f(x) = 3x^2 - 12x + 5.$$
a) Déterminer $f'(x)$.
b) Résoudre l'équation $f'(x) = 0$, puis dresser le tableau de signes de $f'(x)$.
c) En déduire le tableau de variation de f.

99 f est la fonction définie sur $[-5\,;5]$ par :
$$f(x) = 2x^3 + 3x^2 - 36x + 4.$$
a) Déterminer $f'(x)$.
b) Résoudre l'équation $f'(x) = 0$ par la méthode du discriminant.
c) Dresser le tableau de signes de $f'(x)$.
d) En déduire le tableau de variation de f.
e) Contrôler la cohérence de ce tableau avec l'allure de la courbe représentative de f obtenue à l'écran de la calculatrice.

Exploiter le sens de variation pour obtenir des inégalités

100 **Exercice test**

Voici le tableau de variation d'une fonction f.

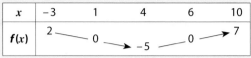

x	-3		1		4		6		10
$f(x)$	2		0	-5			0		7

1. Donner, si possible, le signe de $f(x)$ sur chaque intervalle.
a) $[1\,;5]$ **b)** $[-3\,;1]$ **c)** $[4\,;10]$
2. Comparer les nombres.
a) $f(-2)$ et $f(-1)$ **b)** $f(5)$ et $f(6)$

 Appelez le professeur pour qu'il contrôle vos réponses et qu'il vous indique la suite.

101 f est une fonction définie sur un intervalle I.
a et b désignent deux nombres réels de l'intervalle I tels que $a \leqslant b$.
1. Que peut-on dire de $f(a)$ et $f(b)$ lorsque :
a) f est croissante sur I ?
b) f est constante sur I ?
c) f est décroissante sur I ?
2. Représenter chaque situation par un schéma où apparaîtront $a, b, f(a)$ et $f(b)$.

102 Voici le tableau de variation d'une fonction f.

x	-5		2		7
$f(x)$	4	1			8

a) Recopier le tableau de variation, puis placer dans la première ligne chaque valeur de x : -1 ; $0,5$; 4 ; 6.
b) Parmi les nombres $f(-1)$, $f(0,5)$, $f(4)$ et $f(6)$, lesquels sont supérieurs à 1 ? Lesquels sont inférieurs à 4 ? Justifier.
c) Comparer les nombres $f(-1)$ et $f(0,5)$, puis les nombres $f(4)$ et $f(6)$.
d) Pourquoi ne peut-on pas, avec les informations données par le tableau de variation, comparer $f(-1)$ et $f(6)$?

103 f est la fonction définie sur $[-1\,;2]$ par :
$$f(x) = x^3 + x.$$
a) Étudier les variations de la fonction f.
b) En déduire un encadrement de $f(x)$ pour tout nombre réel x de $[-1\,;2]$.

104 Exercice test

Voici le tableau de variation d'une fonction f.

x	-50		-10		0		5		30
$f(x)$	7	↘		↗ 8		↘		↗ 5	
			-1				-2		

Pour chaque intervalle I, donner l'extremum local de la fonction f sur I, en précisant s'il s'agit d'un maximum ou d'un minimum et la valeur de x en laquelle il est atteint.

a) $[-50 ; 0]$ **b)** $[-5 ; 3]$ **c)** $[-20 ; 20]$ **d)** $[-5 ; 30]$

Appelez le professeur pour qu'il contrôle vos réponses et qu'il vous indique la suite.

105 Voici le tableau de variation d'une fonction f.

x	-2		1		5
$f(x)$	3	↘		↗	4
			-3		

1. Parmi ces trois inégalités, lesquelles sont vraies pour tout nombre réel x dans l'intervalle $[-2 ; 5]$? Justifier.

a) $f(x) \geqslant -4$ **b)** $f(x) \geqslant -3$ **c)** $f(x) \geqslant -2$

2. Existe-t-il un nombre réel α de $[-2 ; 5]$ tel que $f(\alpha) = -4$? Si oui, donner sa valeur.

3. Existe-t-il un nombre réel β de $[-2 ; 5]$ tel que $f(\beta) = -3$? Si oui, donner sa valeur.

4. Déduire des questions précédentes le minimum de f sur $[-2 ; 5]$ et la valeur de x pour laquelle il est atteint. Justifier.

106 f est la fonction définie sur $[-2 ; 8]$ par :
$$f(x) = -4x^2 + 24x - 15.$$

a) Vérifier que pour tout x de $[-2 ; 8]$,
$$f'(x) = -8x + 24.$$

b) Étudier le signe de $f'(x)$ selon les valeurs de x.

c) En déduire le tableau de variation de f.

d) Déterminer le maximum de f sur $[-2 ; 8]$. Préciser la valeur de x pour laquelle il est atteint.

e) Contrôler les résultats des questions précédentes en traçant la courbe représentative de f à l'écran de la calculatrice. Préciser la fenêtre choisie.

Étudier l'évolution d'un taux

107 Le nuage de points ci-dessous décrit la situation du taux d'endettement des ménages, en pourcentage du revenu brut, en France de 1978 à 2008 (*Source* : INSEE). Des statisticiens ont proposé de modéliser l'évolution de ce taux par la fonction f définie sur l'intervalle $[0 ; 30]$ ($x = 0$ correspond à l'année 1978) par :
$$f(x) = 0{,}004\,9x^3 - 0{,}233\,7x^2 + 4{,}254\,7x + 20{,}168.$$

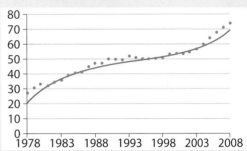

a) Utiliser la fonction f pour justifier que les statisticiens ne prévoyaient pas une baisse du taux d'endettement des ménages sur la période étudiée.

b) Cet ajustement sera-t-il encore adapté en 2015 ?

Minimiser une aire

108 Un parterre de fleurs rectangulaire a une aire de 100 m².

Une allée en fait le tour : sa largeur est égale à 0,75 m le long des grands côtés du parterre et 1,5 m le long des petits côtés.

Quelles doivent être les dimensions du parterre pour que la surface totale (parterre et allée) ait une aire minimale ?

5 Pourcentages

Selon Médiamétrie, en juillet 2012, 58 % des jeunes de plus de 15 ans choisissaient un téléphone mobile, connecté à Internet. Ce chiffre a progressé de près de 20 % en un an.

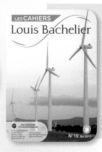

Au fil des siècles

Louis Bachelier (1870-1946) est un mathématicien du début du xxe siècle dont la thèse, soutenue en 1900, peut être considérée comme la publication fondatrice des mathématiques financières.

● *Rechercher sur Internet des informations sur cette thèse.*

Les capacités du programme

	Choix d'exercices		
• Calculer une évolution exprimée en pourcentage.	5	27	31
• Exprimer en pourcentage une évolution.	2	37	41
• Déterminer le taux d'évolution global connaissant deux taux d'évolution successifs.	7	53	59
• Déterminer le taux d'évolution réciproque connaissant un taux d'évolution.	9	77	81

Bien démarrer

1 Appliquer un pourcentage

Alain joue 25 fois à Pile ou Face avec une pièce de monnaie. Il obtient Pile pour exactement 44 % des lancers. Combien de fois a-t-il obtenu :

a) Pile ? b) Face ?

2 Calculer un taux en pourcentage

En 2013, 678 000 candidats se sont présentés au baccalauréat, toutes sections confondues, et 588 504 ont été reçus.

En 2014, il y avait 710 600 candidats, dont 624 000 ont été reçus.

Hélène affirme : « Le pourcentage de reçus est meilleur en 2014 qu'en 2013 ». A-t-elle raison ?

3 Utiliser un tableur

Chaque mois de l'année 2014, un médecin a noté le nombre de patients qui se sont présentés en consultation à son cabinet, en notant s'ils étaient ou non dans un état fiévreux.

	A	B	C	D	E	F	G	H	I	J	K	L	M	N
1	Mois	J	F	M	A	M	J	J	A	S	O	N	D	Total
2	Patients en état fiévreux	45	36	45	24	36	12	4	3	60	52	26	36	**379**
3	Patients en état non fiévreux	35	28	27	36	12	38	21	17	20	32	39	12	**317**
4	Total pour le mois													
5	Pourcentage de patients dans un état fiévreux													

a) Quelles formules a-t-on saisies dans les cellules N2 et N3 ?

b) Quelle formule faut-il saisir dans la cellule B4 et recopier vers la droite pour calculer le nombre total de patients par mois, puis sur l'année ?

c) Les cellules de la ligne 5 sont au format pourcentage avec 2 décimales.

Quelle formule faut-il saisir dans la cellule B5 et recopier vers la droite pour y calculer le pourcentage de patients en état fiévreux chaque mois, puis sur l'année ?

4 Utiliser une diminution exprimée en pourcentage

En 2010, les émissions de CO_2 attribuables aux industries manufacturières et à la construction s'élevaient en France à 62 millions de tonnes. Grâce aux efforts fournis dans ce secteur, les émissions de CO_2 ont diminué de 3,2 % entre 2010 et 2011.

Calculer les émissions de CO_2, en millions de tonnes, attribuables aux industries manufacturières et à la construction en 2011. Arrondir à l'unité.

5 Comprendre un algorithme dans le cadre des pourcentages

Voici un algorithme.

Variables :	P, t sont des nombres réels
Entrées :	Saisir P, t
Traitement :	Affecter à P la valeur $P \times \left(1 + \dfrac{t}{100}\right)$
Sortie :	Afficher P

a) Qu'affiche l'algorithme si on saisit P = 60 et t = 10 ?

b) Expliquer, en terme de pourcentages, le rôle de cet algorithme.

 Aide et corrigés sur le site élève **www.nathan.fr/hyperbole1reESL-2015**

1 Taux d'évolution

Deux amis suivent l'évolution des prix de deux appareils informatiques.
- Laurent s'intéresse à un disque dur qui valait 152 € en janvier et 150 € en février.
- Marine s'intéresse à une clé USB qui valait 12 € en janvier et 10 € en février.

Les deux amis pensent que le prix de chacun de ces objets va subir le même **taux d'évolution** pendant les mois qui viennent. Ils utilisent un tableur pour prévoir, sous cette hypothèse, les futurs prix des deux appareils. Chacun souhaite attendre que le prix ait baissé de moitié pour faire son achat.

	A	B	C
1	**Taux d'évolution**	-1.32 %	
2			
3	**Mois**	**Prix du disque dur**	**Prix de la clé**
4	1	152	12
5	2	150	10
6	3		

Problème

Utiliser un tableur pour savoir si ces achats seront effectués dans moins d'un an.

1 Distinguer variation absolue et taux d'évolution

La **variation absolue** entre une valeur initiale V_0 et une valeur finale V_1 est la différence $V_1 - V_0$.

Le **taux d'évolution** entre une valeur initiale non nulle V_0 et une valeur finale V_1 est le rapport $\dfrac{V_1 - V_0}{V_0}$.

Ce rapport peut être exprimé par un nombre décimal ou en pourcentage.

a) Calculer les variations absolues entre janvier et février pour le prix du disque dur, puis pour celui de la clé. Qu'observe-t-on ?

b) Calculer le taux d'évolution, en pourcentage, entre janvier et février pour le prix du disque dur, puis pour celui de la clé. Observe-t-on la même chose que pour la variation absolue ?

c) Dans la feuille de calcul ci-dessus, quelles formules faut-il saisir dans les cellules B1 et C1 (au format pourcentage à 2 décimales) pour calculer automatiquement les taux d'évolution de ces deux prix entre janvier et février ?

2 Appliquer un taux d'évolution

Lorsqu'un produit de valeur initiale V_0 évolue de t %, sa valeur finale est $V_1 = V_0\left(1 + \dfrac{t}{100}\right)$.

a) Par quel nombre faut-il multiplier le prix du disque dur en février pour obtenir le prix en mars ? Compléter la cellule B6 par la formule adéquate.

b) Calculer le prix prévisionnel de la clé USB en mars. Compléter la cellule C6 par la formule adéquate.

3 Étudier l'évolution sur un an

a) Compléter la feuille de calcul pour visualiser les prix prévisionnels sur un an.

b) Au cours de quel mois Marine pourra-t-elle effectuer son achat ? Qu'en est-il pour Laurent ?

2 Évolutions successives

Deux amis participent à un club bourse dans leur lycée.

Marc dit : «Le cours de cette action a augmenté de 10% en septembre, puis diminué de 10% en octobre. Autrement dit, c'est comme s'il ne s'était rien passé!».

Marion lui répond : «Pas du tout! Le cours de l'action fin octobre est différent de son cours début septembre. Et si le cours continue à osciller ainsi, au bout d'un moment il aura diminué de moitié».

Marc lui demande alors : «Mais quel devrait être le pourcentage de baisse le deuxième mois, pour que l'action retrouve sa valeur de départ?».

	A	B	C
1	Mois	Taux d'évolution	Cours de l'action
2	1		100
3	2	10%	110
4	3	-10%	
5	4	10%	
6	5	-10%	

Problème

Vérifier les affirmations de Marion et répondre à la question de Marc.

1 **Appliquer successivement une hausse de 10% et une baisse de 10%**

On suppose que le cours de l'action était de 100 € début septembre.

a) Quel est le cours de l'action fin septembre, après la hausse de 10%?

b) Quel est le cours de l'action fin octobre, après la baisse de 10%?

c) Expliquer pourquoi on ne retrouve pas le cours de départ.

d) Par quel nombre faut-il multiplier le cours initial de l'action pour obtenir directement son cours après une hausse de 10%? Après une baisse de 10%?

2 **Étudier l'évolution du cours de l'action**

a) Réaliser avec le tableur la feuille de calcul ci-dessus.

b) Quelle formule faut-il saisir en C3, puis recopier vers le bas, pour calculer automatiquement le cours de l'action chaque mois?

c) Vérifier l'affirmation de Marion et indiquer après combien de mois sa prédiction se réalisera.

3 **Déterminer un taux d'évolution réciproque**

a) On note $p\%$ le pourcentage de baisse au mois d'octobre tel que l'action retrouve sa valeur de départ. On dit que c'est **le taux réciproque** du taux d'augmentation de 10% du mois de septembre.

Justifier la relation $\left(1 + \dfrac{10}{100}\right)\left(1 - \dfrac{p}{100}\right) = 1$.

b) Résoudre cette équation et trouver la valeur exacte, puis l'arrondi au centième, du nombre p.

c) Déterminer, de façon analogue, le taux réciproque d'une diminution de 10%.

1 Lien entre évolution et pourcentage

a. Évolution exprimée en pourcentage

▶ **PROPRIÉTÉ-DÉFINITION**

Dire qu'il y a eu une évolution de t % entre une valeur initiale V_0 non nulle et une valeur finale V_1 signifie que $V_1 = V_0 + V_0 \times \dfrac{t}{100}$, c'est-à-dire $\mathbf{V_1 = V_0\left(1 + \dfrac{t}{100}\right)}$.

Le coefficient multiplicateur de V_0 à V_1, noté **CM**, est le rapport $\dfrac{V_1}{V_0} = 1 + \dfrac{t}{100}$.

Remarque : t est un nombre positif s'il s'agit d'une augmentation, et négatif s'il s'agit d'une diminution.

b. Coefficient multiplicateur, augmentation et diminution

▶ **PROPRIÉTÉ**

- Si **CM > 1**, alors l'évolution est une **augmentation** (une hausse).
- Si **CM < 1**, alors l'évolution est une **diminution** (une baisse).

● **EXEMPLE 1**

Lors d'une vente aux enchères, le prix initial d'un tableau est de 1 200 €.
Il augmente de 25 % au cours des enchères. Son prix final est alors 1 500 €.

En effet, $V_1 = V_0\left(1 + \dfrac{25}{100}\right) = 1\,200 \times 1{,}25 = 1\,500$.

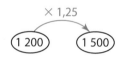

● **EXEMPLE 2**

En 2000, un village comptait 3 000 habitants. En 2014, on constate que sa population a diminué de 15 %. La population en 2014 est de 2 550 habitants.

En effet, $V_1 = V_0\left(1 - \dfrac{15}{100}\right) = 3\,000 \times 0{,}85 = 2\,550$.

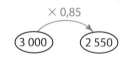

c. Expression d'une évolution en pourcentage

▶ **PROPRIÉTÉ**

Le taux d'évolution d'une valeur initiale non nulle V_0 à une valeur finale V_1 est $\dfrac{V_1 - V_0}{V_0}$.

En effet, de $V_1 = V_0\left(1 + \dfrac{t}{100}\right)$ on déduit $1 + \dfrac{t}{100} = \dfrac{V_1}{V_0}$ et $\dfrac{t}{100} = \dfrac{V_1}{V_0} - 1 = \dfrac{V_1 - V_0}{V_0}$.

● **EXEMPLE 1**

Le prix d'un article est passé de 150 € à 180 €. Le taux d'évolution est alors $\dfrac{180 - 150}{150}$, c'est-à-dire $\dfrac{30}{150} = 0{,}2 = \dfrac{20}{100}$. Ce prix a donc subi une augmentation de 20 %.

● **EXEMPLE 2**

Le cours d'une action est passé de 80 € le lundi à 32 € le vendredi. Le taux d'évolution est alors $\dfrac{32 - 80}{80}$, c'est-à-dire $-\dfrac{48}{80} = -0{,}6 = -\dfrac{60}{100}$. Le cours de cette action a donc subi une diminution de 60 %.

● **Exercice résolu**   **Manipuler des évolutions en pourcentage**

1 Énoncé

Le tableau (incomplet) ci-dessous indique la consommation de pétrole en nombre de barils par an et par habitant en 2004 et 2010 en Arabie Saoudite, en Chine et en France.

	2004	2010	Taux d'évolution
Arabie Saoudite	27,4		+ 34,31 %
France	11,9	10,4	
Chine	1,8	2,5	

a) Quelle a été la consommation de pétrole en nombre de barils par an et par habitant en Arabie Saoudite en 2010 ? Arrondir au dixième.
b) Calculer le taux d'évolution de la consommation de barils de pétrole par an et par habitant entre 2004 et 2010, en France, puis en Chine. Donner les résultats en pourcentages arrondis au dixième.

Solution

a) $27,4 \times \left(1 + \dfrac{34,31}{100}\right) \approx 36,8$

Donc la consommation en Arabie Saoudite en 2010 a été d'environ 36,8 barils par an et par habitant.

b) • $\dfrac{10,4 - 11,9}{11,9} \approx -0,126$

Donc le taux d'évolution de la consommation de pétrole en France entre 2004 et 2010 a été d'environ –0,126 soit une baisse d'environ 12,6 %.

• $\dfrac{2,5 - 1,8}{1,8} \approx 0,389$

Donc le taux d'évolution de la consommation de pétrole en Chine entre 2004 et 2010 a été d'environ 0,389 soit une hausse d'environ 38,9 %.

Conseils

$$\times \left(1 + \dfrac{34,31}{100}\right)$$

$V_0 = 27,4 \qquad V_1$

• On applique la formule du cours :
$$\dfrac{V_1 - V_0}{V_0} = \dfrac{t}{100}.$$
On multiplie le résultat par 100 pour l'exprimer en pourcentage.

● À votre tour

2 De 2009 à 2010, la dépense moyenne annuelle de l'État pour un élève du secondaire en France est passée de 10 696 € à 10 877 €.
Calculer le taux d'évolution en pourcentage sur cette période.
Arrondir au centième.

3 Le tableau ci-dessous donne des renseignements sur les chiffres d'affaires, en euros, de deux succursales S_1 et S_2 d'une même enseigne aux mois de janvier et mars 2015.

	Janvier	Mars	Taux d'évolution
S_1	18 220	21 864	
S_2	16 540		– 15 %

Recopier et compléter ce tableau en justifiant.

4 Le prix moyen d'un litre de gazole, hors TVA, s'élevait à 1,146 2 € en décembre 2012 et à 1,130 9 € en décembre 2013.
Entre décembre 2013 et décembre 2014, on prévoyait une augmentation de 0,75 %.
a) Calculer le taux d'évolution en pourcentage entre décembre 2012 et décembre 2013. Arrondir au dixième.
b) Selon ces prévisions, ce prix aurait-il dû, en décembre 2014, retrouver sa valeur de 2012 ?

5 Une mémoire vive pour ordinateur valait 25,99 € en octobre 2013.
D'octobre 2013 à mars 2014, ce prix a augmenté de 53,87 %. Calculer le prix, en euros, en mars 2014.
Arrondir au centième.

2 Évolutions successives – Évolution réciproque

a. Évolutions successives

▶ **PROPRIÉTÉ**

Si le taux d'évolution d'une valeur V_0 non nulle à une valeur V_1 est t_1 %, et le taux d'évolution de la valeur V_1 à une valeur V_2 est t_2 %, alors le **taux d'évolution global** t % de V_0 à V_2 est tel que :

$$1 + \frac{t}{100} = \left(1 + \frac{t_1}{100}\right) \times \left(1 + \frac{t_2}{100}\right).$$

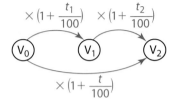

● **DÉMONSTRATION**

$V_1 = V_0\left(1 + \frac{t_1}{100}\right)$ et $V_2 = V_1\left(1 + \frac{t_2}{100}\right)$, ainsi $V_2 = V_0\left(1 + \frac{t_1}{100}\right) \times \left(1 + \frac{t_2}{100}\right)$. D'autre part, $V_2 = V_0\left(1 + \frac{t}{100}\right)$.

Par identification de ces deux relations, on obtient $1 + \frac{t}{100} = \left(1 + \frac{t_1}{100}\right) \times \left(1 + \frac{t_2}{100}\right)$.

● **EXEMPLE**

Entre janvier 2012 et juillet 2012, le salaire minimum en France a augmenté de 2 %. Ensuite, entre juillet 2012 et janvier 2013, il a augmenté de 0,3 %.

Le taux d'évolution global t % du SMIC entre janvier 2012 et janvier 2013 vérifie :

$$1 + \frac{t}{100} = \left(1 + \frac{2}{100}\right) \times \left(1 + \frac{0,3}{100}\right), \text{ soit } 1 + \frac{t}{100} \approx 1,023\,1 \text{ c'est-à-dire } \frac{t}{100} \approx 0,023\,1.$$

Le taux d'évolution global t % du SMIC entre janvier 2012 et janvier 2013 a donc été d'environ 2,31 %.

b. Évolution réciproque

▶ **DÉFINITION**

Le taux d'évolution d'une valeur V_0 non nulle à une valeur V_1 est t %.
Le **taux d'évolution réciproque** de ce taux de t % est celui qui fait passer de la valeur V_1 à la valeur V_0.

▶ **PROPRIÉTÉ**

Le taux d'évolution réciproque t' % d'un taux de t % est tel que :

$$1 + \frac{t'}{100} = \frac{1}{1 + \frac{t}{100}}.$$

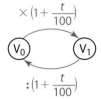

● **DÉMONSTRATION**

$V_1 = V_0\left(1 + \frac{t_1}{100}\right)$ donc $V_0 = V_1 \times \frac{1}{1 + \frac{t}{100}}$. D'autre part, $V_0 = V_1\left(1 + \frac{t'}{100}\right)$. D'où $1 + \frac{t'}{100} = \frac{1}{1 + \frac{t}{100}}$.

● **EXEMPLE**

D'avril 2014 à septembre 2014, le prix du gaz a diminué de 4,2 %. Le taux d'évolution réciproque vérifie :

$$1 + \frac{t'}{100} = \frac{1}{1 - \frac{4,2}{100}}, \text{ soit } 1 + \frac{t'}{100} \approx 1,043\,8 \text{ c'est-à-dire } \frac{t'}{100} \approx 0,043\,8.$$

Cela signifie que pour revenir à sa valeur d'avril 2014, le prix du gaz devrait, à partir de septembre 2014, augmenter d'environ 4,38 %.

Exercice résolu — Calculer un taux d'évolution global ou réciproque

6 Énoncé

Le chiffre d'affaires d'une entreprise a subi une baisse de 5 % de fin 2011 à fin 2012, puis une hausse de 3 % de fin 2012 à fin 2013.

a) Quel a été, en pourcentage arrondi au centième, le taux d'évolution global du chiffre d'affaires entre fin 2011 et fin 2013 ?

b) Quel aurait dû être, en pourcentage arrondi au centième, le taux d'évolution de fin 2013 à fin 2014 pour que le chiffre d'affaires revienne à son niveau de fin 2011 ?

Solution

a) Le taux d'évolution global t % entre fin 2011 et fin 2013 vérifie :

$$1 + \frac{t}{100} = \left(1 - \frac{5}{100}\right) \times \left(1 + \frac{3}{100}\right)$$

soit $1 + \dfrac{t}{100} = 0{,}9785$, donc $\dfrac{t}{100} = -0{,}0215$.

Le taux d'évolution global a donc été de $-2{,}15$ %, ce qui correspond à une baisse de 2,15 %.

b) Le taux d'évolution réciproque t' % permettant de retrouver le chiffre d'affaires de fin 2011 vérifie :

$$1 + \frac{t'}{100} \approx \frac{1}{1 - \dfrac{2{,}15}{100}}$$

soit $1 + \dfrac{t'}{100} \approx 1{,}022$ c'est-à-dire $\dfrac{t'}{100} \approx 0{,}022$.

Donc il aurait fallu une augmentation du chiffre d'affaires de fin 2013 à fin 2014 d'environ 2,2 % pour revenir au chiffre d'affaires de fin 2011.

Conseils

• $CM = CM_1 \times CM_2$

On soustrait ensuite 1 au coefficient multiplicateur global CM pour trouver le taux d'évolution global.

• $CM' = \dfrac{1}{CM}$

Le coefficient multiplicateur cherché est l'inverse du coefficient multiplicateur de fin 2011 à fin 2013.

À votre tour

7 En 2013, la population d'une ville a augmenté de 7 %.

Fin 2014, la population de cette ville était la même que celle de début 2013.

Calculer le taux d'évolution de la population de cette ville en 2014, en pourcentage arrondi au centième.

8 Un produit a subi une hausse de 3 % au cours d'un mois, suivie d'une baisse de 2 % le mois suivant.

a) Calculer le taux d'évolution global sur ces deux mois, en pourcentage arrondi au centième.

b) Quel devrait être, en pourcentage arrondi au centième, le taux d'évolution le mois suivant pour que le produit retrouve son prix initial ?

9 Dans un supermarché, un produit ménager courant a subi cinq hausses successives de 2 %.

La direction décide de le ramener à son prix initial.

a) Quelle hausse globale, en pourcentage arrondi au centième, a subi ce produit ?

b) Quel taux de diminution, en pourcentage arrondi au centième, faut-il appliquer pour que le prix retrouve sa valeur initiale ?

10 Au cours d'une période de six mois, le prix du kilogramme de farine ordinaire a subi trois hausses successives de 3 %, puis trois baisses successives de 3 %.

Calculer le taux d'évolution global du prix du kg de farine, en pourcentage arrondi au centième.

Résoudre des problèmes

Problème résolu — Utiliser des indices

11 Énoncé

Le tableau ci-contre donne le prix annuel moyen, en euros, d'un kg de pain en France métropolitaine chaque année entre 2008 et 2013. Afin de suivre l'évolution de ce prix, on décide d'utiliser des **indices** en prenant pour base 100 le prix en 2008.
La série des indices est proportionnelle à la série des prix.
a) Compléter la colonne des indices. Arrondir au centième.
b) En déduire le taux d'évolution, en pourcentage, de ce prix entre 2008 et 2013.

Date	Prix moyen	Indice
2008	3,28	100
2009	3,35	
2010	3,34	
2011	3,39	
2012	3,43	
2013	3,47	

Solution

a) • Mathématisation

V_0 est la valeur initiale, correspondant à l'indice 100, et V_1 la valeur à convertir en un indice I_1. Alors :

$$I_1 = \frac{100 \times V_1}{V_0}.$$

• Résolution du problème

$I_1 = \dfrac{100 \times 3,35}{3,28}$,

soit $I_1 \approx 102,13$.

On utilise la même méthode pour compléter le tableau ci-contre.

Date	Prix moyen	Indice
2008	3,28	100
2009	3,35	102,13
2010	3,34	101,83
2011	3,39	103,35
2012	3,43	104,57
2013	3,47	105,79

b) Entre 2008 et 2013, l'indice a augmenté de 5,79, ce qui signifie que le prix moyen d'un kg de pain a augmenté de 5,79 %.

Conseils

• Par proportionnalité des indices et des valeurs,

$$\frac{I_1}{100} = \frac{V_1}{V_0}.$$

Par conséquent $I_1 = \dfrac{100 \times V_1}{V_0}$.

• Pour calculer l'indice en 2010, on peut utiliser la valeur et l'indice de 2009. Mais, pour éviter de cumuler les erreurs d'arrondis, il est préférable de toujours partir de la valeur de base de l'indice.

$$I_2 = \frac{100 \times 3,34}{3,28}.$$

À votre tour

12 Le tableau suivant donne l'évolution du prix d'un ordinateur, en euros, au dernier trimestre 2014.
On se propose de convertir ces prix en indices avec pour base 100 le prix en septembre.

Mois	S	O	N	D
Prix	299,05	311,48	327,05	307,43
Indice	100			

a) Recopier et compléter le tableau. Arrondir au centième.
b) Quelle a été l'évolution de ce prix, en pourcentage, entre septembre et décembre 2014 ?

13 Le salaire mensuel net minimum d'un professeur certifié s'élève à 1 325 € en début de carrière.
On prend pour base 100 ce salaire initial.

Ancienneté	10 ans	20 ans
Indice	141,83	175,37

a) Quel est le taux d'évolution, en pourcentage, du salaire mensuel net minimum d'un professeur certifié après 10 ans d'ancienneté ?
b) Calculer le salaire mensuel net minimum d'un professeur certifié au bout de 10 ans, puis 20 ans. Arrondir à l'unité.

Problème résolu — Calculer un taux d'évolution moyen

14 — Énoncé

Le prix d'un lot de cartouches d'encre pour imprimante a augmenté de 10 % en janvier, puis diminué de 6 % en février et enfin augmenté de 6 % en mars.

a) Quel même taux, en pourcentage arrondi au centième, aurait-il fallu appliquer en janvier et février, pour que l'évolution globale du prix sur ces deux mois soit environ la même que l'évolution réelle ?

b) Avec la calculatrice, déterminer le taux, en pourcentage, qu'il aurait fallu appliquer en janvier, février et mars, pour que l'évolution globale du prix sur ces trois mois soit environ la même que l'évolution réelle.

Solution

a) • **Mathématisation**

Le taux t % cherché doit vérifier :

$$\left(1 + \frac{t}{100}\right)\left(1 + \frac{t}{100}\right) = \left(1 + \frac{10}{100}\right)\left(1 - \frac{6}{100}\right).$$

• **Résolution du problème**

L'équation précédente équivaut à $\left(1 + \frac{t}{100}\right)^2 = 1{,}034$,

soit $1 + \frac{t}{100} = \sqrt{1{,}034}$.

On obtient $1 + \frac{t}{100} \approx 1{,}0169$, soit $t \approx 1{,}69$.

• **Conclusion**

Pour que l'évolution globale soit la même sur les deux premiers mois, il aurait donc fallu appliquer deux hausses successives d'environ 1,69 %.

b) Le taux T % cherché doit vérifier :

$$\left(1 + \frac{T}{100}\right)^3 = \left(1 + \frac{10}{100}\right)\left(1 - \frac{6}{100}\right)\left(1 + \frac{6}{100}\right)$$

soit $\left(1 + \frac{T}{100}\right)^3 \approx 1{,}096$.

On ne sait pas trouver de solution exacte de cette équation donc on utilise la calculatrice.

On observe que T $\approx$ 3,1, il aurait donc fallu appliquer trois hausses successives d'environ 3,1 % sur les trois mois.

Conseils

• Quand a et b sont deux nombres **positifs**, $a^2 = b$ équivaut à $a = \sqrt{b}$.

• On dit que t % est le **taux d'évolution mensuel moyen** sur les deux mois de janvier et février.

• On tabule la fonction

$$x \mapsto \left(1 + \frac{x}{100}\right)^3$$ avec un pas de 1, puis de 0,1.

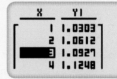

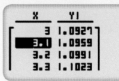

À votre tour

15 Le prix d'un kilogramme de pêches a diminué de 5 % en juillet, puis de 2 % en août et enfin augmenté de 10 % en septembre.

Calculer le taux d'évolution mensuel moyen, en pourcentage, arrondi au centième :

a) sur les deux premiers mois ;

b) sur les trois mois.

16 Dans chaque cas, calculer le taux d'évolution mensuel moyen, en pourcentage, arrondi au dixième.

a) Suite à deux hausses mensuelles successives, le prix d'un article a augmenté de 20 %.

b) Suite à deux baisses mensuelles successives, le prix d'un article a diminué de 20 %.

Problème résolu — Écrire une instruction conditionnelle

17 Énoncé

On considère l'algorithme ci-contre.

a) Expliquer le rôle de cet algorithme.

b) Ajouter à cet algorithme une instruction conditionnelle permettant d'afficher en sortie la phrase appropriée : «Le produit a subi une hausse de t %» ou «Le produit a subi une baisse de t %».

Variables :	V_0, V_1, t sont des nombres réels, V_0 non nul
Entrées :	Saisir V_0, V_1
Traitement :	Affecter à t la valeur $\dfrac{V_1 - V_0}{V_0} \times 100$
Sortie :	Afficher t

Solution

a) L'algorithme calcule le taux d'évolution en pourcentage entre la valeur initiale V_0 et la valeur finale V_1.

b) Voici le nouvel algorithme.

Variables :	V_0, V_1, t sont des nombres réels, V_0 non nul
Entrées :	Saisir V_0, V_1
Traitement	Affecter à t la valeur $\dfrac{V_1 - V_0}{V_0} \times 100$
et sortie :	Si $t \geqslant 0$ alors
	Afficher «Le produit a subi une hausse de t %»
	sinon
	Affecter à t la valeur $-t$
	Afficher «Le produit a subi une baisse de t %»
	Fin Si

Conseils

- Si le taux d'évolution t % est positif, il s'agit d'une hausse, éventuellement de 0 %. Sinon, il s'agit d'une baisse.

- Lors du codage de cet algorithme dans un langage il faut remplacer t par sa valeur dans les affichages.

- t doit être un nombre positif car on parle d'une baisse de 5 % par exemple, et non de -5 %.

À votre tour

18 Voici un algorithme.

Variables :	t_1, t_2, CM, t sont des nombres réels
Entrées :	Saisir t_1, t_2
Traitement :	Affecter à CM la valeur $\left(1 + \dfrac{t_1}{100}\right)\left(1 + \dfrac{t_2}{100}\right)$
	Affecter à t la valeur $(CM - 1) \times 100$
Sortie :	Afficher «Le taux d'évolution global est t %»

a) Expliquer le rôle de cet algorithme.

b) Ajouter à cet algorithme une instruction conditionnelle permettant d'afficher en sortie une phrase spécifique précisant s'il s'agit d'une hausse ou d'une baisse.

19 La TVA est un impôt prélevé par l'État sur les transactions commerciales. Le montant TTC (Toutes Taxes Comprises) payé par un client est égal au prix HT (Hors Taxes) augmenté de la TVA. Voici un algorithme.

Variables :	TTC, HT et t sont des nombres réels positifs
Entrées :	Saisir HT, t
Traitement :	Affecter à TTC la valeur $HT \times \left(1 + \dfrac{t}{100}\right)$
Sortie :	Afficher TTC

a) Expliquer le rôle de cet algorithme.

b) Écrire un algorithme qui calcule le prix HT connaissant le prix TTC et le taux t de TVA.

20 Différents types de croissance

Distinguer les variations absolues et les taux d'évolution.

Sur la feuille de calcul ci-contre, on a indiqué les bénéfices de quatre entreprises A, B, C et D en 2012, 2013 et 2014, exprimés en milliers d'euros.
Sur ces trois années, les bénéfices sont croissants pour les quatre entreprises.
On s'intéresse aux variations absolues et aux taux d'évolution des bénéfices de ces quatre entreprises.

	A	B	C	D
1	Bénéfice de l'entreprise A (en milliers d'euros)			
2	Année	2012	2013	2014
3	Bénéfice	3 500	4 200	4 620
4	Variation absolue			
5	Taux d'évolution			
6	Bénéfice de l'entreprise B (en milliers d'euros)			
7	Année	2012	2013	2014
8	Bénéfice	2 500	3 750	5 250
9	Variation absolue			
10	Taux d'évolution			
11	Bénéfice de l'entreprise C (en milliers d'euros)			
12	Année	2012	2013	2014
13	Bénéfice	3 100	3 720	4 340
14	Variation absolue			
15	Taux d'évolution			
16	Bénéfice de l'entreprise D (en milliers d'euros)			
17	Année	2012	2013	2014
18	Bénéfice	2 700	3 240	3 888
19	Variation absolue			
20	Taux d'évolution			

1 Un premier type de croissance : l'entreprise A

a) Télécharger cette feuille de calcul sur le site compagnon : chapitre5_TP_20.ods.

b) Quelles formules faut-il saisir en C4 et D4 pour calculer les variations absolues du bénéfice entre deux années successives ?

c) Quelles formules faut-il saisir en C5 et D5 (au format pourcentage à deux décimales) pour calculer les taux d'évolution du bénéfice entre deux années successives ?

d) Compléter la phrase suivante avec les mots «augmente», «diminue» ou «est stable», pour l'entreprise A : «La variation absolue… et le taux d'évolution…».

2 D'autres types de croissance : les entreprises B, C et D

a) Compléter la plage C9:D10 en utilisant les formules adéquates.

b) Compléter la phrase suivante avec les mots «augmente», «diminue» ou «est stable», pour l'entreprise B : «La variation absolue… et le taux d'évolution…».

c) Compléter la plage C14:D15 en utilisant les formules adéquates.

d) Compléter la phrase suivante avec les mots «augmente», «diminue» ou «est stable», pour l'entreprise C : «La variation absolue… et le taux d'évolution… ».

e) Compléter la plage C19:D20 en utilisant les formules adéquates.

f) Compléter la phrase suivante avec les mots «augmente», «diminue» ou «est stable», pour l'entreprise D : «La variation absolue… et le taux d'évolution…».

3 Travailler en autonomie **Compte-rendu**

a) Expliquer les différents types de croissance observés dans les quatre entreprises.

b) Peut-on envisager un autre type de croissance ?

21 La puissance éolienne en France

Objectif

Modéliser une évolution pour faire des prévisions.

La feuille de calcul ci-dessous présente l'évolution de la puissance éolienne raccordée en France métropolitaine de 2009 à 2013, en mégawatts (MW).

	A	B	C	D	E	F
1	**Année**	2009	2010	2011	2012	2013
2	**Puissance éolienne**	4 722	5 975	6 806	7 562	8 143
3	**Taux d'évolution**					

L'objectif fixé par l'État est de multiplier la puissance éolienne par au moins 5 entre 2009 et 2020.

1 **Évolution de 2009 à 2013**

a) Réaliser avec le tableur la feuille de calcul ci-dessus.

b) Quelle formule faut-il saisir dans la cellule C3 (au format pourcentage à deux décimales), puis recopier jusqu'en F3, pour calculer automatiquement les taux d'évolution entre 2009 et chaque année ?

c) Entre 2009 et 2013, par quel nombre la puissance éolienne raccordée a-t-elle été multipliée ?

2 **Modélisation avec un taux d'évolution constant**

On décide dans un premier temps de modéliser l'évolution de 2009 à 2020 avec un taux annuel constant t %.

a) Justifier que pour atteindre l'objectif, le nombre réel t doit vérifier l'inéquation $\left(1 + \dfrac{t}{100}\right)^{11} \geq 5$.

b) On admet que la fonction $x \mapsto \left(1 + \dfrac{x}{100}\right)^{11}$ est croissante sur $]0\,;+\infty[$.

En déduire que t doit être supérieur à 15 pour que l'objectif soit atteint.

c) À l'aide du tableur ou de la calculatrice, tabuler la fonction $x \mapsto \left(1 + \dfrac{x}{100}\right)^{11}$ pour $x \geq 15$.

En affinant le pas, donner la valeur approchée par excès au centième près de la valeur minimale de t pour que l'objectif soit atteint.

d) Dans la ligne 4 de la feuille de calcul, calculer les puissances éoliennes que l'on aurait dû observer de 2010 à 2013 selon ce premier modèle.

3 **Modélisation avec une variation absolue constante**

On décide dans un second temps de modéliser l'évolution de la puissance éolienne de 2009 à 2020 avec une variation absolue constante V.

a) Quelle devrait être la puissance éolienne minimale en 2020 pour que l'objectif soit atteint ?

b) En déduire la valeur minimale de V, arrondie à l'unité, pour que l'objectif soit atteint.

c) Dans la ligne 5 de la feuille de calcul, calculer les puissances éoliennes que l'on aurait dû observer de 2010 à 2013 selon ce second modèle.

4  **Compte-rendu**

L'un de ces objectifs permet-il d'être optimiste quant à l'objectif fixé par l'État ?

Lien entre évolution et pourcentage

Questions rapides

22 Déterminer mentalement le coefficient multiplicateur correspondant à :
a) une augmentation de 5 % ;
b) une diminution de 15 % ;
c) une augmentation de 100 % ;
d) une diminution de 50 %.

23 Déterminer mentalement, en précisant s'il s'agit d'une augmentation ou d'une diminution, le taux d'évolution, en pourcentage, correspondant à un coefficient multiplicateur égal à :
a) 1,3   **b)** 0,97   **c)** 3   **d)** 0,5

24 Le prix d'un objet est passé de 200 € à 250 €. Calculer mentalement sa variation absolue, puis son taux d'évolution exprimé en pourcentage.

25 Le prix d'un article a été multiplié par 2. Quel a été son taux d'évolution, exprimé en pourcentage ?

26 Le prix d'un article a été divisé par 2, c'est-à-dire multiplié par 0,5. Quel a été son taux d'évolution, exprimé en pourcentage ?

27 Au moment des soldes d'été, un magasin de vêtements propose une réduction de 40 % sur tous les T-shirts. Quel est le prix soldé d'un T-shirt qui valait 35 € ?

28 En 2012, 190 000 robots aspirateurs ont été vendus en France. En 2013, ce nombre a progressé de 21 %. Avec la calculatrice, déterminer le nombre de robots aspirateurs vendus en France en 2013.

29 Un grossiste propose à l'un de ses clients une réduction de 5 % sur le montant total de ses achats, s'élevant à 24 500 €. Le client négocie et obtient finalement une réduction de 7 %. Quel montant en euros a-t-il ainsi économisé par rapport à la première proposition du grossiste ?

30 Dans un magasin de vêtements, un article affiché à 45 € est soldé à – 40 %. Dans un autre magasin, le même article affiché à 50 € est soldé à – 50 %. Où vaut-il mieux acheter cet article ?

31 Sur un site Internet, on lit les informations suivantes concernant le prix du m² à Nantes en octobre 2014. « Le prix moyen du m² est de 2 301 €. Il a subi une baisse de 0,96 % sur 3 mois ». En déduire le prix moyen, en euros, du m² à Nantes en juillet 2014. Arrondir au dixième.

32 Voici un tableau donnant certains renseignements sur les ventes de livres en France au cours de deux semaines consécutives.

Circuit	Ventes semaine 1	Ventes semaine 2
Librairies	973	
Grandes surfaces généralistes	96	
Grandes surfaces spécialisées	532	

Entre ces deux semaines, les ventes ont baissé de 13 % dans les librairies, de 47 % dans les grandes surfaces généralistes et, augmenté de 34 % dans les grandes surfaces spécialisées.
Recopier et compléter le tableau.
Arrondir à l'unité.

33 Un pull est vendu au prix de 35 € TTC. Quel est son prix hors taxe, en euros, avant application de la TVA au taux de 20 % ? Arrondir au centième.

34 Le taux de TVA sur les forfaits de téléphones mobiles est passé de 19,6 % à 20 %. Le nouveau tarif du forfait d'Anne s'élève à 20,87 € par mois.
a) Quel est le coût hors taxe, arrondi au centime, de son forfait ?
b) Quel était le montant du forfait, arrondi au centime, avec l'ancien taux de TVA ?

35 Le taux de TVA applicable aux tarifs d'entrée des parcs d'attraction est passé de 7 % à 10 % le 1er janvier 2014. Le prix d'entrée d'un parc était de 25 € par adulte en décembre 2013. Calculer le nouveau tarif en janvier 2014, arrondi au centime.

36 Fin septembre 2009, il y avait 1 519 397 sites Internet avec l'extension .fr.

Fin septembre 2014, ce nombre s'élevait à 2 819 217. Pour calculer le taux d'évolution de cette quantité, Gladys a utilisé sa calculatrice. Elle pense que son résultat est faux. Trouver son erreur.

```
2819217-1519397÷15193
97
                2819216
```

37 Le graphique ci-dessous indique le nombre de smartphones utilisés en Europe pour accéder à un compte en banque, en juillet 2011 et en juillet 2012.

| Juillet 2011 | 16 248 |
| Juillet 2012 | 29 994 |

Calculer le taux d'évolution entre juillet 2011 et juillet 2012, en pourcentage arrondi au dixième.

38 Le graphique ci-dessous indique le nombre d'utilisateurs de réseaux sociaux dans le monde en 2011, 2012 et 2013.

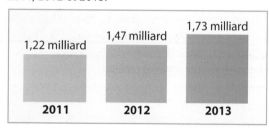

1,22 milliard — 2011
1,47 milliard — 2012
1,73 milliard — 2013

Calculer le taux d'évolution de 2011 à 2012, puis de 2012 à 2013, en pourcentage arrondi au dixième.

39 Un restaurant a reçu 3 250 clients en 2012 et 8 905 clients en 2014.

a) Calculer le taux d'évolution, en pourcentage arrondi au centième, entre 2010 et 2014.

b) Par quel coefficient le nombre de clients a-t-il été multiplié entre 2010 et 2014 ?

40 L'infographie ci-contre indique des estimations du nombre d'éléphants d'Afrique vivants en 1980 et en 2014.

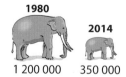

1980 — 1 200 000
2014 — 350 000

Calculer le taux d'évolution de ce nombre, en pourcentage arrondi au centième, entre 1980 et 2014.

41 Le tableau ci-dessous concerne les usines Renault en 1914 et en 1918, la première et la dernière années de la Première Guerre mondiale.

Année	1914	1918
Camions	402	1 793
Chars d'assaut	0	1 750
Effectifs (dont % de femmes)	6 300 (3,8 %)	22 500 (31,6 %)

Tous les taux d'évolution seront donnés en pourcentages arrondis au centième.

a) Calculer le taux d'évolution du nombre de camions fabriqués, entre 1914 et 1918.

b) Pourquoi n'est-il pas possible de calculer le taux d'évolution du nombre de chars d'assaut ?

c) Calculer les nombres de femmes dans l'entreprise en 1914 et en 1918, puis le taux d'évolution entre ces deux valeurs.

42 Un magasin propose des pantalons à 51 € et des chemises à 42 €. Le directeur décide de diminuer le prix des pantalons de 15 % et d'augmenter celui des chemises de 10 %.

a) Calculer le nouveau prix d'un pantalon et celui d'une chemise.

b) Calculer le taux d'évolution de l'ensemble pantalon-chemise, en pourcentage arrondi au dixième.

43 Le tableau suivant indique les émissions (en kilotonnes) de CO (monoxyde de carbone) dans l'air en France métropolitaine en 2005 et 2012, par secteur d'activité.

Secteur	2005	2012
Transformation énergie	48	50
Industrie manufacturière	1 904	1 084
Résidentiel/tertiaire	1 653	1 378
Transport routier	1 312	413
Autres transports	213	172

a) Que calcule l'instruction saisie par Mona en L3 ?

b) Reproduire cet écran à la calculatrice et compléter la liste L3.

```
L1        L2        TI3      3
48        50        ------
1904      1084
1653      1378
1312      413
213       172
------    ------
L3 =(L2-L1)/L1
```

c) Dans quel secteur la baisse des émissions a-t-elle été la plus élevée en pourcentage ?

44 Voici, par catégories, les nombres de véhicules en France en 2010 et 2013, exprimés en millions et arrondis au dixième.

Année	Véhicules particuliers	Véhicules utilitaires	Véhicules industriels
2010	31,1	5,8	0,6
2013	31,5	5,9	0,6

a) Calculer la part, en pourcentage, de chaque catégorie de véhicule dans le parc automobile français en 2010, puis en 2013. Arrondir au centième.
b) Calculer le taux d'évolution, en pourcentage arrondi au centième, du nombre de véhicules particuliers, puis du nombre d'utilitaires.
c) Parmi les véhicules particuliers, la part de véhicules diesel était de 56,2 % en 2010 et elle est passée à 61,3 % en 2013.
Calculer le taux d'évolution, en pourcentage arrondi au centième, du nombre de véhicules particuliers diesel entre 2010 et 2013.

45 Un commerçant achète auprès d'un grossiste un stock d'articles au prix unitaire de 120 €.
a) La marge est égale à 50 % du prix d'achat.
Quelle part du prix de vente représente-t-elle, en pourcentage arrondi au centième ?
b) Le commerçant veut réaliser une marge égale à 40 % du prix de vente. À quel pourcentage du prix d'achat doit s'élever cette marge ?

46 Le tableau ci-dessous indique les besoins en eau dans le monde, de 1950 à 2010.

Année	Population mondiale (milliards d'habitants)	Volume moyen par habitant (m³/an)	Volume global (milliards de m³/an)
1950	2,5	400	
1970	3,6	500	
1990	5,5	600	
2010	6,9	750	

Donner les réponses arrondies au centième.
a) Calculer les coefficients multiplicateurs sur chaque période de 20 ans, pour la population, puis pour le volume moyen par habitant.
b) Recopier et compléter le tableau, puis calculer les coefficients multiplicateurs pour le volume global.
c) Comment peut-on retrouver les résultats de la question **b)** à partir de ceux de la question **a)** ?

47 Le tableau ci-dessous indique le nombre de licenciés dans les fédérations sportives en France, tous sports confondus, exprimé en milliers, de 2009 à 2012.

Année	2009	2010	2011	2012
Effectif	17 272	17 422	17 476	17 544

On souhaite convertir ces valeurs en indices avec pour base 100 la valeur de l'année 2009.
a) Calculer les indices arrondis au centième.
b) En déduire le taux d'évolution, en pourcentage arrondi au centième, entre 2009 et 2012.
c) Calculer le taux d'évolution, en pourcentage arrondi au centième, entre 2011 et 2012.

48 Voici le montant de la dette des administrations publiques françaises au 31 décembre de chaque année, de 2005 à 2012, exprimé en milliards d'euros.

Année	2005	2006	2007	2008
Dette	1 147,6	1 152,2	1 211,6	1 318,6

Année	2009	2010	2011	2012
Dette	1 493,4	1 595,0	1 717,3	1 833,8

On se propose de convertir ces valeurs en indices, en prenant pour base 100 l'année 2005.
a) Recopier le tableau et ajouter une ligne pour faire apparaître les indices, arrondis au dixième.
b) En déduire le taux d'évolution, en pourcentage arrondi au dixième, de la dette entre 2005 et 2009, puis entre 2005 et 2012.
c) Calculer le taux d'évolution, en pourcentage arrondi au dixième, de la dette entre 2009 et 2012.

49 Le tableau ci-dessous indique l'évolution de la production de pétrole brut aux États-Unis, en milliers de barils par jour, de 2008 à 2012.
On a converti ces valeurs en indices avec pour base 100 la production de l'année 2008.

Année	2008	2009	2010	2011	2012
Production	5 000		5 471		
Indice	100	107,06		113,04	

a) Calculer les nombres de milliers de barils produits par jour en 2009 et 2011.
b) Calculer l'indice pour l'année 2010.
c) Le taux d'évolution entre 2008 et 2012 a été de + 29,78 %. En déduire l'indice, puis le nombre de barils en 2012.

Évolutions successives. Évolution réciproque

Questions rapides

50 Sans calculatrice, indiquer le taux d'évolution global dans chaque cas.
a) Deux diminutions successives de 50%.
b) Deux augmentations successives de 100%.
c) Deux augmentations successives de 10%.
d) Une augmentation de 20% suivie d'une diminution de 50%.

51 Dans chaque cas, dire, avec la calculatrice, si les deux évolutions successives permettent de revenir à la valeur de départ.
a) Deux diminutions successives de 10%.
b) Une augmentation de 100% suivie d'une diminution de 50%.
c) Une augmentation de 20% suivie d'une diminution de 20%.
d) Deux augmentations successives de 1%.

52 Sans calculatrice, indiquer le taux d'évolution réciproque dans chaque cas.
a) Une augmentation de 300%.
b) Une diminution de 90%.
c) Une diminution de 80%.
d) Une augmentation de 150%.

53 Voici l'étiquette d'un article dans un magasin de vêtements.
a) Calculer le taux de réduction global du prix de cet article.
b) En déduire le prix en euros, de l'article avant les deux démarques. Arrondir au centième.

SOLDÉ
-40%
-10%
2ème démarque
29,99 €

54 Dans une boulangerie, un pain spécial coûtait 2,50 €. Ce prix a depuis augmenté trois fois de 2%. Calculer le nouveau prix, arrondi au centime.

55 De 2005 à 2010, la population d'une ville a augmenté de 11,2%, puis de 2010 à 2014, elle a diminué de 9%.
Calculer le taux d'évolution, en pourcentage arrondi au centième, entre 2005 et 2014.

56 Entre 2009 et 2014, le prix des batteries au lithium, utilisées notamment dans les véhicules électriques, a baissé successivement de 12,4%, puis de 12,9% et enfin de 14%.
Calculer le pourcentage global de baisse, arrondi au centième, sur cette période.

57 Dans chaque cas, donner sous forme de pourcentage arrondi au centième le taux global équivalent aux évolutions successives indiquées.
a) Trois hausses successives de 3%.
b) Trois baisses successives de 30%.
c) Une hausse de 5%, puis une baisse de 5%.
d) Une baisse de 5%, puis une hausse de 5%.

58 Joséphine affirme : «Quand on applique deux évolutions successives, peu importe l'ordre dans lequel on les applique».
Qu'en pensez-vous ?

59 Le prix d'une console de jeu subit successivement une hausse de 4%, une baisse de 4%, une hausse de 4%, et enfin une baisse de 4%.
a) Sans calculer le taux global, dire si le prix final est supérieur ou inférieur au prix initial.
b) Calculer le taux global équivalent à ces quatre évolutions, en pourcentage arrondi au centième.

60 Le tableau ci-contre indique les performances globales du CAC40 à la Bourse de Paris en 2011 et 2012.

Année	Évolution
2011	– 16,95%
2012	+ 15,23%

a) Calculer le taux d'évolution global sur cette période, en pourcentage arrondi au centième.
b) Fin 2012, la valeur du CAC40 était de 3 641 points. Calculer sa valeur fin 2010, arrondie au centième.

61 Après deux augmentations successives de 2%, le prix d'un gâteau est 1,56 €.
Quel était son prix avant les augmentations ?
Arrondir au centime.

62 Après deux baisses de 2 %, une tablette tactile est proposée au prix de 144,06 €.
Quel était son prix avant ces deux baisses ?

63 Un tissu rétrécit de 1 % à chaque séchage en machine.
Après trois séchages, il mesure 145,54 cm.
Quelle était sa longueur, en cm, avant les trois séchages ? Arrondir à l'unité.

64 Valentine a placé une somme d'argent au taux de 5 %, les intérêts étant calculés annuellement et ajoutés au solde du compte.
a) Justifier que, chaque année, le solde est multiplié par 1,05.
b) Est-il vrai que, si Valentine n'effectue aucun retrait, le solde du compte aura plus que doublé en 15 ans ?

65 Une plante grandit de 3 % par jour.
Utiliser la calculatrice pour déterminer au bout de combien de jours sa hauteur aura doublé.

66 Une voiture valait 15 000 €. Après une augmentation de $2t$ % suivie d'une diminution de t %, elle vaut 15 423 €.
Écrire une équation du second degré vérifiée par t, puis la résoudre.
Conclure sachant que $t < 10$.

67 Dans chaque cas, trouver la valeur de t.
a) La fréquentation d'une salle de cinéma a baissé de 20 %, puis de t %. Au total elle a diminué de 32 %.
b) Le prix d'une entrée dans une patinoire a baissé de 20 %, puis augmenté de t %, pour revenir à son tarif initial.

68 Après une augmentation de t % et une diminution du même taux t %, le prix d'un vase a diminué de 64 %.
Calculer la valeur de t.

69 En Finlande, le nombre d'abonnés à l'Internet haut-débit a augmenté de 3,41 % entre 2011 et 2012, puis de 2,05 % de 2012 à 2013.
Déterminer, en pourcentage arrondi au centième, le taux moyen d'évolution, c'est-à-dire le taux unique t % qu'il aurait fallu appliquer deux fois successivement pour obtenir la même valeur finale.

70 La production céréalière des États-Unis a diminué de 3,70 % entre 2010 et 2011, puis de 7,72 % entre 2011 et 2012.
Déterminer, en pourcentage arrondi au centième, le taux moyen annuel entre 2010 et 2012.

71 En France, les émissions de CO_2 par habitant ont diminué de 4,66 % de 2008 à 2009, puis augmenté de 0,72 % de 2009 à 2010.
Quel est le taux moyen annuel entre 2008 et 2010, en pourcentage arrondi au centième ?

72 L'espérance de vie dans le monde a augmenté de 13,18 % entre 1965 et 1980, de 5,97 % entre 1980 et 1995, puis de 5,02 % entre 1995 et 2010.
On note t le taux moyen d'évolution par période de 15 ans entre 1965 et 2010.
a) Justifier que t est tel que $\left(1 + \dfrac{t}{100}\right)^3 \approx 1,2596$.
b) À l'aide de la calculatrice, trouver la valeur approchée par défaut au centième près de t.

73 La population du Royaume-Uni a augmenté de 0,78 % en 2011, de 0,69 % en 2012 et de 0,63 % en 2013.
À l'aide de la calculatrice, déterminer le taux moyen annuel d'évolution sur cette période, en pourcentage arrondi au centième.

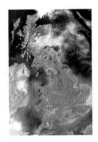

74 En Espagne, le nombre d'abonnements à la téléphonie mobile a augmenté de 2,3 % entre 2010 et 2011. Un journaliste affirme : « Entre 2011 et 2012, on a observé une baisse de 2,3 %, ramenant le nombre d'abonnés à sa valeur de 2010 ».
Cette affirmation est-elle vraie ? Justifier.

75 Pour chaque affirmation, indiquer si elle est vraie ou fausse en justifiant.
a) Un prix a subi une augmentation de 50 %.
Pour revenir à la situation antérieure, il faut multiplier le nouveau prix par $\dfrac{2}{3}$.
b) Un prix a subi une diminution de 50 %. Pour revenir à la situation antérieure, il faut diviser le nouveau prix par $\dfrac{2}{3}$.

76 Entre 2008 et 2012, le prix moyen de l'essence en Belgique a augmenté de 40 %.

Justifier que si ce prix était multiplié par $\dfrac{5}{7}$ au cours des années suivantes, il reviendrait à son niveau de 2008, puis indiquer le taux d'évolution correspondant en pourcentage arrondi au dixième.

77 Le 15 octobre 2014, le NASDAQ, l'un des principaux indices boursiers américains, a baissé de 1,24 %.

Quel aurait dû être son taux d'évolution le 16 octobre, en pourcentage arrondi au centième, pour qu'il retrouve sa valeur du 14 octobre ?

78 Selon un spécialiste de la nutrition, entre 1980 et 2000, la part des enfants français en surpoids a augmenté de 220 %.

Quel devrait être, en pourcentage arrondi au centième, le taux d'évolution de cette part entre 2000 et 2020 pour retrouver le niveau de 1980 ?

79 De juillet à août 2014, la surface des constructions neuves en France métropolitaine a diminué de 27,8 %.

De quel pourcentage, arrondi au centième, devrait augmenter cette surface entre août et septembre 2014 pour atteindre à nouveau la valeur de juillet ?

80 Lors d'une année exceptionnelle, un producteur de mirabelles voit sa production augmenter de 25 %. Malheureusement, cette augmentation de la production entraîne une baisse des prix et sa recette n'augmente pas.

Quel a été le taux d'évolution du prix du kg ?

81 Le bitcoin est une monnaie électronique à valeur variable. Entre le 15 et le 18 août 2014, la valeur d'un bitcoin a baissé de 8,7 %, pour retrouver ensuite sa valeur initiale le 23 août suivant.

Déterminer le taux d'évolution entre le 18 et le 23 août, en pourcentage arrondi au dixième.

82 Entre 2004 et 2014, la production de déchets d'une ville a augmenté de 3 % par an.

Quel doit être le taux d'évolution, en pourcentage arrondi au centième, sur la durée du mandat du nouveau maire, pour que la production de déchets revienne à son niveau de 2004 ?

Sans intermédiaire

83 Yassine affirme : «Une augmentation de 300 % correspond à une multiplication par 4».

Adeline répond : «Non, une multiplication par 4 correspond à une augmentation de 400 %».

Qui a raison ?

84 Entre 2010 et 2012, la part des salaires des fonctionnaires sur le budget de l'État français est passée de 23,32 % à 19,91 %, avec un taux moyen annuel constant.

Si l'évolution se poursuit de la même façon, en quelle année cette part sera-t-elle pour la première fois inférieure à 15 % ?

S'entraîner à la logique

85 **Implication**

Pour chaque implication, indiquer si elle est vraie ou fausse en justifiant.

Corriger les implications fausses.

a) Si je gagne 25 % de plus qu'un collègue, alors il gagne 20 % de moins que moi.

b) Si une augmentation de 20 % de mon salaire l'augmente de 400 €, alors une augmentation de 10 % l'augmentera de 200 €.

c) Si le prix d'un stylo a augmenté de 2 % et que j'en achète 6, alors je paierai 12 % de plus qu'avant l'augmentation.

d) Si on augmente deux fois de suite le prix d'un article de 50 %, alors le prix de cet article doublera.

86 **Équivalence**

Pour chaque affirmation, indiquer si elle est vraie ou fausse en justifiant.

a) Appliquer trois augmentations de 2 % équivaut exactement à appliquer une augmentation de 6,1208 %.

b) Appliquer trois augmentations de 1 % équivaut exactement à appliquer une augmentation de 3 %.

c) Diminuer un prix trois fois de suite de 3 % équivaut à le diminuer une fois de 8,7 %.

d) Augmenter un prix de 4 %, puis le diminuer de 4 % équivaut à le diminuer de 0,16 %.

87 Dans chaque cas, donner **la** réponse exacte **sans justifier**.

		A	B	C	D
1	On ajoute deux fois son volume à une boisson. Le coefficient multiplicateur correspondant est …	1,2	2	200 %	3
2	Le taux d'évolution, arrondi au dixième, pour une augmentation de 6,70 € à 7 € est …	4,5 %	4,3 %	3 %	4,48 %
3	Pour une hausse de 10 %, suivie d'une baisse de 50 % et d'une hausse de 7 %, le taux global est …	− 58,85 %	58,85 %	− 41,15 %	41,15 %
4	Le prix d'un livre a augmenté de 25 %. Le taux permettant de le ramener à son prix de départ est …	− 25 %	− 20 %	+ 75 %	− 80 %

88 Dans chaque cas, donner **la ou les** réponses exactes **sans justifier**.

		A	B	C	D
1	On agrandit une longueur d de 20 %. Elle devient …	$0,2d$	$1,2d$	$d + \dfrac{20}{100}d$	$20d$
2	Pour un prix TTC de 141,37 € et un taux de TVA à 5,5 %, le prix HT est …	134 €	149,15 €	91,21 €	219,12 €
3	Une quantité qui subit une hausse de 32 %, puis une hausse de 18 % a augmenté de …	50 %	55,76 %	plus de 50 %	57,6 %
4	Après une diminution de 4 %, pour revenir à la valeur initiale il faut …	augmenter de 4 %	multiplier par $\dfrac{25}{24}$	diviser par 0,96	diviser par $\dfrac{1}{1 - \dfrac{4}{100}}$

89 Pour chaque affirmation, dire si elle est **vraie ou fausse en justifiant**.

Le graphique ci-contre présente les dépenses annuelles effectuées par les touristes en France de 2010 à 2012, en milliards d'euros.

1. Entre 2010 et 2011, le taux d'évolution arrondi au dixième est de 17,5 %.

2. Entre 2011 et 2012, les dépenses sont multipliées par environ 0,96.

3. Le taux moyen annuel d'évolution de ces dépenses entre 2010 et 2012 est, arrondi au centième, + 6,38 %.

4. Pour que les dépenses de tourisme retrouvent en 2013 leur valeur de 2010, il aurait fallu qu'elles subissent une diminution de 13,17 % entre 2012 et 2013.

5. En prenant pour base 100 les dépenses de 2010, l'indice correspondant aux dépenses de 2012 est 105,84.

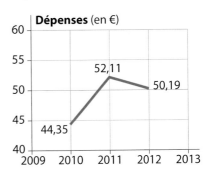

Dépenses (en €)

Vérifiez vos réponses : p. 264

90 **Avec un guide**

Un gérant de société a dépensé en 2014, pour l'achat du papier de son secrétariat, la somme de 3 200 €.

1. Sachant que le papier coûte 8 € les 1 000 feuilles, combien le gérant a-t-il utilisé de milliers de feuilles en 2014 ?

2. On suppose qu'au 1er janvier 2015, le prix du papier a augmenté de 5 %.

On ne prévoit pas d'autre augmentation du prix du papier au cours de l'année.

a) Si le gérant maintient sa dépense, quel nombre de milliers de feuilles de papier pourra-t-il acheter ? Arrondir au dixième.

b) Quel pourcentage de diminution de la consommation de papier cela représentera-t-il ?

3. On suppose maintenant que le prix du papier a augmenté de p % le 1er janvier 2015.

On ne prévoit pas d'autre augmentation du prix du papier au cours de l'année.

On suppose que le gérant maintient sa dépense de papier.

a) Montrer que le nombre de milliers de feuilles qu'il pourra acquérir en 2015 est :

$$N = \frac{40\,000}{100 + p}.$$

b) Exprimer en fonction de p le pourcentage de diminution de la consommation de papier qu'il doit envisager en 2015.

> **Conseil**
>
> Le pourcentage de diminution de la consommation de papier en 2015 est le nombre t tel que :
>
> $$400\left(1 - \frac{t}{100}\right) = N$$

c) Le gérant ne veut pas restreindre sa consommation de papier de plus de 8 %.

Quel pourcentage maximal d'augmentation p pourra-t-il supporter ? Arrondir au centième.

91 **Up and down**

A shopkeeper buys a coat for £39 and marks the price up by 30%. The coat then fails to sell so is included in the next sale where all the prices are reduced by 25%.

What price would you have to pay for the coat during the sale (rounded to the penny)?

92 **Imaginer une stratégie**

L'élasticité E mesure l'impact d'une variation du revenu r d'un consommateur sur sa demande d pour un bien particulier. Elle est égale au rapport entre le taux d'évolution de la demande et le taux d'évolution du revenu :

$$E = \frac{\dfrac{d_1 - d_0}{d_0}}{\dfrac{r_1 - r_0}{r_0}}$$

où d_0, r_0 et $r_1 - r_0$ sont non nuls.

Si E < − 1 ou E > 1, la demande est dite élastique par rapport au revenu.

a) On suppose que le taux d'évolution du revenu est + 10 % et que E = 3.

Quel est le taux d'évolution de la demande ?

b) On suppose que la demande a diminué de moitié et que E = − 2.

Quel est le taux d'évolution du revenu ?

c) Que peut-on dire si E = 1 ? Si E = − 1 ?

93 **Modéliser avec une fonction**

Un produit est vendu au kg à un certain prix p, en euros.

1. Exprimer en fonction de p la masse M_1, en kg, que l'on peut acheter avec 100 €.

2. Un cas particulier

a) Le prix augmente de 20 %.

Exprimer en fonction de p la masse M_2, en kg, que l'on peut maintenant acheter avec 100 €.

b) Quel est le pourcentage de diminution, arrondi au centième, de la masse que l'on peut acheter après l'augmentation du prix ?

3. Généralisation

a) Le prix augmente de t %.

Exprimer en fonction de p et t la masse M_2, en kg, que l'on peut maintenant acheter avec 100 €.

b) f est la fonction qui à tout nombre réel positif t associe le pourcentage de diminution de la masse que l'on peut acheter avec 100 € après l'augmentation de t %.

Vérifier que $f(t) = \dfrac{t}{100 + t}$.

c) Étudier les variations de la fonction f et dresser son tableau de variation sur $[0 ; 100]$.

d) Est-il vrai que, pour $t < 10$, le pourcentage de diminution de la masse est inférieur à 10 % ?

94 **Étudier des propositions**

Floriane possède un champ rectangulaire de longueur 50 m et de largeur 30 m. Lors d'un projet de remembrement, on lui soumet trois propositions de modification des dimensions de son champ.

• **Proposition 1 :** On augmente la longueur du champ de 30 % et on diminue sa largeur de 30 %.

• **Proposition 2 :** On diminue la longueur de 15 % et on augmente la largeur de 25 %.

• **Proposition 3 :** On diminue la longueur de 20 % et on augmente la largeur de 25 %.

Constituer des groupes de 3, au sein desquels chacun étudiera une des trois propositions.

Comparer les résultats et identifier la proposition la plus avantageuse pour Floriane.

95 **Comparer des indices**

Le tableau suivant donne les indices des bénéfices d'une entreprise de 2010 à 2014, avec pour base 100 le bénéfice en 2010.

Année	2010	2011	2012	2013	2014
Indice	100	101,5	98,3	103	102,9

a) En quelle année l'entreprise a-t-elle réalisé le bénéfice maximal ?

Quel a alors été le taux d'évolution depuis 2010 ?

b) En quelle année l'entreprise a-t-elle réalisé le bénéfice minimal ?

Quel a alors été le taux d'évolution depuis 2010 ?

c) Une autre entreprise, qui prend également pour base 100 son bénéfice de 2010, a atteint en 2014 un bénéfice correspondant à l'indice 105.

Peut-on en déduire que cette entreprise a réalisé en 2014 un bénéfice plus important que la première entreprise ? Justifier la réponse.

96 **Choisir la meilleure offre**

Rédiger les différentes étapes de la recherche, sans omettre les fausses pistes et les changements de méthode.

Problème Deux magasins proposent chacun une promotion pour le même produit, qui était auparavant vendu au même prix.

Magasin A : « 30 % de produit en plus ».

Magasin B : « Réduction du prix de 30 % ».

Où vaut-il mieux acheter ce produit ?

Prendre des initiatives

97 **Comparer des salaires**

En 2010, un patron gagnait 240 % de plus que l'un de ses employés.

Quatre ans plus tard, alors que l'employé a été augmenté de 10 %, le patron gagne 350 % de plus que lui.

Quel a été le taux d'augmentation du salaire du patron ?

98 **Approcher un pourcentage**

Gaëtan verse en 2014 une pension alimentaire mensuelle d'un montant de 300 €.

Le montant de cette pension alimentaire est indexé sur l'inflation, dont on suppose qu'elle est de 0,2 % par an.

Pour prévoir la valeur de la pension alimentaire en 2016, Gaëtan applique un pourcentage d'augmentation de 0,4 %.

Commenter cette méthode de calcul.

Des défis

99 **Trouver le code**

Le code d'entrée dans un immeuble est un nombre de quatre chiffres. On lui applique le programme de calcul ci-dessous.

- Diminuer le nombre de 10 %.
- Lui appliquer l'évolution réciproque d'une diminution de 20 %.
- Ajouter 2.
- Augmenter deux fois de 50 %.
- Soustraire 1 597.

On retrouve ainsi le nombre d'origine.

Quel est ce code ?

100 **Conserver une aire**

Suite à un remembrement, la longueur d'un terrain rectangulaire a augmenté de t % et sa largeur a diminué de t' %. Son aire est inchangée.

Existe-t-il une valeur de t telle que $t' = 0,25t$?

Accompagnement personnalisé

 Soutien Calculer une évolution exprimée en pourcentage

101 **Exercice test**

Une coque pour téléphone portable coûte 6,40 € dans deux magasins.

a) L'un des magasins propose une remise de 10 %. À quel prix la coque est-elle alors vendue ?

b) L'autre magasin augmente au contraire son prix de 5 %. Quel est le nouveau prix ?

Appelez le professeur pour qu'il contrôle vos réponses et qu'il vous indique la suite.

102 Un litre d'essence SP95 valait 1,485 € le 13 octobre 2014.

En une semaine, ce prix a augmenté de 4 %.

a) Quel est le coefficient multiplicateur correspondant à une augmentation de 4 % ?

b) Calculer le nouveau prix au bout d'une semaine, arrondi au millième.

103 Un magasin accorde une réduction de 30 % sur le prix d'un produit affiché à 19,90 €.

a) Quel est le coefficient multiplicateur correspondant à cette réduction de 30 % ?

b) Calculer le nouveau prix du produit.

c) Quel aurait été le nouveau prix du produit si la réduction avait été de 40 % au lieu de 30 % ?

 Soutien Exprimer en pourcentage une évolution

104 **Exercice test**

a) Le loyer d'un studio parisien est passé de 850 € à 918 €. Calculer le taux d'évolution de ce loyer, exprimé en pourcentage.

b) Le loyer d'un autre appartement est passé de 1 200 € à 1 140 €.

Calculer le taux d'évolution de ce loyer, exprimé en pourcentage.

Appelez le professeur pour qu'il contrôle vos réponses et qu'il vous indique la suite.

105 Le prix d'une liseuse électronique est passé de 259 € à 189 €.

a) Calculer la variation absolue du prix (ce doit être un nombre négatif).

b) Calculer le rapport entre la variation absolue et le prix initial. Donner ce taux d'évolution en pourcentage arrondi au centième.

106 Le nombre de touristes visitant l'Islande est passé de 566 000 en 2011 à 673 000 en 2012.

a) Calculer la variation absolue de ce nombre.

b) Calculer le rapport entre la variation absolue et la valeur initiale. Donner ce taux d'évolution en pourcentage arrondi au centième.

Soutien Déterminer le taux d'évolution global connaissant deux taux d'évolutions successifs

107 **Exercice test**

Le nombre d'enfants âgés de 6 à 12 ans non scolarisés, en France, a augmenté de 32 % de 2010 à 2011, puis de 8,5 % de 2011 à 2012.

Calculer le taux d'évolution global de 2010 à 2012, exprimé en pourcentage.

 Appelez le professeur pour qu'il contrôle vos réponses et qu'il vous indique la suite.

108 Le nombre d'enfants scolarisés en Afghanistan a augmenté de 5 % entre 2007 et 2009, puis à nouveau de 5 % entre 2009 et 2011.

a) Indiquer le coefficient multiplicateur correspondant à une augmentation de 5 %.

b) En déduire le coefficient multiplicateur correspondant à ces deux augmentations de 5 %.

c) Déterminer le taux d'évolution global entre 2007 et 2011.

109 Le nombre d'enseignants en France a diminué de 5 % entre 2003 et 2009, puis de 2 % entre 2009 et 2012.

a) Indiquer le coefficient multiplicateur correspondant à une diminution de 5 %, puis celui correspondant à une diminution de 2 %.

b) En déduire le taux d'évolution global entre 2003 et 2012.

Accompagnement personnalisé

Soutien Déterminer un taux d'évolution réciproque connaissant un taux d'évolution

110 Exercice test

Entre juillet 2013 et juillet 2014, le nombre de chômeurs de catégorie A en France a augmenté de 4,32 %.

Quel devrait être le taux d'évolution, en pourcentage, de ce nombre entre juillet 2014 et juillet 2015 pour qu'il revienne à sa valeur de juillet 2013 ?

Arrondir au centième.

 Appelez le professeur pour qu'il contrôle vos réponses et qu'il vous indique la suite.

111 En octobre 2014, le tarif régulé de l'électricité en France a augmenté de 2 %.

a) Quel est le coefficient multiplicateur CM associé à une augmentation de 2 % ?

b) Déterminer le nombre réel CM' tel que :

$$CM \times CM' = 1.$$

Arrondir au dix-millième.

c) Quel taux d'évolution, arrondi au centième, faudrait-il appliquer au tarif régulé de l'électricité en France pour le ramener à son niveau d'avant l'augmentation de 2 % ?

112 Entre 2009 et 2014, le cours de l'action de l'opérateur mobile russe MTS a diminué de 12,5 %.

a) Quel est le coefficient multiplicateur CM associé à une diminution de 12,5 % ?

b) Déterminer le nombre réel CM' tel que :

$$CM \times CM' = 1.$$

Arrondir au centième.

c) Quel devrait être le taux d'évolution, arrondi au centième, du cours de cette action entre 2014 et 2019 pour qu'il retrouve son niveau de 2009 ?

113 La surface des forêts au Brésil a diminué de 4,70 % entre 2001 et 2011.

De quel pourcentage, arrondi au centième, devrait-elle augmenter entre 2011 et 2021 pour retrouver son niveau de 2001 ?

114 En 2014, le nombre de touristes en France a diminué de 8,9 %. De quel pourcentage, arrondi au centième, devrait augmenter le nombre de touristes en 2015 pour retrouver son niveau de 2013 ?

Approfondissement

Comprendre les évolutions réciproques

115 Voici une ancienne publicité d'un opérateur téléphonique.

« Dès 18 h, le téléphone est 30 % moins cher : c'est 30 % de temps de communication en plus. »

L'objectif de cet exercice est de comprendre l'erreur commise dans cette annonce, en supposant que le prix est proportionnel au temps de communication.

a) On suppose dans un premier temps que, après 18 h, le téléphone est 30 % moins cher.

Pour une somme d'argent S donnée, calculer en pourcentage du temps de conversation, arrondi au centième, l'augmentation permise par cette baisse de tarif.

b) On suppose dans un second temps que, après 18 h, il y a 30 % de temps en plus pour le même prix.

Pour une somme S donnée, calculer la baisse en pourcentage du prix de l'unité de temps.

c) Conclure.

Approfondissement

Prouver l'unicité d'un taux moyen

116 On applique successivement trois augmentations de 5 %, 12 % et 10 %. On se propose de déterminer le taux moyen t %, taux unique qu'il aurait fallu appliquer trois fois pour que le taux d'évolution global soit le même qu'après les trois augmentations différentes.

a) Justifier que t doit être solution de l'équation :

$$\left(1 + \frac{t}{100}\right)^3 = 1{,}2936.$$

b) Donner le tableau de variation de la fonction cube $x \mapsto x^3$ sur l'intervalle $[0\,;2]$.

c) En déduire l'existence d'un unique nombre réel positif α tel que $\alpha^3 = 1{,}2936$, puis exprimer t en fonction de α.

d) Tabuler la fonction cube avec la calculatrice et déterminer la valeur approchée par défaut au centième près de t.

6

Suites

Pour le chardon bleu des Alpes, le nombre de spirales partant dans un sens et le nombre de spirales partant en sens inverse sont deux termes consécutifs de la suite de Fibonacci.

Au fil des siècles

Ada Lovelace (1815-1852) était la fille du poète **Lord Byron**.

Elle rédigea le 1er algorithme destiné à être exécuté par une machine.

Cet algorithme calculait une suite de nombres.

● *Rechercher sur Internet des informations concernant le langage informatique Ada.*

Les capacités du programme

	Choix d'exercices	
• Générer une suite. Modéliser et étudier une situation à l'aide de suites.	2 11 14	36 72
• Étudier le sens de variation d'une suite.	5 48	52
• Mettre en œuvre un algorithme permettant de calculer un terme de rang donné.	20	41
• Exploiter une représentation graphique des termes d'une suite.	53	55
• Connaître et utiliser les suites arithmétiques, les suites géométriques.	57 69 79	89

1 Représenter graphiquement des données

Ce tableau donne les valeurs du salaire horaire minimum brut, en euros, en France au 31 décembre de 2005 à 2014.

Année	2005	2006	2007	2008	2009	2010	2011	2012	2013	2014
Salaire	8,03	8,27	8,44	8,71	8,82	8,86	9,19	9,40	9,43	9,53

Représenter graphiquement ces données dans un repère (*unités* : 1 cm par an sur l'axe des abscisses en commençant la graduation à 2004 et 2 cm par euro sur l'axe des ordonnées en commençant la graduation à 6 €).

2 Calculer un coefficient multiplicateur et comprendre sa signification

Dans chaque cas, calculer le coefficient multiplicateur, et écrire une phrase du type « La valeur initiale a été multipliée par… »

a) La valeur d'un bien immobilier a augmenté de 6 % entre 2013 et 2014.

b) Une voiture a perdu 25 % de sa valeur depuis qu'elle a été achetée.

c) Le cours d'une action a augmenté de 150 % entre janvier 2013 et janvier 2014.

d) On a revendu un manuel scolaire sur Internet à 60 % de son prix neuf.

3 Différencier variation absolue et variation relative

Un musée a comptabilisé le nombre de visiteurs trois jeudis de suite.

Les comptages sont exposés dans la feuille de calcul ci-contre.

	A	B	C	D
1		1er jeudi	2e jeudi	3e jeudi
2	Nombre de visiteurs	160	240	210
3	Variation absolue			
4	Variation relative			

a) Quelle formule faut-il saisir dans la cellule C3 et recopier vers la droite pour obtenir la variation absolue entre le 1er et le 2e jeudi, puis entre le 2e et le 3e jeudi ?

b) Quelle formule faut-il saisir dans la cellule C4 et recopier vers la droite pour obtenir la variation relative entre le 1er et le 2e jeudi, puis entre le 2e et le 3e jeudi ?

4 Calculer avec les puissances

1. n est un nombre entier naturel. Écrire chaque expression sous forme d'une puissance de 2.

a) $2^3 \times 2^6$ **b)** $(2^3)^n$ **c)** $\left(\dfrac{1}{2}\right)^5$ **d)** $\dfrac{2^{n+2}}{2^n}$

2. Écrire chaque expression sous la forme $3^n \times 5^p$, où n et p sont des nombres entiers relatifs.

a) $3 \times 5^4 \times 3^2 \times 5$ **b)** $(3^2 \times 5^3)^2$ **c)** $\left(\dfrac{3}{5}\right)^5$

5 Utiliser l'expression d'une fonction

u et v sont deux fonctions définies sur $\mathbb{R}$ par $u(x) = 3x - 1$ et $v(x) = x^2 + 4$.

n est un nombre entier naturel.

Dans chaque cas, écrire l'expression en fonction de n et développer le cas échéant.

a) $u(n) + 1$ **b)** $u(n + 1)$ **c)** $v(n) - 1$ **d)** $v(n - 1)$

 Aide et corrigés sur le site élève **www.nathan.fr/hyperbole1reESL-2015**

1 Une suite arithmétique

Lors d'une épreuve de saut en hauteur, la barre est initialement placée à 1,50 m, puis elle est rehaussée de 3 cm en 3 cm.

	A Nombre de rehaussements de la barre	B Hauteur de la barre (en cm)	C	D Écart (en cm)
1				
2	0	150		3
3	1			
4	2			
5	3			
6	4			
7	5			

Problème

Trouver plusieurs formules pour modéliser l'évolution de la hauteur de la barre.

1 Utiliser un tableur

a) Réaliser la feuille de calcul ci-dessus en saisissant les nombres entiers naturels successifs dans les cellules A2 à A17.

b) Parmi ces formules, laquelle faut-il saisir en B3, puis recopier vers le bas, pour obtenir les hauteurs successives de la barre ?

• =B$2+D2   • =B2+D$2   • =B$2+D$2

c) Lors de cette compétition, un candidat peut-il franchir une barre placée à 1,65 m ? à 1,78 m ?
Justifier à l'aide du tableur.

2 Une première formule

On note $h(n)$ la hauteur de la barre, en cm, après n rehaussements.

a) D'après le tableur, quelle est la valeur de $h(10)$?

b) Exprimer $h(n + 1)$ en fonction de $h(n)$.

On appelle cette relation entre deux valeurs successives **une relation de récurrence**.

c) Avec cette relation de récurrence, combien d'additions faut-il effectuer pour calculer à la main $h(20)$ à partir de $h(0)$?

3 Une deuxième formule

a) À l'aide de la relation de récurrence obtenue à la question **2 b)**, exprimer $h(5)$:

• en fonction de $h(4)$ • en fonction de $h(3)$ • en fonction de $h(2)$ • en fonction de $h(0)$

b) Conjecturer l'expression de $h(n)$ en fonction de $h(0)$ et de n.

c) Utiliser cette formule pour calculer la hauteur de la barre à la vingtième rehausse.
Vérifier que l'on trouve le même résultat qu'avec le tableur.

d) Combien faudrait-il de rehaussements de la barre pour qu'elle soit à 2,46 m, c'est-à-dire plus haute que le record du monde masculin (2,45 m en 2014) ?

2 Une suite géométrique

Pour réaliser un tapis carré de 20 m de côté, qui doit être installé dans un musée d'art contemporain, un artiste applique le principe illustré ci-dessous. Il construit une suite de carrés de plus en plus petits dans le carré initial, en divisant à chaque fois la longueur du côté par 2.

	A	B	C	D
1	Nombre de découpages du carré initial	Aire du plus petit carré (en m²)		Coefficient multiplicateur
2	0	400		0,25
3	1			
4	2			
5	3			
6	4			
7	5			

Problème

Trouver plusieurs formules pour modéliser les aires des carrés successifs.

1 Utiliser le tableur

a) Réaliser la feuille de calcul ci-dessus en saisissant les nombres entiers naturels successifs dans les cellules A2 à A12.
Mettre les cellules de la colonne B au format nombre à quatre décimales.

b) Expliquer le coefficient multiplicateur qui figure dans la cellule D2.

c) Parmi ces formules, laquelle faut-il saisir en B3, puis recopier vers le bas, pour obtenir les aires successives des carrés ?
• =B2*D$2   • =B2*D2   • =B2+D$2

d) Un carré intermédiaire de ce tapis peut-il mesurer 6,25 m² ? 0,4 m² ?
Justifier à l'aide du tableur.

2 Introduire une première formule

On note $a(n)$, ou par la suite a_n (lire «a indice n»), l'aire en m², du n-ième carré construit dans le carré initial. Ainsi $a_0 = 400$.

a) D'après le tableur, quelle est la valeur de a_5 arrondie au centième ?

b) Exprimer a_{n+1} en fonction de a_n.

c) Avec cette relation de récurrence, combien de multiplications faut-il effectuer pour calculer à la main a_{20} à partir de a_0 ?

3 Introduire une deuxième formule

a) À l'aide de la relation de récurrence obtenue à la question **2 b)**, exprimer a_5 :
• en fonction de a_4 • en fonction de a_3 • en fonction de a_2 • en fonction de a_0

b) Conjecturer l'expression de a_n en fonction de a_0 et de n.

c) Utiliser cette formule pour calculer l'aire du carré après la cinquième réduction, arrondie au centième.
Vérifier que l'on trouve le même résultat qu'avec le tableur.

d) L'artiste arrête le motif juste avant que le côté du plus petit carré devienne inférieur à 5 mm.
Combien ce tapis comptera-t-il de carrés emboîtés ?

1 Modes de génération d'une suite

a. Notion de suite numérique

> Une **suite u** est une fonction définie sur l'ensemble $\mathbb{N}$ des nombres entiers naturels.
> L'image du nombre entier naturel n par la suite u, notée $u(n)$ ou u_n, est appelée **terme d'indice n** ou **de rang n** de la suite.

Remarque : certaines suites ne sont définies qu'à partir d'un certain nombre entier naturel.

C'est le cas, par exemple, de la suite u définie pour tout nombre entier naturel $n \geqslant 1$ par $u_n = \dfrac{1}{n}$.

Notation et vocabulaire

• Une suite u est aussi parfois notée $(u_n)_{n \in \mathbb{N}}$ ou plus simplement (u_n).

• Dans un repère, la **représentation graphique** d'une suite u est l'ensemble des points M_n de coordonnées $(n \, ; u_n)$ pour tout nombre entier naturel n.

b. Suite définie par une formule explicite

Le terme de rang n d'une suite peut être donné par une formule explicite en fonction de n.

● **EXEMPLE 1 : suite définie par une expression de la forme $u_n = f(n)$**

u est la suite définie sur $\mathbb{N}$ par $u_n = n^2 + 1$.

En notant f la fonction définie sur $[0 \, ; +\infty[$ par $f(x) = x^2 + 1$, on a pour tout nombre entier naturel n, $\quad \boldsymbol{u_n = f(n)}$.

Par exemple :

$\quad u_0 = f(0) = 1, \ u_1 = f(1) = 2, \ u_2 = f(2) = 5 \ $ et $ \ u_{10} = f(10) = 101$.

Dans le repère ci-contre, les points M_n de la représentation graphique de la suite u appartiennent à la courbe représentative $\mathscr{C}$ de la fonction f.

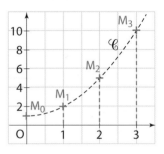

● **EXEMPLE 2**

v est la suite définie sur $\mathbb{N}$ par $v_n = (-2)^n$.

Par exemple : $v_0 = (-2)^0 = 1, \ v_1 = (-2)^1 = -2, \ v_2 = (-2)^2 = 4 \ $ et $ \ v_{10} = (-2)^{10} = 1\,024$.

c. Suite définie par une relation de récurrence

Une suite u peut être définie par la donnée du terme u_0 et d'une **relation de récurrence** qui exprime u_{n+1} en fonction de u_n pour tout nombre entier naturel n.

● **EXEMPLE**

u est la suite définie par $u_0 = 10$ et pour tout nombre entier naturel n, $\quad u_{n+1} = \dfrac{1}{2} u_n - 1$.

Alors :
$$u_1 = \frac{1}{2} u_0 - 1 = \frac{1}{2} \times 10 - 1 = 4,$$
$$u_2 = \frac{1}{2} u_1 - 1 = \frac{1}{2} \times 4 - 1 = 1,$$
$$\vdots$$

● **Exercice résolu**   Utiliser la calculatrice

1 Énoncé

Le 1er janvier 2014, Mathias a déposé 2 000 € sur un compte rémunéré annuellement à 2,5 %.
Ensuite, le 1er janvier de chaque année, après versement des intérêts, il fait un retrait de 300 €.
On note $u_0 = 2\,000$ le solde initial du compte et, pour tout nombre entier naturel $n \geq 1$, u_n le solde du compte
au 1er janvier de l'année $2014 + n$, après le versement des intérêts et le retrait.
a) Exprimer u_{n+1} en fonction de u_n.
b) À l'aide de la calculatrice, déterminer u_7 et représenter graphiquement les permiers termes de la suite u.

Solution

a) Le 1er janvier de l'année $2014 + n$, le solde du compte est u_n. Cette somme est placée à 2,5 % d'intérêts
annuels, donc le solde au bout d'un an est $\left(1 + \dfrac{2,5}{100}\right)u_n$ c'est-à-dire $1,025u_n$.

Mathias retire alors 300 €, donc $u_{n+1} = 1,025u_n - 300$.

b)

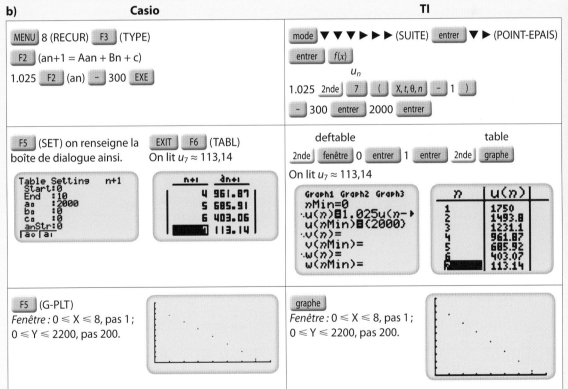

● **À votre tour**

2 v est la suite définie par $v_0 = 5\,000$ et pour
tout n de $\mathbb{N}$, $v_{n+1} = 1,02v_n - 200$.
À l'aide de la calculatrice, déterminer v_{10} et représenter graphiquement les premiers termes de la
suite v.

3 w est est la suite définie par $w_0 = 50$ et pour
tout n de $\mathbb{N}$, $w_{n+1} = 0,9w_n + 50$.
À l'aide de la calculatrice, déterminer w_{20} et représenter graphiquement les premiers termes de la
suite w.

2 Sens de variation d'une suite

a. Suite croissante, suite décroissante

▶ **DÉFINITIONS**

u est une suite définie sur l'ensemble $\mathbb{N}$ des nombres entiers naturels.
- Dire qu'une suite est **croissante** signifie que pour tout nombre entier naturel n, $\boldsymbol{u_{n+1} \geqslant u_n}$.
- Dire qu'une suite est **décroissante** signifie que, pour tout nombre entier naturel n, $\boldsymbol{u_{n+1} \leqslant u_n}$.
- Dire qu'une suite est **constante** signifie que, pour tout nombre entier naturel n, $\boldsymbol{u_{n+1} = u_n}$.

Remarque : il existe des suites qui ne sont ni croissantes ni décroissantes. C'est le cas par exemple de la suite u définie sur $\mathbb{N}$ par $u_n = (-1)^n$. En effet : $u_0 = 1$, $u_1 = -1$, $u_2 = 1$, $u_3 = -1$, …

▶ **MÉTHODE 1**   **Signe de la différence $u_{n+1} - u_n$**

u est une suite définie sur $\mathbb{N}$.
Si, pour tout nombre entier naturel n, $\boldsymbol{u_{n+1} - u_n \geqslant 0}$, alors la suite u est **croissante**.
Si, pour tout nombre entier naturel n, $\boldsymbol{u_{n+1} - u_n \leqslant 0}$, alors la suite u est **décroissante**.

● **EXEMPLE**

u est la suite définie par $u_0 = 1$ et pour tout n de $\mathbb{N}$, $u_{n+1} = u_n + n + 1$.
Pour tout nombre entier naturel n, $u_{n+1} - u_n = n + 1$, donc $u_{n+1} - u_n \geqslant 0$ c'est-à-dire $u_{n+1} \geqslant u_n$.
Donc la suite u est croissante.

▶ **MÉTHODE 2**   **Suites du type $u_n = f(n)$**

f est une fonction définie sur $[0\,;+\infty[$ et pour tout nombre entier naturel n, $u_n = f(n)$.
- Si la fonction f est **croissante** sur $[0\,;+\infty[$, alors la suite u est **croissante**.
- Si la fonction f est **décroissante** sur $[0\,;+\infty[$, alors la suite u est **décroissante**.

● **EXEMPLE**

v est la suite définie sur $\mathbb{N}$ par $v_n = n^2$.
Pour tout nombre entier naturel n, $v_n = f(n)$ où f est la fonction définie sur $[0\,;+\infty[$ par $f(x) = x^2$.
On sait que la fonction f est croissante sur $[0\,;+\infty[$, donc la suite v est croissante.

b. Interprétation graphique

Cas d'une suite u croissante
Les ordonnées des points de coordonnées $(n\,;u_n)$ augmentent quand n augmente.

Cas d'une suite u décroissante
Les ordonnées des points de coordonnées $(n\,;u_n)$ diminuent quand n augmente.

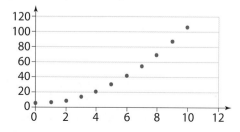

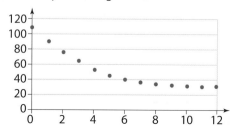

● Exercice résolu   Étudier le sens de variation d'une suite

4 **Énoncé**

u est la suite définie par $u_0 = -3$ et pour tout nombre entier naturel n, $u_{n+1} = u_n - n$.
v est la suite définie sur $\mathbb{N}$ par $v_n = n^2 - 8n + 2$.
a) Conjecturer le sens de variation de chacune de ces suites à l'aide de la calculatrice.
b) Démontrer ces conjectures.

Solution

a) Voici les représentations graphiques de ces deux suites :

Suite u Suite v

Il semble que la suite u soit décroissante, et que la suite v ne soit ni croissante ni décroissante.

b) • Suite u
Pour tout nombre entier naturel n,
$$u_{n+1} - u_n = u_n - n - u_n = -n$$
donc : $u_{n+1} - u_n \leqslant 0$ (car $n \geqslant 0$).
Donc la suite u est décroissante.
• Suite v
Pour tout nombre entier naturel n,
$$v_{n+1} - v_n = (n+1)^2 - 8(n+1) + 2 - (n^2 - 8n + 2)$$
$$v_{n+1} - v_n = n^2 + 2n + 1 - 8n - 8 + 2 - n^2 + 8n - 2$$
$$v_{n+1} - v_n = 2n - 7$$
$2n - 7 \geqslant 0$ équivaut à $n \geqslant 3,5$ c'est-à-dire $n \geqslant 4$ (car n est un nombre entier naturel).
Donc la suite v est croissante à partir du rang 4.

Conseils

● La fenêtre choisie est $0 \leqslant X \leqslant 10$, pas 1 et :
• pour la suite u :
$-50 \leqslant Y \leqslant 0$, pas 10 ;
• pour la suite v :
$-15 \leqslant Y \leqslant 25$, pas 10.

● Ici, l'égalité $u_{n+1} = u_n - n$ permet d'exprimer aisément $u_{n+1} - u_n$ en fonction de n.

● Pour étudier le signe de $u_{n+1} - u_n$ il faut se souvenir que $n \geqslant 0$ car n est un nombre entier naturel.

● La suite v n'est ni croissante ni décroissante.
Ici, on peut cependant préciser qu'elle est croissante à partir de $n = 4$.

● À votre tour

5 u est la suite définie par $u_0 = -1$ et pour tout nombre entier naturel n,
$$u_{n+1} = u_n + 2n + 1.$$
v est la suite définie sur $\mathbb{N}$ par $v_n = 2n^2 - 3n$.
a) Conjecturer le sens de variation de chacune de ces suites à l'aide de la calculatrice.
b) Démontrer ces conjectures.

6 v est la suite définie pour tout nombre entier naturel $n \geqslant 1$ par $v_n = \dfrac{1}{n}$.
Expliquer pourquoi la suite v est décroissante à partir du rang 1.

7 u est la suite définie sur $\mathbb{N}$ par $u_n = 4 - n^2$.
Étudier par deux méthodes différentes le sens de variation de u.

8 w est la suite définie sur $\mathbb{N}$ par $w_n = 3 - \sqrt{n}$.
a) Conjecturer le sens de variation de la suite w à l'aide de la calculatrice.
b) Démontrer cette conjecture.

9 v est la suite définie par $v_0 = -2$ et pour tout nombre entier naturel n, $v_{n+1} = v_n^2 + v_n$.
Étudier le sens de variation de cette suite.

3 Suites arithmétiques

a. Suite arithmétique de raison r

▶ **DÉFINITION**

Dire qu'une suite u est **arithmétique de raison** r signifie que, pour tout nombre entier naturel n, $$u_{n+1} = u_n + r.$$

● **EXEMPLE :** u est la suite arithmétique de premier terme $u_0 = 5$ et de raison $r = -3$.
$u_1 = u_0 + r = 5 - 3 = 2$; $u_2 = u_1 + r = 2 - 3 = -1$; $u_3 = u_2 + r = -1 - 3 = -5$;   …

b. Formule explicite

u est une suite arithmétique de raison r. Ainsi, $u_1 = u_0 + r$; $u_2 = u_1 + r = u_0 + 2r$; $u_3 = u_2 + r = u_0 + 3r$; …
On peut montrer de proche en proche la formule explicite ci-dessous.

▶ **PROPRIÉTÉ**

Si u est une suite arithmétique de raison r, alors pour tout n de $\mathbb{N}$, $u_n = u_0 + nr$.

Pour tous n et p de $\mathbb{N}$, $u_n = u_0 + nr$ et $u_p = u_0 + pr$, donc $u_n - u_p = u_0 + nr - (u_0 + pr) = nr - pr = (n - p)r$.

▶ **PROPRIÉTÉ**

Si u est une suite arithmétique de raison r, alors pour tous n et p de $\mathbb{N}$, $u_n = u_p + (n - p)r$.

● **EXEMPLE :** u est la suite arithmétique de raison $r = -4$ telle que $u_8 = 7$.
Alors, $u_{14} = u_8 + (14 - 8)r$ donc $u_{14} = 7 + 6 \times (-4) = -17$.

c. Représentation graphique et sens de variation

▶ **PROPRIÉTÉS**

u est une suite arithmétique de raison r.
• Dans un repère, les points de coordonnées $(n ; u_n)$ sont alignés.
• La suite u est   **croissante si $r > 0$,**   **décroissante si $r < 0$,**   **constante si $r = 0$.**

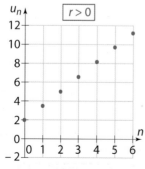
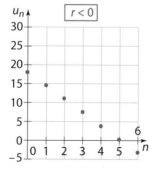
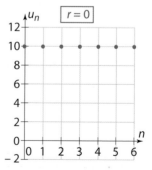

Les **suites arithmétiques** correspondent à des **évolutions linéaires**.

● Exercice résolu Modéliser par une suite arithmétique

10 **Énoncé**

a_n et b_n représentent les chiffres d'affaires (en milliers d'euros) en 2011 + n pour deux entreprises A et B.

Les quatre premiers termes de chaque suite sont représentés sur les graphiques ci-dessous.

Préciser s'il est possible que ce soient les quatre premiers termes d'une suite arithmétique.

Si oui, et si ce modèle reste valable dans les années à venir, exprimer le terme général en fonction de n.

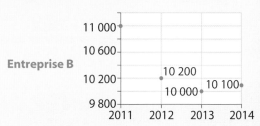

Solution

• Entreprise A

Les points de coordonnées $(n\,;a_n)$ semblent alignés.

On constate que $a_1 - a_0 = a_2 - a_1 = a_3 - a_2 = -250$.

Les variations absolues sont constantes, donc les quatre premiers termes peuvent être ceux d'une suite arithmétique de raison $r = -250$.

Si ce modèle restait valable dans les années à venir on aurait :
$$a_n = a_0 + nr = 12\,000 - 250n.$$

• Entreprise B

$b_1 - b_0 = 10\,200 - 11\,000 = -800$

$b_2 - b_1 = 10\,000 - 10\,200 = -200$, donc $b_1 - b_0 \neq b_2 - b_1$.

Donc les variations absolues entre deux termes consécutifs de la suite ne sont pas constantes, donc b_0, b_1, b_2, b_3 ne sont pas des termes d'une suite arithmétique.

Conseil

● Lorsque **les variations absolues** entre termes consécutifs **sont constantes**, on dit que ces termes présentent une **évolution linéaire**. Ce sont les termes d'une suite **arithmétique**.

● À votre tour

11 Ces graphiques représentent les chiffres d'affaires a_n et b_n (en milliers d'euros) de deux succursales A et B d'une chaîne, pendant quatre mois.

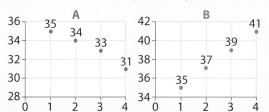

Préciser s'il est possible de modéliser les chiffres d'affaires par une suite arithmétique. Si oui, et si l'évolution se poursuit ainsi, exprimer le terme général en fonction de n.

12 u_n, v_n et w_n représentent les prix, en euros, d'un timbre-poste dans trois pays A, B et C, l'année 2011 + n.

Le tableau ci-dessous expose l'évolution des prix ces dernières années.

Année	2011	2012	2013	2014
Pays A	0,57	0,60	0,63	0,66
Pays B	0,51	0,53	0,57	0,59
Pays C	0,60	0,58	0,56	0,50

Préciser s'il est possible de modéliser ces prix par une suite arithmétique.

Si oui, et si l'évolution se poursuit ainsi, exprimer le terme général en fonction de n.

4 Suites géométriques

a. Suite géométrique de raison q

▶ DÉFINITION

Dire qu'une suite u est **géométrique de raison** q signifie que, pour tout nombre entier naturel n, $$u_{n+1} = q \times u_n.$$

$\times q$

$u_n \quad u_{n+1}$

● **EXEMPLE :** u est la suite géométrique de premier terme $u_0 = -2$ et de raison $q = 3$.
$u_1 = u_0 \times q = -2 \times 3 = -6$; $\quad u_2 = u_1 \times q = -6 \times 3 = -18$; $\quad u_3 = u_2 \times q = -18 \times 3 = -54$; $\quad …$

b. Formule explicite

u est une suite géométrique de raison q. Ainsi, $u_1 = u_0 \times q$, $\quad u_2 = u_1 \times q = u_0 \times q^2$, $\quad u_3 = u_2 \times q = u_0 \times q^3$, $…$
On peut montrer de proche en proche la formule explicite ci-dessous.

▶ PROPRIÉTÉ

Si u est une suite géométrique de raison $q \neq 0$, alors pour tout n de $\mathbb{N}$, $\quad u_n = u_0 \times q^n$.

Pour tous n et p de $\mathbb{N}$, $\quad u_n = u_0 \times q^n$ et $u_p = u_0 \times q^p$, donc $u_n = \dfrac{u_p}{q^p} \times q^n = u_p \times q^{n-p}$.

▶ PROPRIÉTÉ

Si u est une suite géométrique de raison $q \neq 0$, alors pour tous n et p de $\mathbb{N}$, $\quad u_n = u_p \times q^{n-p}$.

● **EXEMPLE :** u est la suite géométrique de raison $q = 2$ telle que $u_3 = 48$.
Alors, $u_7 = u_3 \times q^{7-3}$ donc $u_7 = 48 \times 2^4 = 768$.

c. Représentation graphique et sens de variation

▶ PROPRIÉTÉ ADMISE

La suite géométrique de terme général q^n avec $q > 0$ est :
- croissante si $q > 1$ • décroissante si $0 < q < 1$ • constante si $q = 1$.

u est une suite géométrique de premier terme **$u_0 > 0$** et de raison $q > 0$.

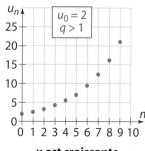

u est croissante

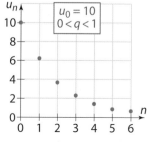

u est décroissante

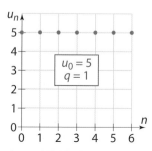

u est constante

Les suites **géométriques** correspondent à des **évolutions exponentielles**.

● Exercice résolu   Modéliser par une suite géométrique

13 Énoncé

Ce graphique représente l'évolution du niveau d'eau a_n (en mm) dans un puits le 1er de chaque mois de juin à septembre.

a) Est-il possible que ce soient les quatre premiers termes d'une suite géométrique ? Si oui, préciser sa raison.

b) En supposant que ce modèle reste valable les mois suivants, exprimer a_n en fonction de n.

c) Calculer les variations relatives entre deux termes consécutifs. Que constate-t-on ?

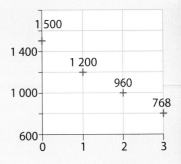

Solution

a) $\dfrac{a_1}{a_0} = \dfrac{1\,200}{1\,500} = 0{,}8$.

On remarque que $1\,200 \times 0{,}8 = 960 = a_2$ et $960 \times 0{,}8 = 768 = a_3$.

Donc ces quatre premiers termes peuvent être ceux d'une suite géométrique de raison 0,8.

b) Si ce modèle restait valable dans les mois à venir :
$$a_n = a_0 \times q^n = 1\,500 \times 0{,}8^n.$$

c) La variation relative entre deux mois consécutifs est :
$$\frac{a_{n+1} - a_n}{a_n} = \frac{q \times a_n - a_n}{a_n} = \frac{a_n(q-1)}{a_n} = q - 1 = 0{,}8 - 1 = -0{,}2.$$

Donc la variation relative entre deux mois consécutifs est constante.

En d'autres termes, le niveau d'eau dans le puits baisse de 20 % entre deux mois consécutifs.

> **Conseils**
>
> • Pour démontrer qu'une suite est géométrique, on détermine un nombre réel q tel que pour tout n de $\mathbb{N}$,
> $$u_{n+1} = qu_n.$$
>
> • Une suite géométrique de raison q modélise les phénomènes à variations relatives constantes (cette constante est $q - 1$).

● À votre tour

14 Le graphique ci-dessous donne l'évolution par semaine d'une population p_n (en milliers) de bactéries en culture.

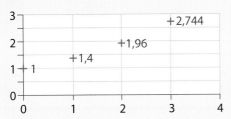

a) Est-il possible que ce soient les quatre premiers termes d'une suite géométrique ?

b) En supposant que le modèle reste valable les semaines suivantes, exprimer p_n en fonction de n.

c) Calculer la variation relative entre deux termes consécutifs quelconques p_n et p_{n+1}. Qu'observe-t-on ?

15 s_n (resp. t_n) représente le solde sur le compte au 1er janvier de l'année $2014 + n$ d'une personne A (resp. B).

Le tableau ci-dessous donne les premières valeurs de ces suites.

A
Année	2014	2015	2016
Solde	10 000	10 200	10 404

B
Année	2014	2015	2016
Solde	5 250	4 725	4 536

a) Dans chaque cas, est-il possible que ce soient les trois premiers termes d'une suite géométrique ?

b) Si oui, et en supposant que ce modèle reste valable les années suivantes, exprimer le terme général en fonction de n.

c) Dans chaque cas, calculer les variations relatives entre termes consécutifs. Qu'observe-t-on ?

Résoudre des problèmes

Problème résolu **Comparer deux types d'évolution**

16 Énoncé

Ahmed et Barbara ont été embauchés en janvier 2015 par deux entreprises, au même salaire mensuel brut de 1 600 €. D'après leurs contrats, le salaire mensuel d'Ahmed est revalorisé chaque année de 35 € et celui de Barbara augmente de 2 %.
Lequel de ces deux contrats est le plus avantageux ?

Solution

• **Mathématisation**

On note a_n et b_n les montants respectifs des salaires d'Ahmed et de Barbara après n années.
Le salaire d'Ahmed augmente chaque année de 35 € donc la suite a est arithmétique de premier terme 1 600 et de raison 35.
Ainsi, pour tout n de $\mathbb{N}$, $\quad a_n = 1\,600 + 35n$.
Le salaire de Barbara est multiplié chaque année par 1,02 donc la suite b est géométrique de premier terme 1 600 et de raison 1,02.
Ainsi, pour tout n de $\mathbb{N}$, $\quad b_n = 1\,600 \times 1{,}02^n$.

• **Résolution du problème**

En tabulant les suites a et b avec la calculatrice, on constate que pour $n \leqslant 9$, $a_n > b_n$ et que pour $n = 10$, $a_{10} < b_{10}$.
À partir de $n = 10$, le salaire d'Ahmed augmente de 35 €

n	an	bn
9	1915	1912.1
10	1950	1950.3
11	1985	1989.3
12	2020	2029.1

FORM DEL   12   **G·CON G·PLT**

par an, alors que celui de Barbara augmente d'au moins 39 € par an (car 1 950,3 × 2 % ≈ 39). Donc pour tout $n \geqslant 10$, $a_n < b_n$.

Conseils

• Une hausse de 2 % correspond à un coefficient multiplicateur de 1,02.

• Le tableau de valeurs permet de conjecturer qu'à partir de $n = 10$, $a_n < b_n$, mais il faut ensuite le prouver.

• La suite arithmétique a est croissante car sa raison est 35 et 35 > 0.

• La suite géométrique b est croissante car 1 600 > 0 et 1,02 > 1.

• **Conclusion**

Pendant les 10 premières années, c'est-à-dire jusqu'en 2025, le contrat d'Ahmed sera le plus intéressant. À partir de la 10e année, c'est-à-dire à partir de 2025, ce sera celui de Barbara.

À votre tour

17 Gaylor a économisé 1 000 € et veut les placer sur un compte rémunéré.
Option 1 : 2 % par an à intérêts constants (les intérêts sont toujours calculés à partir du capital initial).
Option 2 : 1,8 % par an à intérêts composés (chaque année les intérêts sont calculés sur le capital et les intérêts des années précédentes).
Quelle option est la plus intéressante ?

18 Yasmine et Carole ont décidé de vendre chacune leur collection de timbres.
Yasmine possédait 1 000 timbres, et en vend 30 par mois.
Carole en possédait 1 000 et vend 3,5 % de sa collection chaque mois.
Comparer les évolutions de ces deux collections de timbres.

Problème résolu — Mettre en œuvre un algorithme

19 Énoncé

En 2005, année de sa création, un club de randonnée pédestre comptait 80 adhérents.

On a constaté chaque année que :

• 10 % des adhérents ne renouvellent pas leur adhésion au club ;

• 20 nouvelles personnes s'inscrivent au club.

a) Appliquer l'algorithme ci-contre à l'entrée N = 3. Que représente la valeur affichée en sortie ?

b) Définir la suite v qui intervient dans cet algorithme, à l'aide d'une relation de récurrence.

Variables :	u est un nombre réel
	i, N sont des nombres entiers naturels
Entrée :	Saisir N
Traitement :	Affecter à u la valeur 80
	Pour i allant de 1 à N
	| Affecter à u la valeur $0{,}9u + 20$
	Fin Pour
	Affecter à u la partie entière de u
Sortie :	Afficher u

Solution

a) Voici le suivi des valeurs des variables i et u lors de l'exécution de l'algorithme.

i		1	2	3	
u	80	92	102,8	112,52	112

La valeur affichée est 112.

Cette valeur indique le nombre d'adhérents à ce club en 2005 + 3, c'est-à-dire en 2008.

b) v est la suite définie par :

• $v_0 = 80$

• pour tout nombre entier naturel n, $v_{n+1} = 0{,}9v_n + 20$.

Conseils

• La dernière affectation permet d'obtenir un résultat entier. Pour les calculs intermédiaires, on utilise les valeurs exactes.

• On retrouve cette formule dans la boucle de l'algorithme. Les termes successifs de la suite v sont représentés par la variable u.

À votre tour

20 Au 1er janvier 2015, Pierre avait 2 000 € sur son compte. Chaque mois, il dépense les trois quarts du solde, puis reçoit à la fin du mois un salaire de 1 700 €. Voici un algorithme.

Variables :	u est un nombre réel
	i, N sont des nombres entiers naturels
Entrée :	Saisir N
Traitement :	Affecter à u la valeur 2 000
	Pour i allant de 1 à N
	| Affecter à u la valeur $0{,}25u + 1\,700$
	Fin Pour
Sortie :	Afficher u

a) Appliquer l'algorithme à l'entrée N = 3. Que représente la valeur affichée en sortie ?

b) Définir la suite v qui intervient dans cet algorithme, à l'aide d'une relation de récurrence.

21 v est la suite définie par :

• $v_0 = 30$

• pour tout nombre entier naturel n, $v_{n+1} = 1{,}2v_n$.

a) Écrire un algorithme qui calcule et affiche le terme v_N pour un nombre entier naturel N saisi par l'utilisateur.

b) Donner la valeur affichée en sortie par cet algorithme lorsque l'on saisit N = 4 en entrée.

c) Quelle est la nature de cette suite v ?

Donner l'expression de v_n en fonction de n.

Calculer v_4 avec cette expression et vérifier que l'on obtient la même réponse qu'à la question **b)**.

d) À l'aide de la calculatrice, déterminer la plus petite valeur de n telle que $v_n > 1\,000$.

22 Population et ressources alimentaires

Objectif

Utiliser le tableur pour comparer des évolutions.

Thomas Malthus, économiste anglais du XVIIIᵉ siècle, a émis la théorie selon laquelle l'accroissement de la population, beaucoup plus rapide que celui des ressources alimentaires, allait conduire le monde à la famine en moins de 50 ans.

En 1800, d'après sa théorie, la population augmentait de 3 % par an, mais la production agricole ne pouvait nourrir que 0,48 million de personnes en plus par année.

On se propose d'appliquer cette théorie à un pays de 10 millions d'habitants en 1800 et dont la production agricole pouvait alors nourrir 12 millions de personnes.

1 Traitement des données

On se propose d'étudier les évolutions de la population et de la production agricole à l'aide du tableur.

a) Réaliser la feuille de calcul ci-contre.

b) Quelle formule faut-il saisir en cellule B3, puis recopier vers le bas, pour calculer la population (en millions de personnes) chaque année ?

c) Quelle formule faut-il saisir en cellule C3, puis recopier vers le bas, pour calculer le nombre de personnes (en millions) pouvant être nourries chaque année ?

d) Afficher les valeurs jusqu'en 1850.

e) Sélectionner la plage A1: C52 pour obtenir la représentation graphique des deux suites de 1800 à 1850 (Choisir « Dispersion »).

f) D'après le tableur, en quelle année les ressources n'auraient-elles plus permis de nourrir la population ?

	A	B	C
1	Année	Population	Production
2	1800	10	12
3	1801		
4	1802		

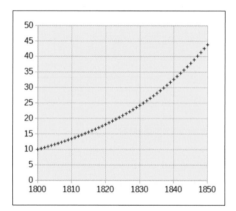

2 Étude algébrique

On note respectivement P_n et R_n la population et le nombre de personnes pouvant être nourries l'année $1800 + n$, exprimés en millions.

a) Exprimer P_n et R_n en fonction de n.

b) Quelle inéquation faudrait-il résoudre pour trouver à partir de quelle année les ressources ne couvrent plus les besoins de la population ?

c) Justifier que pour tout nombre entier naturel $n \geqslant 37$, $P_n > R_n$.

Interpréter cette propriété pour cette situation.

3 Compte-rendu

a) Commenter la théorie de Malthus à la lumière du travail précédent.

b) Rechercher, au CDI ou sur Internet, ce que Malthus avait préconisé pour ne pas en arriver au moment où les ressources deviendraient insuffisantes pour nourrir l'Angleterre.

23 Comparaison de populations

Objectif

Étudier les évolutions de deux populations.

Au 1er janvier 2010, une ville comptait 25 000 habitants et sa banlieue en comptait 15 000.
On a observé que, chaque année, la ville perdait 20 % de sa population au profit de la banlieue, mais qu'elle gagnait d'autre part 20 % de la population de la banlieue.
On note a_n et b_n les nombres d'habitants respectifs de la ville et de la banlieue au cours de l'année $2010 + n$.

1 Expressions de a_{n+1} et b_{n+1} en fonction de a_n et b_n

a) Donner a_0 et b_0.

b) Calculer a_1, b_1, a_2 et b_2. Quel semble être le sens de variation de chaque suite ?

c) Justifier que pour tout nombre entier naturel n,
$$a_{n+1} = 0{,}8a_n + 0{,}2b_n.$$
Exprimer b_{n+1} en fonction de b_n et de a_n.

d) Quel est le rôle de l'algorithme ci-contre ?

e) Coder cet algorithme dans le langage de la calculatrice ou d'un logiciel.

f) Faire fonctionner le programme et interpréter le résultat affiché par une phrase portant sur les populations des villes A et B.

Variables :	a, b, c sont des nombres réels
	n est un nombre entier naturel
Traitement :	Affecter à a la valeur 25 000
	Affecter à b la valeur 15 000
	Affecter à n la valeur 0
	Tant que $a - b > 10$
	Affecter à c la valeur a
	Affecter à a la valeur $0{,}8 \times a + 0{,}2 \times b$
	Affecter à b la valeur $0{,}8 \times b + 0{,}2 \times c$
	Affecter à n la valeur $n + 1$
	Fin Tant que
Sortie :	Afficher n

2 Expressions de a_n et b_n en fonction de n

On note s et d les suites définies pour tout nombre entier naturel n par $s_n = a_n + b_n$ et $d_n = a_n - b_n$.

a) Démontrer que pour tout nombre entier naturel n, $s_{n+1} = s_n$. Que peut-on en déduire pour la suite s ? Donner l'expression de s_n.

b) Démontrer que pour tout nombre entier naturel n, $d_{n+1} = 0{,}6a_n - 0{,}6b_n$.
En déduire que la suite d est géométrique de raison 0,6.
Préciser son premier terme d_0, puis donner l'expression de d_n en fonction de n.

c) En utilisant les définitions de s_n et d_n, établir que pour tout nombre entier naturel n,
$$a_n = \frac{1}{2}(s_n + d_n) \quad \text{et} \quad b_n = \frac{1}{2}(s_n - d_n).$$

d) En déduire que pour tout n de $\mathbb{N}$, $a_n = 20\,000 + 5\,000 \times 0{,}6^n$, puis exprimer b_n en fonction de n.

e) Réaliser cet écran de calcul formel. Quel résultat observé précédemment retrouve-t-on ?

1	Numérique[Séquence[20000+5000*0.6^n, n, 0, 15]]
○	→ {25000, 23000, 21800, 21080, 20648, 20388.8, 20233.28, 20139.97, 20083.98, 20050.39, 20030.23, 20018.14, 20010.88,

2	Numérique[Séquence[20000-5000*0.6^n, n, 0, 15]]
○	→ {15000, 17000, 18200, 18920, 19352, 19611.2, 19766.72, 19860.03, 19916.02, 19949.61, 19969.77, 19981.86, 19989.12,

3 Compte-rendu

a) Résumer les conclusions de cette étude sur l'évolution à long terme des deux populations.

b) Que se passerait-il si le taux de transfert dans les deux sens était de 10 % au lieu de 20 % ?

Modes de génération d'une suite

24 u est la suite définie sur $\mathbb{N}$ par $u_n = 2n + 1$.
Calculer mentalement ses trois premiers termes.

25 u est la suite définie par $u_0 = 3$ et pour tout nombre entier naturel n, $u_{n+1} = 2u_n + 1$.
Calculer mentalement ses trois premiers termes.

26 u est la suite définie par $u_0 = 2$ et pour tout nombre entier naturel n, $u_{n+1} = 2n + 1 - u_n$.
Calculer mentalement ses trois premiers termes.

27 u est la suite définie sur $\mathbb{N}$ par $u_n = 2n + 1$.
Exprimer u_{n+1} en fonction de n.

28 u est la suite définie sur $\mathbb{N}$ par $u_n = n^2 - 1$.
Exprimer u_{n+1} en fonction de n.

29 p est la suite des pourcentages de réussite au baccalauréat général depuis 2008. Le tableau ci-dessous donne les premiers termes de la suite p, en commençant par p_0 en 2008.

Année	2008	2009	2010	2011
Pourcentage	87,9	88,9	87,3	88,3

Année	2012	2013	2014
Pourcentage	89,6	92	90,9

a) Donner les valeurs de p_0, p_3 et p_6.
b) Quel est le rang du terme égal à 92 ?

30 Représenter graphiquement à la calculatrice les six premiers termes de la suite u définie sur $\mathbb{N}$ par $u_n = 2n^2 - 6n + 2$.

31 Représenter graphiquement à la calculatrice les six premiers termes de la suite u définie par $u_0 = 1$ et pour tout n de $\mathbb{N}$, $u_{n+1} = 4 - u_n$.

32 Dans chaque cas, donner les quatre premiers termes de la suite.
a) u est la suite des carrés des nombres entiers naturels.
b) v est la suite des chiffres après la virgule du nombre π.

33 v est la suite définie par $v_0 = 1$ et pour tout nombre entier naturel n, $v_{n+1} = 2 - n \times v_n$.
a) Déterminer les six premiers termes de cette suite.
b) Représenter graphiquement dans un repère les cinq premiers termes de cette suite.

34 Le tableau suivant donne les indices des salaires par trimestre dans deux secteurs d'activités (indice 100 au 4e trimestre 2008).

Année	2013	2013	2013	2013	2014	2014
Trimestre	1	2	3	4	1	2
Secteur F	109,3	109,7	109,8	110,2	111,1	111,5
Secteur I	109,6	110,1	110,4	110,6	111,5	111,9

1. f est la suite des indices trimestriels des salaires dans le secteur F, avec f_0 l'indice au premier trimestre 2013.
a) Donner la valeur de f_2, puis le rang du terme de la suite égal à 111,1.
b) Quel serait le rang du terme correspondant au troisième trimestre 2015 ?
2. d est la suite des différences entre les indices des salaires des secteurs F et I.
Donner les valeurs de d_n pour $0 \leqslant n \leqslant 5$.

35 v est la suite définie sur $\mathbb{N}$ par :
$$v_n = n^2 + 3n - 1.$$
a) Calculer v_0, v_1 et v_2.
b) Peut-on calculer v_{25} sans connaître les termes précédents ?
c) Exprimer v_{n+1} en fonction de n.

36 w est la suite définie par $w_0 = -1$ et pour tout nombre entier naturel n, $w_{n+1} = 2w_n + 4$.
a) Calculer w_1, w_2 et w_3.
b) Peut-on calculer w_{25} sans connaître les termes précédents ?
c) Calculer w_6.

Pour les exercices 37 à 39, à l'aide de la calculatrice, déterminer les dix premiers termes de la suite.

37 $u_0 = 3$ et pour tout n de $\mathbb{N}$, $u_{n+1} = 2u_n - 5$.

38 $u_0 = -1$ et pour tout n de $\mathbb{N}$, $u_{n+1} = 3u_n^2 - 1$.

39 $u_0 = \dfrac{1}{2}$ et pour tout n de $\mathbb{N}$, $u_{n+1} = \sqrt{2u_n - \dfrac{1}{4}}$.

40 u est la suite définie pour tout nombre entier naturel $n \geq 2$ par $u_n = \dfrac{-3n}{n-1}$.

a) Pourquoi est-il précisé que $n \geq 2$?

b) Calculer les quatre premiers termes de la suite.

41 Voici un algorithme.

Variables :	u est un nombre réel
	N, i sont des nombres entiers naturels
Entrée :	Saisir N
Traitement	Affecter à u la valeur 1
et sortie :	Pour i allant de 1 à N
	$\quad$ Affecter à u la valeur $0,1u^2 - 4$
	$\quad$ Afficher u
	Fin Pour

Cet algorithme calcule et affiche les termes d'indices 1 à n d'une suite u définie sur $\mathbb{N}$.

a) Donner le premier terme u_0 et l'expression de u_{n+1} en fonction de u_n.

b) Coder l'algorithme dans le langage de la calculatrice ou d'un logiciel pour obtenir les dix premiers termes de la suite.

c) Modifier l'algorithme pour qu'il affiche uniquement le terme de rang N.

Sens de variation d'une suite

Questions rapides

42 u est la suite définie sur $\mathbb{N}$ par $u_n = 4n$.
Quel est son sens de variation ?

43 u est la suite définie sur $\mathbb{N}$ par $u_n = 1 + 2n$.
Quel est son sens de variation ?

44 u est la suite définie par $u_0 = -1$ et pour tout nombre entier naturel n, $u_{n+1} = u_n - 3,5$.
Quel est son sens de variation ?

45 u est la suite définie par $u_0 = 4$ et pour tout nombre entier naturel n, $u_{n+1} = u_n - n - 1$.
Quel est son sens de variation ?

46 u est la suite définie sur $\mathbb{N}$ par $u_n = n^3$.
Quel est son sens de variation ?

47 u est la suite définie sur $\mathbb{N}$ par :
$$u_n = n^3 - 3n^2 - 11n.$$
À l'aide de la calculatrice, conjecturer son sens de variation.

48 u est la suite définie sur $\mathbb{N}$ par :
$$u_n = 4 - (n+1)^2.$$
a) Exprimer $u_{n+1} - u_n$ en fonction de n.

b) En déduire le sens de variation de la suite u.

49 v est la suite définie par $v_0 = -3$ et pour tout nombre entier naturel n, $v_{n+1} = v_n + n - 4$.

a) Exprimer $v_{n+1} - v_n$ en fonction de n.

b) En déduire le sens de variation de la suite v.

c) Contrôler la réponse à l'aide de la calculatrice.

50 u est la suite définie sur $\mathbb{N}$ par :
$$u_n = 9 - n^2.$$
a) Déterminer une fonction f définie sur $[0\,;+\infty[$ telle que pour tout nombre entier naturel n,
$$u_n = f(n).$$
b) Étudier le sens de variation de la fonction f.

c) En déduire le sens de variation de la suite u.

51 v est la suite définie sur $\mathbb{N}$ par :
$$v_n = (n-2)^2 + 4.$$
a) Déterminer une fonction g définie sur $[0\,;+\infty[$ telle que pour tout nombre entier naturel n,
$$v_n = g(n).$$
b) Étudier le sens de variation de la fonction g.

c) En déduire le sens de variation de la suite v.

52 u est la suite définie sur $\mathbb{N}$ par :
$$u_n = n^2 - 16n + 5.$$
1. Établir le sens de variation de la suite u en étudiant le signe de la différence $u_{n+1} - u_n$.

2. a) Déterminer une fonction f définie sur $[0\,;+\infty[$ telle que pour tout nombre entier naturel n, $u_n = f(n)$.

b) Étudier le sens de variation de la fonction f, puis retrouver ainsi le sens de variation de la suite u.

53 Dans chaque cas, représenter graphiquement avec la calculatrice la suite définie sur $\mathbb{N}$, puis conjecturer son sens de variation et démontrer cette conjecture.

a) $u_n = \dfrac{1}{n+1}$.

b) $v_n = n^2 - 8n + 6$.

54 w est la suite définie sur $\mathbb{N}$ par :
$$w_n = 5 \times 0,2^n.$$
a) Démontrer que pour tout nombre entier naturel n,
$$w_{n+1} - w_n = -4 \times 0,2^n.$$
b) En déduire le sens de variation de la suite w.

55 Jérémie doit étudier le sens de variation de la suite u définie sur $\mathbb{N}$ par $u_n = 0,5n^2 - 10n + 20$.

À la calculatrice, il a obtenu l'écran ci-contre (*fenêtre :* $0 \leqslant X \leqslant 1$, pas 1 ; $-30 \leqslant Y \leqslant 20$, pas 5).

Il conjecture alors que la suite est décroissante.

Étudier le sens de variation de la suite u pour valider ou non cette conjecture.

56 Un cinéma propose un abonnement annuel à 50 € qui permet d'acheter chaque place au tarif de 6 €.

a) Exprimer en fonction du nombre n de tickets achetés la dépense totale avec cet abonnement.

b) On note u_n le prix moyen d'une séance avec l'abonnement (avec $n \geqslant 1$).

Exprimer u_n en fonction de n.

Suites arithmétiques

Questions rapides

57 u est la suite arithmétique de premier terme $u_0 = 5$ et de raison 3.

Exprimer u_n en fonction de n.

58 u est la suite définie par $u_0 = 4$ et pour tout nombre entier naturel n, $u_{n+1} = u_n - 3$.

Cette suite est-elle arithmétique ?

59 u est la suite définie sur $\mathbb{N}$ par $u_n = n - 3$.

Cette suite est-elle arithmétique ?

60 Dans chaque cas, donner le sens de variation de la suite arithmétique de premier terme u_0 et de raison r.

a) $u_0 = -5$ et $r = 3$ **b)** $u_0 = 5$ et $r = 0,2$

c) $u_0 = 2$ et $r = -5$ **d)** $u_0 = 7$ et $r = 0$.

61 Les premiers termes d'une suite u sont donnés dans le tableau ci-dessous.

n	1	2	3	4	5
u_n	0,25	0,58	0,91	1,24	1,57

La suite u peut-elle être arithmétique ?

62 Les premiers termes d'une suite w sont donnés dans le tableau ci-dessous.

n	0	1	2	3
w_n	3	9	27	81

La suite w peut-elle être arithmétique ?

63 Les premiers termes d'une suite t sont représentés ci-dessous.

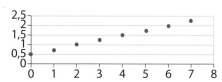

La suite t peut-elle être arithmétique ? Justifier.

64 Les premiers termes d'une suite u sont représentés ci-dessous.

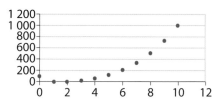

La suite u peut-elle être arithmétique ? Justifier.

65 u est la suite définie sur $\mathbb{N}$ par $u_n = n^2 + 4n$.

Cette suite est-elle arithmétique ?

66 v est la suite définie par $v_0 = 1$ et pour tout nombre entier naturel n, $v_{n+1} = v_n + n(n-1) - n^2$.

Cette suite est-elle arithmétique ?

67 u est la suite arithmétique de raison -3 et de premier terme $u_0 = 150$.

a) Exprimer u_n en fonction de n.

b) Donner le rang du premier terme négatif de cette suite.

68 u est la suite arithmétique de raison 5 et telle que $u_5 = 12$.

a) Exprimer u_n en fonction de n.

b) Calculer u_3 et u_{10}.

69 u est la suite arithmétique telle que :

$$u_0 = 9 \text{ et } u_5 = -26.$$

a) Calculer la raison de cette suite.

b) Quel est le sens de variation de cette suite ?

c) Calculer u_{50}.

70 u est la suite arithmétique telle que :
$$u_5 = 9 \text{ et } u_{20} = 28.$$
a) Calculer la raison de cette suite.
b) Quel est le sens de variation de cette suite ?
c) Calculer u_{50}.

71 **a)** u est la suite définie sur $\mathbb{N}$ par $u_n = 4n + 7$.
Démontrer que u est une suite arithmétique et préciser sa raison.
b) a et b sont deux nombres réels.
u est la suite définie sur $\mathbb{N}$ par $u_n = an + b$.
Démontrer que u est une suite arithmétique et préciser sa raison.

72 Après une crue exceptionnelle, le 10 octobre 2014, le niveau d'une rivière de l'Hérault était 1,5 m au-dessus de son niveau normal. Lors de la décrue, le niveau a baissé de 15 cm par jour.

a) Modéliser l'évolution quotidienne du niveau de la rivière, en m, par une suite arithmétique dont le premier terme est 1,5.
b) Selon ce modèle, combien de jours auraient été nécessaires pour que la rivière retrouve son niveau normal ?

73 Dans une famille, les âges des trois enfants sont trois termes consécutifs d'une suite arithmétique et la somme de leurs âges est 27.
a) Quel est l'âge de la cadette ?
b) On sait de plus que l'âge de la benjamine est le tiers de l'âge de la cadette.
Donner l'âge des trois enfants.

74 Magalie a constaté que, chaque année, le nombre des livres de sa bibliothèque augmente de 15.
Au 1er janvier 2014, elle avait 515 livres.
On note b_n le nombre de livres dans la bibliothèque de Magalie au 1er janvier de l'année $2014 + n$, où n est un nombre entier naturel.
a) Donner la valeur de b_0, puis exprimer b_{n+1} en fonction de b_n. Quelle est la nature de la suite b ?
b) Exprimer b_n en fonction de n.
c) Si cette évolution se poursuit, combien de livres y aura-t-il dans la bibliothèque de Magalie en 2025 ?

Suites géométriques

Questions rapides

75 Les premiers termes d'une suite sont :
$$u_0 = 1, u_1 = 2 \text{ et } u_2 = 3.$$
Cette suite peut-elle être géométrique ?

76 Les premiers termes d'une suite sont :
$$u_0 = 9, u_1 = 3 \text{ et } u_2 = 1.$$
Cette suite peut-elle être géométrique ?

77 Les premiers termes d'une suite sont :
$$u_0 = 0, u_1 = 5 \text{ et } u_2 = 25.$$
Cette suite peut-elle être géométrique ?

78 Dans chaque cas, donner le terme u_3 de la suite géométrique u de raison q.
a) $u_0 = 5$ et $q = 2$ **b)** $u_0 = -1$ et $q = 3$
c) $u_1 = 18$ et $q = \dfrac{1}{3}$ **d)** $u_0 = 7$ et $q = 1$

79 Dans chaque cas, exprimer en fonction de n le terme général u_n de la suite géométrique u.
a) $u_0 = 2$ et pour tout n de $\mathbb{N}$, $u_{n+1} = 1,2u_n$
b) $u_1 = 4$ et pour tout n de $\mathbb{N}$, $u_{n+1} = -5u_n$

80 Un capital de 500 € est placé sur un compte rémunéré au taux annuel d'intérêts composés de 2,5 %.
L'évolution au fil des ans de ce capital est modélisée par une suite géométrique u.
Donner le premier terme et la raison de cette suite.

81 Dans chaque cas, donner le sens de variation de la suite géométrique de terme général q^n.
a) $q = 0,97$ **b)** $q = 3$ **c)** $q = 1,2$

82 u est la suite géométrique telle que $u_2 = 5$ et $u_3 = 15$. Calculer mentalement u_4.

83 u est la suite géométrique de premier terme $u_0 = 5$ et de raison $q = 2$.
Exprimer u_n en fonction de n pour tout nombre entier naturel n.

84 u est la suite géométrique de raison positive telle que $u_0 = 7$ et $u_2 = 28$.
Déterminer la raison de cette suite, puis calculer u_{50}.

85 u est la suite géométrique à termes positifs telle que $u_3 = 3,4$ et $u_5 = 21,25$.
a) Quelle est la raison de cette suite ?
b) Calculer u_{15}. Arrondir au dixième.

86 u est la suite géométrique telle que :
$$u_4 = 7 \text{ et } u_7 = 448.$$
Calculer u_{12}.

87 Dans chaque cas, donner le sens de variation de la suite géométrique u telle que pour tout nombre entier naturel n :
a) $u_n = -3 \times 1,01^n$ **b)** $u_n = 2 \times 0,7^n$

88 **a)** u est la suite définie sur $\mathbb{N}$ par $u_n = 4 \times 3^n$.
Démontrer que u est une suite géométrique et préciser sa raison.
b) a et b sont deux nombres réels, avec $b \neq 0$.
u est la suite définie sur $\mathbb{N}$ par $u_n = a \times b^n$.
Démontrer que u est une suite géométrique et préciser sa raison.

89 Dans une ville, un pic d'épidémie est atteint avec 2 000 nouveaux cas dans une journée. Après ce pic, le nombre de nouveaux cas diminue chaque jour de 15 %. On note u_n le nombre de nouveaux cas n jours après le pic. Ainsi $u_0 = 2\,000$.
a) Calculer u_1 et u_2.
b) Modéliser cette situation par une suite.
c) Les autorités sanitaires estiment que l'épidémie est endiguée lorsque le nombre de nouveaux cas par jour est inférieur à 200 personnes.
À l'aide de la calculatrice, déterminer au bout de combien de jours l'épidémie sera endiguée.

90 Pour passer le temps, Marina s'amuse à plier une feuille de papier. Elle la plie en deux, puis replie la feuille pliée en deux, et ainsi de suite, mais n'arrive pas à la plier plus de 6 fois.
Une feuille de papier fait 0,1 mm d'épaisseur.
On note u_n l'épaisseur obtenue, en mm, après n pliages.
a) Justifier que u est une suite géométrique ; indiquer son premier terme et sa raison.
b) Quelle est l'épaisseur atteinte par Marina après le 6e pliage ?
c) Marina imagine qu'avec une feuille beaucoup plus grande, elle pourrait effectuer 20 pliages successifs. Quelle serait alors l'épaisseur du pliage obtenu ?

Sans intermédiaire

91 Un jeu en ligne est retiré du site qui l'héberge s'il y a moins de 1 000 joueurs par jour.
Ce jeu compte actuellement 2 500 joueurs journaliers, mais en perd 3 % par semaine.
Dans combien de semaines sera-t-il retiré du site ?

92 En 2014, un pays prend des mesures pour supprimer progressivement l'utilisation des sacs en plastique à usage unique.
Il est prévu que la quantité de sacs utilisés soit divisée par 4 chaque année.
En 2014 il était utilisé 16 milliards de sac.
On note u_n le nombre de sacs utilisés l'année 2014 + n (avec n nombre entier naturel) si l'évolution suit bien la prévision.
Les sacs en plastique seront totalement interdits lorsque le nombre utilisé sera inférieur à un million.
En quelle année cela se produira-t-il ?

S'entraîner à la logique

93 **Négation et quantificateurs**
Écrire la négation de chacune des propositions suivantes.
a) Pour tout n de $\mathbb{N}$, $u_{n+1} - u_n > 0$.
b) Pour tout n de $\mathbb{N}$, $u_{n+1} - u_n \geqslant 0$.
c) Pour tout n de $\mathbb{N}$, $u_{n+1} - u_n \leqslant 0$.
d) Il existe un nombre entier naturel n tel que, $u_{n+1} - u_n \leqslant 0$.
e) Il existe un nombre entier naturel n tel que, $u_{n+1} - u_n < 0$.

94 **Contre-exemple**
Chacune de ces affirmations est fausse. Donner dans chaque cas un contre-exemple.
a) Si une suite est strictement décroissante, alors à partir d'un certain rang tous ses termes sont négatifs.
b) Si une suite géométrique est décroissante, alors sa raison est comprise entre 0 et 1.
c) u est une suite définie sur $\mathbb{N}$ telle que $u_0 \neq 0$ et $u_1 \neq 0$.
Si $\dfrac{u_1}{u_0} = \dfrac{u_2}{u_1}$, alors u est une suite géométrique.

95 Dans chaque cas, donner **la** réponse exacte **sans justifier**.

		A	B	C	D
1	u est la suite définie par $u_0 = 5$ et pour tout n de $\mathbb{N}$, $u_{n+1} = 2u_n - 3 - n$. Alors …	$u_1 = -2$	$u_1 = 3$	$u_1 = 6$	$u_1 = 7$
2	Pour tout n de $\mathbb{N}$, $u_n = 2n + 3$. Alors …	$u_{n+1} = 2n + 4$	$u_{n+1} = 2n + 5$	$u_{n+1} = u_n + 1$	$u_{n+1} = 2u_n$
3	La suite u définie par $u_0 = 4$ et pour tout n de $\mathbb{N}$, $u_{n+1} = u_n - 2$ est …	constante	croissante	décroissante	ni croissante ni décroissante
4	La suite u définie par $u_0 = 4$ et pour tout n de $\mathbb{N}$, $u_{n+1} = 0,3u_n$ est …	constante	croissante	décroissante	ni croissante ni décroissante
5	La suite u définie sur $\mathbb{N}$ par : $$u_n = (n - 2)^2 + 3$$ est …	croissante	croissante à partir du rang 1	décroissante	décroissante à partir du rang 2

96 Dans chaque cas, donner **la ou les** réponses exactes **sans justifier**.

		A	B	C	D
1	u est la suite définie pour tout n de $\mathbb{N}$ par $u_n = \dfrac{3^{n+1}}{2}$. Alors la suite u …	est géométrique de raison $\dfrac{3}{2}$	est géométrique de raison 3	est géométrique de premier terme $\dfrac{3}{2}$	n'est pas géométrique
2	Parmi les suites définies ci-contre, les suites arithmétiques sont celles définies par …	$u_0 = -2$ et pour tout n de $\mathbb{N}$, $u_{n+1} = u_n - 3$	$v_0 = 3$ et pour tout n de $\mathbb{N}$, $v_{n+1} = 4 - v_n$	pour tout n de $\mathbb{N}$, $w_n = 5 + \dfrac{2}{5}n$	$z_0 = 1$ et pour tout n de $\mathbb{N}$, $z_{n+1} = z_n + n$
3	Si u est une suite géométrique de premier terme $u_0 = -4$ et de raison 2, alors pour tout n de $\mathbb{N}$ …	$u_n = -4 + 2n$	$u_n = (-8)^n$	$u_n = -4 \times 2^n$	$u_n = -2^{n+2}$
4	Parmi les suites définies ci-contre, les suites géométriques sont celles définies par …	$u_0 = 2$ et pour tout n de $\mathbb{N}$, $u_{n+1} = u_n + 7$	$v_0 = 2$ et pour tout n de $\mathbb{N}$, $v_{n+1} = v_n \times 2^n$	$w_0 = 5$ et pour tout n de $\mathbb{N}$, $w_{n+1} = 2w_n$	$z_0 = 2$ et pour tout n de $\mathbb{N}$, $z_{n+1} = z_n$

97 Pour chaque affirmation, dire si elle est **vraie ou fausse en justifiant**.

On a représenté ci-contre les cinq premiers termes de trois suites b (en bleu), r (en rouge) et v (en vert).

1. La suite b peut être arithmétique.

2. La suite r peut être géométrique.

3. La suite v peut être géométrique.

4. Si la suite v est géométrique, alors $v_5 = 0$.

5. Si la suite b est arithmétique, alors $b_{40} = 21$.

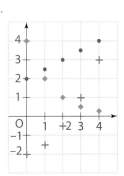

Vérifiez vos réponses : p. 264

Pour aller plus loin

98 Avec un guide

Le club de judo d'une ville comptait 150 adhérents en 2014. Le trésorier constate que, chaque année, 80 % des adhérents renouvellent leur adhésion, et que de plus il y a 20 nouveaux adhérents.

On note u_n le nombre d'adhérents de l'année $2014 + n$. Ainsi, $u_0 = 150$.

a) Calculer u_1 et u_2.

b) Montrer que, pour tout n de $\mathbb{N}$,
$$u_{n+1} = 0{,}8u_n + 20.$$

c) On note v la suite définie sur $\mathbb{N}$ par $v_n = u_n - 100$. Démontrer que v est une suite géométrique. Préciser sa raison et son premier terme.

> **Conseil**
>
> Exprimer v_{n+1} en fonction de u_{n+1}, puis de u_n. Enfin, remarquer que $u_n = v_n + 100$ pour obtenir une formule de la forme $v_{n+1} = q \times v_n$.

d) Donner l'expression de v_n, puis celle de u_n en fonction de n.

e) Selon ce modèle, combien devrait-il y avoir d'adhérents en 2030 ?

99 Comparer deux types de décroissance

Deux villages se dépeuplent au fil des ans.

En 2010, le village A comptait 1 850 habitants et le village B, 2 000 habitants.

Chaque année, jusqu'en 2033, en raison des décès et des départs, le village A perd 80 habitants, et le village B perd 10 % de sa population.

a) On note u_n et v_n les populations respectives de A et de B l'année $2010 + n$, où n est un nombre entier naturel.

Tabuler les suites u et v avec la calculatrice.

b) La population de B est-elle toujours supérieure à celle de A ?

Sinon préciser en quelles années la population de A est inférieure à celle de B.

c) Prouver par le calcul que $v_2 < u_2$, puis que $v_{21} > u_{21}$.

d) Pourquoi peut-on être sûr qu'à partir du rang 21, v_n sera toujours supérieur à u_n ?

e) Selon ce modèle, en quelle année la population de A sera-t-elle inférieure à 100 habitants ?

f) Selon ce modèle, utiliser la calculatrice pour déterminer si en 2033 il restera plus de 100 habitants dans le village B.

100 Trouver les âges

Les âges d'un enfant, de sa mère et de son arrière-grand-père maternel sont des termes successifs d'une suite géométrique.

La somme de leurs âges est égale à 126 ans et le produit de leurs âges est égal à 13 824.

a) Exprimer le produit des âges en fonction de l'âge de la mère.

En déduire l'âge de la mère.

b) Écrire une équation vérifiée par la raison de la suite. En déduire la valeur de cette raison, puis l'âge des autres membres de la famille.

101 Finding a parameter

An arithmetic sequence is defined by $u_0 = k$ and $u_1 = \dfrac{2k}{3}$ with k a real number.

If $u_{10} = 15$, what is the value of k ?

102 Confronter des formules

Sur les lignes numérotées 2 à 5 de cette feuille de calcul figurent les deux premiers termes de quatre suites notées t, u, v et w, et à droite la formule qui a été saisie, pour être recopiée vers la droite.

	A	B	C	D
1	n	0	1	2
2	t	7	16	=C2+9
3	u	7	12	=0,2*C3^2+0,4*C3-0,6
4	v	7	16	=B4+9*D1
5	w	7	12	=(0,2*C5-0,2)*(C5+3)

Chaque groupe répond aux questions suivantes pour l'une des suites. Un rapporteur présente les résultats aux autres groupes. On détermine alors si deux de ces suites sont les mêmes.

a) Donner la définition de la suite.

b) Dire si la suite est arithmétique ou géométrique, ou ni l'un ni l'autre, en justifiant.

c) Calculer le terme de rang 5 de la suite.

103 Imaginer une stratégie

Fatima possède un terrain agricole qu'elle souhaite agrandir.

Pendant cinq ans, chaque année, l'aire de son terrain augmente du même pourcentage.

Au bout de trois ans, elle possède 17 280 m², et au bout de cinq ans, 24 883,2 m².

Quelle était l'aire initiale du terrain ?

104 **Algo** **Déterminer un seuil**

1. u est la suite à termes positifs définie par $u_0 = 1$ et pour tout n de $\mathbb{N}$, $u_{n+1} = 21\sqrt{u_n} - 19$.

a) Voici un algorithme.

Variables :	u est un nombre réel
	i est un nombre entier naturel
Traitement :	Affecter à u la valeur 1
	Affecter à i la valeur 0
	Tant que $u \leqslant 400$
	Affecter à u la valeur $21\sqrt{u} - 19$
	Affecter à i la valeur $i + 1$
	Fin Tant que
Sortie :	Afficher i

Quel est le rôle de cet algorithme ?

b) Coder cet algorithme dans le langage d'un logiciel ou de la calculatrice, puis tester le programme.

2. Dans un pays, une maladie est apparue.

On admet que le nombre de personnes touchées par cette maladie (en milliers d'individus) est modélisé par la suite u précédente où n désigne le nombre de jours depuis l'apparition de la maladie.

a) Les autorités sanitaires décrètent l'état d'alerte orange lorsque plus de 400 000 individus sont atteints. Utiliser l'algorithme précédent pour déterminer au bout de combien de jours ce pays passera en alerte orange.

b) L'alerte rouge est décrétée lorsque plus de 600 000 individus sont atteints.

Utiliser un algorithme pour conjecturer si le pays passera un jour en alerte rouge.

 105 **Narration de recherche** **Calculer l'aire d'un carré**

Rédiger les différentes étapes de la recherche, sans omettre les fausses pistes et les changements de méthode.

Problème **a)** À l'intérieur d'un carré de côté 4 cm, on construit de nouveaux carrés, en joignant chaque fois les milieux des côtés du carré précédent.

Pour tout n de $\mathbb{N}$, on note u_n l'aire, en cm², du n-ième carré, le premier carré étant numéroté 1, avec $u_1 = 16$.

Calculer l'aire du sixième carré.

b) Calculer de même l'aire du sixième carré en plaçant les sommets de la nouvelle figure au tiers de chaque côté du carré précédent.

Prendre des initiatives

106 **Trouver des âges inconnus**

La somme des âges de Sophia, Alex et Miguel est égale à 69.

Les âges de Sophia, Alex et Miguel sont trois termes consécutifs d'une suite arithmétique.

Les âges de Sophia, Miguel et Alex sont trois termes consécutifs d'une suite géométrique.

Quels sont les âges de Sophia, Alex et Miguel ?

107 **Comparer deux croissances**

Le tableau ci-dessous donne les espérances de vie des hommes et des femmes dans un pays, de 2010 à 2014, arrondie au dixième d'année.

Année	2010	2011	2012	2013	2014
Femmes	84,6	84,9	85,2	85,5	85,8
Hommes	78	78,8	79,6	80,4	81,2

On suppose que les évolutions des espérances de vie se poursuivent de la même manière.

a) Conjecturer les espérances de vie des hommes et des femmes dans ce pays en 2020.

b) En quelle année l'espérance de vie des hommes devrait-elle dépasser celle des femmes ?

Des défis

108 **Déterminer des paramètres**

Une suite vérifie la relation de récurrence : pour tout n de $\mathbb{N}$, $u_{n+1} = au_n + b$, avec a et b nombres réels non nuls.

Elle n'est ni arithmétique ni géométrique, mais si on soustrait 500 à chacun de ses termes, on obtient une suite géométrique de raison 0,6.

Trouver les valeurs de a et b.

109 **Sommer les termes d'une suite**

À partir de son douzième anniversaire, la grand-mère de Yacine lui donne 20 € par mois. Ensuite, à chaque anniversaire, la somme mensuelle est augmentée de 5 € jusqu'à son vingt-cinquième anniversaire.

Combien aura-t-il alors reçu au total ?

110 Exercice test

u, v, w et t sont quatre suites définies sur $\mathbb{N}$.

(1) $u_n = n^2 - 4n + 5$ **(2)** $v_0 = -2$ et $v_{n+1} = 4v_n - 5$

(3) $t_n = n$ **(4)** $w_0 = 1$ et $w_{n+1} = w_n + 4$

a) Pour chaque suite, dire si elle est définie par une relation explicite ou par une relation de récurrence.

b) Donner les quatre premiers termes de chaque suite en détaillant les calculs.

Appelez le professeur pour qu'il contrôle vos réponses et qu'il vous indique la suite.

111 u est la suite définie sur $\mathbb{N}$ par $u_n = 5n - 3$.

a) Calculer u_0.

b) Exprimer u_{n+1} en fonction de n.

c) Justifier que pour tout n de $\mathbb{N}$, $u_{n+1} = u_n + 5$.

d) Parmi les deux formules $u_n = 5n - 3$ et $u_{n+1} = u_n + 5$, laquelle est une formule explicite et laquelle est une relation de récurrence ?

112 Exercice test

Les suites u et v sont définies sur $\mathbb{N}$ par :

• $u_n = 10 + n - n^2$ • $v_0 = 2$ et $v_{n+1} = 4n + v_n$

Les premiers termes de ces deux suites sont représentés ci-dessous, u en bleu et v en rouge.

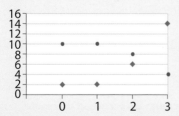

a) Conjecturer le sens de variation de chacune de ces suites.

b) Démontrer les conjectures précédentes.

Appelez le professeur pour qu'il contrôle vos réponses et qu'il vous indique la suite.

113 u est la suite définie sur $\mathbb{N}$ par $u_n = 1 - 3n$. Exprimer $u_{n+1} - u_n$ en fonction de n et en déduire le sens de variation de la suite u.

114 u est la suite définie sur $\mathbb{N}$ par $u_n = n^2 + 4$.

a) Déterminer une fonction f définie sur $[0\,;+\infty[$ telle que, pour tout nombre entier naturel n, $u_n = f(n)$.

b) Étudier les variations de la fonction f sur $[0\,;+\infty[$ et en déduire le sens de variation de la suite u.

115 Exercice test

Voici un algorithme.

Variables :	u est un nombre réel
	i, N sont des nombres entiers naturels
Entrée :	Saisir N
Traitement :	Affecter à u la valeur 4
	Pour i allant de 1 à N
	Affecter à u la valeur $1{,}2u$
	Fin Pour
Sortie :	Afficher u

a) Appliquer cet algorithme à l'entrée N = 3.

b) Cet algorithme permet de calculer le terme d'indice N d'une suite. Quelle est cette suite ?

Appelez le professeur pour qu'il contrôle vos réponses et qu'il vous indique la suite.

116 Voici un algorithme.

Variables :	u est un nombre réel
	i, N sont des nombres entiers naturels
Entrée :	Saisir N
Traitement :	Affecter à u la valeur -5
	Pour i allant de 1 à N
	Affecter à u la valeur $u + 7$
	Fin Pour
Sortie :	Afficher u

a) Recopier et compléter ce tableau lors de l'exécution de l'algorithme avec pour entrée N = 3.

i		1	2	3
u	-5			

b) Cet algorithme permet de calculer le terme de rang N d'une suite. Quelle est cette suite ?

Soutien — Connaître et utiliser une suite arithmétique

117 Exercice test

Dans chaque cas, exprimer u_n en fonction de n, puis indiquer le sens de variation de la suite, et enfin, donner la valeur de u_{25}.

a) u est la suite arithmétique de premier terme $u_0 = -1$ et de raison 3.

b) u est la suite arithmétique de premier terme $u_0 = 1,5$ et de raison -2.

 Appelez le professeur pour qu'il contrôle vos réponses et qu'il vous indique la suite.

118 u est la suite arithmétique de premier terme $u_0 = 6$ et de raison $-0,5$.

a) Rappeler la formule explicite du terme général d'une suite arithmétique.

b) Exprimer u_n en fonction de n.

c) Déterminer le sens de variation de u.

d) Calculer u_{10}.

Soutien — Connaître et utiliser une suite géométrique

119 Exercice test

Dans chaque cas, exprimer u_n en fonction de n, puis indiquer le sens de variation de la suite, et enfin, donner la valeur de u_8, éventuellement arrondie au centième.

a) u est la suite géométrique de premier terme $u_0 = 3$ et de raison 2.

b) u est la suite géométrique de premier terme $u_0 = 4\,000$ et de raison 0,75.

 Appelez le professeur pour qu'il contrôle vos réponses et qu'il vous indique la suite.

120 u est la suite géométrique de premier terme $u_0 = 0,1$ et de raison 5.

a) Rappeler la formule explicite du terme général d'une suite géométrique.

b) Exprimer u_n en fonction de n. Calculer u_{10}.

c) Déterminer le sens de variation de u.

Approfondissement — Découvrir une suite

121 On considère la suite F définie par $F_1 = F_2 = 1$ et pour tout nombre entier naturel $n \geqslant 1$, $\qquad F_{n+2} = F_{n+1} + F_n$.

On pose, pour tout $n \geqslant 2$, $K_n = \dfrac{F_n}{F_{n-1}}$.

a) Calculer F_3, K_2 et K_3.

b) Voici un algorithme.

Variables :	A, B, C, N, k sont des nombres entiers naturels
Entrée :	Saisir N
Traitement :	Affecter à A la valeur 1
	Affecter à B la valeur 1
	Pour k allant de 1 à N
	$\quad$ Affecter à C la valeur A + B
	$\quad$ Affecter à A la valeur B
	$\quad$ Affecter à B la valeur C
	Fin Pour
Sortie :	Afficher B

Qu'obtient-on en saisissant N = 3 ?

c) Coder cet algorithme dans le langage de la calculatrice ou d'un logiciel.

d) Donner les valeurs arrondies au cent-millième de F_{12}, F_{24}, F_{48}, K_{12}, K_{24} et K_{48}.

Commenter les résultats obtenus.

Remarque : la suite F est connue sous le nom de **suite de Fibonacci**.

Approfondissement — Étude conjointe de deux suites

122 u et v sont deux suites définies sur $\mathbb{N}$ par :

$$\begin{cases} u_0 = 0 \\ u_{n+1} = \dfrac{3u_n + 1}{4} \end{cases} \text{ et } \begin{cases} v_0 = 2 \\ v_{n+1} = \dfrac{3v_n + 1}{4} \end{cases}$$

a) Tabuler ces suites à la calculatrice ou le tableur.

b) Émettre des conjectures pour ces suites.

c) On note d la suite définie pour tout n de $\mathbb{N}$ par :

$$d_n = v_n - u_n.$$

Quelle est la nature de cette suite ?

Quel est son sens de variation ?

d) Existe-t-il une valeur de n telle que $d_n < 10^{-6}$?

Utiliser la calculatrice.

7 Statistiques

L'Institut Français du Textile et de l'Habillement a mesuré un grand nombre de Français afin de mettre à jour les mensurations datant de 1972. Cette étude statistique sert aux secteurs du textile, de l'automobile, de la santé…

Au fil des siècles

En 1855, **Urbain Le Verrier** fonde, à la demande de Napoléon III, la météorologie nationale à l'Observatoire de Paris afin d'étudier les relevés, dans le but de prévoir certains phénomènes.

● *Rechercher quel événement a poussé Napoléon III à formuler cette demande.*

Les capacités du programme

	Choix d'exercices		
• Déterminer les caractéristiques de position d'une série statistique et construire un diagramme en boîte.	2	16	22
• Déterminer les caractéristiques de dispersion d'une série statistique.	5	38	52
• Utiliser de façon appropriée les deux couples usuels qui permettent de résumer une série statistique : (moyenne, écart-type) et (médiane, écart interquartile).	45		46
• Comparer deux séries statistiques à l'aide d'un logiciel ou d'une calculatrice.	8	26	54

Bien démarrer

1 Calculer une moyenne

Le tableau ci-dessous présente les salaires mensuels des employés d'une entreprise.

Salaire brut (en euros)	1 400	1 550	1 732	3 012	4 890
Effectif	23	30	27	15	3

a) Calculer la moyenne, en euros, de cette série statistique. Arrondir au centième.

b) Interpréter le résultat obtenu.

c) Hervé affirme : « 50 % des employés de cette entreprise ont un salaire inférieur à la moyenne ». A-t-il raison ? Expliquer.

2 Déterminer une médiane

a) Déterminer la médiane de la série statistique de l'exercice **1**.

b) Interpréter le résultat obtenu.

3 Déterminer un écart interquartile

a) Déterminer les premier et troisième quartiles de la série statistique de l'exercice **1**.

b) Interpréter les valeurs obtenues.

c) Calculer l'écart interquartile.

d) Quelle est la proportion d'employés de cette entreprise qui ont un salaire appartenant à l'intervalle [1 550 ; 1 732] ? Exprimer ce résultat à l'aide d'un pourcentage arrondi à l'unité.

4 Étudier une série regroupée en classes

Le tableau ci-dessous présente les recettes quotidiennes d'une boulangerie, en euros, relevées au cours d'un mois.

Recettes	[80 ; 130[	[130 ; 180[	[180 ; 230[	[230 ; 280[	[280 ; 330[
Nombre de jours	2	3	5	10	7

a) Estimer la recette quotidienne moyenne, en euros, de la boulangerie en utilisant le centre de chaque classe. Arrondir à l'unité.

b) Représenter cette série statistique par un histogramme.

5 Utiliser le tableur

On a demandé aux 32 élèves d'une classe la durée, en minutes, de leur trajet domicile-lycée. Les résultats sont donnés dans la feuille de calcul ci-dessous.

	A	B	C	D	E	F	G
1	Durée du trajet (en min)	[0;5[	[5;10[	[10;15[	[15;20[	[20;25[	[25;30[
2	Fréquence (en %)	6,25	9,375	31,25	15,625	18,75	18,75
3	Fréquence cumulée						

a) Quelle valeur faut-il saisir en B3 ?

b) Quelle formule faut-il saisir en C3, puis recopier vers la droite, pour calculer les fréquences cumulées (croissantes) ?

c) Quel pourcentage d'élèves met moins de 20 min pour effectuer le trajet ?

 Aide et corrigés sur le site élève **www.nathan.fr/hyperbole1reESL-2015**

Découvrir

1 Diagramme en boîte

Les tableaux ci-contre indiquent l'âge moyen des mères au premier enfant dans certains pays d'Europe et d'Amérique.

Europe	
Allemagne	30,3
Autriche	29,8
Belgique	29,4
Danemark	30,6
Espagne	31,2
Estonie	29,3
Finlande	30,2
France	29,9
Grèce	30,2
Irlande	31,2
Italie	31,3
Pays-Bas	30,7
Portugal	29,7
Royaume-Uni	29,3
Suède	30,7
Suisse	31,1

Amérique	
Argentine	27,9
Brésil	26,4
Bolivie	28,4
Canada	29,9
Chili	28
Colombie	26,3
Costa-Rica	26,6
État-Unis	28
Équateur	27,3
Groenland	27,8
Honduras	27,6
Mexique	26,7
Paraguay	27,9
Pérou	28,4
Uruguay	27,7
Venezuela	26,4

Problème

Comparer les âges moyens des mères au premier enfant en Europe et en Amérique.

1 Découvrir un nouveau diagramme pour l'Europe

a) Déterminer les valeurs extrêmes de la série concernant l'Europe.

b) Déterminer la médiane et les quartiles Q_1 et Q_3 de cette série.

c) On représente cette série par le diagramme en boîte suivant :

Les cinq paramètres déterminés aux questions **a)** et **b)** ont servi à dessiner ce diagramme.

Expliquer comment il a été réalisé.

d) Quel pourcentage de ces pays d'Europe présente un âge moyen des mères au premier enfant compris entre Q_1 et Q_3 ? Quelle partie du graphique correspond à ces pays ?

2 Construire le diagramme en boîte pour l'Amérique

a) Déterminer les valeurs extrêmes, la médiane et les quartiles pour la série concernant l'Amérique.

b) Reproduire le diagramme précédent et, sous l'axe gradué, tracer le diagramme en boîte de la série concernant l'Amérique.

3 Comparer les deux séries

a) Sur quel continent les âges moyens des mères au premier enfant sont-ils les plus bas ?

b) Sur quel continent les âges moyens des mères au premier enfant sont-ils les moins dispersés ?

2 Variance et écart-type

Alice a saisi dans une feuille de calcul ses temps de course sur une distance de 10 km. Voici les données correspondant à certains temps réalisés en 2013 et en 2014.

	A	B	C	D	E
1		2013	Carré de l'écart à la moyenne	2014	Carré de l'écart à la moyenne
2		52		52	
3		49		52	
4		50		52	
5		56		53	
6		50		51	
7		48		50	
8		55		49	
9	Temps (en min)	48		50	
10		48		49	
11		50		48	
12		52		50	
13		57		52	
14		54		49	
15		48		48	
16		49		47	
17		49		49	
18					
19	Q_1				
20	Médiane				
21	Q_3				
22					
23	Moyenne				

Problème

Étudier la différence de régularité entre les temps correspondant aux deux années.

1 Comparer à l'aide des paramètres connus

a) Réaliser cette feuille de calcul.

b) Déterminer à l'aide du tableur la médiane [utiliser la fonction MEDIANE(plage)] et les quartiles Q_1 et Q_3 [utiliser les fonctions QUARTILE(plage;1) et QUARTILE(plage;3)] de chaque série.

c) Proposer une première comparaison des données des deux années.

2 Étudier l'écart à la moyenne

a) Calculer à l'aide du tableur la moyenne de chaque série [utiliser la fonction MOYENNE (plage)].

b) Comparer les deux moyennes obtenues.

c) Pour comparer la dispersion de ces deux séries de valeurs, Alice pense d'abord à calculer les écarts des données à la moyenne de l'année. Mais ces écarts peuvent être positifs ou négatifs, or Alice ne souhaite travailler qu'avec des nombres positifs. Pour cela, elle décide d'élever au carré chacun de ces écarts.
Saisir en C2 la formule =(B2–B$23)^2. Expliquer le rôle du symbole $.

d) Quelle formule analogue faut-il saisir en E2 ?
Compléter les colonnes C et E en recopiant vers le bas jusqu'à la ligne 17.

e) Calculer alors la moyenne de ces carrés en C23. Cette valeur est appelée **variance**, elle est ici exprimée en min^2. Faire de même en E23 pour la variance des données de 2014.

f) Afin d'avoir une caractéristique dans la même unité que les données, ici en min, on calcule la racine carrée de la variance, appelée **écart-type**. Calculer les écart-types de ces deux séries.

3 Interpréter et comparer

a) En comparant les deux écarts-types, déterminer la série la moins dispersée.

b) Interpréter concrètement ce résultat.

1 Médiane, quartiles et diagramme en boîte

a. Des caractéristiques de position et de dispersion

> ▶ **DÉFINITION**

La médiane d'une série de N valeurs rangées **par ordre croissant** est le nombre Me tel que :
- si N est impair, Me est la valeur centrale ;
- si N est pair, Me est la **demi-somme** des deux valeurs centrales.

Remarque : au moins 50 % des valeurs de la série sont inférieures ou égales à la médiane et au moins 50 % des valeurs lui sont supérieures ou égales.

> ▶ **DÉFINITIONS**

- Les valeurs d'une série statistique étant rangées **par ordre croissant** :
  – le **premier quartile** est la plus petite valeur Q_1 de la série telle qu'**au moins 25 %** des valeurs de la série sont **inférieures ou égales à Q_1** ;
  – le **troisième quartile** est la plus petite valeur Q_3 de la série telle qu'**au moins 75 %** des valeurs de la série sont **inférieures ou égales à Q_3** ;
- **L'écart interquartile** est la différence $Q_3 - Q_1$ entre le troisième et le premier quartiles.

Remarque : la médiane et les quartiles sont des caractéristiques de position, l'écart interquartile est une caractéristique de dispersion.

● **EXEMPLE :** liste de températures (en °C) rangées par ordre croissant
27,3 – 27,8 – 27,9 – 28 – 28,1 – 28,2 – 28,2 – 28,6 – 28,6 – 28,7 – 28,7 – 28,8 – 29,6 – 29,8.

Ici N = 14, la médiane est la demi-somme des 7e et 8e températures : Me = $\dfrac{28,2 + 28,6}{2}$ = 28,4.

$\dfrac{1}{4}$ N = 3,5 donc le 1er quartile est la 4e température de la série : Q_1 = 28.

$\dfrac{3}{4}$ N = 10,5 donc le 3e quartile est la 11e température de la série : Q_3 = 28,7.

b. Le diagramme en boîte

À partir des indicateurs précédents, on construit un graphique appelé **diagramme en boîte** (ou diagramme à moustaches) qui permet de visualiser la répartition des données de la série.

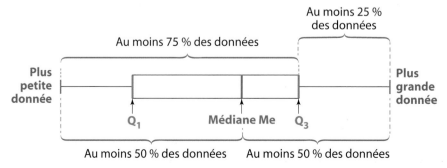

Remarque : ce diagramme est utile pour comparer la répartition des données de plusieurs séries.

● Exercice résolu   Construire un diagramme en boîte

1 Énoncé

Les professeurs d'EPS d'un lycée organisent un séjour au ski d'une semaine.
Ils relèvent les pointures de chaussures des participants pour la location du matériel.
Les données sont relevées dans le tableau ci-dessous.

Pointure	35	36	37	38	39	40	41	42	43	44	45
Effectif	3	2	5	7	10	6	4	2	9	1	4

a) Déterminer la médiane et les quartiles Q_1, Q_3 de cette série.
b) Construire le diagramme en boite associé à cette série.

Solution

a) L'effectif total de la série est N = 53.
• **Médiane Me**
La médiane est la 27e valeur de la série, ainsi Me = 39.
• **Quartiles Q_1 et Q_3**
$\frac{1}{4} \times N = 13,25$ donc le 1er quartile est la 14e valeur de la série,
ainsi $Q_1 = 38$.
$\frac{3}{4} \times N = 39,75$ donc le 3e quartile est la 40e valeur de la série,
ainsi $Q_3 = 43$.
b) On choisit un axe gradué de 35 à 45.

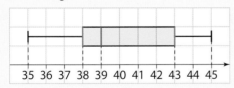

35 36 37 38 39 40 41 42 43 44 45

Conseils

• 53 = 2 × 26 + 1 est un nombre impair. Me est la valeur centrale, c'est-à-dire la 27e valeur de la série.
• Pour déterminer Q_1, on calcule $\frac{N}{4}$ et le rang de Q_1 est le nombre entier immédiatement supérieur ou égal à la valeur trouvée.
• Pour déterminer Q_3, on calcule $\frac{3N}{4}$ et le rang de Q_3 est le nombre entier immédiatement supérieur ou égal à la valeur trouvée.
• On choisit une graduation qui permet une construction simple et claire du diagramme.

● À votre tour

2 Dans une entreprise, le directeur des ressources humaines a relevé le nombre de jours d'absences des employés sur une période de 15 jours pendant laquelle une épidémie de grippe a sévi.

Jours d'absence	0	1	2	3	4	5
Effectif	20	3	3	1	4	14

Jours d'absence	6	7	8	9	10
Effectif	4	3	2	1	1

a) Déterminer la médiane et les quartiles Q_1, Q_3 de cette série.
b) Construire le diagramme en boite associé à cette série.

3 Lors d'un entraînement à l'examen du code de la route, le moniteur relève le nombre de réponses exactes de chaque candidat :
28 – 34 – 39 – 29 – 35 – 32 – 34 – 28 – 33 – 36 – 30

a) Déterminer la médiane et les quartiles Q_1, Q_3 de cette série.
b) Représenter le diagramme en boîte associé à cette série.
c) Calculer l'écart interquartile de cette série.

2 Moyenne et écart-type

On considère dans la suite la série statistique (S) définie par le tableau ci-contre.

Valeur	x_1	x_2	...	x_p
Effectif	n_1	n_2	...	n_p

L'effectif total de la série est $N = n_1 + n_2 + \ldots + n_p$.

a. Une caractéristique de position : la moyenne

> **DÉFINITION**

La **moyenne** de la série statistique (S) ci-dessus est le nombre réel, noté $\bar{x}$, tel que :
$$\bar{x} = \frac{n_1 x_1 + n_2 x_2 + \ldots + n_p x_p}{N}.$$

● **EXEMPLE**

Durant 16 jours, Chloé a compté le nombre de spams reçus chaque jour.

Nombre de spams	0	1	2	3	4	5	6
Effectif	3	1	5	3	1	2	1

Sur cette période, le nombre moyen de spams reçus par Chloé chaque jour est :
$$\bar{x} = \frac{3 \times 0 + 1 \times 1 + 5 \times 2 + 3 \times 3 + 1 \times 4 + 2 \times 5 + 1 \times 6}{16} = 2,5.$$

b. Des caractéristiques de dispersion : la variance et l'écart-type

> **DÉFINITIONS**

• La **variance** de la série statistique (S) ci-dessus est le nombre réel positif, noté V, tel que :
$$V = \frac{n_1(x_1 - \bar{x})^2 + n_2(x_2 - \bar{x})^2 + \ldots + n_p(x_p - \bar{x})^2}{N}.$$
• L'**écart-type** est le nombre réel positif, noté σ, tel que $\sigma = \sqrt{V}$.

● **EXEMPLE**

Avec les données de la série de l'exemple du §**a.**, on obtient :
$$V = \frac{3 \times (0 - 2,5)^2 + 1 \times (1 - 2,5)^2 + 5 \times (2 - 2,5)^2 + 3 \times (3 - 2,5)^2 + 1 \times (4 - 2,5)^2 + 2 \times (5 - 2,5)^2 + 1 \times (6 - 2,5)^2}{16} = 3,125$$
et $\sigma = \sqrt{3,125}$ soit $\sigma \approx 1,77$.

Remarque : lorsque l'on compare deux séries, celle qui a l'écart-type le plus grand est celle dont les valeurs sont les plus dispersées autour de la moyenne.

c. Résumé d'une série statistique

On résume souvent une série statistique par une caractéristique de position associée à une caractéristique de dispersion.

Caractéristique de position	Caractéristique de dispersion	Remarques
Médiane : Me	Écart interquartile : $Q_3 - Q_1$	• Peu sensibles aux valeurs extrêmes. • Détermination peu pratique.
Moyenne : $\bar{x}$	Écart-type : σ	• Sensibles aux valeurs extrêmes.

Exercice résolu — Utiliser la calculatrice

4 Énoncé

Voici les notes d'élèves de Première à un contrôle commun de mathématiques.

Note	7	8	9	10	11	12	13	14	15	16
Effectif	2	1	7	12	9	6	0	1	1	4

Déterminer pour cette série, à l'aide de la calculatrice :
a) la moyenne et l'écart-type (arrondis au centième) ; **b)** la médiane et l'écart interquartile.

Solution

Commentaires	Solution Casio	Solution TI
• On saisit les valeurs dans la liste 1 et les effectifs dans la liste 2.	MENU 2 (STAT)	stats entrer (EDIT)
• On effectue les réglages nécessaires.	F2 (CALC) F6 (SET) EXIT	stats ▶ (CALC) 1 (Stats 1Var)
• On affiche les caractéristiques.	F1 (1VAR)	L1 L2 — 2nde 1 , 2nde 2 entrer

a) La note moyenne est $\bar{x} \approx 10{,}91$ et l'écart-type est $\sigma \approx 2{,}22$.
b) La note médiane est Me = 10 et l'écart interquartile est $Q_3 - Q_1 = 12 - 10 = 2$.

À votre tour

5 Dans une maternité, on a relevé la taille à la naissance de 200 nouveau-nés.

Taille (en cm)	48	49	50	51	52	53	54	55
Effectif	21	42	49	35	30	20	2	1

Déterminer à l'aide de la calculatrice :
a) la moyenne et l'écart-type (arrondi au centième) ;
b) la médiane et l'écart interquartile.

6 Voici les PIB par habitant de plusieurs pays, exprimés en dollars.
Reprendre les questions de l'exercice **5**.

Grèce	26 113
Espagne	32 197
Turquie	17 468
France	35 133
États-Unis	48 043
Luxembourg	89 164
Allemagne	39 518
Japon	34 032

Résoudre des problèmes

Problème résolu — Comparer deux séries à l'aide de la calculatrice

7 **Énoncé**

Lors d'une étude clinique, on a constitué deux groupes, A et B, de patients de plus de 30 ans.

On a donné un médicament contre le cholestérol au groupe A et un placebo au groupe B.

Voici les résultats d'analyse du taux de cholestérol en g/L pour chaque groupe.

En représentant, à l'aide de la calculatrice, les diagrammes en boîte associés aux deux séries, comparer l'efficacité du médicament par rapport au placebo.

Groupe A

2,4	2,2	2,1	2,4	2,7	3	2,1	2,3
2,7	2,2	2	2,1	2,4	2,2	3	3,2
2,1	2,5	2,5	3	2,9	2,9	2,4	2,3

Groupe B

2,4	2,7	2,3	2,4	2,8	3,2	2,8	3
2,5	3	3,2	3,1	2,8	3	2,5	2,5
2,4	2,5	3	3,1	3,1	2,9	2,7	2,7

Solution

Commentaires	Solution Casio	Solution TI
• On saisit les valeurs du groupe A dans la liste 1 et celles du groupe B dans la liste 2.	MENU 2 (STAT)	stats entrer (EDIT)
• On effectue les réglages nécessaires.	F1 (GRPH) F6 (SET) F6 (▷) F2 (Box)	graph stats 2nde f(x) entrer
• On affiche les diagrammes en boîte (fenêtre : $1,8 \leq X \leq 3,4$, pas 1 ; $-1 \leq Y \leq 2$, pas 1).	EXIT F4 (SEL) F6 (DRAW)	graphe

On peut raisonnablement penser que le nouveau médicament est plus efficace que le placebo. Les taux sont globalement plus faibles dans le groupe ayant reçu le médicament.

À votre tour

8 Une ville décide d'installer des capteurs destinés à mesurer (en décibels) le niveau de bruit dans deux rues de la ville.

a) Représenter à l'aide de la calculatrice les diagrammes en boîte associés aux deux séries.

b) Comparer les niveaux de bruit dans ces deux rues.

Rue Mozart				
55	50	52	56	64
74	79	65	73	74
Rue Oasis				
55	52	56	56	58
63	64	59	63	61

Problème résolu — Comprendre et compléter un algorithme

9 — Énoncé

On considère l'algorithme ci-contre.

1. a) Faire fonctionner cet algorithme avec $n = 5$ et la liste 8 ; 12 ; 5 ; 9 ; 13.
Présenter l'évolution des variables i et S dans un tableau.

b) Appliquer l'algorithme à d'autres listes. Quel est son rôle ?

2. Compléter l'algorithme afin qu'il calcule et affiche également la variance de la série $x_1, x_2, \ldots, x_n$.

Variables :	n, i sont des nombres entiers naturels
	$x_1, x_2, \ldots, x_n$ est une liste de nombres réels
	S, m sont des nombres réels
Entrées :	Saisir $n, x_1, x_2, \ldots, x_n$
Traitement :	Affecter à S la valeur 0
	Pour i allant de 1 à n
	$\mid$ Affecter à S la valeur $S + x_i$
	Fin Pour
	Affecter à m la valeur S/n
Sortie :	Afficher m

Solution

1. a) Voici les étapes de l'exécution de l'algorithme.

i		1	2	3	4	5
S	0	8	20	25	34	47

À la sortie de la boucle, S = 47 et l'algorithme affiche $m = \dfrac{47}{5} = 9,4$.

b) L'algorithme calcule la somme $S = x_1 + x_2 + \ldots + x_n$, puis affiche $m = \dfrac{S}{n}$ qui est donc la moyenne de la série $x_1, x_2, \ldots, x_n$.

2. En dernière ligne de « *Variables* », ajouter : T, v sont des nombres réels.

En fin de « *Traitement* », ajouter les instructions ci-contre.

Ainsi l'algorithme calcule de plus la somme
$T = (x_1 - m)^2 + (x_2 - m)^2 + \ldots + (x_n - m)^2$ et la variance $v = \dfrac{T}{n}$.

À la fin de « *Sortie* », ajouter : Afficher v.

Affecter à T la valeur 0
Pour i allant de 1 à n
$\mid$ Affecter à T la valeur $T + (x_i - m)^2$
Fin Pour
Affecter à v la valeur T/n

À votre tour

10 On étudie l'algorithme ci-contre.

1. a) Appliquer cet algorithme dans les deux cas suivants :

• $n = 8$ avec la liste 2 ; 4 ; 7 ; 13 ; 20 ; 22 ; 25 ; 30
• $n = 7$ avec la liste 5 ; 9 ; 10 ; 14 ; 18 ; 21 ; 24

b) Quel est le rôle de cet algorithme ?

2. Compléter cet algorithme afin qu'il calcule et affiche l'étendue et l'écart interquartile de la série $x_1, x_2, \ldots, x_n$.

Note : Ent(x) renvoie la partie entière du nombre x. Par exemple Ent(3,8) = 3.

Variables :	n, i, j sont des nombres entiers naturels
	$x_1, x_2, \ldots, x_n$ est une liste croissante de nombres réels
Entrées :	Saisir $n, x_1, x_2, \ldots, x_n$
Traitement :	Si n est divisible par 4 alors
	$\mid$ Affecter à i la valeur $n/4$
	$\mid$ Affecter à j la valeur $3n/4$
	$\mid$ sinon
	$\mid$ Affecter à i la valeur Ent($n/4$) + 1
	$\mid$ Affecter à j la valeur Ent($3n/4$) + 1
	Fin Si
Sorties :	Afficher x_i, x_j

11 Traitement de données réelles

Objectif

Comparer les caractéristiques d'une série et utiliser les fonctions statistiques du tableur.

D ans la feuille de calcul ci-contre, on a réper-
torié les dépenses (en millions d'euros) liées à
la protection de l'environnement, classées par
secteurs d'activités dans l'industrie en France
en 2011 (*Source* : INSEE).
Le tableau distingue les dépenses d'investissement et celles d'études.

	A	B	C	D
1	Secteurs d'activités	Investissement	Études	Total
2	Industries estractives	11,5	4,6	
3	Industries alimentaires	136,7	16,1	
4	Fabrication de boissons	20,3	1,4	
5	Fabrication de textiles	4,0	0,9	
6	Industrie de l'habillement	1,1	0,0	
7	Industrie du cuir et de la chaussure	1,6	0,3	
8	Travail du bois et fabrication d'articles en bois et en liège	7,6	2,0	
9	Industrie du papier et du carton	31,9	3,2	
10	Imprimerie et reproduction d'enregistrements	9,0	1,2	
11	Cokéfaction et raffinage	42,7	5,3	
12	Industrie électrique	175,9	61,1	
13	Industrie pharmaceutique	24,5	5,3	
14	Fabrication de produits en caoutchouc et en plastique	37,0	4,5	
15	Fabrication d'autres produits minéraux non métalliques	62,2	8,1	
16	Métallurgie	91,7	5,8	
17	Fabrication de produits métalliques, à l'exception des machines et des équipements	44,5	10,6	
18	Fabrication de produits informatiques, électroniques et optiques	11,3	1,5	
19	Fabrication d'équipements électroniques	12,0	2,7	
20	Fabrication de machines et équipements n.c.	23,3	8,6	
21	Industrie automobile	30,2	10,3	
22	Fabrication d'autres matériaux de transport	15,7	3,8	
23	Fabrication de meubles	5,8	0,8	
24	Autres industries manufacturières	5,5	0,6	
25	Réparation et installation de machines et d'équipements	7,4	1,5	
26	Production et distribution d'électricité, de gaz, de vapeur et d'air conditionné	419,4	199,1	
27	Total			

1 Premiers calculs

a) Télécharger cette feuille de calcul chapitre 7_TP_11.xls sur le site compagnon.

b) Dans la cellule B27, saisir la formule =SOMME(B2:B26). Interpréter le résultat obtenu.

c) Déterminer la dépense totale d'études pour l'ensemble des secteurs d'activités en cellule C27.

d) Dans la colonne D, faire apparaître, pour chaque secteur d'activité, la dépense totale engagée pour la protection de l'environnement.

e) Mettre la colonne E au format pourcentage, puis dans la cellule E2, saisir la formule =D2/D\$27 et la recopier vers le bas. Interpréter les pourcentages calculés dans cette colonne.

2 Détermination des caractéristiques statistiques

a) Dans les cellules B28 et B29, saisir respectivement les formules :

=MOYENNE(B2:B26) et =ECARTYPEP(B2:B26),

puis recopier ces formules à droite dans la plage C28:D29.

b) De même, dans les cellules B30, B31 et B32, saisir respectivement les formules :

=MEDIANE(B2:B26), =QUARTILE(B2:B26;1) et =QUARTILE(B2:B26;3),

puis recopier ces formules à droite dans la plage C30:D32.

c) Pour chacune des séries, déterminer également l'écart interquartile.

3 Travailler en autonomie — Compte-rendu

a) Expliquer la différence observée pour chacune des séries entre moyenne et médiane.

b) Quel couple (moyenne ; écart-type) ou (médiane ; écart interquartile) paraît le plus approprié pour résumer chaque série ?

12 Comprendre l'effet de structure

Objectif

Comparer la rémunération dans deux entreprises.

Deux entreprises concurrentes ont classé leurs salariés en deux catégories : A et B.
Voici la répartition de ces salariés suivant ces deux catégories et leurs salaires annuels en milliers d'euros.

Entreprise 1

Tranches de salaire	$[10\,;12[$	$[12\,;20[$	$[20\,;25[$	$[25\,;30[$	$[30\,;40[$
Catégorie A	0	5	12	10	20
Catégorie B	45	120	30	0	0
Total	45	125	42	10	20

Entreprise 2

Tranches de salaire	$[10\,;12[$	$[12\,;20[$	$[20\,;25[$	$[25\,;30[$	$[30\,;40[$
Catégorie A	0	10	20	50	30
Catégorie B	90	160	30	0	0
Total	90	170	50	50	30

1 Traitement des données

a) À l'aide de la calculatrice et en utilisant le centre de chaque classe, estimer le salaire moyen pour chaque catégorie, dans chaque entreprise. Arrondir au millième.

b) Réaliser la feuille de calcul ci-dessous et la compléter avec les salaires moyens et les effectifs par catégorie, dans chaque entreprise.

	A	B	C	D	E	F	G
2		Entreprise 1		Entreprise 2			
3		Salaire moyen	Effectif	Salaire moyen	Effectif		Rapports
4	Catégorie A						
5	Catégorie B						
6							
7	Moyenne						

c) Quelles formules faut-il saisir en B7 et D7 pour calculer le salaire moyen dans chaque entreprise, toutes catégories confondues ?

2 Comparaison des salaires

a) Dans la cellule G4, saisir la formule qui permet de calculer le rapport entre le salaire moyen dans l'entreprise 1 et le salaire moyen dans l'entreprise 2, pour la catégorie A.

b) Calculer de même ce rapport pour la catégorie B.

c) Calculer de même ce rapport pour l'ensemble des salariés.

d) Les deux chefs d'entreprises affirment que leurs salariés sont mieux rémunérés que ceux de l'autre. Quels sont les arguments que chacun d'eux peut avancer pour justifier son affirmation ?

e) Quelle particularité dans la répartition des salariés de ces entreprises peut expliquer ce paradoxe ?

3 Compte-rendu

Le paradoxe constaté ci-dessus est appelé **effet de struture**.
Expliquer ce paradoxe en quelques lignes.

Pour s'entraîner

Médiane, quartiles et diagramme en boîte

Questions rapides

13 Déterminer mentalement la médiane et les quartiles de chaque série.
a) 0 – 0 – 1 – 2 – 4 – 7 – 8 – 9 – 10 – 11
b) 1 – 4 – 5 – 8 – 13 – 13 – 15 – 16 – 16

14 Voici le diagramme en boîte d'une série statistique.

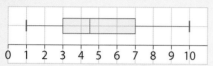

1. Lire pour cette série :
a) le minimum et le maximum ;
b) la médiane ;
c) les quartiles.
2. Déterminer pour cette série :
a) l'étendue ; **b)** l'écart interquartile.

15 Lequel de ces trois diagrammes en boîte correspond à une série statistique dont la médiane est égale à 4 et dont l'écart interquartile vaut 3 ?

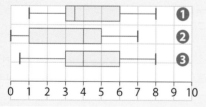

16 Un boulanger désire étudier la masse de ses pains de campagne. Il en pèse 24 choisis au hasard. Voici les masses obtenues (en g) :

487	510	504	505	501	475	492	520
550	502	507	489	460	488	506	518
546	530	475	500	543	503	495	490

a) Déterminer la médiane et les quartiles.
b) Construire le diagramme en boîte.
c) Le boulanger affirme : « 50 % des masses de ces pains de campagne appartiennent à l'intervalle [489 ; 510] ».
A-t-il raison ? Expliquer.

17 Leila a relevé le nombre de magazines publicitaires reçus par jour dans sa boîte aux lettres, sur une période de deux semaines.
Elle a obtenu la série ci-dessous :
5 – 1 – 3 – 7 – 5 – 5 – 4 – 0 – 1 – 4 – 6 – 3 – 2 – 10
a) Déterminer la médiane et les quartiles.
b) Le dernier jour, Leila a en fait reçu sept magazines et non dix. Cela entraîne-t-il des modifications sur les résultats précédents ? Si oui, lesquels ?

18 Le tableau ci-dessous indique, pour 100 SMS, le nombre de lignes d'écritures utilisées, suivant le type de téléphone.

Smartphone					
Nombre de lignes	1	2	3	4	5	6
Nombre de SMS	15	12	18	22	18	15

Autre type de téléphone					
Nombre de lignes	1	2	3	4	5	6
Nombre de SMS	27	19	23	21	4	6

a) Déterminer la médiane et les quartiles de ces deux séries statistiques.
b) Construire les deux diagrammes en boîte, puis comparer les deux séries.
c) Calvin affirme : « Dans chaque cas, le nombre de lignes est inférieur ou égal au premier quartile pour exactement 25 % de ces SMS ». A-t-il raison ?

19 Après un baccalauréat blanc, les moyennes des élèves ont été regroupées par intervalles.

Note	[0 ; 8[	[8 ; 10[	[10 ; 12[	[12 ; 16[	[16 ; 20[
Effectif	61	68	154	99	5

Dans quels intervalles se situent la médiane et chacun des quartiles ?

20 Durant les vacances d'été, Marie-France a compté le nombre de phasmes nés chaque jour dans son terrarium.

Nombre de phasmes	0	1	2	3	4	5	6	7
Nombre de jours	2	4	5	17	15	11	3	1

a) Construire le diagramme en boîte de cette série.
b) Calculer le pourcentage de jours où le nombre de naissances est inférieur ou égal à la médiane. Arrondir à l'unité.

21 Le tableau ci-dessous donne le nombre d'espèces de champignons reconnues par les participants au cours d'une ballade en forêt.

Espèces reconnues	2	5	7	10	14	15	20	27	30
Participants	10	4	11	4	22	21	27	1	4

a) Construire le diagramme en boîte de cette série.
b) L'organisateur affirme : «La plupart des participants reconnaissent entre 10 et 20 espèces».
Préciser cette affirmation.

22 Le diagramme en tige et feuilles ci-contre donne les différents prix trouvés sur Internet pour un produit. Les premiers prix sont 12,8 €, puis 12,9 €. Il n'y a pas de prix entre 13 € et 14 €. Le prix suivant est 14,2 €, et ainsi de suite.

12	89
13	
14	269
15	669
16	4799
17	1667778999
18	288999
19	0223579
20	0
21	99
22	059

a) Déterminer la médiane et les quartiles de cette série.
b) Construire le diagramme en boîte associé.
c) Calculer le pourcentage de prix qui appartiennent à l'intervalle $[Q_1 ; Q_3]$. Arrondir à l'unité.

23 Le tableau ci-contre donne la part, en pourcentage, des surfaces agricoles dans les régions de France en 2013.
1. a) Déterminer la médiane et les quartiles de cette série.
b) Construire le diagramme en boîte.
2. Compléter chaque phrase.
a) «Dans plus de 50 % des régions, la part des surfaces agricoles est supérieure à…»

Alsace	40,4
Aquitaine	32,7
Auvergne	55,7
Bourgogne	55,5
Bretagne	59,8
Centre	58,5
Champagne-Ardenne	59,8
Corse	19,4
Franche-Comté	40,7
Ile-de-France	47,4
Languedoc-Roussillon	31,8
Limousin	49,0
Lorraine	47,7
Midi-Pyrénées	50,0
Nord-Pas-de-Calais	65,6
Basse-Normandie	62,7
Haute-Normandie	62,7
Pays de la Loire	64,8
Picardie	67,8
Poitou-Charentes	65,8
Provence-Alpes-Côte d'Azur	19,0
Rhône-Alpes	31,4

b) «Dans plus de 75 % des régions, la part des surfaces agricoles est inférieure à…»

24 On a demandé à des familles leur temps de connexion quotidienne à Internet, en heures.
Voici la courbe des fréquences cumulées (croissantes) de cette série de valeurs.

Fréquences cumulées (en %)

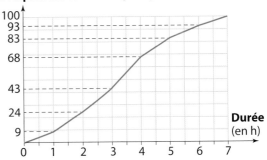

a) Quel pourcentage de ces familles se connecte entre 4 h et 5 h par jour ?
b) Lire graphiquement la médiane et les quartiles de cette série.
c) Construire le diagramme en boîte associé.

25 La feuille de calcul ci-dessous donne différentes valeurs de la fréquence cardiaque (en battements par minute) de John lors d'un marathon.

	A	B	C	D	E	F	G	H	I	J	K	L	M
1	Fréquence cardiaque (en BPM)	80	127	130	137	117	138	138	132	134	131	130	128
2													
3	Q_1												
4	Médiane												
5	Q_3												

a) Quelles formules faut-il saisir en B3, B4 et B5 ?
b) Déterminer la médiane et les quartiles à l'aide du tableur ou de la calculatrice.
c) Construire le diagramme en boîte associé.
d) Interpréter la valeur de la médiane.

26 Les diagrammes en boîte ci-dessous, extraits d'un magazine, représentent les taux de fécondité en Europe et en Asie en 2013.

a) Pour chaque diagramme, lire une valeur approchée du minimum, du maximum, de la médiane et des quartiles.
b) Comparer ces deux séries statistiques.

27 Afin de lutter contre les excès de vitesse lors de la traversée de son village, un maire a fait installer un radar indicateur de vitesse.

Les vitesses des véhicules entrant dans le village ont été relevées sur une journée avant la pose du radar, puis après la mise en service de celui-ci.

Les séries obtenues sont représentées par les diagrammes en boîte ci-dessous.

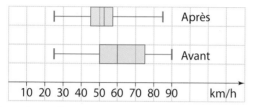

En utilisant les pourcentages définis par les quartiles et la médiane, décrire le comportement des automobilistes avant et après la mise en place du radar.

28 Le graphique ci-dessous donne le relevé de la pluviométrie moyenne (en mm) à Pégomas (en violet) et à Armentières (en rouge).

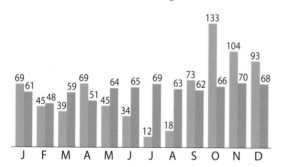

Construire les diagrammes en boîte de ces deux séries pour les comparer.

29 Lors du mondial de l'automobile de Paris, deux stands ont relevé le nombre de commandes passées par jour tous véhicules confondus.

• L1 : le nombre de commandes.

• L2 (resp. 3) : le nombre de jours correspondants pour le stand 1 (resp. 2).

Représenter les diagrammes en boîte de ces deux séries pour les comparer.

L1	L2	L3
0	1	3
1	3	1
2	3	2
3	4	1
4	2	2
5	1	2
6	0	3

30 Un fabriquant de macarons teste une machine permettant de déposer sur les plaques de cuisson les disques qui formeront les gâteaux. Ces disques, après cuisson, doivent avoir 3 cm de diamètre pour satisfaire le bon conditionnement des macarons.

Voici les diamètres en cm des disques après cuisson pour deux fournées : l'une réalisée à l'aide de la machine, l'autre réalisée manuellement.

Fournée 1

2,8	2,7	2,7	2,8	3,2	3,9	4	3,1
3	4	3	3,1	2,8	3,5	3	3,1
2,1	2,2	3	3,4	3	2,5	2,4	2,9

Fournée 2

3,1	2,7	3,2	2,8	2,9	3	3	2,8
2,9	3	2,7	3,2	3,1	3,1	3,4	3
2,7	2,9	3	3,5	2,9	2,9	2,7	3

a) Représenter le diagramme en boîte de chaque série à la calculatrice.

b) On admet que si une série de mesures est assez symétrique, environ 98 % des observations se trouvent dans l'intervalle :

$$[Q_1 - 1,5(Q_3 - Q_1) ; Q_3 + 1,5(Q_3 - Q_1)].$$

Calculer ce pourcentage pour les deux séries.

c) Quelle série semble correspondre à celle réalisée par la machine ?

31 Voici un algorithme.

Variables :	m, N sont des nombres entiers naturels
Entrée :	Saisir N
Traitement et sorties :	Si m est impair alors
	Affecter à m la valeur $(N + 1)/2$
	Afficher m
	sinon
	Affecter à m la valeur N /2
	Afficher m, $m + 1$
	Fin Si

a) Appliquer cet algorithme avec les entrées N = 23, puis N = 12.

b) Expliquer le rôle de cet algorithme et la façon dont on peut utiliser la (ou les) valeur(s) affichée(s) en sortie.

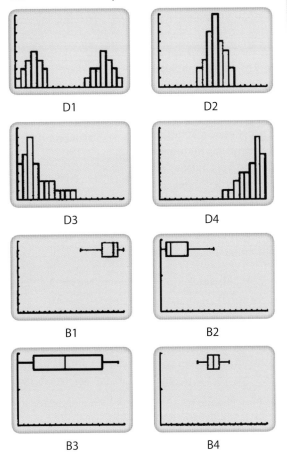

32 On a demandé aux 30 élèves de quatre classes d'un lycée d'indiquer le nombre de livres (de 0 à 20) qu'ils ont lus au cours de l'année 2014. Ces données sont représentées ci-dessous.

D1   D2

D3   D4

B1   B2

B3   B4

a) Associer chaque diagramme en bâtons au diagramme en boîte correspondant.

b) Les élèves de la classe L1 aiment beaucoup la littérature. Dans la classe L2, la moitié des élèves sont peu intéressés par la lecture. La classe S1 est composée d'élèves qui ne sont pas particulièrement des grands lecteurs. Dans la classe ES1, plus de la moitié des élèves ne lisent pas plus de deux livres par an. Associer chaque graphique à une classe.

c) Dire à quelles classes chacun des commentaires suivants s'applique.

① « 50 % des élèves lisent moins de 6 livres par an ».

② « 90 % des élèves lisent au plus 7 livres par an ».

③ « Au moins 50 % des élèves lisent entre 3 et 16 livres par an ».

④ « Au moins 50 % des élèves lisent plus de 18 livres par an ».

Moyenne, variance et écart-type

Questions rapides

33 Déterminer à l'aide de la calculatrice la moyenne et l'écart-type de chaque série statistique ci-dessous. Arrondir au centième.

Série 1 : 9 – 3 – 4 – 3 – 7 – 1 – 2

Série 2 :

Valeur	1	2	3	4
Effectif	4	2	0	7

34 Voici les diagrammes en bâtons correspondants à deux séries de valeurs.

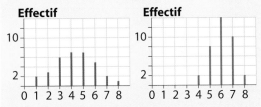

a) Estimer la moyenne de chaque série.

b) Indiquer, sans calcul, la série qui a l'écart-type le plus grand.

35 Voici l'écran de calculatrice obtenu par Lily lors de l'étude d'une série statistique.

Déterminer mentalement une valeur approchée de la variance V.

36 Voici les pourcentages de réussite au baccalauréat d'un lycée durant huit ans.

81,5 – 80,3 – 81,5 – 84,1 – 83,8 – 87,7 – 89 – 92,4

Calculer la moyenne et l'écart-type de cette série.

37 Dans chaque cas, calculer la moyenne et l'écart-type de la série.

a) La série comporte 40 termes égaux à 15.

b) La série comporte 20 termes égaux à 10 et 20 termes égaux à 20.

38 On a relevé le débit internet ADSL en réception, en Mbit/s, dans quelques maisons d'un village.

1,8	2,1	2,4	2	3,2	3,9	5	2,5
1,7	3,2	6,1	5,3	3	3,5	3	3,1

Calculer le débit moyen et l'écart-type.

39 Au cours d'une année, Joël a compté le nombre de matchs de badminton qu'il a gagné pendant chaque séance d'entraînement.

Nombre de matchs gagnés	0	1	2	3	4	5
Nombre de séances	3	15	10	9	2	1

a) Calculer le nombre moyen de matchs gagnés par séance.

b) Calculer la variance, puis l'écart-type de cette série. Arrondir au centième.

40 Voici une série statistique incomplète.

Valeur	5	9	14	19	35	41
Fréquence	0,08	0,11	0,30	0,27	0,13	

a) Quelle est la fréquence de la valeur 41 ?

b) Calculer la moyenne et l'écart-type de cette série. Arrondir au centième.

41 Voici les distances courues par Maëva lors de plusieurs séances d'entraînement.

Nombre de kilomètres	6	8	10	12	14	21	42
Nombre de séances	1	1	15	16	10	2	1

a) Calculer la moyenne de cette série. Arrondir au dixième. Interpréter ce résultat.

b) Calculer la variance et l'écart-type de cette série. Arrondir au dixième. En quelles unités ces caractéristiques sont-elles exprimées ?

42 On compte le nombre de bonbons vendus dans des paquets de 100 g.

Nombre de bonbons	38	39	40	41	42	43	44	45	46
Nombre de paquets	14	34	78	120	350	145	21	10	2

Les résultats seront arrondis au dixième.

a) Calculer la moyenne de cette série.

b) En déduire la masse moyenne d'un bonbon.

c) Calculer l'écart-type de cette série.

43 Voici les durées en minutes des appels téléphoniques passés par Evan au cours d'un mois.

Durée	[0 ; 1[	[1 ; 2[	[2 ; 3[	[3 ; 5[	[5 ; 10[	[10 ; 20[
Effectif	80	47	21	34	28	19

a) Estimer la moyenne de cette série, puis interpréter ce résultat. Arrondir au dixième.

b) Calculer l'écart-type. Arrondir au dixième.

44 Un professeur a relevé le nombre de bonnes réponses à un QCM comportant sept questions.

	A	B	C	D	E	F	G	H	I	J
1	Moyenne		Nombres de bonnes réponses							
2	Écart-type		4	4	3	1	6	4	4	5
3	Q_1		5	4	5	0	7	5	4	5
4	Médiane		2	2	5	5	3	3	6	3
5	Q_3									
6	Écart interquartile									

a) Réaliser et compléter cette feuille de calcul.

b) Quel est le couple de caractéristiques le plus approprié pour résumer les résultats obtenus ?

45 Ces graphiques illustrent la fréquentation de trois musées sur 300 jours de l'année. Le nombre de visiteurs est indiqué en abscisse et le nombre de jours en ordonnée.

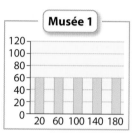

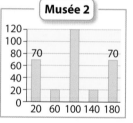
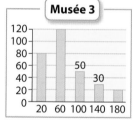

a) Pour chaque musée, calculer la moyenne, l'écart-type, la médiane et l'écart interquartile.

b) Indiquer le couple de caractéristiques qui semble le plus approprié pour résumer chaque série.

46 Les données ci-dessous concernent l'âge et la durée du séjour à l'hôpital de 397 patients.

L'âge varie de 22 à 100 ans et la durée de séjour varie de 1 à 99 jours.

Caractéristique	Âge	Durée de séjour
Moyenne	69,22	14,07
Écart-type	14,92	15,14
Q_1	60,75	5
Médiane	70	10
Q_3	80,25	16,25

a) Représenter autour d'un même axe les diagrammes en boîte de ces séries.

b) Quel couple de caractéristiques semble le plus adapté dans chaque cas ?

47 Pour chaque diagramme ci-dessous, indiquer le couple de caractéristiques qui vous semble le plus approprié pour résumer la série.

a) Distribution des fréquences des communes françaises de moins de 3 500 habitants

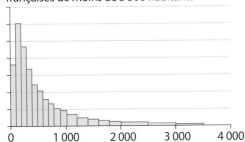

b) Différence d'âge dans les couples en France.

En pourcentage

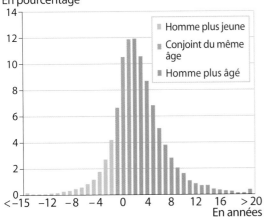

Légende :
- Homme plus jeune
- Conjoint du même âge
- Homme plus âgé

En années

48 Une entreprise a effectué une étude sur la durée de réalisation d'un projet par ses employés. Elle a regroupé ces durées par classes dans le tableau suivant.

a) Représenter cette série statistique par un histogramme.

b) Tracer la courbe obtenue en reliant les milieux des côtés supérieurs des rectangles.

Nombre de jours	Nombre de projets
[14 ; 16[	3
[16 ; 18[	12
[18 ; 20[	30
[20 ; 22[	61
[22 ; 24[	76
[24 ; 26[	95
[26 ; 28[	81
[28 ; 30[	63
[30 ; 32[	35
[32 ; 34[	10
[34 ; 36[	5

c) Estimer la moyenne et l'écart-type de cette série. Arrondir au centième.

d) Déterminer chacun des intervalles suivants, puis calculer le pourcentage de projets réalisés durant la période correspondante :

- $[\overline{x} - \sigma ; \overline{x} + \sigma]$ • $[\overline{x} - 2\sigma ; \overline{x} + 2\sigma]$ • $[\overline{x} - 3\sigma ; \overline{x} + 3\sigma]$

49 Voici les diagrammes en bâtons de deux séries.

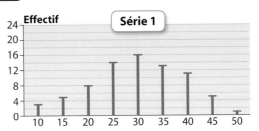

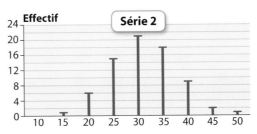

a) Par lecture graphique :
- estimer la moyenne de chaque série ;
- conjecturer laquelle des deux séries a le plus grand écart-type.

b) Établir le tableau des valeurs et effectifs de chaque série et contrôler par le calcul les réponses données à la question précédente.

50 Voici les résultats aux examens des étudiants des universités de Lille et Lens.

	Université de Lille	Université de Lens	Total
Garçons présents	100	500	600
Garçons reçus	50	400	450
Filles présentes	400	100	500
Filles reçues	200	80	280

a) Un journaliste rapporte ces résultats en soulignant que les filles réussissent moins bien que les garçons. Quelles données permettent de justifier cette affirmation ?

b) Les présidents des deux universités répondent que cette analyse est erronée. Quelles données permettent de justifier cette réponse ?

c) Comment peut-on expliquer ce paradoxe ?

51 On considère la série suivante :

10 – 14 – 14 – 11 – 11 – 3 – 11 – 10 – 21 – 10

a) Déterminer la moyenne et l'écart-type, arrondis à l'unité, de cette série.

b) Modifier la série en retranchant la moyenne à chaque valeur. Quelle est la nouvelle moyenne ?

c) Modifier la série en divisant chaque valeur par l'écart-type. Quel est le nouvel écart-type ?

52 On a prélevé des échantillons de 60 pots chez deux producteurs de confiture d'abricot.

L'un de ces producteurs utilise des méthodes artisanales qui donnent des taux de sucre (en %) assez hétérogènes. L'autre producteur utilise des procédés industriels qui assurent des taux de sucre (en %) plus homogènes.

Série 1

Taux de sucre (%)	55	56	57	58	59	60	61	62	63	64	65
Effectif	0	0	1	3	15	18	16	5	2	0	0

Série 2

Taux de sucre (%)	55	56	57	58	59	60	61	62	63	64	65
Effectif	1	2	2	5	9	12	11	9	6	2	1

a) Calculer la moyenne et l'écart-type de chaque série. Arrondir au centième.

b) Associer chaque série au producteur correspondant.

53 Le tableau ci-contre donne la répartition par classes d'âge de la population française, en milliers d'habitants, en 2014 ainsi qu'une prévision faite par l'INSEE pour l'année 2060 afin de pouvoir planifier les investissements dans les domaines du logement, des maisons de retraite, des écoles, …

	2014	2060
]0 ; 20]	16,96	17,07
]20 ; 40]	16,16	16,70
]40 ; 60]	17,59	16,99
]60 ; 66]	4,86	4,67
]66 ; 76]	5,17	7,62
]76 ; 86]	3,75	6,27
]86 ; 120]	1,33	4,25

1. a) Estimer la moyenne et l'écart-type de chaque série en utilisant les centres des classes.

b) Commenter l'évolution de la population française selon cette prévision.

2. Les affirmations suivantes sont-elles vraies ou fausses ?

a) En 2060, on prévoit que plus d'une personne sur deux aura au moins 66 ans.

b) En 2014, il y a au moins 75 % de Français âgés de plus de 60 ans.

c) La répartition est plus homogène en 2014 que la prévision de 2060.

d) En 2060, on prévoit qu'au moins le quart de la population aura moins que l'âge moyen.

Sans intermédiaire

54 Le tableau ci-contre donne le prix de vente aux ménages de l'électricité, Hors Toutes Taxes (HTT) et Toutes Taxes Comprises (TTC), en centimes d'euro par kWh, en 2010, dans plusieurs pays d'Europe.

Le taux des taxes diffère selon le pays. Étudier l'impact des taxes sur la dispersion des tarifs dans l'ensemble de ces pays.

	HTT	TTC
Danemark	10,85	24,73
Italie	17,64	23,95
Allemagne	13,49	23,6
Malte	21,44	22,57
Chypre	15,96	18,82
Pays-Bas	12,27	18,29
Autriche	13,05	18,01
Belgique	13,17	18,01
Irlande	15,44	17,62
Suède	11,27	17,57
Espagne	14,13	17,36
Luxembourg	13,66	16,57
Hongrie	12,7	16,03
Portugal	10,44	15,84
Slovaquie	12,15	14,46
Grèce	11,14	13,96
Slovénie	10,47	13,79
Pologne	10,36	13,25
Royaume-Uni	12,35	12,96
République tchèque	10,6	12,87
Finlande	9,4	12,59
France	8,82	11,91
Lituanie	9,42	11,39
Lettonie	9,53	10,48
Roumanie	8,31	10,19
Estonie	6,66	9,45
Bulgarie	6,83	8,2

S'entraîner à la logique

55 **Réciproque**

Les implications suivantes sont vraies.

Dans chaque cas, énoncer la réciproque et dire si elle est vraie ou fausse. Justifier.

a) Si toutes les valeurs d'une série sont nulles, alors l'écart-type est nul.

b) Si toutes les valeurs d'une série sont positives, alors la moyenne est positive.

c) Si la moyenne d'une série est supérieure ou égale à la médiane, alors au moins 50 % des valeurs sont inférieures ou égales à la moyenne.

d) Si le troisième quartile est égal au premier quartile, alors il est aussi égal à la médiane.

56 **Quantificateurs**

Dans chaque cas, indiquer si l'affirmation est vraie ou fausse.

Donner un exemple ou un contre-exemple.

a) Quelles que soient les valeurs d'une série statistique, la moyenne est supérieure à la médiane.

b) Il existe une série statistique pour laquelle la moyenne est égale à la médiane et l'écart-type est égal à l'écart interquartile.

Pour les exercices **57** et **58**, on a relevé les tailles, dans un échantillon de saumons pêchés en Atlantique Nord. Les résultats sont donnés dans le tableau ci-dessous.

Taille (en cm)	116	117	118	119	120	121	122	123	124	125	126	127
Effectif	2	0	8	3	4	5	5	6	7	3	2	1

57 Dans chaque cas, donner **la** réponse exacte **sans justifier**.

		A	B	C	D
1	La taille médiane Me des saumons est …	121,5	119	122	23,5
2	L'écart interquartile de cette série est …	2	3	5	25
3	Le diagramme en boîte de cette série est …	116 120 124 128	116 120 124 128	116 120 124 128	116 120 124 128
4	Le pourcentage de saumons de taille inférieure ou égale à la médiane est …	d'environ 58 %	d'exactement 50 %	inférieur à 50 %	d'environ 75 %

58 Dans chaque cas, donner **la ou les** réponses exactes **sans justifier**.

		A	B	C	D
1	La moyenne $\overline{x}$ de cette série, éventuellement arrondie, est …	121,478	121,5	$\dfrac{5\,588}{46}$	$\dfrac{5\,588}{12}$
2	La variance V de cette série, éventuellement arrondie, est …	5 588	7,683	$2,772^2$	679 174
3	L'écart-type σ de cette série, éventuellement arrondi, est …	$\sqrt{121,478}$	$\sqrt{V}$	2,803	2,772
4	Une erreur de manipulation fait que tous les saumons mesurent en fait 2 cm de plus. La taille moyenne réelle, $\overline{x}'$, vérifie alors …	$\overline{x}' = \overline{x}$	$\overline{x}' = 2\overline{x}$	$\overline{x}' = \overline{x} + 2$	$\overline{x}' \geqslant \overline{x}$

59 Pour chaque affirmation, dire si elle est **vraie ou fausse en justifiant**.

On a représenté ci-contre deux séries statistiques.

1. La moyenne de la série 1 est supérieure à celle de la série 2.

2. L'écart-type de la série 1 est inférieur à celui de la série 2.

3. Pour la série 1, la médiane et la moyenne sont proches.

4. Pour la série 2, la médiane est supérieure à la moyenne.

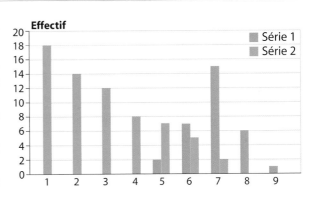

Vérifiez vos réponses : p. 264

60 objectif Bac **Avec un guide**

Une machine produit des pièces dont le diamètre doit être de 5 cm. On observe malgré tout de petites différences sur les diamètres.

Pour savoir si la machine est bien réglée et fonctionne correctement, on prélève un échantillon de 40 pièces et on obtient les résultats suivants :

4,9	5	5,2	4,7	4,8	5,1	4,5	5,2
4,9	4,8	4,9	4,9	4,9	5,3	5	4,8
4,8	4,9	5,1	5,3	4,5	4,9	4,9	5
4,8	4,8	5,3	4,8	5,4	5	5,4	4,8
4,7	5	5	4,8	4,6	4,7	4,9	4,7

La machine est correctement réglée si :
• environ 95 % des données de l'échantillon appartiennent à l'intervalle $[\bar{x} - 2\sigma ; \bar{x} + 2\sigma]$, où $\bar{x} = 5$ est la moyenne théorique et σ est l'écart-type de l'échantillon ;
• environ 68 % des données de l'échantillon appartiennent à l'intervalle $[\bar{x} - \sigma ; \bar{x} + \sigma]$.
La machine est-elle bien réglée ?

Conseil

Utiliser la calculatrice pour déterminer l'écart-type σ, puis déterminer le nombre de données situées dans chaque intervalle, et le pourcentage de l'échantillon qu'elles représentent.

61 **Imaginer une stratégie**

Voici les prévisions sur une année des livraisons effectuées par un magasin de meubles, en fonction de la distance.
En arrondissant $\bar{x} - \sigma$ et $\bar{x} + \sigma$ à l'unité, le prix d'une livraison est de :
• 7 € si la distance est inférieure à $\bar{x} - \sigma$;
• a € si la distance est entre $\bar{x} - \sigma$ et $\bar{x} + \sigma$;
• a^2 € si la distance est supérieure à $\bar{x} + \sigma$.

Distance (en km)	Nombre de livraisons
[0 ; 5[	50
[5 ; 10[	250
[10 ; 12[	500
[12 ; 15[	200
[15 ; 20[	800
[20 ; 25[	700
[25 ; 30[	650
[30 ; 32[	100
[32 ; 35[	530
[35 ; 60[	230

On sait que le coût total des livraisons est de 85 000 €. Déterminer la valeur de a à partir de laquelle le service livraisons réalise un bénéfice.

62 objectif Bac **Régler afin d'homogénéiser**

La densité d'une lentille souple est considérée conforme lorsqu'elle est comprise entre 0,92 et 1,08. Un fabricant a prélevé au hasard dans sa production 39 lentilles et mesuré leur densité.

0,96	1,07	0,98
1,04	0,95	1,01
1,15	0,92	1,01
0,96	0,99	1,13
0,92	1,11	1,04
1,02	1,01	0,97
0,96	0,96	1,01
1,05	0,94	1,01
1,2	1,13	0,92
1,05	0,99	1,03
1	1,1	1,13
1,07	0,95	1,01
0,95	1,02	0,9

a) Dans le menu statistiques de la calculatrice, saisir les données dans la liste 1 pour déterminer la moyenne et l'écart-type de cette série. Arrondir au dix-millième.

b) Dans cet échantillon, déterminer le pourcentage de lentilles conformes.

c) Le fabricant décide de modifier le réglage de sa machine.
Afin d'obtenir les nouvelles données, se positionner sur L2 (ou List 2), puis saisir : 0,625 × L1 + 0,375 (ou 0,625 × List 1 + 0,375).
Vérifier que la moyenne est pratiquement inchangée et que l'écart-type a diminué de 37,5 %.

d) Le nouveau réglage est-il plus satisfaisant ?

63 Travailler en groupe **Découvrir un paramètre**

Voici les bénéfices hebdomadaires de magasins.

Magasin 1		Magasin 2	
Bénéfice	Nombre de semaines	Bénéfice	Nombre de semaines
10 000	19	500	9
10 500	50	1 000	25
11 000	68	1 500	38
11 500	39	2 000	19
12 000	29	2 500	9

a) Chaque groupe détermine la moyenne et l'écart-type des bénéfices de l'un des magasins.

b) Les deux séries semblent-elles aussi dispersées ? Expliquer.

c) Le coefficient de variation est le rapport $\dfrac{\sigma}{\bar{x}}$.
La série ayant le coefficient de variation le plus élevé est la plus dispersée.
Déterminer le coefficient de variation pour les deux magasins, puis conclure.

64 **Comparing data sets**

The table below shows the yearly expenditure on protection of the environment in some European countries, expressed in euros per inhabitant, in 2003 and 2010.

	2003	2010
Belgium	136,72	199,24
Bulgaria	6,98	24,75
Germany	106,13	101,1
Estonia	11,01	17,35
Spain	47,89	56,75
France	140,21	177,38
Italy	196,6	230,17
Latvia	3,25	49,24
Luxembourg	548,21	566,2
Hungary	44,23	44,63
Malta	154,01	299,51
Austria	200,79	169,5
Poland	15,57	45,88
Portugal	66,54	84,11
Romania	3,21	49,91
Slovenia	141,26	159,06
Slovakia	6,5	34,73
Finland	164,61	214,17
Sweden	97,85	126,77
United Kingdom	131,23	283,4
Norway	249,43	450,2
Turkey	14,6	34,33

a) Around the same axis, build the box plots of these two data sets.

b) Use the box plots to compare these data sets.

65   **Réduire les disparités**

Rédiger les différentes étapes de la recherche, sans omettre les fausses pistes et les changements de méthode.

Problème On donne ci-contre la répartition des salaires mensuels bruts (en euros) au sein d'une entreprise.

Le PDG souhaite valoriser le travail de ses employés en augmentant les salaires tout en réduisant les disparités.

Salaire	Effectif
[1 200 ; 1 500[	201
[1 500 ; 1 700[	213
[1 700 ; 2 000[	350
[2 000 ; 2 500[	500
[2 500 ; 3 000[	233
[3 000 ; 3 500[	51
[3 500 ; 7 000[	9

Pour cela, il hésite entre deux méthodes.

Méthode 1 : réduire de 3 % chaque salaire, puis ajouter 100 €.

Méthode 2 : faire évoluer 10 salariés de chaque classe (sauf la dernière) à celle supérieure.

Étudier les conséquences de chaque méthode :
• sur les salaires moyens ;
• sur les écarts-types.

Prendre des initiatives

66 **Comparer à un modèle**

On a relevé le poids (en kg) de 60 barquettes de clémentines.

Poids	0,8	0,825	0,85	0,875	0,9	0,925	0,95	0,975
Effectif	1	5	5	5	4	4	5	4

Poids	1	1,025	1,05	1,075	1,1	1,125	1,15	1,175
Effectif	2	3	2	5	6	3	4	2

Le diagramme en boîte caractéristique d'un échantillon de barquettes de clémentines remplies de manière automatisée est tracé ci-dessous.

Peut-on penser que les barquettes prélevées sont remplies de manière automatisée ?

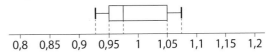

Des défis

67 **Structurer**

Deux lycées de 300 et 500 élèves organisent une même épreuve de mathématiques.

Trouver une répartition possible des effectifs de telle sorte que les moyennes des filles et des garçons du lycée 1 soient supérieures à celles des garçons et des filles du lycée 2, mais que la moyenne générale du lycée 1 soit inférieure à celle du lycée 2.

Compléter pour chaque lycée un tel tableau.

Lycée 1			
Note	[0 ; 8[	[8 ; 12[	[12 ; 20[
Filles			
Garçons			
Total			

68 **Transformer**

Multiplier chaque valeur de la série ci-dessous par un même nombre a, puis leur ajouter un même nombre b afin que la moyenne soit égale à 10 et l'écart-type égal à 3.

$$30 - 45 - 45 - 45 - 52,5 - 52,5.$$

Accompagnement personnalisé

69 Exercice test

Le tableau ci-dessous donne le nombre d'opérations quotidiennes pratiquées dans une clinique vétérinaire durant une année.

Nombre d'opérations	0	1	2	3	4	5	6
Effectif	74	95	92	59	28	15	2

a) Déterminer la médiane et les quartiles.
b) Représenter le diagramme en boîte associé.

 Appelez le professeur pour qu'il contrôle vos réponses et qu'il vous indique la suite.

70 Voici une série statistique.

4	5	5	5	1	7	9	0
5	2	7	8	6	8	6	18
12	10	3	17	15	15	14	2

a) Déterminer la médiane et les quartiles.
b) Carla a construit le diagramme en boîte ci-dessous. Est-il correct ? Si non, le corriger.

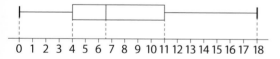

71 Eva a étudié à la calculatrice la série de notes suivante.

Note	0	1	2	3	4	5
Effectif	3	7	12	10	1	3

```
1-Var Stats
 x̄=6
 Σx=36
 Σx²=312
 Sx=4.38178046
 σx=4
↓n=6
```
```
1-Var Stats
↑n=6
 minX=1
 Q1=3
 Med=5
 Q3=10
 maxX=12
```

a) A-t-elle fait une erreur ? Si oui, la corriger.
b) Construire le diagramme en boîte associé.

72 On considère la série suivante :
5 – 10 – 12 – 12 – 17 – 18 – 20 – 20 – 21 – 28 – 30 – 34 – 45 – 46 – 55 – 101 – 120 – 134 – 134 – 152.
a) Déterminer la médiane et les quartiles.
b) Représenter le diagramme en boîte associé.

73 Exercice test

Un standardiste a enregistré le nombre d'appels reçus entre 20 h et 22 h durant 500 soirées.

Nombre d'appels	0	1	2	3	4	5	6	7	8	9
Nombre de soirées	11	24	43	59	70	95	88	68	30	12

À l'aide de la calculatrice, déterminer l'écart interquartile et l'écart-type (arrondi à l'unité) de cette série.

 Appelez le professeur pour qu'il contrôle vos réponses et qu'il vous indique la suite.

74 Voici le nombre de trajets effectués en train par semaine par 100 personnes d'une même ville.

Nombre de trajets	0	1	2	3	4	5	6	7	8	9	10	11
Effectif	1	9	5	8	9	10	8	7	6	5	7	3

a) À l'aide de la calculatrice, déterminer les quartiles de cette série et en déduire l'écart interquartile.
b) Déterminer l'écart-type de cette série.
Arrondir à l'unité.

75 Une commune du littoral surveille l'état de sa plage. Chaque matin, un employé va compter le nombre de méduses échouées.
Voici le bilan de ses relevés de juin et juillet.

Méduses	0	3	4	6	7	11	12	15	16	52
Jours	10	13	8	4	2	7	5	7	4	1

a) Déterminer l'écart interquartile et l'écart-type. Arrondir au dixième.
b) La valeur la plus élevée est en fait 25. Cela modifie-t-il l'écart interquartile ou l'écart-type ?

76 On donne ci-dessous les retards (en min) observés durant un mois pour le premier bus du matin arrivant à un certain arrêt.

Retard	[0 ; 2[	[2 ; 4[	[4 ; 6[	[6 ; 8[	[8 ; 10[	[10 ; 14[
Effectif	14	8	3	2	2	2

En utilisant les centres des classes, estimer la moyenne et l'écart-type. Arrondir au dixième.

Soutien

Comparer deux séries statistiques

77 **Exercice test**

Les élèves de Terminale ES d'un lycée comparent leurs notes obtenues au baccalauréat en mathématiques.
Voici les résultats selon qu'ils ont choisi la spécialité Mathématiques ou non.

Note	7	8	9	10	11	12	13	14	15	16	17	18	19	20
Non spé.	2	3	5	3	4	2	6	1	3	1	2	1	3	2
Spé.	0	0	0	0	0	2	0	5	3	4	2	4	2	3

a) Calculer la moyenne et l'écart-type de chaque série. Arrondir au dixième.
b) Afficher à la calculatrice les diagrammes en boîte de ces deux séries.
c) En utilisant les éléments précédents, comparer la répartition des notes.

Appelez le professeur pour qu'il contrôle vos réponses et qu'il vous indique la suite.

78 Un organisme de formation d'adultes a organisé un test de compréhension d'un texte en français.
Les scores vont de 0 à 10.
Pour un premier groupe de 60 stagiaires, les résultats sont les suivants :

Score	4	6	7	8	9	10
Effectif	5	22	18	10	4	1

Pour un autre groupe de 20 stagiaires dont la langue maternelle n'est pas le français, on a obtenu les résultats suivants :

Score	0	1	2	3	4	6
Effectif	1	2	5	9	1	2

1. a) Déterminer la médiane et les quartiles de ces deux séries.
b) Construire les diagrammes en boîte de ces deux séries.
c) À l'aide des diagrammes, comparer les deux groupes.
2. a) Calculer la moyenne et l'écart-type de chaque série. Arrondir au dixième.
b) À l'aide de ces nouveaux éléments, compléter la comparaison des deux groupes.

Approfondissement

Étudier de grands échantillons

79 On se propose de simuler le lancer d'une pièce équilibrée et d'étudier la répartition des fréquences d'apparition de Pile.
1. a) Avec un tableur, réaliser 200 échantillons de 10 lancers d'une pièce grâce à l'instruction =ENT(ALEA()+0,5).
b) Calculer la fréquence d'apparition de Pile dans chaque échantillon.
c) Déterminer la médiane, les quartiles et les valeurs extrêmes de cette série de fréquences.
2. Reprendre la question **1.** pour des échantillons de 100 lancers, puis de taille 1 000 lancers.
3. Représenter sur un même graphique les trois diagrammes en boîte obtenus.
4. Qu'observe-t-on sur ces trois diagrammes en boîte ?

Approfondissement

Utiliser la dérivée

80 On considère la série statistique définie par le tableau :

Valeur	x_1	x_2	...	x_p
Effectif	n_1	n_2	...	n_p

On note $N = n_1 + n_2 + ... + n_p$ l'effectif total de cette série et $\overline{x}$ sa moyenne.
f est la fonction définie sur $\mathbb{R}$ qui à chaque nombre réel x associe la moyenne des carrés des écarts à x :
$$f(x) = \frac{n_1(x_1 - x)^2 + ... + n_p(x_p - x)^2}{N}.$$
On se propose de déterminer le minimum de cette fonction et la valeur en laquelle il est atteint.
a) Démontrer que la dérivée de la fonction f est définie pour tout nombre réel x par :
$$f'(x) = 2(x - \overline{x}).$$
b) Étudier le sens de variation de f.
c) Pour quelle valeur de x la fonction f atteint-elle son minimum ?
d) Comment appelle-t-on ce minimum ?

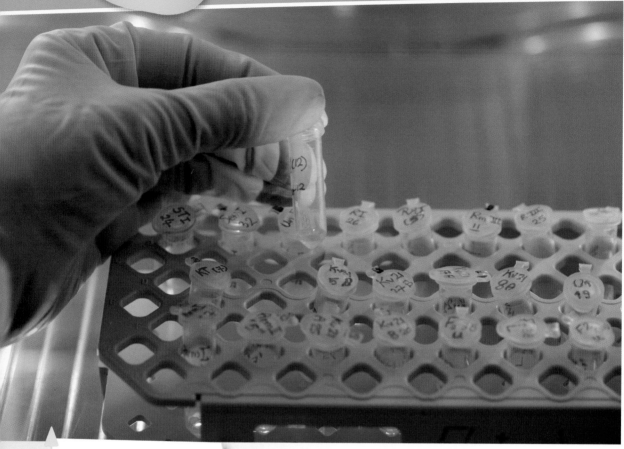

8 Probabilités

Les tests ADN sont très fiables, mais la probabilité de commettre une erreur n'est pas nulle. Pour le test utilisé habituellement aux États-Unis, elle est de 1 sur 53 milliards de milliards.

Au fil des siècles

Une légende prétend qu'au XIXe siècle le mathématicien **Henri Poincaré** aurait pesé chaque jour, pendant un an, le pain qu'il achetait chez son boulanger. La moyenne de ses pesées était inférieure au 1 kg annoncé par le boulanger.

● *Rechercher sur Internet la suite de cette légende.*

Les capacités du programme

	Choix d'exercices	
• Déterminer et exploiter la loi d'une variable aléatoire discrète.	2 28	30
• Interpréter l'espérance d'une variable aléatoire comme valeur moyenne dans le cas d'un grand nombre de répétitions.	11 38	43
• Utiliser la calculatrice ou un logiciel pour déterminer l'espérance d'une variable aléatoire.	5	40
• Représenter et exploiter la répétition d'expériences identiques et indépendantes.	8 55	59

Bien démarrer

 Travailler en autonomie

1 Modéliser à partir de fréquences observées

On a simulé 10 000 fois le lancer d'un dé à quatre faces dont les sommets sont numérotés de 1 à 4.

On a obtenu le tableau ci-dessous qui indique la fréquence d'obtention de chaque sommet.

Issue	1	2	3	4
Fréquence	0,245	0,37	0,128	0,257

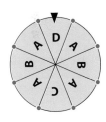

Pour chaque modélisation proposée, indiquer si elle semble adéquate.

(1) Les probabilités sont équiréparties sur l'ensemble $\{1\,;2\,;3\,;4\}$.

(2)

Issue	1	2	3	4
Probabilité	$\dfrac{1}{4}$	$\dfrac{3}{8}$	$\dfrac{1}{8}$	$\dfrac{1}{4}$

(3)

Issue	1	2	3	4
Probabilité	$\dfrac{1}{4}$	$\dfrac{2}{5}$	$\dfrac{1}{7}$	$\dfrac{1}{4}$

2 Associer des probabilités à des issues

La roue équilibrée ci-contre est divisée en huit secteurs identiques.

On tourne cette roue et on note la lettre obtenue.

Associer à chaque issue de cette expérience aléatoire la probabilité correspondante.

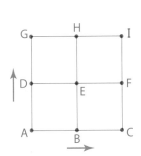

3 Définir l'événement contraire

Un sac contient dix boules numérotées 1, 1, 3, 3, 3, 5, 5, 10, 10, 10.

On tire au hasard une boule dans ce sac et on note son numéro.

A est l'événement « La boule tirée porte un numéro supérieur à 2 ».

a) Décrire par une phrase l'événement $\overline{A}$.

b) Calculer $P(\overline{A})$ et en déduire $P(A)$.

c) Calculer $P(A)$ en utilisant une autre méthode.

4 Utiliser l'intersection et la réunion d'événements

Un pion se déplace aléatoirement sur les points du quadrillage ci-contre, dans les sens indiqués par les flèches.

Le point de départ est le point A et le point d'arrivée est le point I.

On note B (resp. E) l'événement « Lors de son déplacement le pion est passé par le point B (resp. E) ».

1. À l'aide d'un arbre, déterminer le nombre de chemins différents possibles.

2. On tire au hasard l'un des chemins.

a) Décrire par une phrase chacun des événements $E \cap B$ et $E \cup B$.

b) Déterminer $P(E)$, $P(B)$, $P(E \cap B)$ et $P(E \cup B)$.

 Aide et corrigés sur le site élève **www.nathan.fr/hyperbole1reESL-2015**

1 Gain moyen à un jeu télévisé

À la fin d'un jeu télévisé, un candidat doit choisir entre cinq boîtes pour connaître son gain.

Les boîtes n° 1, 2 et 3 contiennent 1 000 €, la boîte n° 4 contient 1 250 € et la boîte n° 5 contient 1 500 €.

Le candidat, qui ne connaît pas le contenu des boîtes, en choisit une au hasard.

À chaque choix d'une boîte on associe la somme d'argent correspondante. On définit ainsi une **variable aléatoire** que l'on note G (initiale de gain).

③ ① ④ ② ⑤

Problème

Déterminer le gain moyen que peut espérer un candidat.

1 **Déterminer la loi de probabilité d'une variable aléatoire**

a) Préciser les différentes valeurs que peut prendre la variable aléatoire G.

b) Pour chaque valeur possible k de la variable aléatoire G, c'est-à-dire chaque gain possible, on note P(G = k) la probabilité que ce gain se réalise. On définit ainsi la **loi de probabilité** de la variable aléatoire G.

Recopier et compléter le tableau ci-contre, qui présente la loi de probabilité de la variable aléatoire G.

Gain k	1 000	1 250	1 500
P(G = k)			

2 **Calculer l'espérance du gain**

L'espérance de la variable aléatoire G, notée E(G), est le nombre $\frac{3}{5} \times 1\,000 + \frac{1}{5} \times 1\,250 + \frac{1}{5} \times 1\,500$.

a) Calculer l'espérance E(G).

b) Dans quelle unité l'espérance E(G) est-elle exprimée ?

c) Un candidat peut-il effectivement gagner une somme égale à E(G) en jouant une fois à ce jeu ?

3 **Interpréter l'espérance à l'aide du tableur**

a) Réaliser la feuille de calcul ci-contre.

b) Dans la cellule B2, saisir la formule =ALEA.ENTRE.BORNES(1;5).

Expliquer cette formule.

c) Dans la cellule C2, saisir la formule =SI(B2<=3;1 000;SI(B2=4;1 250;1 500)).

Expliquer cette formule.

	A	B	C	D
1	Expérience	N° de la boîte	Gain obtenu	Gain moyen
2	1			
3	2			
4	3			
5	4			
6	5			

d) Dans la cellule D2, saisir la formule =MOYENNE(C$2:C2). Expliquer cette formule.

e) Sélectionner la plage B2:D2, puis recopier vers le bas.

f) Simuler le gain moyen pour 100, 1 000, 5 000, puis 10 000 expériences.

De quelle valeur semble s'approcher le gain moyen ?

2 Répétition d'expériences identiques et indépendantes

Dans une fête foraine, un jeu consiste à faire tourner deux fois de suite une roue ; on gagne si l'on obtient deux fois la même couleur. On applique ce principe à la roue ci-dessous, découpée en cinq secteurs de couleurs différentes : trois secteurs rouges notés R1, R2, R3, et deux secteurs verts notés V1 et V2.

On note les couleurs obtenues dans leur ordre de sortie.

On gagne si l'on obtient à chaque fois un secteur vert.

On suppose que tous les secteurs ont la même probabilité d'être obtenus.

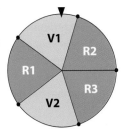

Problème

Modéliser la répétition d'expériences identiques et indépendantes afin d'en déduire des probabilités.

1 **Illustrer à l'aide d'un arbre simple**

Simon décide de considérer la couleur du secteur sorti mais aussi son numéro.

Il représente toutes les issues par l'arbre ci-contre.

a) Recopier et compléter cet arbre, en indiquant au bout de chaque branche l'issue obtenue (désignée par un couple).

b) Compter le nombre de tirages possibles.

c) Compter le nombre d'issues gagnantes et en déduire la probabilité de gagner.

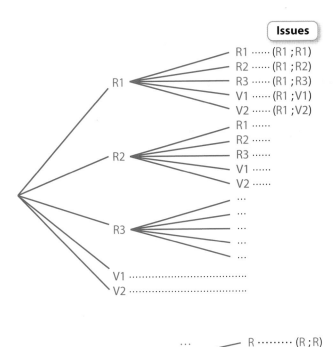

2 **Illustrer à l'aide d'un arbre pondéré**

Dans la mesure où on ne s'intéresse qu'à la couleur du secteur sorti, Chloé décide de regrouper dans l'arbre de Simon les branches R1, R2, R3 en une seule branche R et les branches V1, V2 en une seule branche V.

a) Expliquer pourquoi Chloé a inscrit la fraction $\frac{3}{5}$ sur la première branche menant à R et $\frac{2}{5}$ sur celle menant à V.

b) Recopier et compléter cet arbre.

c) Quel calcul basé sur cet arbre permet de retrouver la probabilité de gagner ?

1 Variable aléatoire et loi de probabilité

a. Variable aléatoire discrète

▶ **DÉFINITION**

E est l'ensemble des issues d'une expérience aléatoire.
Définir une **variable aléatoire** sur E, c'est associer un unique nombre réel à chaque issue de E.

Vocabulaire et notations
- Une variable aléatoire est généralement notée par une lettre majuscule : X, Y, Z, T, G,…
- Lorsque k désigne un nombre réel, l'événement «**X prend la valeur k**» est noté $(X = k)$.
- Une variable aléatoire est dite **discrète** lorsque l'ensemble E est fini, c'est-à-dire qu'il contient un nombre fini d'issues.

● **EXEMPLE**

On lance un dé équilibré à six faces numérotées de 1 à 6 et on lit le numéro de la face supérieure.
Si le numéro obtenu est 1, 2 ou 3, on gagne 4 €.
Si le numéro obtenu est 4 ou 5, on gagne 1 €.
Si le numéro obtenu est 6, on perd 5 €.
On définit ainsi une variable aléatoire discrète G qui au numéro obtenu associe le gain en euros du joueur.
Cette variable aléatoire prend les valeurs -5 ; 1 et 4.
L'événement $(G = 1)$ représente l'événement «Le gain obtenu est 1 €»; il est réalisé par les issues 4 et 5.

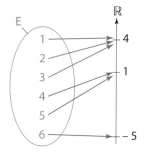

b. Loi de probabilité d'une variable aléatoire discrète

▶ **DÉFINITION**

E est l'ensemble fini des issues d'une expérience aléatoire.
$x_1, x_2, …, x_n$ sont les valeurs prises par une variable aléatoire discrète X définie sur E.
Définir la **loi de probabilité** de X c'est associer à chaque valeur x_i (avec $1 \leqslant i \leqslant n$), la probabilité de l'événement $(X = x_i)$.

Remarque : on présente souvent la loi de probabilité de X à l'aide du tableau ci-dessous avec $x_1 < x_2 < … < x_n$.

Valeur de X	x_1	x_2	…	x_n
$P(X = x_i)$	p_1	p_2	…	p_n

On a $P(X = x_1) + P(X = x_2) + … + P(X = x_n) = p_1 + p_2 + … + p_n = 1$.

● **EXEMPLE**

On reprend l'exemple du paragraphe **a.**
Ce tableau donne la loi de probabilité de la variable aléatoire G.

Gain x_i (en €)	-5	1	4
$P(G = x_i)$	$\dfrac{1}{6}$	$\dfrac{1}{3}$	$\dfrac{1}{2}$

● **Exercice résolu**   **Déterminer une loi de probabilité**

1 Énoncé

Un osselet est constitué des quatre faces indiquées ci-contre et que l'on note 1, 2, 3, 4.

On note p_1, p_2, p_3, p_4 les probabilités associées aux faces respectives 1, 2, 3, 4.

Des études statistiques ont montré que :

$$p_1 = p_2, \quad p_3 = p_4, \quad p_1 = 4p_4$$

On lance un osselet. La face 1 rapporte 3 points, la face 2 rapporte 4 points, la face 3 rapporte 6 points et la face 4 rapporte 1 point.

X désigne la variable aléatoire qui donne le nombre de points obtenus.

a) Déterminer les probabilités p_1, p_2, p_3, p_4.

b) Déterminer la loi de probabilité de la variable aléatoire X.

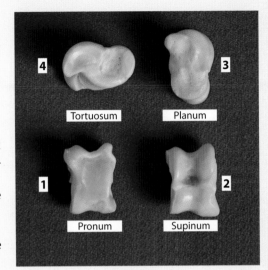

Tortuosum   Planum

Pronum   Supinum

Solution

a) On sait que $p_1 + p_2 + p_3 + p_4 = 1$.

Donc $4p_4 + 4p_4 + p_4 + p_4 = 1$

c'est-à-dire $10p_4 = 1$ et $p_4 = 0,1$.

Ainsi : $p_1 = p_2 = 0,4$ et $p_3 = p_4 = 0,1$.

b) La variable aléatoire X donne le nombre de points obtenus lors d'un lancer, donc elle prend les valeurs 1, 3, 4, 6.

Voici sa loi de probabilité présentée dans un tableau.

x_i	1	3	4	6
$P(X = x_i)$	0,1	0,4	0,4	0,1

Conseils

- La somme des probabilités de toutes les issues est égale à 1.

On a exprimé p_1, p_2, p_3 en fonction de p_4.

- On détermine d'abord les valeurs prises par X.

- L'événement $(X = 3)$ se réalise lorsqu'on obtient la face 1 de l'osselet.

Donc $P(X = 3) = p_1 = 0,4$.

À votre tour

2 On tire au hasard une boule de cette urne. Si la boule tirée est verte, on gagne 8 points, si elle est bleue on gagne 1 point, sinon on perd 3 points.

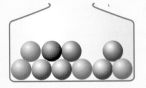

X est la variable aléatoire qui donne le nombre de points obtenus.

Déterminer la loi de probabilité de X.

3 Sept bouts de papier sont numérotés 1, 2, 3, 4, 5, 6, 7.

On tire au hasard l'un de ces bouts de papier et on lit le numéro qui y est inscrit.

Si le numéro obtenu est pair, on perd 1 point.

Si le numéro est impair on gagne le nombre de points indiqués.

X est la variable aléatoire qui donne le nombre de points obtenus.

Déterminer la loi de probabilité de X.

2 Espérance d'une variable aléatoire

a. Espérance

▶ **DÉFINITION**

E est l'ensemble fini des issues d'une expérience aléatoire.
X est une variable aléatoire définie sur E dont la loi de probabilité est donnée dans le tableau ci-contre.

Valeur de X	x_1	x_2	...	x_n
P(X = x_i)	p_1	p_2	...	p_n

L'**espérance** de la variable aléatoire X est le nombre réel, noté E(X), défini par :

$$E(X) = p_1 x_1 + p_2 x_2 + ... + p_n x_n.$$

Remarques :
• Pour obtenir l'espérance, on calcule la moyenne des valeurs x_i pondérées par les probabilités p_i.
• L'espérance E(X) est exprimée dans la même unité que les valeurs prises par la variable aléatoire X.

● **EXEMPLE**

X est la variable aléatoire qui donne le gain à un jeu télévisé basé sur le hasard.
La loi de probabilité de la variable aléatoire X est donnée dans le tableau ci-dessous.

Gain x_i (en €)	10	100	1 000	2 000
P(X = x_i)	0,3	0,5	0,15	0,05

L'espérance de la variable aléatoire X est, exprimée en euros :

$$E(X) = 0,3 \times 10 + 0,5 \times 100 + 0,15 \times 1\,000 + 0,05 \times 2\,000 = 303.$$

Cela signifie qu'**en jouant un grand nombre de fois** à ce jeu, un candidat peut espérer gagner, **en moyenne**, 303 € par partie.

b. Jeu équitable

▶ **DÉFINITION**

E est l'ensemble des issues d'un jeu de hasard.
X est la variable aléatoire définie sur E qui donne le gain du joueur.
Dire que ce jeu est **équitable** signifie que **E(X) = 0**.

● **EXEMPLE**

Un ticket de jeu à gratter coûte deux euros. On considère l'expérience aléatoire qui consiste à tirer au hasard un ticket de ce jeu parmi l'ensemble des tickets disponibles.
X est la variable aléatoire qui donne le gain du joueur, en tenant compte du prix d'achat du ticket.
Ce gain peut ainsi être négatif.
La loi de probabilité de la variable aléatoire X est donnée dans le tableau ci-dessous.

Gain x_i (en €)	−2	0	3	8	18	48	198
P(X = x_i)	0,6	0,2173	0,1205	0,0485	0,0124	0,0012	0,0001

L'espérance de la variable aléatoire X est :
$E(X) = 0,6 \times (-2) + 0,2173 \times 0 + 0,1205 \times 3 + 0,0485 \times 8 + 0,0124 \times 18 + 0,0012 \times 48 + 0,0001 \times 198$,
c'est-à-dire E(X) = −0,1499 €.
E(X) ≠ 0 donc ce jeu n'est pas équitable, il est défavorable au joueur.

● **Exercice résolu** **Utiliser la calculatrice**

4 **Énoncé**

Lors d'une opération promotionnelle, un supermarché distribue 1 000 tickets à ses clients.
On considère l'expérience aléatoire qui consiste à tirer un ticket au hasard. X est la variable aléatoire qui donne le gain ainsi obtenu. La loi de probabilité de X est donnée dans le tableau ci-dessous.

a) Utiliser la calculatrice pour calculer l'espérance de X.
b) Interpréter le résultat obtenu.

Gain x_i (en €)	0	10	20	50
$P(X = x_i)$	0,4	0,5	0,09	0,01

Solution

a)

Commentaires	Solution Casio	Solution TI
• On choisit le menu Statistiques. • On saisit les valeurs de X dans la liste 1 et les probabilités dans la liste 2.	MENU 2 (STAT) 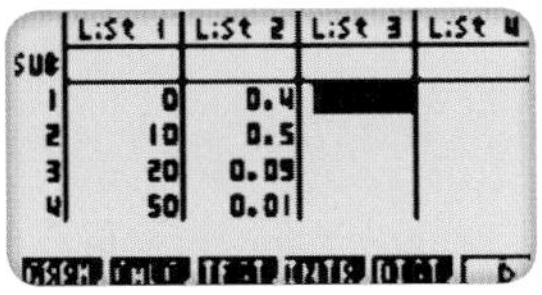 	stats ▶ (CALC) 1 (Stats 1-Var) 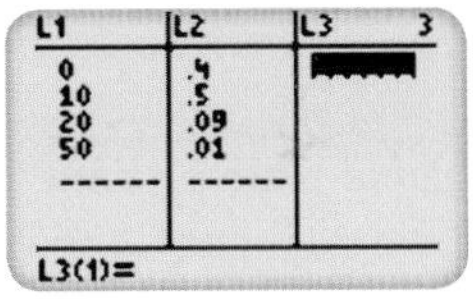
• On effectue les réglages nécessaires.	F2 (CALC) F6 (SET)  	stats ▶ (CALC) entrer (Stats 1-Var)
• On affiche les paramètres. L'espérance est la moyenne $\bar{x}$.	EXIT F1 (1VAR)  	L1 L2 2nde 1 , 2nde 2 entrer 

b) Sur un grand nombre de tickets distribués, on peut espérer un gain moyen par ticket de 7,30 €.

● **À votre tour**

5 Un jeu consiste à lancer quatre fois de suite une pièce de monnaie équilibrée. Voici la loi de probabilité de la variable aléatoire X qui donne le nombre de fois où on a obtenu Pile.

Nombre x_i de Pile	0	1	2	3	4
$P(X = x_i)$	$\dfrac{1}{16}$	$\dfrac{1}{4}$	$\dfrac{3}{8}$	$\dfrac{1}{4}$	$\dfrac{1}{16}$

Utiliser la calculatrice pour calculer l'espérance de X.
Interpréter le résultat obtenu.

6 Un joueur mise deux euros, puis lance un dé équilibré à six faces.
S'il obtient un numéro impair, il gagne 2 €, s'il obtient 6 il gagne 10 €, sinon il perd 5 €.
X est la variable aléatoire qui donne le gain algébrique du joueur.
a) Déterminer la loi de probabilité de X.
b) Utiliser la calculatrice pour calculer l'espérance de X.
c) Interpréter le résultat obtenu.

3 Répétition d'expériences identiques et indépendantes

a. Expériences identiques et indépendantes

Vocabulaire

• Lorsque la **même** expérience aléatoire est répétée plusieurs fois de suite, on dit qu'il y a répétition d'**expériences identiques**.

• Lorsque l'issue d'une quelconque de ces expériences aléatoires ne dépend pas des issues des autres expériences, on dit que ces expériences sont **indépendantes**.

● EXEMPLE

On tire au hasard une boule de cette urne, on note sa couleur, puis on la replace dans l'urne.

On répète cette expérience. La composition de l'urne est la même qu'au moment du 1er tirage.

Donc ces expériences sont identiques et indépendantes.

Chaque issue de cette expérience est un couple donnant dans l'ordre du tirage les couleurs des deux boules, par exemple (V ; R).

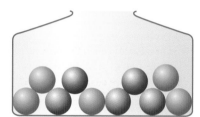

b. Arbre pondéré par les probabilités

● EXEMPLE

On reprend l'exemple du paragraphe **a**.

On peut représenter cette répétition de deux expériences identiques et indépendantes par un arbre pondéré par les probabilités qui correspondent à chaque branche.

Une succession de deux branches est appelée **un chemin**.

Chaque chemin conduit à une issue inscrite à droite de l'arbre.

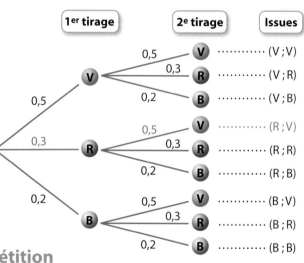

c. Modélisation d'une répétition

▶ **PROPRIÉTÉ** \ ADMISE

Dans une répétition d'expériences identiques et indépendantes, la probabilité d'une issue est **le produit des probabilités** rencontrées sur le chemin conduisant à cette issue.

● EXEMPLE

On reprend l'exemple du paragraphe **b**.

L'issue (R ; V) a pour probabilité : P(R ; V) = 0,3 × 0,5 = 0,15.

● **Exercice résolu**   **Étudier une variable aléatoire associée à une répétition**

7 **Énoncé**

Une chaîne automatisée fabrique un objet.

Une étude a montré que la probabilité qu'un objet soit défectueux est 0,03.

On prélève au hasard trois objets de cette chaîne de fabrication et on note combien sont défectueux.

On admet qu'étant donné le grand nombre d'objets fabriqués, on peut considérer que les tirages sont identiques et indépendants.

X est la variable aléatoire qui donne le nombre d'objets défectueux parmi les trois.

a) Représenter cette situation par un arbre pondéré.

b) Déterminer $P(X = 2)$. Arrondir au millième.

Solution

a) Chaque objet prélevé peut être défectueux (D) ou non défectueux ($\overline{D}$).

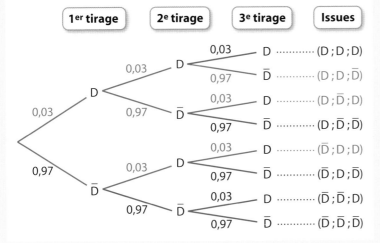

Conseils

• Les épreuves répétées sont identiques et indépendantes, donc :

$P(D\,;D\,;\overline{D}) = 0,03 \times 0,03 \times 0,97$
$P(D\,;\overline{D}\,;D) = 0,03 \times 0,97 \times 0,03$
$P(\overline{D}\,;D\,;D) = 0,97 \times 0,03 \times 0,03$

Ces trois probabilités sont égales donc :

$P(X = 2) = 3 \times P(D\,;D\,;\overline{D})$.

b) L'événement $(X = 2)$ est réalisé lorsque deux des objets prélevés sont défectueux, c'est-à-dire par les issues $(D\,;D\,;\overline{D})$, $(D\,;\overline{D}\,;D)$, $(\overline{D}\,;D\,;D)$.

Donc $P(X = 2) = 3 \times 0,03^2 \times 0,97$

soit $P(X = 2) \approx 0,003$.

```
3*0.03²*0.97
        .002619
```

● **À votre tour**

8 Sur le trajet d'un automobiliste se trouvent trois feux tricolores de circulation.

Ces feux fonctionnent de façon indépendante et le cycle de chacun d'eux est réglé ainsi :

• vert : 35 s   • orange : 5 s   • rouge : 20 s

X est la variable aléatoire qui compte le nombre de feux verts rencontrés par l'automobiliste sur le trajet.

Représenter cette situation par un arbre pondéré.

Déterminer $P(X = 2)$. Arrondir au centième.

9 Dans la poche de Martin se trouvent trois pièces de 1 € : une d'Allemagne, une d'Espagne et une de France.

Il tire au hasard successivement deux pièces, avec remise.

X est la variable aléatoire qui donne le nombre de pièces tirées provenant de France.

Représenter cette situation par un arbre pondéré.

Déterminer $P(X = 1)$. Arrondir au centième.

Résoudre des problèmes

● Problème résolu · Interpréter une espérance

10 | Énoncé

Le Rapido était un jeu de hasard vendu en France jusqu'en 2014. Une partie consistait à miser un euro sur une combinaison de numéros.

Les probabilités des gains possibles sont données dans le tableau ci-contre.

Un joueur régulier a fait 500 parties.

Estimer la somme qu'il a gagnée ou perdue avec ce jeu sur l'ensemble de ces parties.

Gain (en €)	Probabilité (en %)
0	81,799 1 %
1	6,876 6 %
2	7,335 1 %
6	2,445 0 %
10	1,100 3 %
30	0,366 8 %
50	0,057 2 %
150	0,019 1 %
1 000	0,000 6 %
10 000	0,000 2 %

Solution

• Mathématisation

X est la variable aléatoire qui donne le gain, éventuellement négatif, du joueur.

Les valeurs possibles pour X sont obtenues en soustrayant la mise de 1 € aux gains indiqués dans le tableau.

• Résolution du problème

On calcule l'espérance de la variable aléatoire X.

$$E(X) = (-1) \times \frac{81,799\,1}{100} + 0 \times \frac{6,876\,6}{100} + \dots + 9\,999 \times \frac{0,000\,2}{100}$$

$$E(X) \approx -0,334\,5 \ €$$

• Conclusion

En jouant un grand nombre de fois, un joueur perd en moyenne 0,334 5 € par partie. En 500 parties, on peut donc estimer que le joueur aura perdu environ 167,25 € (car 0,334 5 × 500 = 167,25).

> **Conseils**
>
> • Il faut penser à tenir compte de la mise du joueur.
>
> • On peut calculer l'espérance à la calculatrice.

● À votre tour

11 Un ticket d'un jeu à gratter coûte 5 €.

Les probabilités des différents gains qui peuvent apparaître sur le ticket gratté sont données dans le tableau ci-contre.

Gain (en €)	Probabilité (en %)
0	74 %
5	20,5 %
10	4,25 %
50	1 %
100	0,2 %
1 000	0,05 %

Un joueur régulier a acheté 100 tickets en un an. Estimer la somme qu'il a gagnée ou perdue avec ce jeu sur cette période.

12 Un opérateur officiel de jeux de hasard veut mettre sur le marché un nouveau jeu.

Les gains possibles ainsi que les probabilités correspondantes sont donnés ci-contre.

Gain (en €)	Probabilité (en %)
0	97 %
100	1 %
200	1 %
300	0,5 %
400	0,5 %

Le taux de reversement d'un jeu d'argent est le pourcentage des mises reversé aux joueurs au travers des gains qu'ils obtiennent.

Il a été décidé que le taux de reversement de ce jeu devait être compris entre 50 % et 65 %.

À quel prix peut-on fixer la mise de ce jeu ?

Problème résolu — Calculer une probabilité du type P(X ⩾ k) ou P(X ⩽ k)

13 **Énoncé**

Dans un centre de don du sang, on a observé parmi les donneurs la répartition des groupes sanguins donnée dans le tableau ci-contre.

O	A	B	AB
43 %	45 %	9 %	3 %

Un infirmier prélève au hasard un dossier dans le fichier de l'ensemble des donneurs, note le groupe sanguin, repose le dossier, puis effectue un second tirage dans les même conditions, de façon indépendante.

X est la variable aléatoire qui indique le nombre de donneurs du groupe O parmi les deux dossiers tirés au sort.

Calculer, puis interpréter, la probabilité $P(X \geqslant 1)$.

Solution

• **Schématisation à l'aide d'un arbre pondéré**

Dans l'arbre ci-dessous, on note O si le dossier tiré au hasard est celui d'un donneur du type O et $\overline{O}$ sinon.

On note au bout de chaque chemin la valeur prise par la variable aléatoire X.

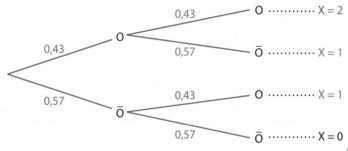

Conseils

• On décompose l'événement en plusieurs événements du type (X = k), dont la probabilité est calculée grâce à l'arbre.

• Lorsque deux événements A et B sont incompatibles :
$P(A \cup B) = P(A) + P(B)$.
Or les événements (X = 1) et (X = 2) sont incompatibles donc :
$P(X \geqslant 1) = P(X = 1) + P(X = 2)$.
Les issues $(O\,;\overline{O})$ et $(\overline{O}\,;O)$ sont incompatibles donc
$P(X = 1) = P(O\,;\overline{O}) + P(\overline{O}\,;O)$.

• **Résolution du problème**

L'événement (X ⩾ 1) est réalisé lorsque (X = 1) ou (X = 2).

Ainsi, $P(X \geqslant 1) = 0{,}43 \times 0{,}43 + 0{,}43 \times 0{,}57 + 0{,}57 \times 0{,}43 = 0{,}675\,1$.

La probabilité que, parmi les deux dossiers tirés au hasard, au moins un soit celui d'un donneur du type O est donc égale à 0,675 1.

À votre tour

14 Voici la répartition des élèves de Première d'un lycée général.

ES	L	S
47 %	12 %	41 %

On tire au hasard, successivement et avec remise, les dossiers de deux élèves de Première.

X est la variable aléatoire qui donne le nombre d'élèves de série ES parmi les deux dossiers prélevés.

Calculer, puis interpréter, la probabilité $P(X \leqslant 1)$.

15 On lance trois fois de suite une pièce de monnaie équilibrée.

X est la variable aléatoire qui donne le nombre de fois où on a obtenu Pile lors de ces trois lancers.

a) Calculer, puis interpréter, la probabilité $P(X = 2)$.

b) Quelle est la probabilité que l'on ait obtenu Pile au moins deux fois sur les trois lancers ?

16 Le jeu de la roulette

Simuler une expérience aléatoire, puis la modéliser à l'aide de probabilités.

Le jeu de la roulette est un jeu de casino dans lequel on fait tourner une bille sur une roulette constituée de 37 cases numérotées de 0 à 36.

Si la bille s'arrête sur le numéro sur lequel un joueur a misé, le casino verse à ce joueur 36 fois la somme misée.

Un joueur décide de jouer avec les modalités suivantes :
• il mise 5 € par partie ;
• il s'arrête dès qu'il gagne mais joue au plus trois fois.

X est la variable aléatoire qui donne le nombre de parties jouées et Y est la variable aléatoire qui donne le gain cumulé sur les parties jouées, en prenant en compte les mises.

On se propose de déterminer le nombre moyen de parties jouées et le gain moyen.

1 Simulation et conjecture

a) Quelles sont les valeurs prises par X ?

b) Justifier que si le joueur s'arrête au bout de deux parties, c'est qu'il a gagné 170 €.

c) On utilise un tableur pour simuler plusieurs séries de parties.

Dans cette feuille de calcul, la valeur 1 signifie que la partie est gagnée. Réaliser cette feuille de calcul en justifiant les formules utilisées.
• En B2, saisir =ENT(ALEA()+1/37).
• En C2, saisir =SI(B2=0;ENT(ALEA()+1/37);"").
• En D2, saisir =SI(C2=0;ENT(ALEA()+1/37);"").
• En E2, saisir =NB.SI(B2:D2;0)+NB.SI(B2:D2;1).
• En F2, saisir =SOMME(B2:D2)*36*5-E2*5.

	A	B	C	D	E	F
1	Simulation	1re partie	2e partie	3e partie	Nombre de parties jouées : X	Gain : Y
2	1	0	0	0	3	-15
3	2	0	0	0	3	-15
4	3	0	0	0	3	-15
5	4	0	1		2	170
6	5	0	0	0	3	-15
7	6	0	0	0	3	-15
8	7	0	0	0	3	-15
9	8	0	0	0	3	-15
10	9	0	0	0	3	-15
11	10	0	0	0	3	-15
12	11	0	0	0	3	-15
13	12	0	0	0	3	-15
14	13	0	0	0	3	-15

d) Recopier les formules de la ligne 2 vers le bas pour simuler 5 000 séries de parties.
Calculer pour ces simulations le nombre moyen de parties gagnées et le gain moyen.

e) En utilisant la touche F9 (ou Ctrl+F9), obtenir d'autres ensembles de 5 000 simulations.
Émettre ainsi des conjectures concernant le nombre moyen de parties jouées et le gain moyen.

2 Preuve à l'aide de probabilités

a) Représenter la situation par un arbre pondéré.
Préciser au bout de chaque chemin les valeurs prises par X et Y.

b) Déterminer les lois de probabilité des variables aléatoires X et Y.

c) Calculer E(X) et E(Y) et comparer les résultats aux conjectures émises à la question **1 e)**.

3 Compte-rendu

a) Commenter la stratégie du joueur.

b) La stratégie serait-elle plus intéressante pour le joueur s'il s'autorisait à jouer quatre fois ?

17 Rentabilité d'un jeu télévisé

Modéliser une situation afin de résoudre un problème de rentabilité.

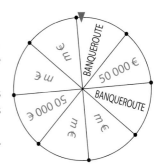

Un nouveau jeu télévisé va être programmé sur une chaîne de télévision. Chaque jour, deux candidats termineront le jeu en faisant tourner la roue équilibrée et découpée en huit secteurs superposables comme ci-contre. Les producteurs du jeu souhaitent réaliser un bénéfice de 9 millions d'euros pour 500 émissions programmées. Ils estiment que les droits publicitaires rapporteront 60 000 € par émission.

On se propose de déterminer le montant m à inscrire sur la roue pour satisfaire ces objectifs.

X est la variable aléatoire qui donne le montant, en euros, que la chaîne devra verser aux deux candidats à la fin d'une émission.

1 Simulation avec le tableur

Dans la feuille de calcul ci-contre, on simule le résultat d'un lancer de la roue avec un nombre entier aléatoire entre 1 et 8 en attribuant :

- 1 et 2 aux secteurs « Banqueroute » ;
- 3, 4, 5 et 6 aux secteurs « m € » ;
- 7 et 8 aux secteurs « 50 000 € ».

	A	B	C	D	E	F	G	H
1	Valeur choisie pour m :							
2								
3			1er candidat		2e candidat				
4		Résultat simulation	Gain	Résultat simulation	Gain	Montant versé par la chaîne	Montant moyen versé par la chaîne	Bénéfice réalisé
5	Journée 1							
6	Journée 2							
7	Journée 3							
8	Journée 4							
9	Journée 5							
10	Journée 6							

a) Réaliser cette feuille de calcul en justifiant les formules utilisées.

- En B5 et D5, saisir =ALEA.ENTRE.BORNES(1;8).
- En C5, saisir =SI(B5<=2;0;SI(B5>=7;50000;B1)).

Quelles formules faut-il saisir en E5 et F5 ?

b) Recopier les formules de la plage B5:F5 vers le bas pour simuler 500 émissions.

c) Expliquer la formule =MOYENNE(F5:F504) à saisir dans la cellule G5.

d) Quelle formule faut-il saisir en H5 ?

e) Tester quelques valeurs entières de m afin de conjecturer une réponse au problème.

2 Résolution avec les probabilités

a) Reproduire et compléter l'arbre pondéré ci-contre, en expliquant la signification des lettres B, M, et V.

b) Déterminer la loi de probabilité de la variable aléatoire X.

c) En déduire la solution m au problème posé.

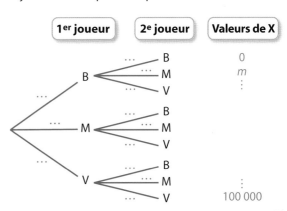

3 Compte-rendu

En tant que producteur de l'émission, et d'après l'étude précédente, quelle valeur m décideriez-vous d'inscrire effectivement sur la roue ?

18 Proportions inconnues

Conduire un raisonnement à partir d'une activité algorithmique.

Une urne contient des boules rouges, vertes, bleues, indiscernables au toucher.

Il y a dix boules au total, dans les proportions suivantes :

• *p* pour les boules rouges   • *q* pour les boules vertes   • *r* pour les boules bleues avec $r \geq 0,5$.

On tire au hasard, successivement et avec remise, trois boules de l'urne.

X est la variable aléatoire qui donne le nombre de boules rouges obtenues lors des trois tirages.

On se propose de déterminer, à l'aide d'un algorithme, les proportions nécessaires pour que la probabilité d'obtenir exactement une boule rouge soit supérieure à 0,4.

1 **Avec un arbre pondéré**

a) Construire un arbre pondéré représentant cette situation.

b) Combien de chemins correspondent à l'événement (X = 1) ?

2 **Avec un programme**

a) Exprimer *r* en fonction de *p* et *q*.

b) On suppose qu'il y a dans l'urne au moins une boule rouge et au moins une boule verte.

Utiliser le fait que $r \geq 0,5$ pour justifier que $0,1 \leq p \leq 0,4$ et $0,1 \leq q \leq 0,4$.

c) Dans les programmes ci-dessous, la variable S représente la probabilité P(X = 1).

Saisir l'un de ces programmes, à la calculatrice ou avec un logiciel, en complétant la ligne *.

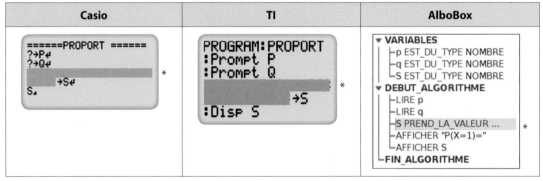

Casio	TI	AlboBox

```
======PROPORT ======
?→P↵
?→Q↵
            →S↵      *
S▪
```

```
PROGRAM:PROPORT
:Prompt P
:Prompt Q
              →S    *
:Disp S
```

```
▼ VARIABLES
  ├p EST_DU_TYPE NOMBRE
  ├q EST_DU_TYPE NOMBRE
  └S EST_DU_TYPE NOMBRE
▼ DEBUT_ALGORITHME
  ├LIRE p
  ├LIRE q
  ├S PREND_LA_VALEUR ...    *
  ├AFFICHER "P(X=1)="
  └AFFICHER S
└FIN_ALGORITHME
```

d) Reproduire le tableau ci-contre qui donne la valeur de P(X = 1) dans différents cas. Le compléter en utilisant le programme dans chacun des cas.

e) À partir de quelle proportion *p* de boules rouges semble-t-il que P(X = 1) $\geq$ 0,4 ?

q \ p	0,1	0,2	0,3	0,4
0,1				
0,2				
0,3				
0,4				

3 **Compte-rendu**

a) Indiquer les compositions possibles de l'urne.

b) Dans chaque cas, vérifier à l'aide de l'arbre réalisé à la question **1** que la probabilité d'obtenir exactement une boule rouge est bien supérieure à 0,4.

Variable aléatoire et loi de probabilité

19 On lance un dé équilibré à six faces numérotées de 1 à 6.

X est la variable aléatoire qui donne le numéro obtenu.

Quelles sont les valeurs prises par X ?

20 On tire successivement trois boules de l'urne ci-contre.

X est la variable aléatoire qui donne le nombre de boules rouges tirées.

Quelles sont les valeurs prises par X ?

21 On lance deux fois de suite une pièce qui porte le chiffre 1 sur une face et le chiffre 2 sur l'autre.

X est la variable aléatoire qui donne la somme des chiffres obtenus.

Quelles sont les valeurs prises par X ?

22 Un sac contient une bille numérotée 1, deux billes numérotées 2, trois billes numérotées 3 et quatre billes numérotées 4.

On tire au hasard une bille de ce sac et on note son numéro.

X est la variable aléatoire qui donne le numéro obtenu.

a) Quelles sont les valeurs prises par X ?

b) Lister les issues pour lesquelles l'événement $(X \geqslant 2)$ est réalisé.

23 Un questionnaire de satisfaction réalisé auprès d'un grand nombre de clients d'une entreprise a donné les résultats suivants (de 1 : « Pas du tout satisfait » à 5 : « Très satisfait »).

1	2	3	4	5
27 %	11 %	5 %	34 %	23 %

On tire au hasard la réponse d'un client dans le fichier.

X est la variable aléatoire qui donne la note indiquée par le client.

a) Quelles sont les valeurs prises par X ?

b) Déterminer la probabilité qu'il s'agisse d'un client « Pas du tout satisfait » ou « Très satisfait ».

24 Un robot démarre du point A et doit se rendre au point I du quadrillage ci-dessous.

Il décide de ses déplacements au hasard et ne peut progresser que dans le sens des flèches.

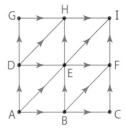

X est la variable aléatoire qui donne le nombre d'étapes pour aller de A à I.

a) Lister les chemins pour lesquels l'événement $(X = 3)$ est réalisé.

b) Quelles sont les valeurs prises par X ?

c) Lister les chemins pour lesquels l'événement $(X \leqslant 3)$ est réalisé.

> Pour les exercices **25** et **26**, on lance deux jetons équilibrés dont les faces portent les nombres 0 et 1. Déterminer la loi de probabilité de X.

25 X est la variable aléatoire qui donne le produit des nombres obtenus.

26 X est la variable aléatoire qui donne la différence entre le nombre du premier jeton et celui du second.

27 Dans un pays, des personnes sont atteintes d'une maladie qui se présente sous trois formes :

Forme bénigne	Forme maligne légère	Forme maligne sévère
34 %	48 %	18 %

Le tableau ci-dessous indique les dépenses moyennes engagées par un malade et par la Sécurité sociale pour les soins :

	Forme bénigne	Forme maligne légère	Forme maligne sévère
Dépenses du malade (en €)	85	170	845
Dépenses de la Sécurité sociale (en €)	235	1 340	5 475

On tire au hasard une personne touchée par cette maladie.

X est la variable aléatoire qui compte l'ensemble des dépenses engagées pour guérir la maladie. Déterminer la loi de probabilité de X.

28 On tire une carte au hasard dans un jeu de 32 cartes et on attribue :
- 10 points si la carte est l'as de carreau ;
- 5 points si c'est un valet, une dame ou un roi ;
- 1 point pour les autres cartes.

X est la variable aléatoire qui donne le nombre de points obtenus lors d'un tirage.
a) Déterminer la loi de probabilité de X.
b) Calculer $P(X \leqslant 5)$. Interpréter cette valeur.

29 X est une variable aléatoire.
L'expression « X prend au moins la valeur 2 » se traduit par l'événement $(X \geqslant 2)$.
Traduire chaque expression par un événement.
a) « La valeur prise par X est plus de 2 »
b) « X prend la valeur 2 ou plus »
c) « X prend moins que la valeur 2 »

30 Pour se rendre à pied de chez elle au lycée, Anna peut emprunter l'un des chemins schématisés ci-dessous. Les distances sont indiquées en centaines de mètres.

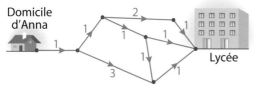

Chaque matin, Anna tire au hasard le chemin qu'elle empruntera.
X est la variable aléatoire qui donne la longueur du trajet emprunté, en centaines de mètres.
Déterminer la loi de probabilité de X.

31 On lance deux dés équilibrés à six faces numérotées de 1 à 6, l'un rouge, l'autre vert.
S est la variable aléatoire qui donne la somme des nombres obtenus. Voici la copie de Kevin.

S peut prendre toutes les valeurs entières de 2 à 12 : oui
J'en déduis la loi de probabilité de S.

Valeur de S	2	3	4	5	6	7	8	9	10	11	12
Probabilité	$\frac{1}{11}$	$\frac{1}{11}$	$\frac{1}{11}$	$\frac{1}{11}$	$\frac{1}{11}$	$\frac{1}{11}$	$\frac{1}{11}$	$\frac{1}{11}$	$\frac{1}{11}$	$\frac{1}{11}$	$\frac{1}{11}$

Non car les issues ne sont pas équiprobables.

Proposer une réponse correcte.

Espérance d'une variable aléatoire

Questions rapides

Pour les exercices **32** et **33**, calculer mentalement l'espérance de la variable aléatoire X.

32

Valeur de X	0	2	3	5
Probabilité	$\frac{1}{5}$	$\frac{2}{5}$	$\frac{1}{5}$	$\frac{1}{5}$

33

x_i	0	2	3	5
$P(X = x_i)$	0,3	0,4	0,1	0,2

Pour les exercices **34** et **35**, calculer l'espérance de la variable aléatoire X à l'aide de la calculatrice.

34

Valeur de X	−3	−1	0	4	6	10
Probabilité	$\frac{1}{12}$	$\frac{1}{3}$	$\frac{1}{4}$	$\frac{1}{6}$	$\frac{1}{24}$	$\frac{1}{8}$

35

x_i	−50	−40	−30	−20	−10	1 000
$P(X = x_i)$	0,05	0,05	0,1	0,3	0,35	0,15

36 Voici l'écran de calculatrice obtenu par Nadia pour calculer l'espérance d'une variable aléatoire X.
Pourquoi peut-on affirmer qu'elle s'est trompée ?

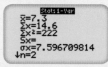

37 Voici les lois de probabilité de variables aléatoires associées à deux jeux de hasard. Les issues sont exprimées en euros.

Jeu 1

x_i	−2	−1	1	2
$P(X = x_i)$	$\frac{1}{8}$	$\frac{3}{8}$	$\frac{3}{8}$	$\frac{1}{8}$

Jeu 2

y_i	−5	0	1	2
$P(Y = y_i)$	$\frac{1}{4}$	$\frac{1}{8}$	$\frac{1}{8}$	$\frac{1}{2}$

Olivier affirme que ces deux jeux sont équitables.
A-t-il raison ? Justifier.

38 Chinda se rend pour la première fois au bowling avec un groupe d'amis. On estime que, par partie, elle a 5 % de chances de réussir un Strike (toutes les quilles tombent dès la 1re boule) et 15 % de chances de réussir un Spare (toutes les quilles tombent après la 2e boule).

Les amis décident de lui attribuer 10 points s'il y a eu un Strike, 5 points s'il y a eu un Spare et 0 point si elle n'a réussi aucun des deux.
On tire au hasard une partie de Chinda.
X est la variable aléatoire qui donne le nombre de points obtenus.
a) Déterminer la loi de probabilité de X.
b) Calculer et interpréter l'espérance de X.

39 X est une variable aléatoire qui donne les gains à un jeu de hasard.
La loi de probabilité de X est donnée ci-dessous.

Gain (en €)	−5	0	4	10
Probabilité	$\frac{1}{4}$	$\frac{1}{2}$	$\frac{1}{6}$	$\frac{1}{12}$

a) Que vaut $P(X = -5)$? Interpréter ce résultat.
b) Érika devait calculer l'espérance de X et interpréter le résultat. Voici sa réponse :

> Je trouve $E(X) = 0,25$. Donc, en jouant un grand nombre de fois, le joueur peut espérer gagner de l'argent dans 25 % des cas.
> Non, $E(X)$ n'est pas une probabilité.

Vérifier le résultat d'Érika et proposer une interprétation correcte de l'espérance.

40 La roue équilibrée ci-contre est découpée en six secteurs superposables.
X est la variable aléatoire qui donne le gain obtenu lorsqu'on fait tourner la roue une fois et qu'on

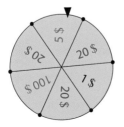

gagne le montant inscrit dans le secteur où elle se stabilise.
Calculer, puis interpréter, l'espérance de X.

41 On tire au hasard une bille dans le sac ci-contre.
X est la variable aléatoire qui donne le numéro indiqué sur la bille.
Calculer, puis interpréter, l'espérance E(X).

42 Afin de fidéliser sa clientèle, un commerçant décide de distribuer, au hasard, 200 bons de réduction à ses clients : 50 bons de 2 €, 50 bons de 5 €, 70 bons de 10 €, 20 bons de 20 € et 10 bons de 50 €. On tire au hasard un bon parmi les 200.
X est la variable aléatoire qui donne le montant inscrit sur le bon.
a) Déterminer la loi de probabilité de X.
b) Calculer, puis interpréter, l'espérance de X.

43 Voici les patrons de trois dés équilibrés à six faces. Un joueur choisit l'un de ces dés, le lance et gagne le montant, en euros, indiqué sur la face supérieure.

dé 1		
	0,5	
3	2	1
	0,5	
	3	

dé 2		
	2	
1	1	1
	2	
	3	

dé 3		
	4	
0	1	4
	0	
	1	

X_1, X_2 et X_3 sont les variables aléatoires qui donnent le gain obtenu pour chaque dé.
a) Déterminer les lois de probabilité de X_1, X_2 et X_3.
b) Calculer les espérances de X_1, X_2 et X_3.
c) Si un joueur décide de jouer un grand nombre de parties avec le même dé, lequel a-t-il intérêt à utiliser ?

44 Dans une urne, on place les papiers ci-dessous, où m est un nombre entier.

| −3 | −4 | 4 | −4 | −3 | 1 | −2 | m | −3 |

On tire au hasard un papier dans cette urne.
X est la variable aléatoire qui donne la valeur indiquée sur ce papier.
a) Déterminer la loi de probabilité de X.
b) Exprimer E(X) en fonction de m.
c) Déterminer m pour que le jeu soit équitable.

45 On dispose du sac de billes ci-contre. On peut y ajouter autant de billes que l'on souhaite portant le numéro 2.

On prélève au hasard une bille de ce sac et on note son numéro.

On note X la variable aléatoire qui indique le numéro obtenu.

Combien faut-il ajouter de billes portant le numéro 2 pour que le jeu soit équitable ?

46 **Un jeu de dé**

Voici les règles d'un jeu de hasard.

Le joueur mise trois euros, puis lance un dé équilibré à six faces numérotées de 1 à 6.

• S'il obtient un chiffre pair, le joueur reçoit, en euros, le double du chiffre obtenu.

• S'il obtient 1 ou 3, le joueur reçoit 1 €.

• Sinon, le joueur ne reçoit rien.

X est le gain, éventuellement négatif, du joueur en tenant compte de la mise de départ.

a) Quelles sont les valeurs prises par X ?

b) Déterminer la loi de probabilité de X.

c) Calculer, puis interpréter, E(X).

47 Dans un pays où ce jeu est autorisé, Monsieur X propose le jeu des gobelets et du caillou.

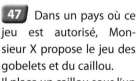

Il place un caillou sous l'un des trois gobelets, puis les mélange assez rapidement pour que le joueur ne puisse trouver le gobelet où se trouve le caillou que par hasard.

Il a remarqué que le joueur trouve le caillou 1 fois sur 6.

a) Monsieur X propose au joueur de miser 2 € pour faire une partie et de lui donner 10 € s'il trouve le caillou.

Cette proposition est-elle avantageuse pour lui à long terme ?

b) En général, s'il fixe la mise à k €, et le gain en cas de victoire à 10 €, estimer combien gagnera Monsieur X en moyenne par partie.

48 Une personne propose un jeu d'argent avec un dé truqué, à six faces, selon les caractéristiques exposées ci-dessous.

Chiffre	1	2	3	4	5	6
Probabilité	$\frac{1}{2}$	$\frac{1}{3}$	$\frac{1}{12}$	$\frac{1}{24}$	$\frac{1}{48}$	$\frac{1}{48}$

Chaque partie coûte 5 €.

Le joueur gagne 50 € s'il obtient 6 ; 20 € s'il obtient 4 ou 5 ; 10 € s'il obtient 3 et il perd sinon.

Ce jeu est-il équitable ?

49 Un jeu consiste à lancer un dé équilibré à six faces numérotées de 1 à 6, puis une pièce équilibrée dont les faces sont numérotées 0 et 1.

Le joueur gagne le montant en euros égal au produit du numéro obtenu avec le dé par celui obtenu avec la pièce. Pour jouer, il faut miser 1 €.

Ce jeu est-il équitable ?

50 Voici les tarifs d'un théâtre.

Une étude statistique a montré que les spectateurs se repartissent de la façon suivante :

Catégories	Tarifs
Moins de 15 ans	4 €
Étudiant	7 €
Retraité	8 €
Groupe	7 €
Tarif normal	10 €

Moins de 15 ans	Étudiant	Retraité	Groupe	Tarif normal
3 %	22 %	14 %	5 %	56 %

On tire au hasard un spectateur de ce théâtre.

X est la variable aléatoire qui donne le tarif, en €, payé par ce spectateur.

a) Déterminer la loi de probabilité de X.

b) À l'aide de la calculatrice, déterminer l'espérance de X. Interpréter ce résultat.

c) La municipalité qui gère ce théâtre a compté 3 000 spectateurs l'année précédente et a dépensé 20 000 € pour ce théâtre. Peut-on estimer que ce théâtre est rentable pour la municipalité ?

51 Une roulette contient n cases, avec $n \geqslant 4$.

Une de ces cases rapporte 10 €, trois cases rapportent 5 € et les autres 0 €.

a) Pour jouer, la mise est de 1 €.

Combien faut-il que la roulette contienne de cases pour que le jeu soit équitable ?

b) On suppose désormais que $n = 20$. Quelle doit être la mise de départ pour que le jeu soit équitable ?

Répétition d'expériences identiques et indépendantes

Questions rapides

52 Une urne contient trois boules rouges et deux boules blanches. On prélève, au hasard et successivement, deux boules de cette urne et on note la couleur de chaque boule obtenue.
Les deux tirages constituent-ils des expériences identiques et indépendantes si on les effectue :
a) avec remise ?   **b)** sans remise ?

53 Parmi les quatre as d'un jeu de cartes, on tire, successivement et avec remise, trois cartes. X est la variable aléatoire qui donne le nombre de fois où on a tiré l'as de cœur.
a) Quelles sont les valeurs prises par X ?
b) Indiquer les valeurs de X correspondant à chaque événement.
A : « On a obtenu au moins deux as de cœur » ;
B : « On a obtenu au moins un as de cœur » ;
C : « On a obtenu deux ou trois as de cœur ».

54 Cet arbre représente la répétition de trois expériences identiques et indépendantes.

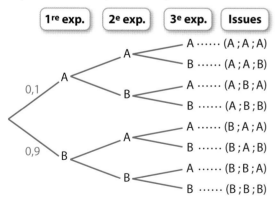

Calculer la probabilité de chacune des issues :
• (A ; B ; A)   • (A ; A ; B)   • (B ; A ; A)
Que remarque-t-on ?

55 Un fichier contient 40 % de femmes.
On tire au hasard, avec remise, deux personnes dans ce fichier et on note leur sexe.
a) Représenter cette situation par un arbre pondéré.
b) Calculer la probabilité d'obtenir un homme et une femme.

56 La répétition de deux expériences identiques et indépendantes est schématisée par l'arbre ci-dessous.

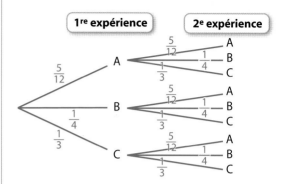

X (resp. Y et Z) est la variable aléatoire qui donne le nombre de A (resp. B et C) obtenus au final.
a) Reproduire et compléter le tableau suivant.

Valeur de X	0	1	2
Probabilité			

b) Déterminer la loi de probabilité de chacune des variables aléatoires Y et Z.

57 Chaque matin, Rémi met ses chaussures en commençant au hasard et de façon équiprobable par le pied droit ou par le pied gauche.
X est la variable aléatoire qui compte le nombre de fois où Rémi a mis sa chaussure gauche en premier.
Construire un arbre pondéré, puis déterminer la loi de probabilité de X sur :
a) deux jours successifs ;
b) trois jours successifs.

58 *objectif Bac* **Un centre d'appel**
Une entreprise dispose d'un fichier de 1 000 numéros de téléphone.
40 de ces numéros sont associés au nom Dupont.
Un robot compose successivement et avec remise trois numéros au hasard afin de mettre en relation un vendeur avec un client.
X est la variable aléatoire qui donne le nombre de numéros associés au nom Dupont parmi les trois numéros choisis.
a) Déterminer la loi de probabilité de X.
b) Calculer, puis interpréter, les probabilités $P(X \geqslant 2)$ et $P(X \leqslant 1)$.

59 Le clavier d'une petite calculatrice est constitué de quinze touches : les dix chiffres, les quatre opérations et la touche ON/OFF.

La calculatrice est allumée. Un enfant appuie au hasard consécutivement sur deux touches, éventuellement la même.

On note C (resp. O, A) l'événement «L'enfant a appuyé sur une touche de chiffre (resp. d'opération, ON/OFF)».

a) Représenter cette situation par un arbre pondéré.

b) Calculer la probabilité que l'enfant éteigne la calculatrice.

60 Sur une route, un automobiliste rencontre chaque jour quatre croisements où il doit laisser la priorité. La probabilité pour que se présente un véhicule auquel il doive laisser la priorité est de 0,2 pour chaque croisement, de façon indépendante.

1. Représenter cette situation par un arbre pondéré.

2. Lorsqu'il doit s'arrêter, l'automobiliste perd 10 secondes.

On note X la variable aléatoire qui donne le nombre de secondes perdues sur le trajet.

Calculer la probabilité pour que, un jour tiré au hasard, l'automobiliste perde :

a) 20 secondes ; **b)** 30 secondes.

61 La superficie de la Terre est d'environ 510 millions de km^2.

Voici les superficies, en millions de km^2, occupées par certaines zones sur la Terre.

Afrique	Amériques	Océans
30	43	360

Deux amies rêvent à des destinations insolites.

Chacune à leur tour, elles font tourner un globe et l'arrêtent en y plaçant un doigt au hasard.

On admet que tous les points du globe ont la même probabilité d'être ainsi tirés au sort, et que l'endroit indiqué est clairement identifié.

a) Calculer la probabilité que les deux amies soient toutes les deux tombées sur l'Afrique ou les Amériques.

b) Calculer la probabilité qu'elles soient tombées sur des zones différentes, parmi celles indiquées dans le tableau.

c) Calculer la probabilité qu'au moins l'une d'elles soit tombée sur un point situé dans un océan.

62 Un point lumineux est placé en I.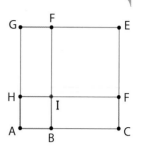
Il se déplace de manière aléatoire le long des segments. Il met 1 s pour parcourir un segment court vert et 2 s pour parcourir un segment long bleu.

X est la variable aléatoire qui donne le temps nécessaire à deux déplacements successifs.

Déterminer la durée moyenne de ces deux déplacements.

63 Un sac contient trois billes numérotées 0, deux billes 1, une bille 2 et une bille 5.

Un joueur tire successivement au hasard et avec remise deux billes de ce sac.

On note les numéros des billes tirées. Parmi les deux jeux ci-dessous, indiquer celui qui est le plus intéressant pour le joueur. Justifier.

Jeu 1 : On gagne la somme des numéros tirés.

Jeu 2 : On gagne le produit des numéros tirés.

64 **Implications et réciproques**

X est une variable aléatoire qui peut prendre les valeurs -1 ; 0 ; 1 ; 2 ; 3.

1. Pour chacune des implications suivantes, dire si elle est vraie ou fausse.

a) Si ($X \leqslant 0$) est réalisé, alors ($X = -1$) est réalisé.

b) Si ($X > 2$) est réalisé, alors ($X = 3$) est réalisé.

2. Rédiger la réciproque de chacune des implications et dire si elle est vraie ou fausse.

65 **Négation**

1. X est une variable aléatoire. Dans chaque cas, déterminer la négation de l'événement.

a) ($X \geqslant 1$) **b)** X est au plus égal à 3

c) ($X < 1$) **d)** X est au moins égal à 3

2. Rédiger la négation de chaque affirmation.

a) «Il ne pleuvra aucun jour le mois prochain».

b) «Tous les élèves de la classe réussiront l'examen du code de la route avant d'avoir 18 ans».

66 Dans chaque cas, donner **la** réponse exacte **sans justifier**.

On laisse tomber au hasard une bille sur la plaque ci-contre. On admet que la bille se pose distinctement sur l'un des domaines colorés. X est la variable aléatoire qui donne le nombre de points correspondant au secteur sur lequel la bille s'est posée.

		A	B	C	D
1	La probabilité P(X = 10) est égale à …	3	$\frac{1}{3}$	$2 \times P(X = -5)$	10
2	La probabilité P(X ⩾ 0) est égale à …	10 ou 20	$\frac{1}{2}$	$\frac{4}{9}$	4
3	L'espérance E(X) est égale à …	25	0	$\frac{25}{9}$	2,5

67 Dans chaque cas, donner **la ou les** réponses exactes **sans justifier**.

Un sac contient 1 jeton rouge, 3 jetons blancs et n jetons noirs (n nombre entier supérieur ou égal à 1).
Un joueur tire au hasard un jeton. Il gagne 10 € s'il tire le jeton rouge, 5 € s'il tire un jeton blanc, sinon rien.
La mise initiale est de m € (m nombre réel supérieur ou égal à 1).
X est la variable aléatoire qui donne le gain, éventuellement négatif, du joueur.

		A	B	C	D
1	On suppose que $m = 1$. Alors la probabilité P(X = −1) est égale à …	$\frac{1}{9}$	$\frac{1}{4}$	$\frac{n}{4+n}$	$n \times P(X = 9)$
2	On suppose que $m = 1$. Alors l'espérance E(X) est égale à …	0	−1	$\frac{21-n}{4+n}$	$21 - n$
3	On suppose que $n = 16$. Alors la probabilité P(X = −m) est égale à …	$\frac{1}{9}$	0,8	$\frac{m+1}{5-m}$	$\frac{16}{20}$
4	On suppose que $n = 16$. Le jeu est équitable si …	E(X) = 0	$m = 1,25$	$m = 0,25$	$m < 1,25$

68 Pour chaque affirmation, dire si elle est **vraie ou fausse en justifiant**.

Les tableaux ci-dessous indiquent les montants des infractions pour excès de vitesse inférieurs à 20 km/h hors agglomération et la répartition des paiements pour les infractions de ce type comptabilisées dans un secteur.
On tire au hasard successivement et avec remise deux infractions parmi celles comptabilisées.
On assimile les probabilités aux fréquences observées.
X est la variable aléatoire qui donne la somme des amendes versées pour ces deux infractions.

1. X peut prendre quatre valeurs distinctes.
2. P(X = 113) = 0,25.
3. P(X = 225) = 0,078.
4. La probabilité que X soit supérieur à 400 est égale à 0,02.
5. On peut estimer le montant moyen pour deux amendes de ce type à 126,60 €.

CLASSE	INFRACTION	AMENDE			
		Minorée	Forfaitaire	Majorée	Maximale
3	< 20 km/h hors agglomération	45 €	68 €	180 €	450 €

Minorée	Forfaitaire	Majorée	Maximale
78 %	15 %	5 %	2 %

Vérifiez vos réponses : p. 264

Pour aller plus loin

69 Avec un guide

Voici les drapeaux de trois pays.

| Italie | Mali | Pérou |

On fait tourner trois fois de suite la roue équilibrée ci-contre. On note les trois couleurs ainsi obtenues.

a) On lit les couleurs des drapeaux de gauche à droite. On compare les couleurs obtenues, dans l'ordre, aux couleurs des drapeaux.
Calculer les probabilités de retrouver ainsi chacun des drapeaux.

b) Dans cette nouvelle situation, on ne tient pas compte de l'ordre. Par exemple, il suffit d'avoir obtenu les couleurs blanc, rouge et vert pour pouvoir colorier le drapeau italien, ou même le drapeau péruvien (car une couleur peut être utilisée deux fois).
Calculer les probabilités de retrouver ainsi chacun des drapeaux.

> **Conseil**
>
> On peut identifier toutes les issues possibles pour un drapeau. Par exemple, pour le drapeau du Pérou : (V ; B ; R), (V ; R ; B), (R ; V ; B), …

70 Looking for fairness

A token is randomly picked from each of the bags drawn below.

The player has to bet £1 for each game. He earns, in £, the product of the numbers on the two randomly picked tokens.

a) A is the event "The product is equal to 0" and B is the event "The product is more than or equal to 5".
Are the events A and B equiprobable ? Prove it.

b) Is this game fair ?

71 Choisir le bon endroit

Chaque jour, Éthan prend le même train. Il ne sait jamais à l'avance de quelle voie, toujours située entre la voie 12 et la voie 17, ce train va partir.
Il se demande vers quel endroit il a intérêt à se diriger en arrivant à la gare.

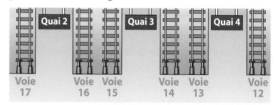

Prenant ce train régulièrement, Éthan a constaté que le numéro de la voie empruntée suit la loi de probabilité ci-dessous.

N° de la voie	12	13	14	15	16	17
Probabilité	$\frac{1}{4}$	$\frac{1}{12}$	$\frac{1}{6}$	$\frac{1}{12}$	$\frac{1}{6}$	$\frac{1}{4}$

Chaque groupe choisit de répondre à l'une des questions (1 ou 2), ci-dessous. Un rapporteur pour chaque question présente ensuite les résultats à la classe.

1. X est la variable aléatoire qui, à la voie empruntée un matin, associe son numéro.

a) Calculer l'espérance de X.

b) Quel conseil peut-on donner à Éthan ?

2. Y est la variable aléatoire qui, à la voie empruntée un matin, associe le numéro du quai correspondant.

a) Calculer l'espérance de Y.

b) Quel conseil peut-on donner à Éthan ?

72  Rendre un jeu équitable

Rédiger les différentes étapes de la recherche, sans omettre les fausses pistes et les changements de méthode.

Problème   *n* désigne un nombre entier supérieur ou égal à 4.

Dans une urne, on place *n* jetons : un rouge et tous les autres blancs.

On tire au sort successivement deux jetons de l'urne, avec remise entre les deux tirages, et on définit le jeu suivant :

on gagne 16 points si l'on obtient deux fois le jeton rouge, on gagne 1 point si l'on obtient deux fois le jeton blanc, et on perd 5 points sinon.

Pour quelle valeur de *n* ce jeu est-il équitable ?

73 Attendre l'ascenseur

Un immeuble comporte un rez-de-chaussée et quatre étages. Amanda et Bénédicte prennent toutes les deux l'ascenseur au rez-de-chaussée et descendent à un étage au hasard, indépendamment l'une de l'autre.

X est la variable aléatoire qui donne le numéro de l'étage où la première d'entre elles est sortie.

Y est la variable aléatoire qui donne le numéro de l'étage où la deuxième est sortie.

1. a) Représenter cette situation par un arbre.

Indiquer au bout de chaque chemin les valeurs correspondantes de X et Y.

b) Calculer, puis interpréter :
- $P(X = 1)$ - $P(Y = 1)$
- $E(X)$ - $E(Y)$

2. Patricia habite au deuxième étage de l'immeuble. Elle appelle l'ascenseur au moment où Amanda et Bénédicte sont au rez-de-chaussée.

Quelle est la probabilité que, quand l'ascenseur s'ouvre au deuxième étage :

a) Amanda et Béatrice soient à l'intérieur ?

b) l'une d'elles seulement soit à l'intérieur ?

c) aucune d'elles ne soit à l'intérieur ?

74 Imaginer une stratégie

Une machine à sous comporte trois rouleaux tous constitués des dessins ci-contre. La mise est de 5 €. Voici les gains possibles pour les joueurs.

Les trois **7**	1 000 €
Deux **7** et un **BAR**	250 €
Trois **BAR**	100 €
Un **7** et deux **BAR**	50 €
Deux **7**	10 €
Un **7**	2 €

Chaque jour, 250 parties sont jouées en moyenne sur cette machine.

Le casino est ouvert 300 jours par an.

Cette machine est achetée 40 000 €, dure 5 ans et nécessite 2 000 € d'entretien annuel.

Évaluer la rentabilité annuelle de cette machine pour le casino.

75 Décourager un voleur

Les codes de cartes bancaires comportent quatre chiffres compris entre 0 et 9. Un voleur a subtilisé une carte bancaire. Il essaie des codes au hasard à un distributeur afin de retirer de l'argent. Le distributeur automatique retient la carte bancaire lorsque trois codes erronés ont été composés.

Quelle est la probabilité que la carte subtilisée par le voleur soit retenue par le distributeur ?

76 Trouver un chat mâle

Le pelage du chat ci-contre est appelé «écaille de tortue». Pour des raisons génétiques, 1 chat sur 3 000 ayant ce pelage est un mâle. Combien faut-il de chatons «écaille de tortue» pour que la probabilité qu'il y ait au moins un mâle soit supérieure ou égale à 0,01 ?

Des défis

77 Envoyer des cartes

Zina a écrit dix cartes de vœux personnalisées et a préparé les dix enveloppes correspondantes. Elle met les cartes au hasard dans les enveloppes. Quelle est la probabilité que 9 cartes au moins soient dans l'enveloppe correspondante ?

78 Estimer un nombre

Dans un musée, les poteries sont numérotées de 1 à n. Pendant leur visite, Maitha et Ahlan notent les numéros de cinq poteries : 18 – 310 – 75 – 410 – 23. Elles parient ensuite sur le nombre de poteries du musée. Maitha suggère 500, tandis qu'Ahlan penche pour 800.

Expliquer pourquoi l'une des suggestions est tout à fait plausible (on pourra faire deux hypothèses sur le nombre de poteries du musée).

Accompagnement personnalisé

Déterminer la loi
de probabilité d'une variable aléatoire

79 Exercice test

On fait tourner une fois la roue équilibrée ci-contre.

X est la variable aléatoire qui donne le nombre indiqué par la flèche.

Présenter sous forme de tableau la loi de probabilité de X.

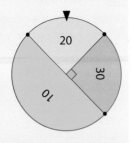

 Appelez le professeur pour qu'il contrôle vos réponses et qu'il vous indique la suite.

80 Dans une urne, trois boules portent le numéro 1, deux boules portent le numéro 10 et cinq boules portent le numéro 100.

On tire au hasard une boule dans cette urne.

X est la variable aléatoire qui donne le numéro indiqué sur cette boule.

a) Quelles sont les valeurs possibles pour X ?

b) Donner la probabilité de l'événement (X = 1).

c) Donner de même les probabilités des autres événements possibles de la forme (X = k).

d) Recopier et compléter le tableau ci-dessous qui donne la loi de probabilité de X.

Valeur de X			
Probabilité			

81 On tire au hasard un nombre entier naturel entre 1 et 10 compris. Chaque nombre a la même probabilité d'être tiré.

Si le nombre est impair, on gagne 3 €.

Si le nombre est un multiple de 4, on gagne 5 €.

Sinon, on perd 2 €.

X est la variable aléatoire qui donne le gain, éventuellement négatif.

a) Quelles sont les valeurs possibles pour X ?

b) Recopier et compléter le tableau ci-dessous qui donne la loi de probabilité de X.

Valeur de X			
Probabilité			

Calculer et interpréter
l'espérance d'une variable aléatoire

82 Exercice test

La loi de probabilité d'une variable aléatoire X associée à un jeu de hasard est donnée dans le tableau suivant.

Les valeurs de X sont exprimées en euros.

Valeur de X	– 5	– 2	1	7	10	15
Probabilité	0,3	0,1	0,25	0,1	0,2	0,05

a) Déterminer l'espérance de la variable aléatoire X.

b) Interpréter ce résultat dans le contexte de ce jeu de hasard.

 Appelez le professeur pour qu'il contrôle vos réponses et qu'il vous indique la suite.

83 Un robot peut prendre différents trajets pour se rendre d'un point A à un point B. Il choisit son trajet au hasard.

X est la variable aléatoire qui donne la durée, en minutes, du trajet choisi par le robot.

Voici la loi de probabilité de X.

Valeur de X	1	2	3	4	5	10
Probabilité	$\dfrac{1}{12}$	$\dfrac{1}{6}$	$\dfrac{1}{4}$	$\dfrac{1}{3}$	$\dfrac{1}{12}$	$\dfrac{1}{12}$

a) Rappeler la formule de l'espérance E(X), puis la calculer à l'aide de la calculatrice.

b) Recopier et compléter la phrase ci-dessous :

« Sur un grand nombre de trajets, on peut estimer que le robot effectue, … son trajet en… »

84 Une personne propose un jeu d'argent avec un dé truqué selon les caractéristiques suivantes :

Numéro	1	2	3	4	5	6
Probabilité	0,3	0,3	0,2	0,1	0,05	0,05

La mise pour une partie est de 2 €.

Le joueur remporte, en euros, le numéro obtenu sur la face supérieure du dé.

X est la variable aléatoire qui donne le gain du joueur après une partie, en prenant en compte la mise.

a) Quelles sont les valeurs prises par X ?

b) Calculer à l'aide de la calculatrice l'espérance E(X).

c) Ce jeu est-il équitable ?

Soutien — Représenter et utiliser un arbre pondéré

85 Exercice test

On lance trois fois de suite une pièce truquée qui donne Pile avec une probabilité de 0,6.

X est la variable aléatoire qui donne le nombre de Pile obtenus sur les trois lancers.

a) Représenter cette situation par un arbre.

b) Compléter l'arbre en indiquant au bout de chaque chemin la valeur prise par X.

c) À l'aide de l'arbre, déterminer la loi de probabilité de la variable aléatoire X.

 Appelez le professeur pour qu'il contrôle vos réponses et qu'il vous indique la suite.

86 On prélève successivement et avec remise deux boules du sac ci-contre, et on note la couleur de chaque boule prélevée.

X est la variable aléatoire qui donne le nombre de boules rouges prélevées.

a) Reproduire et compléter l'arbre pondéré ci-dessous.

1ʳᵉ boule	2ᵉ boule	Issues	Valeurs de X
	B	(B ; B)	0
B	R	(B ; R)	1
	V	⋮	⋮
	B		
R	R		
	V		
	B		
V	R	⋮	⋮
	V	(V ; V)	0

Probabilités dans l'arbre : B : 0,3 ; R : 0,4 ; V : 0,3 (1ʳᵉ boule) ; et 0,3 / 0,4 / 0,3 pour la 2ᵉ boule.

b) Repérer les chemins pour lesquels l'événement (X = 1) est réalisé, puis en déduire sa probabilité.

c) De la même manière, calculer les probabilités P(X = 0) et P(X = 2).

Approfondissement — Résoudre une inéquation

87 On sait grâce à un recensement que, dans un pays donné, la probabilité de donner naissance à un garçon est 0,53 et celle de donner naissance à une fille est donc 0,47 (on néglige les naissances multiples).

a) On s'intéresse aux familles de six enfants.
Quelle est la probabilité de l'événement «Avoir des enfants des deux sexes» ?

b) Un couple souhaite avoir une fille.
Combien doivent-ils être prêts à avoir d'enfants pour que la probabilité d'avoir une fille soit au moins égale à 0,99 ?
On pourra utiliser la calculatrice pour répondre à cette question.

Approfondissement — Calculer la probabilité d'une réunion d'événements

88 On lance deux fois de suite une pièce équilibrée dont une face porte le nombre 5 et une autre face le nombre 10.

X est la variable aléatoire qui donne la somme des nombres obtenus.

Y est la variable aléatoire qui donne le plus grand des deux nombres obtenus.

1. Représenter la situation par un arbre.

2. Déterminer la loi de probabilité de X.

3. Déterminer la loi de probabilité de Y.

4. Calculer, puis interpréter, E(X) et E(Y).

5. a) Traduire par une phrase l'événement :
$$(X = 15) \cap (Y = 10).$$

b) Repérer les chemins qui réalisent cet événement et en déduire sa probabilité.

c) De même, calculer les probabilités des événements de la forme $(X = a) \cap (Y = b)$, où a et b prennent toutes les valeurs possibles pour X et Y.

6. Traduire par une phrase l'événement :
$$(X = 15) \cup (Y = 10).$$

Calculer sa probabilité de deux façons différentes.

9 Loi binomiale

Lors de certains concerts, le groupe Coldplay distribue au public des bracelets lumineux de plusieurs couleurs. Si ces bracelets sont distribués au hasard, une loi binomiale permet de calculer la probabilité d'avoir la moitié du public en bleu.

JAC. BERNOULLI, MATH.P.P.

Au fil des siècles

Neuf membres de la famille **Bernoulli** ont contribué de façon notable aux mathématiques et aux sciences en général. Parmi eux, deux frères, Jacob et Johan, se sont disputé la paternité de certaines découvertes.

● *Rechercher lequel d'entre eux a donné son nom au schéma de Bernoulli.*

Les capacités du programme

	Choix d'exercices	
• Identifier et représenter un schéma de Bernoulli.	2 25	33
• Reconnaître des situations relevant de la loi binomiale.	5 38	40
• Calculer une probabilité dans le cadre de la loi binomiale.	8 11	67
• Utiliser l'espérance d'une loi binomiale dans des contextes variés.	14 47	50

1 Calculer la moyenne d'une série statistique

Afin d'étudier les saumons sauvages qui remontent l'Allier, on a capturé 50 spécimens et on les a mesurés avant de les relâcher.

Déterminer la longueur moyenne, en cm, de ces saumons. Arrondir à l'unité.

Longueur (en cm)	91	94	96	97	101	104
Effectif	3	11	7	10	9	10

2 Comprendre un algorithme

Dans l'algorithme ci-contre, on a simulé un lancer de pièce de monnaie en codant par 1 le côté Pile et par 0 le côté Face.

a) Quel nombre est affiché en sortie de l'algorithme lorsqu'on saisit N = 5 en entrée et que le nombre k prend successivement les valeurs :

1   1   0   1   1 ?

b) Quel est le rôle de cet algorithme ?

Variables :	N, S, k sont des nombres entiers naturels
	F est un nombre réel
Entrée :	Saisir N
Traitement :	Affecter à S la valeur 0
	Pour i allant de 1 à N
	Affecter à k le nombre aléatoire 0 ou 1
	Affecter à S la valeur S + k
	Fin Pour
	Affecter à F la valeur S/N
Sortie :	Afficher F

3 Utiliser un arbre

Dans l'arbre ci-contre, G représente un garçon et F une fille.

a) Recopier et compléter cet arbre.

b) Déterminer toutes les compositions possibles d'une famille de trois enfants.

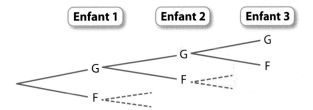

Enfant 1   Enfant 2   Enfant 3

4 Répéter des expériences identiques et indépendantes

On lance deux fois de suite une pièce truquée pour laquelle la probabilité d'obtenir Pile est égale à 0,45.

a) Représenter l'arbre des possibles pondéré par les probabilités.

b) X est la variable aléatoire qui compte le nombre de Pile obtenus. Recopier et compléter le tableau qui présente la loi de probabilité de la variable aléatoire X.

k			
P(X = k)			

c) Quelle est la probabilité d'obtenir au moins une fois Pile lors des deux lancers ?

5 Connaître les formules tableur

a) Citer une expérience aléatoire qui peut être simulée par la formule =ENT(6*ALEA())+ 1.

b) Avec quelle formule peut-on simuler la face obtenue lors du lancer d'une pièce équilibrée ?

 Aide et corrigés sur le site élève **www.nathan.fr/hyperbole1reESL-2015**

1 Schéma de Bernoulli et loi binomiale

Le jour du baccalauréat, Alice répond au hasard aux deux questions indépendantes d'un QCM.
Pour chaque question, quatre réponses sont proposées dont une seule est correcte.
L'expérience aléatoire qui consiste à choisir au hasard une réponse n'a que deux issues : le succès S
« Alice choisit la bonne réponse » et l'échec $\overline{S}$ « Alice ne choisit pas la bonne réponse ».

On dit qu'il s'agit d'une **épreuve de Bernoulli**.
La répétition d'expériences de ce type identiques et indépendantes
constitue un **schéma de Bernoulli**.

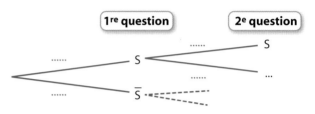

Problème

Calculer le nombre moyen de bonnes réponses sur un grand nombre de QCM complétés au hasard.

1 Représenter la situation à l'aide d'un arbre pondéré

a) Quelle est la probabilité du succès S ?

b) Recopier et compléter l'arbre pondéré ci-dessus, qui représente ce schéma de Bernoulli.

2 Déterminer la loi de probabilité du nombre de succès

X est la variable aléatoire qui donne le nombre de bonnes réponses d'Alice au QCM.

a) Utiliser l'arbre précédent pour déterminer la probabilité de l'événement (X = 1).

b) Recopier et compléter la loi de probabilité de X.

k	0	1	2
$P(X = k)$			

On dit que la variable aléatoire X suit **la loi binomiale de paramètres 2** (le nombre d'épreuves répétées) **et 0,25** (la probabilité
du succès). Cette loi est notée $\mathscr{B}(2 ; 0,25)$.

c) Calculer l'espérance de cette loi. Interpréter ce résultat.

3 Conjecturer une formule pour calculer l'espérance

On cherche une formule pour calculer le nombre moyen de bonnes réponses, pour des QCM constitués
de n questions à une seule bonne réponse parmi les quatre proposées.

a) Réaliser la feuille de calcul ci-contre, où k est le nombre de bonnes
réponses trouvées par Alice.

	A	B
1	**n =**	**20**
2	**Espérance**	
3		
4	**k**	**P(X=k)**
5	0	0,0031712119
6	1	0,0211414129

Dans la cellule B5, saisir la formule :

=SI(A5<=B$1;LOI.BINOMIALE(A5;B$1;0,25;0);0)

puis la recopier jusqu'à la cellule B105.

La plage A5:B105 donne ainsi la loi binomiale $\mathscr{B}(n ; 0,25)$.

b) Pour calculer l'espérance de la variable aléatoire X, saisir en B2 la formule :

=SOMMEPROD(A5:A105;B5:B105).

c) Modifier la valeur de n entre 1 et 100 et observer l'espérance.

Conjecturer une expression de l'espérance en fonction de n et de la probabilité p du succès.

2 Le nombre de chemins sur un arbre

Lily pioche une par une, au hasard, des noix dans un grand sac où 95 % des noix sont comestibles. Pour un tirage, on note N l'événement «La noix tirée est comestible», correspondant au succès.

On suppose qu'étant donné le grand nombre de noix, on peut considérer que Lily effectue des tirages avec remise et qu'il s'agit donc d'un **schéma de Bernoulli**.

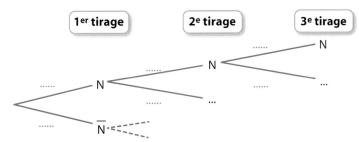

Problème

Déterminer la loi de probabilité de la variable aléatoire X qui donne le nombre de noix comestibles.

1 Tirer trois noix au hasard

Lily pioche trois noix. X est la variable aléatoire qui donne le nombre de noix comestibles sur 3 tirages.

a) Recopier et compléter l'arbre ci-dessus qui représente cette situation.

b) À l'aide de l'arbre, calculer $P(X = 0)$ et $P(X = 3)$.

c) Combien de branches de l'arbre correspondent à un tirage avec exactement deux noix comestibles ? Justifier que chaque tirage de ce type a une probabilité égale à $0{,}95^2 \times 0{,}05$.

d) En déduire la valeur de $P(X = 2)$.

e) De manière analogue, calculer $P(X = 1)$. Présenter la loi de X à l'aide d'un tableau.

2 Tirer quatre noix au hasard

Lily pioche quatre noix. X est la variable aléatoire qui donne le nombre de noix comestibles sur 4 tirages.

a) Sans construire un nouvel arbre, calculer $P(X = 0)$ et $P(X = 4)$.

b) Justifier que la probabilité de chaque tirage comportant exactement deux noix comestibles est égale à $0{,}95^2 \times 0{,}05^2$.

c) En imaginant un nouvel arbre, déterminer le nombre de chemins représentant une situation avec exactement deux noix comestibles. Ce nombre est noté $\binom{4}{2}$ et est appelé **coefficient binomial**.

d) En déduire la probabilité $P(X = 2)$.

e) De manière analogue, calculer $P(X = 1)$ et $P(X = 3)$, puis donner, sous forme de tableau, la loi de probabilité de la variable aléatoire X.

3 Tirer cinq noix au hasard

Lily pioche cinq noix. X est la variable aléatoire qui donne le nombre de noix comestibles sur 5 tirages.

a) Calculer, à l'aide de la calculatrice, le coefficient binomial $\binom{5}{2}$, c'est-à-dire le nombre de chemins représentant un tirage avec exactement deux noix comestibles.

b) En déduire la probabilité $P(X = 2)$.

c) Donner, sous forme de tableau, la loi de probabilité de la variable aléatoire X.

Casio	TI
5 `OPTION` `F6` (▷)	5 `math` ▶▶▶ (PRB)
`F3` (PROB)	3 (Combinaison ou
`F3` (nCr) 2 `EXE`	nCr) 2 `entrer`

1 Épreuve et schéma de Bernoulli

a. Épreuve de Bernoulli

> **DÉFINITION**

Une **épreuve de Bernoulli** est une expérience aléatoire à **deux issues**.
L'une est souvent appelée **succès** et notée S, l'autre est souvent appelée **échec** et notée $\overline{S}$.

● **EXEMPLE**

Une urne contient dix boules indiscernables au toucher : 5 bleues, 2 jaunes et 3 rouges. On tire une boule au hasard. Cette expérience a trois issues mais on peut considérer qu'il s'agit d'une épreuve de Bernoulli en prenant pour succès, par exemple, S «Tirer une boule rouge» et pour échec $\overline{S}$ «Tirer une boule bleue ou jaune».

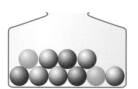

b. Loi de Bernoulli

> **PROPRIÉTÉ-DÉFINITION**

On considère une épreuve de Bernoulli où la probabilité du succès est p.
X est la variable aléatoire qui prend la valeur 1 en cas de succès et 0 en cas d'échec.
La loi de probabilité de X, présentée dans le tableau ci-contre, est appelée **loi de Bernoulli de paramètre p**.

k	0	1
$P(X = k)$	$1 - p$	p

● **EXEMPLE**

La probabilité du succès de l'épreuve de Bernoulli de l'exemple du paragraphe **a.** est $p = \dfrac{3}{10} = 0{,}3$. La loi de Bernoulli associée est de paramètre 0,3 et est présentée dans le tableau ci-contre.

k	0	1
$P(X = k)$	0,7	0,3

c. Schéma de Bernoulli

> **DÉFINITION**

Un **schéma de Bernoulli** est une répétition d'épreuves de Bernoulli identiques et indépendantes.

● **EXEMPLE**

On répète trois fois l'épreuve de Bernoulli de l'exemple du paragraphe **a.**, en replaçant la boule dans l'urne avant chaque nouveau tirage.
Le fait de replacer la boule dans l'urne assure l'indépendance entre les tirages.
Cela constitue un schéma de Bernoulli qui peut être représenté par l'arbre pondéré ci-contre.

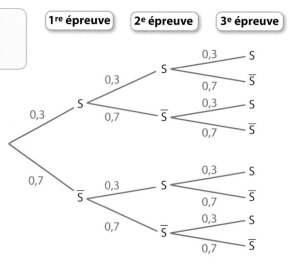

● **Exercice résolu**   Identifier et représenter un schéma de Bernoulli

1 Énoncé

Sophie pratique le tir à l'arc. Elle essaie deux fois de suite d'atteindre la cible de droite.
Elle l'atteint dans 65 % des cas.
On suppose que ses tirs sont indépendants.
a) Identifier dans cette situation une épreuve de Bernoulli répétée et donner la probabilité du succès S.
b) Expliquer pourquoi on peut associer un schéma de Bernoulli à cette situation.
c) Représenter ce schéma par un arbre pondéré.

Solution

a) Chaque tir est une expérience aléatoire à deux issues.
Le succès S est l'événement «Sophie atteint la cible de droite», donc P(S) = 0,65. Chaque tir peut donc être considéré comme une épreuve de Bernoulli dont le succès a pour probabilité 0,65.
b) Cette épreuve de Bernoulli est répétée deux fois de manière indépendante. La situation peut donc être associée à un schéma de Bernoulli.
c) Voici l'arbre pondéré représentant cette situation :

Conseils

● Pour justifier qu'il s'agit d'un schéma de Bernoulli, il faut avoir précisé l'épreuve de Bernoulli qui est répétée et indiquer que les répétitions sont indépendantes.

● Chaque niveau de l'arbre correspond à l'une des épreuves de Bernoulli répétées.

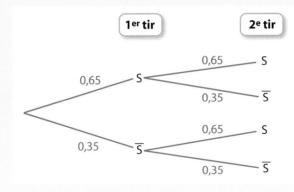

● **À votre tour**

2 Un bac de briques Lego contient 44 pièces jaunes et 56 pièces vertes.
Delphine prend une pièce au hasard, regarde sa couleur, puis la remet dans le bac.
Elle répète cette expérience aléatoire trois fois.
a) Identifier dans cette situation une épreuve de Bernoulli répétée et donner la probabilité du succès S.
b) Expliquer pourquoi on peut associer un schéma de Bernoulli à cette situation.
c) Représenter ce schéma par un arbre pondéré.

3 En France, la probabilité de naissance d'un garçon est 0,51.
On suppose que les sexes de nouveau-nés successifs au sein d'une même famille sont indépendants.
On considère les familles de deux enfants.
a) Expliquer pourquoi on peut associer un schéma de Bernoulli à cette situation.
b) Représenter ce schéma par un arbre pondéré.

2 Loi binomiale

a. Loi binomiale

▶ **DÉFINITION**

On considère un schéma de Bernoulli constitué de n épreuves où la probabilité du succès est p.
X est la variable aléatoire qui donne le nombre de succès lors de ces n épreuves.
La loi de probabilité de la variable aléatoire X est appelée **loi binomiale de paramètres n et p**.
On la note $\mathscr{B}(n\,;p)$.

Remarque : une variable aléatoire X qui suit la loi binomiale $\mathscr{B}(n\,;p)$ prend les valeurs entières de 0 à n.

● **CAS PARTICULIERS :** on a construit l'arbre représentant un schéma de Bernoulli à n épreuves.
L'événement (X = n) est réalisé sur l'unique chemin comportant n succès, donc P(X = n) = p^n.
L'événement (X = 0) est réalisé sur l'unique chemin comportant n échecs, donc P(X = 0) = $(1 - p)^n$.

● **CAS GÉNÉRAL :** on a construit l'arbre représentant un schéma de Bernoulli à n épreuves.
L'événement (X = k) est réalisé sur les chemins comportant k succès et donc $n - k$ échecs.
Chacune des issues représentées par ces chemins a une probabilité égale à $p^k \times (1 - p)^{n-k}$.
Ainsi, P(X = k) étant la somme des probabilités des issues représentées par ces chemins, on a :
$$P(X = k) = (\text{nombre de chemins à } k \text{ succès}) \times p^k \times (1 - p)^{n-k}.$$

● **EXEMPLE**

On lance un dé équilibré deux fois de suite.
La variable aléatoire X qui donne le nombre d'apparitions du chiffre 4 suit la loi binomiale $\mathscr{B}\left(2\,;\dfrac{1}{6}\right)$.

- $P(X = 2) = \left(\dfrac{1}{6}\right)^2 = \dfrac{1}{36}$

- $P(X = 0) = \left(\dfrac{5}{6}\right)^2 = \dfrac{25}{36}$

- Il y a 2 chemins avec exactement 1 succès donc
$$P(X = 1) = 2 \times \dfrac{1}{6} \times \dfrac{5}{6} = \dfrac{10}{36}$$

On a ainsi établi la loi de probabilité de la variable aléatoire X.

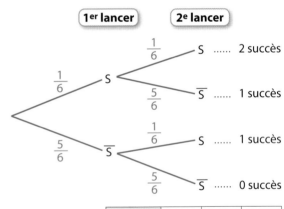

k	0	1	2
P(X = k)	$\dfrac{25}{36}$	$\dfrac{10}{36}$	$\dfrac{1}{36}$

b. Espérance d'une loi binomiale

▶ **PROPRIÉTÉ** ADMISE

X est une variable aléatoire qui suit la loi binomiale $\mathscr{B}(n\,;p)$.
L'espérance de X est égale à $n \times p$.

● **EXEMPLE**

Dans l'exemple du §**a.**, l'espérance de la variable aléatoire X est E(X) = $n \times p = 2 \times \dfrac{1}{6} = \dfrac{1}{3}$.

Cela signifie qu'en moyenne, en lançant deux fois de suite ce dé un grand nombre de fois, le chiffre 4 apparaîtra une fois sur trois.

● **Exercice résolu**   **Reconnaître une loi binomiale**

4 Énoncé

Une entreprise est spécialisée dans la confection de peluches.

Une étude a montré que 9 % des peluches présentent un défaut.

On prélève au hasard trois peluches à la sortie de la chaîne de fabrication.

On suppose qu'étant donné le grand nombre de peluches fabriquées, les tirages peuvent être considérés comme étant avec remise, donc identiques et indépendants.

X est la variable aléatoire qui donne le nombre de peluches présentant un défaut parmi les trois tirées au sort.

a) Justifier que la variable aléatoire X suit une loi binomiale dont on précisera les paramètres n et p.

b) Calculer et interpréter l'espérance de X.

Solution

a) L'expérience aléatoire qui consiste à tirer une peluche au hasard et à observer si elle présente un défaut est une épreuve de Bernoulli.

Le succès S est l'événement « La peluche présente un défaut ».

La probabilité du succès est égale à 0,09.

Cette épreuve est répétée trois fois de manière indépendante.

La variable aléatoire X qui compte le nombre de succès suit donc la loi binomiale de paramètres 3 et 0,09, notée $\mathcal{B}(3\,;0{,}09)$.

b) $n \times p = 3 \times 0{,}09 = 0{,}27$ donc l'espérance de X est égale à 0,27.

Cela signifie qu'en moyenne, en prélevant au hasard trois peluches un grand nombre de fois, le nombre de peluches présentant un défaut parmi ces trois peluches est égal à 0,27.

Conseils

La variable aléatoire X compte le nombre de succès.

L'épreuve de Bernoulli a pour probabilité du succès $p = 0{,}09$.

Cette épreuve est répétée 3 fois dans des conditions d'indépendance.

● **À votre tour**

5 On lance trois fois de suite une roue partagée en quatre secteurs identiques de couleurs : rouge, vert, bleu, blanc.

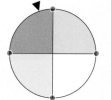

Les lancers sont indépendants.

X est la variable aléatoire qui donne le nombre de secteurs rouges obtenus.

a) Justifier que X suit une loi binomiale dont on précisera les paramètres n et p.

b) Calculer et interpréter l'espérance de X.

6 Dans un lycée, 45 % des élèves sont favorables à une pause plus longue le midi.

On interroge au hasard quatre élèves.

Étant donné le grand nombre d'élèves de l'établissement, on considère que les interrogations sont indépendantes.

X est la variable aléatoire qui donne le nombre d'élèves favorables.

a) Quelle est la loi de probabilité suivie par la variable aléatoire X ?

b) Calculer l'espérance de X. Interpréter ce résultat.

3 Coefficients binomiaux et loi binomiale

a. Coefficients binomiaux

▶ **DÉFINITION**

Un arbre pondéré représente un schéma de Bernoulli à n épreuves.

Le nombre de chemins avec k succès parmi les n épreuves est noté $\binom{n}{k}$ et se lit « k parmi n ».

Ce nombre est un **coefficient binomial**.

CAS PARTICULIERS : pour tout nombre entier naturel n, $\quad \binom{n}{0} = \binom{n}{n} = 1$.

● **EXEMPLE**

L'arbre pondéré ci-contre représente le schéma de Bernoulli d'une épreuve répétée trois fois, dont la probabilité du succès est 0,4.

Il y a 1 chemin comportant exactement 0 succès, donc $\binom{3}{0} = 1$.

Il y a 3 chemins comportant exactement 1 succès, donc $\binom{3}{1} = 3$.

De manière analogue, on trouve $\binom{3}{2} = 3$ et $\binom{3}{3} = 1$.

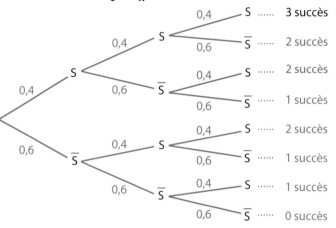

Remarque : on peut aussi déterminer la valeur d'un coefficient binomial à l'aide de la calculatrice. Voir l'exercice 7 résolu p. 217.

b. Lien avec la loi binomiale

▶ **PROPRIÉTÉ**

X est une variable aléatoire qui suit la loi binomiale $\mathcal{B}(n\,;p)$.

Pour tout nombre entier naturel k tel que $0 \leqslant k \leqslant n$, $\quad P(X = k) = \binom{n}{k} \times p^k \times (1 - p)^{n-k}$.

C'est une conséquence directe du cas général étudié au §**a.** p. 214 et de la définition des coefficients binomiaux.

● **EXEMPLE**

X est une variable aléatoire qui suit la loi binomiale $\mathcal{B}(3\,;0,4)$.

En utilisant les coefficients binomiaux déterminés dans l'exemple du §**a.**, on a :

$P(X = 0) = \binom{3}{0} \times 0,4^0 \times 0,6^{3-0} = 1 \times 0,4^0 \times 0,6^3 = 0,216$

$P(X = 1) = \binom{3}{1} \times 0,4^1 \times 0,6^{3-1} = 3 \times 0,4^1 \times 0,6^2 = 0,432$

$P(X = 2) = \binom{3}{2} \times 0,4^2 \times 0,6^{3-2} = 3 \times 0,4^2 \times 0,6^1 = 0,288$

$P(X = 3) = \binom{3}{3} \times 0,4^3 \times 0,6^{3-3} = 1 \times 0,4^3 \times 0,6^0 = 0,064$

● Exercice résolu — Calculer une probabilité avec une loi binomiale

7 | Énoncé

Dans la liste des 200 élèves de Première d'un lycée, on tire 10 noms au hasard, avec remise.

Dans ce lycée, 66 élèves sont en Première ES.

X est la variable aléatoire qui compte le nombre d'élèves de Première ES parmi les 10 noms tirés.

a) Justifier que la loi de probabilité de X est une loi binomiale dont on précisera les paramètres.

b) Calculer la probabilité, arrondie au millième, d'obtenir exactement trois élèves de la série ES.

Solution

a) L'expérience aléatoire qui consiste à tirer au hasard le nom d'un élève de Première et à observer si cet élève est en ES est une épreuve de Bernoulli.

Le succès S est l'événement « L'élève est en Première ES ».

$$P(S) = \frac{66}{200} = \frac{33}{100} = 0,33.$$

Cette épreuve est répétée 10 fois de manière identique et indépendante. La variable aléatoire X qui compte le nombre de succès suit donc la loi binomiale de paramètres 10 et 0,33, notée $\mathcal{B}(10\,;0,33)$.

b) On sait qu'alors :

$$P(X = 3) = \binom{10}{3} \times 0,33^3 \times (1 - 0,33)^{10-3}.$$

D'après la calculatrice, $\binom{10}{3} = 120$.

Ainsi $P(X = 3) = 120 \times 0,33^3 \times 0,67^7$, d'où $P(X = 3) \approx 0,261$.

La probabilité d'obtenir exactement trois élèves de la série ES parmi les 10 est donc environ égale à 0,261.

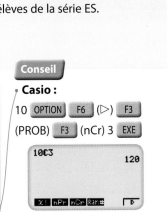

Conseil

Casio :

10 OPTION F6 (▷) F3 (PROB) F3 (nCr) 3 EXE

10C3   120

TI :

10 math ▶▶▶ (PRB) 3 (Combinaison ou nCr) 3 entrer

10 Combinaison 3   120

● À votre tour

8 Dans un sachet de petits élastiques colorés, 95 % sont en bon état.

Louane en choisit sept au hasard.

Le nombre d'élastiques dans le sachet est suffisamment grand pour que ces choix soient assimilés à des tirages avec remise, et donc indépendants.

X est la variable aléatoire qui donne le nombre d'élastiques en bon état parmi les sept.

On arrondira les résultats au centième.

1. Justifier que la loi de probabilité de X est une loi binomiale dont on précisera les paramètres.

2. Calculer la probabilité que :

a) 5 élastiques sur les 7 soient en bon état ;

b) 6 élastiques sur les 7 soient en bon état.

9 En 2013 en France, 8 ménages sur 10 disposaient d'un accès à Internet. À partir d'un listing informatique, on choisit au hasard 100 ménages français. Le grand nombre de ménages français permet de considérer que ce sont des tirages avec remise.

On contacte les ménages tirés au hasard pour leur demander s'ils disposaient d'un accès à Internet en 2013.

X est la variable aléatoire qui donne le nombre de ménages disposant d'un accès à Internet.

a) Quelle est la loi de probabilité suivie par la variable aléatoire X ?

b) Calculer la probabilité, arrondie au millième, que 75 ménages disposent d'un accès à Internet.

● Problème résolu — Calculer une probabilité du type P(X ≤ k) ou P(X ≥ k)

10 Énoncé

Une compagnie d'assurances a constaté, que lors d'une campagne de démarchage par téléphone, 12 % des personnes interrogées souscrivent un nouveau contrat.

Chaque employé effectue 60 appels par jour.

Les appels sont suffisamment nombreux pour que les choix soient considérés comme réalisés de façon indépendante et dans des conditions identiques.

La variable aléatoire X qui comptabilise le nombre de souscriptions réalisées par un employé un jour donné suit alors la loi binomiale $\mathcal{B}(60\,; 0,12)$.

Avec la calculatrice, déterminer chaque probabilité. Arrondir au dix-millième.

a) $P(X = 5)$ **b)** $P(X \leqslant 5)$ **c)** $P(X \geqslant 6)$

Solution

a) Avec la calculatrice, on obtient $P(X = 5) \approx 0,120\,2$.

b) Avec la calculatrice, on obtient $P(X \leqslant 5) \approx 0,259\,0$.

Casio : MENU 2(STAT) F5 (DIST) F5 (BINM) F2 (Bcd)

distrib

TI : 2nde var B (binomFRép( )

c) On remarque que $P(X \geqslant 6) = 1 - P(X \leqslant 5)$.

Par conséquent, $P(X \geqslant 6) \approx 1 - 0,259\,0$ soit $P(X \geqslant 6) \approx 0,741\,0$.

Conseils

- On peut aussi utiliser la formule du §**b.** p. 216 mais il faut déterminer $\binom{60}{5}$ avec la calculatrice.

- On aurait pu aussi calculer la somme $P(X=0)+P(X=1)+\ldots+P(X=5)$.

- L'événement $(X \geqslant 6)$ est le complémentaire de l'événement $(X \leqslant 5)$.

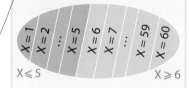

● À votre tour

11 Un sac contient 120 jetons indiscernables au toucher dont 20 % sont bleus.

On tire successivement et avec remise 30 jetons. La variable aléatoire X qui donne le nombre de jetons bleus sur ces 30 tirages suit la loi binomiale $\mathcal{B}(30\,; 0,2)$.

Avec la calculatrice, déterminer chaque probabilité, arrondie au millième.

a) $P(X = 10)$ **b)** $P(X \leqslant 10)$ **c)** $P(X \geqslant 11)$

12 Une urne contient 6 boules noires et 4 boules blanches. Maëlle tire successivement au hasard et avec remise 40 boules de l'urne.

La variable aléatoire X qui donne le nombre de boules blanches tirées suit la loi binomiale $\mathcal{B}(40\,; 0,4)$.

Avec la calculatrice, déterminer chaque probabilité, arrondie au millième.

a) $P(X = 20)$ **b)** $P(X \leqslant 15)$ **c)** $P(X \geqslant 8)$

Problème résolu — Interpréter une espérance

13 Énoncé

Une entreprise produit des téléphones portables.
Le fabricant réalise un test de performance sur les téléphones;
celui-ci est positif dans 96 % des cas.
Un téléphone ayant obtenu un résultat positif est vendu 550 €.
Si le résultat du test est négatif, le téléphone est soldé 300 €.
On prélève au hasard 400 téléphones dans la production.
Le volume total de la production permet de considérer que ce
sont des tirages avec remise.
X est la variable aléatoire qui donne le nombre de téléphones
ayant obtenu un résultat positif.

a) Justifier que la variable aléatoire X suit une loi binomiale dont on précisera les paramètres.
b) Estimer la recette moyenne réalisée sur la vente de 400 téléphones.

Solution

a) On répète 400 fois de manière indépendante une même épreuve de Bernoulli. Le succès est l'événement « Le téléphone obtient un résultat positif au test », dont la probabilité est 0,96.
La variable aléatoire X, qui compte le nombre de succès sur 400 téléphones tirés au hasard, suit donc la loi binomiale de paramètres $n = 400$ et $p = 0,96$, notée $\mathcal{B}(400 ; 0,96)$.
b) $n \times p = 400 \times 0,96 = 384$ donc l'espérance de X est égale à 384.
Cela signifie qu'en moyenne, sur 400 téléphones tirés au hasard un grand nombre de fois, 384 obtiennent un résultat positif au test, et 16 un résultat négatif.
Une estimation de la recette moyenne est donc
$384 \times 550 + 16 \times 300$, c'est-à-dire 216 000 €.

Conseils

- L'énoncé précise que l'épreuve de Bernoulli est répétée dans des conditions d'indépendance.

- L'espérance peut être interprétée comme le nombre moyen de succès lorsqu'on renouvelle un grand nombre de fois cette expérience. On en déduit alors le nombre moyen d'échecs, puis la recette moyenne.

À votre tour

14 Au cours d'une journée, un commercial rend visite à dix clients pour leur proposer un produit d'une valeur de 140 €. Il perçoit une commission de 10 % sur le total de ses ventes.
Les fiches des clients visités sont choisies au hasard et le grand nombre de fiches permet de considérer qu'il s'agit de tirages avec remise.
Dans 20 % des cas, le client achète le produit.
Estimer le montant moyen de la commission que perçoit le commercial pour une journée de travail.

15 Un jeune entrepreneur a créé un site internet d'entraide au bricolage. Chaque clic sur un encart publicitaire du site lui rapporte 1,50 €.
Un visiteur du site sur cinquante clique sur l'encart publicitaire.
On choisit au hasard 20 adresses IP d'internautes ayant visité la page. Le grand nombre d'adresses IP permet d'assimiler ces choix à des tirages avec remise.
Estimer le gain moyen réalisé par l'entrepreneur pour 20 visites.

Problème résolu — Simuler un schéma de Bernoulli

16 Énoncé

Dans l'algorithme ci-contre, l'instruction « Affecter à V un nombre entier aléatoire compris entre 1 et 6 » simule le chiffre obtenu lors du lancer d'un dé équilibré à six faces.

a) Faire fonctionner l'algorithme en utilisant la calculatrice. Interpréter le résultat obtenu.

b) Préciser le schéma de Bernoulli simulé par cet algorithme.

c) Faire fonctionner 12 fois l'algorithme, puis regrouper l'ensemble des résultats de la classe dans un tableau de fréquences arrondies au millième.

Variables :	V, *i*, S sont des nombres réels
Traitement :	Affecter à S la valeur 0
	Pour *i* allant de 1 à 10
	Affecter à V un nombre entier aléatoire compris entre 1 et 6
	Si V = 1 alors
	Affecter à S la valeur S + 1
	Fin Si
	Fin Pour
Sortie :	Afficher S

Solution

a) On peut obtenir par exemple :

i	1	2	3	4	5	6	7	8	9	10
V	4	6	2	3	2	2	3	1	3	1
S	0	0	0	0	0	0	0	1	1	2

Conseils

Voici comment simuler un nombre entier aléatoire entre 1 et 6 avec la calculatrice.
Casio : Int(6×Ran#+1).
TI : partEnt(6×NbrAléat+1).

S = 2 signifie que l'on a obtenu deux fois le chiffre 1 sur les 10 lancers.

b) L'épreuve de Bernoulli simulée est le lancer d'un dé équilibré à 6 faces où le succès est l'événement « On obtient le chiffre 1 ». La probabilité du succès est donc $\frac{1}{6}$. Cette épreuve de Bernoulli est répétée 10 fois dans des conditions d'indépendance.

c) On peut obtenir par exemple le tableau de fréquences ci-dessous.

Valeur de S affichée	0	1	2	3	4	5	6	7	8	9	10
Fréquence	0,153	0,361	0,256	0,147	0,069	0,014	0	0	0	0	0

À votre tour

17 a) Modifier l'algorithme de l'exercice **16** afin qu'il simule la répétition de 40 lancers d'une pièce de monnaie équilibrée et affiche le nombre S de Pile obtenus.

b) Préciser le schéma de Bernoulli simulé par cet algorithme.

c) Faire fonctionner 12 fois l'algorithme, puis regrouper l'ensemble des résultats de la classe dans un tableau de fréquences arrondies au millième.

18 a) Modifier l'algorithme de l'exercice **16** afin qu'il simule la répétition de 25 lancers d'une roue à 4 secteurs identiques numérotés de 1 à 4 et affiche le nombre S de secteurs numérotés 2 obtenus.

b) Préciser le schéma de Bernoulli simulé par cet algorithme.

c) Faire fonctionner 12 fois l'algorithme, puis regrouper les résultats de la classe dans un tableau de fréquences arrondies au millième.

Travaux pratiques

19 La planche de Galton

Simuler une loi binomiale à l'aide d'un tableur.

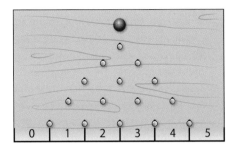

La planche de Galton est un appareil permettant de simuler un schéma de Bernoulli.
Celle reproduite ci-contre est composée de cinq rangées de 1, 2, 3, 4 puis 5 clous. Une bille est lâchée à la verticale du premier clou. À chaque fois qu'elle rencontre un clou, la bille tombe à gauche ou à droite de façon équiprobable.
En bas de la planche se trouvent des compartiments numérotés de 0 à 5 pour réceptionner la bille.

1 Simulation

Dans la feuille de calcul ci-contre, on code 0 le fait de tomber à gauche d'un clou et 1 le fait de tomber à droite.

a) Réaliser cette feuille de calcul en complétant la ligne 1 par les nombres entiers de 1 à 100.

b) Dans la cellule B2, saisir la formule =ENT(ALEA()+0,5). Expliquer le rôle de cette formule.
La recopier vers le bas jusqu'en B6.

	A	B	C	D
1	Essai	1	2	3
2	Niveau 1			
3	Niveau 2			
4	Niveau 3			
5	Niveau 4			
6	Niveau 5			
7	Numéro du compartiment			

c) Dans la cellule B7, saisir la formule =SOMME(B2:B6). Expliquer pourquoi cette formule permet d'obtenir le numéro du compartiment qui réceptionne la bille.

d) Recopier la plage B2:B7 vers la droite pour simuler 100 parcours de billes.

e) On souhaite établir le tableau des effectifs et des fréquences pour les numéros des compartiments où tombent les billes. Pour cela, réaliser la feuille de calcul ci-dessous.
Dans la cellule B10, saisir la formule =NB.SI($B7:$CW7;B9), puis la recopier vers la droite jusqu'en G10.

f) Quelle formule faut-il saisir en B11, puis recopier vers la droite jusqu'en G11, pour calculer les fréquences ?

		0	1	2	3	4	5
9	Numéro du compartiment						
10	Nombre de billes						
11	Fréquence						

2 Modélisation

La direction prise par la bille après être tombée sur un clou constitue une épreuve de Bernoulli, dont le succès est l'issue « La bille est tombée à droite ».
Cette épreuve est répétée de façon identique et indépendante à chaque niveau de la planche.
X est la variable aléatoire qui donne le nombre de succès sur l'ensemble de la planche.

a) Quelle est la loi de probabilité suivie par X ?

b) Afficher cette loi dans la ligne 12. Pour cela, saisir en B12 la formule =LOI.BINOMIALE(B9;5;0,5;0) et recopier jusqu'en G12.

3  Compte-rendu

a) Commenter les différences entre les fréquences observées et les probabilités théoriques.

b) Que faudrait-il modifier pour réduire ces différences ?

20 Surréservation aérienne

Objectif

Comprendre le principe de la surréservation.

Une compagnie aérienne assure une ligne régulière avec un avion d'une capacité de 70 passagers. Les clients réservent gratuitement par Internet, sans obligation d'achat et sans pénalité en cas de non présentation.

À chaque vol, toutes les places sont réservées mais, pour chaque passager, la probabilité qu'il se présente à l'embarquement et achète un billet est 0,95. Un billet coûte 90 €.

Du point de vue de la compagnie, la décision d'embarquer ou non est une épreuve de Bernoulli et les 70 passagers représentent 70 répétitions identiques et indépendantes de cette épreuve.

1 **Sans surréservation**

X est la variable aléatoire qui donne le nombre de passagers achetant effectivement un billet parmi les 70 ayant réservé.

a) Identifier la loi suivie par la variable aléatoire X. Préciser ses paramètres.

b) Calculer la probabilité, arrondie au centième, qu'il y ait au moins une place libre dans l'avion.

c) Estimer la recette moyenne par vol.

2 **Avec surréservation**

La compagnie décide de pratiquer la surréservation en proposant 80 places à la réservation (la capacité de l'avion restant de 70 passagers).

Si un voyageur ayant réservé arrive pour embarquer alors que l'avion est déjà complet, il ne peut pas acheter de billet mais la compagnie lui verse 45 € en dédommagement.

a) Quelle est la nouvelle loi de probabilité suivie par X ?

b) Calculer la probabilité, arrondie au millième, qu'il y ait au moins une place libre dans l'avion.

c) Calculer la probabilité, arrondie au millième, qu'il y ait au moins un voyageur ayant réservé et ne pouvant pas acheter de billet.

d) Calculer l'espérance de X, puis en déduire une estimation de la recette moyenne par vol dans ce cas.

3 **Travailler en autonomie** **Compte-rendu**

a) Comparer les résultats obtenus aux questions **1** et **2** afin de mettre en évidence l'intérêt de la surréservation.

b) Écrire un algorithme avec pour entrée le nombre de places offertes à la réservation, et pour sortie la recette moyenne de la compagnie.

c) Combien de places la compagnie doit-elle mettre à la vente pour obtenir une recette moyenne maximale ?

Épreuve et schéma de Bernoulli

21 Un jeu consiste à faire tourner une roue composée de quatre secteurs identiques colorés. On gagne lorsque la roue s'arrête avec la flèche dans le secteur rouge.

Indiquer les probabilités dans le tableau ci-dessous.

Issue	Succès	Échec
Probabilité	…	…

22 On extrait une boule de l'urne ci-contre et on note sa couleur.

a) Décrire une épreuve de Bernoulli associée à cette situation.
b) Préciser la probabilité de succès dans cette épreuve de Bernoulli.

23 Décrire un schéma de Bernoulli dont l'arbre ci-dessous serait une représentation.

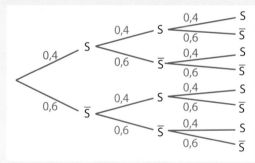

24 Cet arbre représente-t-il un schéma de Bernoulli ?

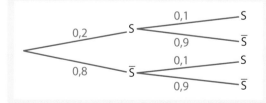

25 Dessiner un arbre pondéré illustrant un schéma de Bernoulli avec trois épreuves répétées dont la probabilité du succès est 0,17.

Pour les exercices **26** et **27**, préciser le succès de l'épreuve de Bernoulli et la loi associée.

26 On lance une pièce de monnaie équilibrée et on note si Pile apparaît.

27 Dans un village, il y a 54 % de femmes sur la liste électorale. On choisit au hasard un nom dans cette liste et on observe s'il s'agit d'une femme.

Pour les exercices **28** à **30**, représenter le schéma de Bernoulli par un arbre pondéré.

28 Au badminton, Rémi réussit son service deux fois sur trois. Il effectue trois services successifs indépendants.

29 Une urne opaque contient 5 papiers bleus, 2 papiers rouges et 2 papiers verts. Un jeu consiste à tirer au hasard un papier de l'urne, à regarder sa couleur, puis à le remettre dans l'urne. On a gagné si le papier est bleu. On joue trois fois de suite.

30 On lance deux fois un dé équilibré à 6 faces et on s'intéresse à l'obtention du chiffre 6.

31 Lors d'un match de basket, un joueur effectue trois lancers indépendants. Il marque dans 80 % des cas. Donner le nombre de répétitions et la probabilité du succès du schéma de Bernoulli associé à cette situation.

32 Dans une classe de Seconde, il y a 14 filles et 15 garçons. On place dans une boîte des papiers portant les noms des élèves de la classe, puis on effectue 10 tirages avec remise et on note le sexe de l'élève.
Justifier que l'on peut modéliser cette situation par un schéma de Bernoulli.

33 Dany se rend chez un particulier afin d'acheter deux cochons d'Inde. Le vendeur possède trois mâles et sept femelles, tous marrons. Dany en choisit deux, l'un après l'autre au hasard et sans remise. On note S l'événement : «Le cochon d'Inde choisi est une femelle».
Représenter cette situation par un arbre pondéré. Cette situation peut-elle être modélisée par un schéma de Bernoulli ?

Loi binomiale

34 On considère un schéma de Bernoulli composé de la répétition de 4 épreuves de Bernoulli dont la probabilité du succès est 0,25. On note X la variable aléatoire qui donne le nombre de succès.
Quelle est la loi de probabilité suivie par X ?

35 L'arbre ci-dessous représente un schéma de Bernoulli à trois répétitions.

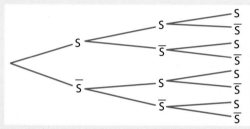

Dénombrer les chemins contenant exactement :
• 0 succès • 1 succès • 2 succès • 3 succès

36 L'arbre ci-dessous représente un schéma de Bernoulli à deux répétitions.

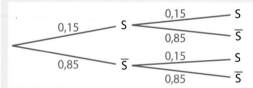

a) Indiquer le nombre de succès pour chaque chemin.
b) X est la variable aléatoire qui donne le nombre de succès.
Quelle est la loi de probabilité suivie par X ?
c) Énoncer le calcul de la probabilité P(X = 1).

37 On considère un schéma de Bernoulli à deux répétitions dont la probabilité du succès est 0,4.
a) Sur l'arbre représentant ce schéma, combien de chemins correspondent à 0 succès ? 1 succès ? 2 succès ?
b) X est la variable aléatoire qui donne le nombre de succès.
Quelle est la loi de probabilité suivie par X ?
c) Énoncer le calcul de la probabilité P(X = 2).

38 On tire au hasard une carte dans un jeu de 32 cartes, on regarde si c'est un as, puis on replace la carte dans le jeu.
On répète ceci cinq fois et on note X la variable aléatoire qui donne le nombre d'as tirés.
Quelle est la loi de probabilité suivie par X ?

39 On lance trois fois successivement une pièce de monnaie équilibrée.
On note X la variable aléatoire qui donne le nombre de côtés Face obtenus.
Quelle est la loi de probabilité suivie par X ?

40 Lors d'un sondage, 70 % des personnes interrogées ont déclaré lire un livre durant les grandes vacances.
On choisit au hasard trois personnes interrogées et on admet qu'étant donné le grand nombre de personnes interrogées, les choix sont indépendants.
a) Dessiner un arbre pondéré pour représenter cette situation.
b) X est la variable aléatoire qui donne le nombre de lecteurs parmi les trois interrogés.
Quelle est la loi de probabilité suivie par X ?
c) Présenter cette loi dans un tableau.
d) Représenter cette loi par un diagramme en bâtons.

41 Dans un élevage de poules, on effectue un test vétérinaire.
La probabilité que ce test soit positif est 0,05.
On choisit trois poules au hasard.
Le nombre important de poules permet de considérer ces choix comme des tirages avec remise.
X est la variable aléatoire qui donne le nombre de poules dont le test est positif parmi les trois.
On arrondira les résultats au millième.
a) Quelle est la loi de probabilité suivie par X ?
b) Dessiner un arbre pondéré pour représenter cette situation.
c) Déterminer la probabilité qu'exactement deux poules présentent un test positif.
d) Calculer P(X ⩾ 2) et interpréter le résultat.
e) Déterminer la probabilité qu'au moins une poule présente un test positif.

42 Un service de livraison a constaté que 3% des colis livrés étaient abîmés.
On choisit au hasard trois colis livrés.
Le nombre de colis étant très important, on peut considérer ces choix comme des tirages avec remise.
a) Dessiner un arbre pondéré pour représenter cette situation.
b) Déterminer la probabilité que les trois colis soient abîmés.
c) Déterminer la probabilité que deux colis, au plus, soient abîmés.

43 X est une variable aléatoire qui suit la loi binomiale de paramètres $n = 2$ et $p = 0,77$.
À l'aide d'un arbre pondéré, présenter cette loi de probabilité dans un tableau.

44 X est une variable aléatoire qui suit une loi binomiale de paramètres $n = 3$ et $p = 0,4$.
Présenter cette loi de probabilité dans un tableau.

45 X est une variable aléatoire qui suit la loi binomiale de paramètres $n = 3$ et p.
On sait que $P(X = 0) = \dfrac{27}{125}$.
a) Déterminer la valeur de p.
b) Calculer $P(X = 3)$.

46 Dans chaque cas, déterminer l'espérance de la loi binomiale donnée.
a) $\mathscr{B}\left(4 ; \dfrac{1}{3}\right)$ **b)** $\mathscr{B}(10 ; 0,2)$
c) $\mathscr{B}(44 ; 0,17)$ **d)** $\mathscr{B}(8 ; 0,55)$

47 On lance 10 fois de suite une pièce équilibrée. X est la variable aléatoire qui donne le nombre de fois où Pile apparaît.
a) Quelle est la loi de probabilité suivie par X ?
Arrondir au millième.
b) Calculer $P(X = 0)$ et $P(X = 10)$.
c) Calculer et interpréter l'espérance de X.

48 On lance 18 fois de suite un dé équilibré à 6 faces. X est la variable aléatoire qui donne le nombre de fois où le numéro 6 est sorti.
a) Quelle est la loi de probabilité suivie par X ?
b) Calculer $P(X = 0)$ et $P(X > 0)$.
Arrondir au millième.
c) Calculer et interpréter l'espérance de X.

49 On a représenté graphiquement ci-dessous une loi binomiale. Calculer son espérance.

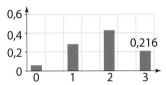

50 Un village achète 500 tickets de grattage pour la fête annuelle. Les six tickets gagnants sont soigneusement mélangés aux autres. Rémi achète trois tickets. Le nombre important de tickets permet de considérer les choix de Rémi comme des tirages avec remise.
X est la variable aléatoire qui donne le nombre de tickets gagnants parmi les trois.
a) Quelle est la loi de probabilité suivie par X ?
b) Calculer et interpréter l'espérance de X.

Coefficients binomiaux et loi binomiale

Questions rapides

51 Voici un arbre représentant un schéma de Bernoulli.

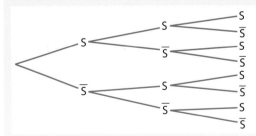

a) Que représente le coefficient binomial $\binom{3}{1}$?
b) À l'aide de l'arbre, déterminer les coefficients binomiaux $\binom{3}{0}$, $\binom{3}{2}$ et $\binom{3}{3}$.

52 Déterminer, à l'aide de la calculatrice, chaque coefficient binomial.
a) $\binom{10}{3}$ **b)** $\binom{5}{4}$ **c)** $\binom{12}{2}$ **d)** $\binom{100}{99}$

53 X est une variable aléatoire qui suit la loi binomiale $\mathscr{B}(11 ; 0,2)$.
Lire cette formule en la complétant :
$$P(X = 2) = \binom{\cdots}{2} \times 0,2^{\cdots} \times \ldots^{\cdots}.$$

54 **1.** Dessiner un arbre représentant un schéma de Bernoulli à quatre épreuves répétées.

2. Combien y a-t-il de chemins comportant :

a) 1 seul succès ? **b)** exactement 2 succès ?

3. Donner la valeur de :

a) $\binom{4}{0}$ **b)** $\binom{4}{1}$ **c)** $\binom{4}{2}$

55 On considère un schéma de Bernoulli à six épreuves répétées.

On souhaite déterminer le nombre $\binom{6}{3}$ de chemins à 3 succès, sans calculatrice.

On admet que $\binom{5}{2} = \binom{5}{3} = 10$.

a) On considère les chemins à 3 succès qui se terminent par S.

Combien de succès doivent apparaître parmi les cinq premières épreuves ? En déduire le nombre de chemins à 3 succès qui se terminent par S.

b) Quel est le nombre de chemins à 3 succès qui se terminent par $\overline{S}$?

c) En déduire $\binom{6}{3}$ sans calculatrice.

56 Déterminer, à l'aide de la calculatrice, les coefficients binomiaux $\binom{15}{0}$, $\binom{6}{2}$ et $\binom{14}{13}$.

57 Vérifier l'égalité $\binom{10}{3} + \binom{10}{4} = \binom{11}{4}$.

58 X est une variable aléatoire qui suit la loi binomiale $\mathscr{B}\left(10 ; \dfrac{1}{3}\right)$.

Corriger les erreurs commises par Caroline pour calculer la probabilité P(X = 2).

```
10C2×1÷3^2×2÷3^10-2
              -1.999830649




x!  nPr  nCr  Ran#          ▷
```

59 X est une variable aléatoire qui suit la loi binomiale $\mathscr{B}(7 ; 0,8)$.

a) À la calculatrice. déterminer la valeur du coefficient binomial $\binom{7}{2}$.

b) En déduire P(X = 2).

c) Présenter la loi suivie par X dans un tableau.

d) Représenter cette loi par un diagramme en bâtons.

60 X est une variable aléatoire qui suit la loi binomiale $\mathscr{B}(6 ; 0,1)$.

a) Présenter la loi suivie par X dans un tableau.

b) Représenter cette loi par un diagramme en bâtons.

61 On considère quatre lois binomiales.

① $\mathscr{B}(8 ; 0,7)$ ② $\mathscr{B}(10 ; 0,5)$

③ $\mathscr{B}(10 ; 0,2)$ ④ $\mathscr{B}(8 ; 0,4)$

Ces quatre lois sont représentées par les diagrammes en bâtons ci-dessous.

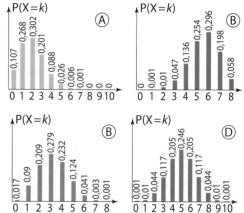

a) Associer à chaque loi binomiale sa représentation graphique.

b) Lire dans chaque cas la probabilité d'obtenir 3 succès.

c) Retrouver les résultats du **b)** par le calcul.

62 Dans chaque cas, calculer la probabilité demandée, arrondie au dix-millième.

a) P(X = 2) où X suit la loi $\mathscr{B}(5 ; 0,4)$.

b) P(X = 6) où X suit la loi $\mathscr{B}\left(7 ; \dfrac{1}{5}\right)$.

c) P(X = 9) où X suit la loi $\mathscr{B}(10 ; 0,75)$.

d) P(X = 0) où X suit la loi $\mathscr{B}(3 ; 0,1)$.

e) P(X = 12) où X suit la loi $\mathscr{B}\left(15 ; \dfrac{3}{4}\right)$.

63 X est une variable aléatoire qui suit la loi binomiale $\mathscr{B}(13 ; 0,42)$. Maxime devait calculer les probabilités P(X = 8) et P(X ⩽ 8).

Retrouver chaque résultat sur l'écran de sa calculatrice.

```
binomFRép(13,0.4
2,8)
         .9554417748
binomFdp(13,0.42
,8)
         .0817923786
```

64 Dans chaque cas, calculer la probabilité demandée, arrondie au millième.

a) $P(X \leqslant 19)$ où X suit la loi $\mathcal{B}(20\,;0,2)$.

b) $P(X \geqslant 1)$ où X suit la loi $\mathcal{B}\left(6\,;\dfrac{2}{3}\right)$.

c) $P(X \leqslant 32)$ où X suit la loi $\mathcal{B}(75\,;0,5)$.

d) $P(1 \leqslant X \leqslant 3)$ où X suit la loi $\mathcal{B}(4\,;0,01)$.

e) $P(10 \leqslant X \leqslant 12)$ où X suit la loi $\mathcal{B}\left(11\,;\dfrac{3}{5}\right)$.

65 Une urne contient trois boules vertes et huit boules rouges. On tire successivement et avec remise cinq boules de cette urne.

X est la variable aléatoire qui donne le nombre de boules rouges tirées.

a) Quelle est la loi de probabilité suivie par X ?

b) Déterminer la probabilité, arrondie au centième, que quatre boules ou moins soient rouges parmi les cinq.

66 Dans sa cuisine, Mickaël a douze verres, dont trois sont fêlés.

À chaque repas, il prend un verre au hasard, indépendamment des repas précédents.

X est la variable aléatoire qui donne le nombre de verres fêlés choisis au cours de dix repas.

Les résultats seront arrondis au dix-millième.

a) Quelle est loi de probabilité suivie par X ?

b) Calculer $P(X = 5)$. Interpréter ce résultat.

c) Calculer $P(X \leqslant 7)$. Interpréter ce résultat.

67 Un informaticien possède des systèmes d'exploitation différents sur ses trois ordinateurs : un avec le système A et deux avec le système B.

Chaque jour pendant 28 jours, il choisit un de ces ordinateurs au hasard, indépendamment des choix précédents.

X est la variable aléatoire qui donne le nombre de jours où il choisit l'ordinateur avec le système A.

Les résultats seront arrondis au millième.

a) Quelle est loi de probabilité suivie par X ?

b) Calculer $P(X = 12)$. Interpréter ce résultat.

c) Calculer $P(X \leqslant 15)$. Interpréter ce résultat.

d) Calculer la probabilité que l'informaticien choisisse 5 fois ou plus l'ordinateur avec le système A.

68 **Loi binomiale et forages**

Une compagnie pétrolière effectue vingt forages indépendants les uns des autres dans une zone et la probabilité de trouver du pétrole est 0,03 dans chaque cas. X est la variable aléatoire qui donne le nombre de forages positifs.

a) Quelle est loi de probabilité suivie par X ?

b) Calculer la probabilité que deux forages soient positifs. Arrondir au millième.

c) Calculer et interpréter l'espérance de X.

69 Un lycée achète quinze ordinateurs auprès d'un même fabricant pour équiper une salle informatique.

D'après le fournisseur, 2 % de ses ordinateurs présentent un défaut de fabrication.

Le nombre important d'ordinateurs dans le stock du fournisseur fait qu'on peut assimiler le choix de ces quinze ordinateurs à des tirages avec remise.

X est la variable aléatoire qui donne le nombre d'ordinateurs qui présentent un défaut de fabrication parmi les quinze.

On arrondira les résultats au millième.

a) Quelle est la loi de probabilité suivie par X ?

b) Déterminer la probabilité qu'exactement trois ordinateurs présentent un défaut de fabrication.

c) Calculer $P(X \geqslant 1)$ et interpréter ce résultat.

70 **Vrai ou faux ?**

On considère des arbres associés à un schéma de Bernoulli. On note X la variable aléatoire donnant le nombre de succès.

Dire pour chaque affirmation si elle est vraie ou fausse.

a) Un tel arbre possède toujours un nombre pair de chemins.

b) Il y a autant de chemins qui mènent à 2 succès sur cinq épreuves que de chemins menant à 1 succès sur dix épreuves.

c) Si X suit la loi binomiale $\mathcal{B}(n\,;p)$, alors on ne peut jamais avoir $P(X = 0) = P(X = n)$.

71 John a planté deux tiers de narcisses blancs et un tiers de narcisses jaunes.

Il en cueille dix au hasard.

Le nombre important de fleurs fait qu'on peut assimiler cette cueillette à des tirages avec remise.

X est la variable aléatoire qui donne le nombre de narcisses blancs dans le bouquet.

On arrondira les résultats au millième.

a) Quelle est la loi de probabilité suivie par X ?

b) Calculer la probabilité qu'il y ait deux narcisses blancs ou moins dans le bouquet.

c) Calculer la probabilité qu'il y ait cinq narcisses blancs ou moins dans le bouquet.

d) Calculer la probabilité qu'il y ait entre quatre et six narcisses blancs dans le bouquet.

e) L'écran de calculatrice ci-dessous a été obtenu en saisissant binomFRép(10,2/3,X) pour la fonction Y1. Utiliser cet écran pour retrouver les résultats des questions **a)** à **c)**.

72 Une société spécialisée dans l'audience des médias estime que 19,8 % des Français ont regardé la finale de la coupe du Monde 2014 de football.

À partir d'un annuaire téléphonique français, on contacte 100 personnes au hasard.

On considère qu'il s'agit de tirages avec remise.

X est la variable aléatoire qui donne le nombre de personnes ayant regardé la finale.

a) Quelle est la loi de probabilité suivie par X ?

b) Calculer la probabilité que 25 personnes ou moins aient regardé la finale. Arrondir au centième.

c) À l'aide de la calculatrice, déterminer la plus petite valeur de k telle que P(X ⩽ k) soit supérieure à 0,5.

Sans intermédiaire

73 X est une variable aléatoire qui suit une loi binomiale.

Recopier et compléter le tableau ci-dessous qui présente la loi de probabilité de X.

k	0	1	2	3
P(X = k)				$\dfrac{8}{27}$

74 Dans une société de démarchage par téléphone, l'objectif fixé pour chaque opérateur est de contacter au moins 30 personnes par jour.

40 % des personnes contactées répondent effectivement à l'appel.

Combien l'opérateur doit-il contacter de personnes chaque jour pour que la probabilité qu'il atteigne son objectif soit supérieure à 95 % ?

S'entraîner à la logique

75 **Négation**

X est une variable aléatoire qui suit la loi binomiale $\mathcal{B}(5\,;\,0{,}7)$.

Dans chaque cas, indiquer l'événement contraire.

a) « Obtenir trois succès ou moins ».

b) « Obtenir au moins un succès ».

c) « Obtenir quatre échecs ou moins ».

d) « Obtenir au moins un succès ou bien obtenir quatre succès ou plus ».

e) « Ne pas obtenir au moins deux succès ».

76 **Implication et réciproque**

1. Dans chaque cas, indiquer si l'implication est vraie ou fausse, en justifiant.

a) Si une variable aléatoire X suit la loi binomiale $\mathcal{B}(10\,;\,0{,}1)$, alors son espérance est égale à 1.

b) Si une variable aléatoire X suit une loi binomiale telle que P(X = 0) < 0,2, alors P(X ⩾ 1) > 0,8.

c) Si une variable aléatoire donnant le nombre de succès suit la loi binomiale $\mathcal{B}(7\,;\,0{,}9)$, alors la variable aléatoire donnant le nombre d'échecs suit la loi binomiale $\mathcal{B}(3\,;\,0{,}1)$.

2. Dans chacun des cas ci-dessus, énoncer la réciproque et indiquer si elle est vraie ou fausse.

77 Dans chaque cas, donner **la** réponse exacte **sans justifier**.

À la naissance, 44,5 % des chats sont des mâles.

On assimile une portée de cinq chatons à cinq tirages identiques et indépendants.

X est la variable aléatoire qui donne le nombre de mâles dans une portée de cinq chatons.

		A	B	C	D
1	X suit la loi binomiale …	$\mathscr{B}(1\,;44,5)$	$\mathscr{B}(5\,;44,5)$	$\mathscr{B}(0,445\,;5)$	$\mathscr{B}(5\,;0,445)$
2	Le coefficient binomial $\binom{5}{2}$ est égal à …	2,5	10	0	11
3	Celle des probabilités ci-contre dont l'arrondi au millième est 0,339 est …	$P(X=0)$	$P(X \geqslant 1)$	$P(X=2)$	$P(X=3)$
4	L'arrondi au millième de la probabilité $P(X \leqslant 1)$ est …	0,264	0,211	0,947	0,053
5	Le nombre moyen de mâles par portée de cinq chatons est …	2,5	2,225	0,022 25	1

78 Dans chaque cas, donner **la ou les** réponses exactes **sans justifier**.

Chaque année, 32 % des élèves de Terminale ES choisissent la spécialité Mathématiques.

On choisit au hasard 15 élèves de Terminale ES dans un établissement assez grand pour que l'on puisse considérer ces tirages comme identiques et indépendants.

X est la variable aléatoire qui donne le nombre d'élèves qui choisissent la spécialité Mathématiques.

		A	B	C	D
1	X suit la loi binomiale …	$\mathscr{B}(15\,;32)$	$\mathscr{B}(15\,;0,32)$	$\mathscr{B}(32\,;15)$	$\mathscr{B}\left(15\,;\dfrac{8}{25}\right)$
2	$P(X=0)$ est égal à …	$0,32^{15}$	$1-0,32^{15}$	$(1-0,32)^{15}$	environ 0,003
3	$P(X \geqslant 1)$ est égal à …	$1-P(X=0)$	$0,68^{15}$	$1-0,68^{15}$	$(1-0,68)^{15}$
4	$P(X=10)$ est égal à …	$\binom{15}{10} \times 0,32^{10} \times 0,68^{5}$	$3\,003 \times 0,32^{10} \times 0,68^{5}$	environ 0,005	environ 0,213

79 Pour chaque affirmation, dire si elle est **vraie ou fausse en justifiant**.

On considère un schéma de Bernoulli à sept épreuves répétées dont la probabilité du succès est p.

1. Dans l'arbre pondéré associé, le nombre de chemins avec exactement 2 succès est égal au nombre de chemins avec exactement 5 succès.

2. Dans l'arbre pondéré associé, il y a 21 chemins avec exactement 3 succès.

3. Si la probabilité d'avoir 7 échecs est égale à $0,6^{7}$, la valeur de p est 0,4.

4. L'événement « Obtenir 7 succès » est l'événement contraire de « Obtenir 0 succès ».

5. L'événement « Obtenir au plus 6 succès » est l'événement contraire de « Obtenir 7 échecs ».

6. Si la probabilité d'avoir 7 succès est $0,15^{7}$, alors la probabilité d'avoir exactement 3 succès a pour arrondi au millième 0,062.

Vérifiez vos réponses : p. 264

80 **Avec un guide**

Un menuisier propose un escalier composé de 14 marches. Ces marches présentent un défaut dans 4% des cas. Elles sont choisies indépendamment dans un stock assez important pour que ces choix soient considérés comme des tirages avec remise. Le prix de l'escalier varie suivant le nombre de défauts.

• Aucun ou un : 2 300 €.
• De deux à quatre : 1 150 €.
• Cinq ou plus : 1 000 €.

X est la variable aléatoire qui compte le nombre de marches ayant un défaut dans un tel escalier.

a) Quelle est la loi de probabilité suivie par X ?

b) Calculer la probabilité, arrondie au dix-millième, que l'escalier soit vendu au prix de 2 300 €.

> **Conseil**
>
> Trouver les valeurs de X qui correspondent à cet événement.

c) Calculer la probabilité, arrondie au dix-millième, que l'escalier soit vendu au prix de 1 150 €.

d) Estimer le prix de vente moyen d'un escalier.

81 **Imaginer une stratégie**

Une roseraie livre des fleuristes par lots de 100 roses. Pour fidéliser ses clients, elle rembourse chaque lot dès qu'il y a plus de 5 roses fanées.

Une étude a montré que 6% des roses livrées étaient fanées. On choisit un lot livré au hasard.

Le nombre important de roses permet d'assimiler la constitution de ce lot à un tirage avec remise.

X est la variable aléatoire qui donne le nombre de roses fanées dans le lot.

a) Quelle est la loi de probabilité suivie par X ?

b) Calculer la probabilité, arrondie au centième, que ce lot soit remboursé.

c) Le chef des ventes de la roseraie souhaite réduire le pourcentage de lots remboursés. Pour cela, il décide d'augmenter le nombre k de roses fanées à partir duquel le lot est remboursé.

Déterminer la plus petite valeur de k telle que la probabilité de rembourser un lot soit inférieure à 0,01.

82 **Losing the game**

Penny and Leonard regularly play table football. Penny wins eighty times out of a hundred. They decide to play three consecutive games. We assume that the results are independent. At the end of each game, the loser puts $5 in a piggy bank.

Let X be the random variable that counts the number of games won by Leonard.

a) What is the probability distribution of X?

b) Compute the expected value of X.

c) Deduce Leonard's average loss.

83 **Algo** **Résoudre une inéquation**

Pendant son footing, Stéphanie écoute une playlist de 20 morceaux, en mode aléatoire avec répétitions possibles. L'un de ces morceaux est son préféré.

1. Stéphanie écoute trois morceaux successivement. Calculer la probabilité qu'elle entende au moins une fois son morceau préféré. Arrondir au millième.

2. Stéphanie écoute n morceaux successivement, où n est un nombre entier supérieur ou égal à 1.

Montrer que la probabilité qu'elle entende au moins une fois son morceau préféré est égale à $1 - 0,95^n$.

3. Voici un algorithme.

Variables :	M est un nombre réel
	n est un nombre entier naturel
Entrée :	Saisir M
Traitement :	Affecter à n la valeur 0
	Tant que $1 - 0,95^n \leqslant M$
	Affecter à n la valeur $n + 1$
	Fin Tant que
Sortie :	Afficher n

a) Quel est le rôle de cet algorithme ?

b) Appliquer cet algorithme avec l'entrée 0,9. Interpréter le résultat.

84 **Résoudre une inéquation**

Une urne opaque contient un papier rouge et deux papiers bleus.

On effectue n tirages aléatoires avec remise.

On note X la variable aléatoire qui compte le nombre de papiers bleus obtenus.

a) Exprimer en fonction de n la probabilité d'avoir tiré au moins un papier bleu. Expliquer.

b) Avec la calculatrice, déterminer la plus petite valeur de n pour laquelle :

$$P(X \geqslant 1) \geqslant 0,999.$$

85 Créer un exercice

 Travailler en groupe

Chaque groupe choisit une image puis invente un exercice dans lequel doit figurer une variable aléatoire suivant une loi binomiale, un calcul de probabilité et un calcul d'espérance.

Ensuite, chaque groupe résout l'exercice d'un autre groupe et désigne un rapporteur pour présenter la correction au tableau.

86 Trouver le code secret

Un hacker essaie de trouver un code secret, composé de quatre chiffres. Il utilise un logiciel rudimentaire qui essaie des codes aléatoirement, en pouvant éventuellement réessayer un code déjà testé et qui ne s'arrête qu'à l'issue d'un nombre prédéfini d'essais.

a) Quelle est la probabilité qu'au cours de mille essais, il tombe au moins une fois sur le bon code ?

b) Combien d'essais doit-il effectuer pour que la probabilité de tomber au moins une fois sur le bon code soit supérieure à 0,5 ?

87 Optimiser un gain moyen

  Narration de recherche

Rédiger les différentes étapes de la recherche, sans omettre les fausses pistes et les changements de méthode.

Problème Une urne contient 20 % de jetons rouges et 80 % de jetons verts. Un joueur tire successivement avec remise deux jetons, et les gains s'expriment en fonction d'un nombre réel x de l'intervalle $[0 ; 15]$.

• Aucun jeton rouge : le joueur perd x^2 €.
• Un jeton rouge : le joueur gagne x €.
• Deux jetons rouges : le joueur gagne 50 €.

Quelle valeur de x donne un gain moyen maximal ?

Prendre des initiatives

88 Comparer des probabilités

Dans un centre d'accrobranche, un tiers des participants tentent le parcours sportif. On choisit trois participants au hasard à l'entrée du centre.

On considère qu'il s'agit de tirages avec remise.

Le responsable affirme : « Il y a huit fois plus de chances de ne voir aucun des trois tenter le parcours sportif que de les voir tous le tenter ».

A-t-il raison ?

Des défis

89 Déterminer le nombre de boules

Une urne contient dix boules de couleurs rouge ou bleue. Lorsqu'on tire trois boules successivement avec remise on a 18,9 % de chances d'avoir exactement une boule rouge, et 44,1 % de chances d'avoir exactement deux boules rouges.

Combien y a-t-il de boules rouges dans l'urne ?

90 Modéliser une situation

Une coccinelle se situe sur un cercle entre les points E et N et se déplace dans le bon sens.

À chaque fois qu'elle arrive sur un point, elle continue dans le bon sens dans un quart des cas, sinon elle va dans le mauvais sens.

Quelle est la probabilité que le quatrième point par lequel elle passe soit le point N ?

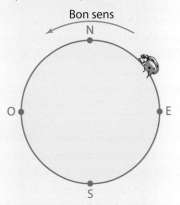

Accompagnement personnalisé

Soutien **Reconnaître une situation relevant de la loi binomiale**

91 **Exercice test**

Un vendeur de bonbons achète chez un grossiste un lot de confiseries : 30 % parfum framboise, 30 % parfum citron et 40 % parfum pomme.

On tire au hasard un bonbon dans ce lot et on note le parfum.

Dans chaque situation, indiquer si la variable aléatoire suit une loi binomiale, et si oui préciser les paramètres de cette loi.

a) On mange le bonbon.

On répète cette expérience cinq fois.

X est la variable aléatoire qui donne le nombre de bonbons parfum citron.

b) On remet le bonbon dans le lot.

On répète cette expérience sept fois.

Y est la variable aléatoire qui donne le nombre de bonbons parfum citron.

c) On compte 1 point si le bonbon est à la framboise, 2 points s'il est au citron et 3 points s'il est à la pomme. On remet le bonbon dans le lot.

On répète cette expérience quatre fois.

Z est la variable aléatoire qui donne le nombre de points gagnés en tout.

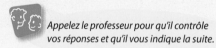

Appelez le professeur pour qu'il contrôle vos réponses et qu'il vous indique la suite.

92 Dans une réserve africaine, deux gazelles sur trois sont baguées à des fins scientifiques.

Sur une journée, un scientifique isole cinq gazelles, choisies au hasard et de manière indépendante, la même gazelle pouvant être isolée deux fois.

X est la variable aléatoire qui compte le nombre de gazelles baguées sur les cinq.

a) L'épreuve répétée a-t-elle bien deux issues ?

Indiquer dans ce cas la probabilité p de l'issue que l'on considère comme le succès.

b) Les répétitions de cette épreuve sont-elles identiques et indépendantes ?

Indiquer dans ce cas le nombre n de répétitions.

c) Si les conditions **a)** et **b)** sont réunies, la variable aléatoire X suit la loi binomiale $\mathcal{B}(n\,;p)$.

Est-ce le cas ici ?

Soutien **Calculer une probabilité dans le cadre de la loi binomiale**

93 **Exercice test**

Une boîte contient un mélange de stylos dont les trois quarts sont bleus. On tire successivement cinq stylos au hasard avec remise.

X est la variable aléatoire qui donne le nombre de stylos bleus parmi les cinq choisis.

a) Justifier que la variable aléatoire X suit la loi binomiale $\mathcal{B}(5\,;0,75)$.

b) Déterminer la probabilité $P(X = 2)$, arrondie au millième. Interpréter le résultat.

c) Déterminer la probabilité, arrondie au millième, qu'il y ait au plus un stylo bleu parmi les cinq choisis.

Appelez le professeur pour qu'il contrôle vos réponses et qu'il vous indique la suite.

94 Un joueur fait quatre parties successives et indépendantes à un jeu de kermesse.

La probabilité de gagner une partie est 0,3.

X est la variable aléatoire qui donne le nombre de parties gagnées parmi les quatre.

a) Justifier que la variable aléatoire X suit la loi binomiale $\mathcal{B}(4\,;0,3)$.

b) Calculer la probabilité $P(X = 2)$, arrondie au millième, avec la calculatrice. Interpréter le résultat.

Casio : MENU 2(STAT) F5 (DIST) F5 (BINM) F1 (Bpd)

distrib

TI : 2nde var A (binomFdp( )

c) Calculer la probabilité $P(X \leqslant 2)$, arrondie au millième, avec la calculatrice. Interpréter le résultat.

Casio : MENU 2(STAT) F5 (DIST) F5 (BINM) F1 (Bcd)

distrib

TI : 2nde var B (binomFRép( )

95 Une variable aléatoire X suit la loi binomiale $\mathcal{B}(33\,;0,18)$. Calculer les probabilités suivantes, arrondies au dix-millième, à l'aide de la calculatrice.

a) $P(X = 15)$ **b)** $P(X \leqslant 10)$ **c)** $P(X \geqslant 12)$

Soutien — Utiliser l'espérance d'une loi binomiale

96 **Exercice test**

Un paquebot transporte 3 000 touristes.
La probabilité qu'un touriste oublie ses bagages sur le bateau est de 0,02.
On choisit au hasard trente touristes.
Le nombre important de touristes fait qu'on peut assimiler ce choix à un tirage avec remise.
X est la variable aléatoire qui donne le nombre de touristes qui ont oublié leurs bagages parmi les trente.
a) Justifier que la variable aléatoire X suit la loi binomiale $\mathscr{B}(30\,; 0,02)$.
b) Déterminer l'espérance de X.
c) Interpréter concrètement cette espérance.

 Appelez le professeur pour qu'il contrôle vos réponses et qu'il vous indique la suite.

97 On lance 2 fois une pièce équilibrée.
X est la variable aléatoire qui compte le nombre de côtés Face obtenus.
X suit la loi binomiale $\mathscr{B}(2\,; 0,5)$.
a) Représenter la situation par un arbre pondéré.
b) Indiquer pour chaque chemin la valeur de X.
c) Présenter dans un tableau la loi de probabilité de la variable aléatoire X.
d) Calculer, à partir du tableau, l'espérance de X.
e) Quel calcul utilisant uniquement les paramètres de cette loi permet de retrouver cette espérance ?

98 Le propriétaire d'une pommeraie constate que, chaque année, 5 % de ses pommes sont attaquées par un ver.
On choisit 20 pommes au hasard dans toute la production. On suppose qu'étant donné le grand nombre de pommes, ces choix sont indépendants.
X est la variable aléatoire qui donne le nombre de pommes attaquées par un ver.
a) Justifier que la variable aléatoire X suit la loi binomiale $\mathscr{B}(20\,; 0,05)$.
b) Rappeler la formule de l'espérance d'une variable aléatoire qui suit la loi binomiale $\mathscr{B}(n\,; p)$.
c) Estimer le nombre moyen de pommes attaquées par un ver sur un lot de 20 pommes.

Approfondissement — Utiliser une fonction

99 n est un nombre entier naturel non nul.
Une urne contient n tickets dont un seul est gagnant. On effectue deux tirages successifs avec remise.
On s'intéresse à la probabilité d'obtenir exactement un ticket gagnant sur les deux tirages.
f est la fonction définie sur l'intervalle $[1\,; +\infty[$ par $f(x) = 2 \times \dfrac{1}{x} \times \dfrac{x-1}{x}$.
a) Justifier que la probabilité d'obtenir exactement un ticket gagnant est égale à $f(n)$.
b) Étudier les variations de f.
c) Pour quelle(s) valeur(s) de n la probabilité d'obtenir exactement un ticket gagnant sur les deux tirages est-elle maximale ?

Approfondissement — Utiliser une suite

100 On lance 50 fois une pièce équilibrée. Pour tout nombre entier naturel $n \leqslant 50$, la probabilité d'obtenir exactement n fois Pile est notée u_n.
a) Prouver que $u_n = \dbinom{50}{n} \times 2^{-50}$.
b) À l'aide de la calculatrice, calculer les quatre premiers termes de la suite u.
c) Déterminer la ou les valeurs de n pour lesquelles la probabilité d'obtenir exactement n fois Pile est maximale.

Approfondissement — Retrouver un pourcentage

101 Voici une publicité pour un jeu.

% des billets sont gagnants !
Achetez 4 billets pour gagner exactement 2 fois avec 34,56 % de chances !
C'est mathématique !

Déterminer la ou les valeurs possibles du pourcentage manquant.

10 Échantillonnage

Après les récoltes de céréales, des échantillons sont prélevés dans chaque benne. On décide de la valeur marchande après l'analyse de ces échantillons.

Au fil des siècles

En 1930, l'ornithologiste **Frederick Charles Lincoln** utilisa un échantillon pour estimer la population de gibiers d'eau en Amérique du Nord.

● *Chercher sur Internet dans quel but le mathématicien français Laplace avait utilisé une méthode similaire plus de cent ans auparavant.*

Les capacités du programme

	Choix d'exercices		
• Déterminer l'intervalle de fluctuation à un seuil donné avec la loi binomiale.	2	14	20
• Déterminer un intervalle de fluctuation avec un logiciel ou un algorithme.	15	19	37
• Exploiter l'intervalle de fluctuation à un seuil donné pour rejeter ou non une hypothèse sur une proportion.	5	25	28

1 Constituer un échantillon par simulation

Dans la production d'un chocolatier, il y a 60 % de chocolats au lait et 40 % de chocolats noirs.
On s'intéresse à la fréquence f des chocolats au lait observée dans des sachets de 50 chocolats vendus par ce chocolatier.

La production est assez importante pour que l'on puisse considérer un sachet de 50 chocolats comme un échantillon de la production, obtenu par 50 tirages successifs avec remise.

a) Expliquer comment la formule =ENT(ALEA()+0,6) peut être utilisée pour simuler un tel échantillon avec le tableur.

b) Calculer la fréquence des chocolats au lait dans l'échantillon simulé ci-contre.

c) Expliquer pourquoi la fréquence observée n'est pas forcément égale à la proportion dans la production totale.

	A	B	C	D	E	F	G	H	I	J
1	1	0	1	0	1	1	1	0	1	1
2	1	1	1	1	1	0	1	1	1	0
3	1	0	1	1	0	1	0	1	0	1
4	1	1	1	1	0	0	1	1	0	1
5	0	1	1	1	1	1	0	1	0	0

2 Utiliser une formule pour déterminer un intervalle de fluctuation

On reprend la situation de l'exercice **1**.

On rappelle que si la proportion théorique p dans une population est comprise entre 0,2 et 0,8 et si la taille n des échantillons considérés est supérieure à 25, un intervalle de fluctuation au seuil de 95 % de la fréquence observée dans les échantillons de taille n est l'intervalle :

$$I = \left[p - \frac{1}{\sqrt{n}} \, ; \, p + \frac{1}{\sqrt{n}} \right].$$

Parmi les quatre intervalles ci-dessous, lesquels sont des intervalles de fluctuation, au seuil de 95 %, de la fréquence des chocolats au lait observée dans des sachets de 50 chocolats ?

a) [0,458 ; 0,742]   **b)** [0,457 ; 0,741]   **c)** [0,45 ; 0,75]   **d)** [0,4 ; 0,7].

3 Prendre une décision à partir d'un échantillon

Dans une scierie, il est considéré normal que 25 % des planches découpées présentent un défaut.
Un jour, sur un échantillon de 100 planches, on en trouve 34 présentant un défaut.

a) Déterminer, avec la formule vue en Seconde, l'intervalle de fluctuation de la fréquence de planches présentant un défaut dans des échantillons de taille 100.

b) Calculer la fréquence observée dans l'échantillon.

c) Au vu de cet échantillon, doit-on s'inquiéter de la qualité de ces planches ?

4 Connaître la loi binomiale

Dans une bibliothèque, un quart des romans sont traduits de l'anglais.
On prend cinq livres au hasard parmi les romans. Le fond de la bibliothèque est assez important pour que l'on puisse considérer qu'il s'agit de tirages avec remise.
X est la variable aléatoire qui donne le nombre de traductions de l'anglais parmi ces cinq romans.

a) Justifier que X suit une loi binomiale, dont on précisera les paramètres.

b) À l'aide de la calculatrice, donner la loi de probabilité de X. Arrondir au millième.
Interpréter la probabilité P(X = 2).

c) Calculer et interpréter la probabilité P(X ⩽ 3).

Aide et corrigés sur le site élève **www.nathan.fr/hyperbole1reESL-2015**

1　Loi binomiale et intervalle de fluctuation

Aux États-Unis, des études récentes ont estimé que 31 % de la population adulte est atteinte d'obésité. Un médecin de l'État de Géorgie souhaite savoir si la population d'adultes qui souffrent d'obésité est la même dans son État que dans l'ensemble du pays.

Pour cela, il fait l'hypothèse que la proportion p d'adultes qui habitent en Géorgie et qui souffrent d'obésité est égale à 0,31. Il constitue un échantillon de taille $n = 100$ personnes adultes choisies au hasard parmi les habitants de Géorgie.

L'obésité

On considère qu'un individu est obèse si son indice de masse corporelle (IMC) est égal ou supérieur à 30.

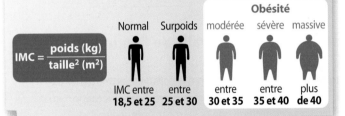

	A	B
1	k	$P(X \leqslant k)$
2	0	7,67201E-017
3	1	3,52356E-015
4	2	8,01784E-014
5	3	1,20519E-012
6	4	1,34621E-011
7	5	1,19191E-010
8	6	8,71299E-010

Problème

Construire un intervalle de fluctuation au seuil de 95 % de la fréquence des adultes qui souffrent d'obésité observée dans des échantillons de taille 100.

1　Définir une variable aléatoire

La population de l'État est assez importante pour que l'on puisse assimiler le choix de l'échantillon à un tirage successif et avec remise de 100 personnes.

X est la variable aléatoire qui donne le nombre d'adultes obèses de l'échantillon.

a) Justifier que X suit une loi binomiale. Préciser ses paramètres.

b) Réaliser la feuille de calcul ci-dessus qui donne la probabilité $P(X \leqslant k)$ pour tout nombre entier naturel k de 0 à 100.

Quelle formule faut-il saisir dans la cellule B2, puis recopier vers le bas ?

c) Interpréter la valeur de la cellule B32.

2　Déterminer un intervalle de fluctuation

On partage l'intervalle [0 ; 100] en trois intervalles [0 ; $a - 1$], [a ; b] et [$b + 1$; 100] de façon que X prenne ses valeurs dans chacun des deux intervalles extrêmes avec une probabilité aussi proche que possible de 0,025 sans la dépasser.

On recherche donc le plus grand nombre entier a tel que $P(X < a) \leqslant 0{,}025$ et le plus petit nombre entier b tel que $P(X > b) \leqslant 0{,}025$. Cela revient à déterminer les plus petits nombres entiers a et b tels que $P(X \leqslant a) > 0{,}025$ et $P(X \leqslant b) \geqslant 0{,}975$.

a) À l'aide du tableur, déterminer les valeurs de a et b.

b) Calculer la probabilité $P(a \leqslant X \leqslant b)$, arrondie au millième.

c) Donner alors un intervalle de fluctuation au seuil de 95 % de la fréquence des adultes qui souffrent d'obésité observée dans des échantillons de taille 100.

d) Comparer l'intervalle obtenu à l'intervalle $\left[p - \dfrac{1}{\sqrt{n}} ; p + \dfrac{1}{\sqrt{n}} \right]$ vu en classe de Seconde.

2 ## Prendre une décision à partir d'un intervalle de fluctuation

Dans le monde, la proportion de garçons parmi les nouveau-nés est de 0,51.

Un démographe s'intéresse à cette proportion dans une région d'Inde. En l'absence de données exhaustives, il a relevé un échantillon de 1 000 nouveau-nés parmi lesquels 550 étaient des garçons.

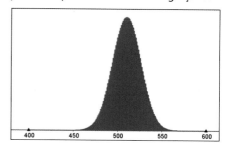

Problème

Déterminer si l'on peut considérer que la proportion de nouveau-nés garçons dans cette région d'Inde est la même que dans le monde entier.

1 **Modéliser et représenter**

On fait **l'hypothèse** que la proportion de garçons parmi les nouveau-nés dans cette région d'Inde est bien de 0,51.

Le nombre de naissances dans cette région est assez important pour qu'on assimile la constitution d'un échantillon de 1 000 naissances à 1 000 tirages successifs avec remise dans l'ensemble des nouveau-nés.

X est la variable aléatoire qui donne le nombre de garçons dans un tel échantillon.

a) Justifier que X suit une loi binomiale, dont on précisera les paramètres.

b) Utiliser le module **Calculs de probabilités** de GeoGebra (dans Affichage) pour représenter graphiquement cette loi binomiale : choisir Binomiale, puis saisir les paramètres n et p de la loi.

2 **Construire un intervalle de fluctuation**

L'intervalle de fluctuation obtenu à l'aide de la loi binomiale est l'intervalle $\left[\dfrac{a}{1\,000} ; \dfrac{b}{1\,000}\right]$ où :

• a est le plus petit nombre entier tel que $P(X \leqslant a) > 0,025$;

• b est le plus petit nombre entier tel que $P(X \leqslant b) \geqslant 0,975$.

a) Cliquer sur ⬛, déplacer le curseur sur le graphique et vérifier que $a = 479$.

b) Déterminer de même la valeur de b.

c) Cliquer sur ⬛, vérifier que $P(a \leqslant X \leqslant b) \geqslant 0,95$.

d) Donner l'intervalle de fluctuation au seuil de 95 % ainsi obtenu.

3 **Prendre une décision**

On applique la règle de décision suivante :

• si la fréquence observée dans l'échantillon n'appartient pas à l'intervalle de fluctuation, on rejette l'hypothèse ;

• si la fréquence observée dans l'échantillon appartient à l'intervalle, on ne rejette pas l'hypothèse.

a) Calculer la fréquence observée dans l'échantillon prélevé par le démographe.

b) Doit-on rejeter l'hypothèse formulée, selon laquelle la proportion de garçons parmi les nouveau-nés est la même dans cette région d'Inde que dans le monde ?

Cours

1 Échantillonnage

a. Présentation du problème

Dans une population, **on suppose** qu'un caractère est présent avec la **proportion p**.
Pour juger de cette **hypothèse**, on prélève au hasard et avec remise un échantillon de taille *n*.
La **fréquence observée** du caractère dans l'échantillon est *f*. On cherche à savoir quelles valeurs de *f*
peuvent être considérées comme suffisamment éloignées de *p* pour rejeter l'hypothèse émise.

b. Intervalle de fluctuation au seuil de 95 %

La variable aléatoire X, qui compte le nombre d'individus dans un échantillon de taille *n* qui présentent
le caractère étudié, suit la loi binomiale $\mathscr{B}(n\,;p)$.
On partage l'intervalle $[0\,;n]$, où X prend ses valeurs, en trois intervalles $[0\,;a-1]$, $[a\,;b]$ et $[b+1\,;n]$
(a et b nombres entiers compris entre 1 et $n-1$) de sorte que X prenne ses valeurs dans chacun des
intervalles extrêmes avec une probabilité aussi proche que possible de 0,025 sans la dépasser.

> **DÉFINITION**
>
> **L'intervalle de fluctuation au seuil de 95 %** de la fréquence *f* est l'intervalle $\left[\dfrac{a}{n}\,;\dfrac{b}{n}\right]$ où :
> * a est le plus petit nombre entier naturel tel que $P(X \leqslant a) > 0{,}025$;
> * b est le plus petit nombre entier naturel tel que $P(X \leqslant b) \geqslant 0{,}975$.

Alors $P(a \leqslant X \leqslant b) \geqslant 0{,}95$, donc dans **au moins 95 %** des échantillons possibles de taille *n*, la fréquence
observée appartient à l'intervalle $\left[\dfrac{a}{n}\,;\dfrac{b}{n}\right]$.

Remarque : dans une même situation, il existe plusieurs intervalles de fluctuation à un seuil donné.

En Seconde, on a vu l'intervalle approché $\left[p-\dfrac{1}{\sqrt{n}}\,;p+\dfrac{1}{\sqrt{n}}\right]$. Celui construit à l'aide d'une loi binomiale
est valable pour toutes valeurs de *n* et de *p*, alors que l'intervalle vu en Seconde n'est applicable que
si $n > 25$ et $0{,}2 < p < 0{,}8$. Si ces conditions sont vérifiées, l'intervalle de fluctuation au seuil de 95 %
obtenu avec une loi binomiale est peu différent de l'intervalle de fluctuation vu en Seconde.

c. Règle de décision

* Si $f \in \left[\dfrac{a}{n}\,;\dfrac{b}{n}\right]$, alors **on ne peut pas rejeter l'hypothèse** selon laquelle la proportion du caractère dans la population est *p*.

* Si $f \notin \left[\dfrac{a}{n}\,;\dfrac{b}{n}\right]$, alors **on rejette l'hypothèse**.

Remarque : on peut rejeter l'hypothèse alors qu'elle est vraie mais la probabilité de cette situation est inférieure à 5 %.

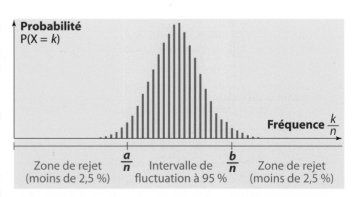

Exercice résolu — Déterminer un intervalle de fluctuation à la calculatrice

Selon l'Association pour la Protection des Animaux Sauvages (ASPAS), 80 % des Français sont favorables à la protection du loup. Un institut de sondage interroge un échantillon de 60 Français choisis au hasard.
On considère que cet échantillon est constitué par des tirages avec remise.
Si l'ASPAS dit vrai, alors la variable aléatoire X, qui donne le nombre de personnes favorables à la protection du loup dans un tel échantillon, suit la loi binomiale $\mathcal{B}(60\,;0,8)$.
À l'aide de la calculatrice, déterminer avec la loi binomiale suivie par X l'intervalle de fluctuation au seuil de 95 % de la fréquence des personnes favorables dans les échantillons de taille 60.

Solution

Commentaires	Solution Casio	Solution TI
• On entre les entiers de 0 à 60 dans la liste 1.	MENU 2 (STAT) Se placer sur List 1 OPTN F1 (List) F5 (Seq) X , X , 0 , 60 , 1) EXE	stats entrer Se placer sur L1 listes 2nde stats ▶ (OP) 5 (suite())
• On effectue les réglages nécessaires et on affiche les valeurs de $P(X \leqslant k)$ dans la liste 2.	Se placer sur List 2 EXIT EXIT F5 (DIST) F5 (BINM) F2 (Bcd) Compléter les champs, puis Execute	Se placer sur L2 distrib 2nde var B (binomFrép())

a est le plus petit nombre entier tel que $P(X \leqslant a) > 0,025$ et b le plus petit nombre entier tel que $P(X \leqslant b) \geqslant 0,975$.
À l'écran de la calculatrice, on lit $a = 42$ et $b = 54$.
L'intervalle de fluctuation au seuil de 95 % est donc $\left[\dfrac{42}{60}\,;\dfrac{54}{60}\right]$ c'est-à-dire $[0,7\,;0,9]$.

À votre tour

2 Une entreprise affirme que 70 % de ses clients sont satisfaits de ses services.
Une enquête est réalisée auprès d'un échantillon de 150 clients tirés au sort avec remise.
À l'aide de la calculatrice, déterminer avec la loi binomiale $\mathcal{B}(150\,;0,7)$, l'intervalle de fluctuation au seuil de 95 % de la fréquence des clients satisfaits dans les échantillons de taille 150.

3 Dans la production totale d'un fabricant de bonbons colorés, il y a normalement 13 % de bonbons violets. La quantité produite est assez grande pour qu'on puisse considérer qu'un sac de 75 bonbons vendu dans le commerce est un échantillon de la production, constitué avec remise.
À l'aide de la calculatrice, déterminer avec la loi binomiale $\mathcal{B}(75\,;0,13)$, l'intervalle de fluctuation au seuil de 95 % de la fréquence observée des bonbons violets dans les sacs de 75 bonbons.

Problème résolu Prendre une décision à l'aide d'un intervalle de fluctuation

4 Énoncé

En 2012, en France, 21 % des candidats au baccalauréat dans la série L étaient des garçons.

Dans une académie, on prélève au hasard et avec remise les noms de 50 candidats de cette série.

15 sont des garçons. Cette observation permet-elle de dire que le pourcentage de garçons en série L dans cette académie n'est pas le même que celui sur la France entière ?

Solution

• Mathématisation

X est la variable aléatoire qui donne le nombre de garçons dans un tel échantillon de 50 candidats de la série L dans cette académie.

L'échantillon est constitué avec remise, donc si la proportion observée en France est aussi valable dans cette académie, alors X suit la loi binomiale $\mathscr{B}(50 ; 0,21)$. ◄

• Résolution du problème

À l'aide de la calculatrice ou du tableur, on calcule la probabilité $P(X \leqslant k)$ pour tout nombre entier k compris entre 0 et 50.

On cherche les plus petits nombres entiers a et b tels que $P(X \leqslant a) > 0,025$ et $P(X \leqslant b) \geqslant 0,975$.

On trouve $a = 5$ et $b = 16$.

L'intervalle de fluctuation au seuil de 95 % obtenu à l'aide de la loi suivie par X est donc $\left[\dfrac{5}{50} ; \dfrac{16}{50}\right]$.

	A	B
1	k	$P(X \leqslant k)$
6	4	0,0123190937
7	5	0,0337182844
8	6	0,0763812276
9	7	0,1476661456
10	8	0,2495178558
11	9	0,375865547
12	10	0,513568537
13	11	0,6466761453
14	12	0,7616710094
15	13	0,8510243702
16	14	0,9137979339
17	15	0,9538458782
18	16	0,977133251
19	17	0,9895138795

> **Conseils**
>
> • Pour modéliser avec une loi binomiale, il faut s'assurer que l'échantillon est constitué avec remise, ou dans des conditions équivalentes, et émettre une hypothèse sur la proportion dans la population étudiée.
>
> • On ne peut rejeter l'hypothèse que si la fréquence observée n'appartient pas à l'intervalle de fluctuation.

La fréquence observée dans l'échantillon est $\dfrac{16}{50}$.

• Conclusion

La fréquence observée appartient à l'intervalle de fluctuation, donc on ne peut pas rejeter l'hypothèse selon laquelle il y a 21 % de garçons parmi les candidats de la série L dans cette académie.

À votre tour

5 Environ 30 % des Français sont fumeurs. Pour vérifier si cette proportion est valable dans une grande entreprise, on interroge au hasard et avec remise 80 employés, parmi lesquels 31 indiquent être fumeurs.

Cette observation permet-elle de dire que le pourcentage de fumeurs dans cette entreprise est différent du pourcentage national ?

6 D'après un sondage publié en décembre 2014, 84 % des Français pensent que l'État utilise mal l'argent public.

Un élu local se demande si ce sentiment est présent dans la même proportion dans sa ville.

Pour répondre à cette question, il interroge un échantillon de 150 administrés, tirés au sort avec remise. 115 disent partager cet avis.

Quelle conclusion peut en tirer l'élu local ?

● **Problème résolu**　　**Comparer à une population témoin**

7 **Énoncé**

Avant la mise sur le marché d'un médicament, différents essais cliniques sont menés.
La troisième phase de ces essais consiste à injecter en double aveugle (patients et médecins) le médicament testé et un placebo, puis à comparer les résultats.
Une étude parue dans un magazine sur la recherche médicale publie les résultats de cette phase pour un vaccin contre
le VIH (virus du SIDA).
Quelle conclusion peut-on tirer de cette étude ?

	Personnes traitées	Personnes infectées
Vaccin	739	24
Placebo	762	21

Solution

• **Mathématisation**

On veut comparer l'efficacité du vaccin par rapport au placebo. Pour cela, on considère que la probabilité de ne pas contracter le VIH est la proportion de personnes non infectées par le VIH parmi celles
ayant reçu le placebo : $\dfrac{762 - 21}{762} = \dfrac{741}{762}$.

La population globale étudiée est assez grande pour qu'on puisse considérer que l'échantillon des
739 personnes ayant reçu le vaccin a été constitué par des tirages avec remise. X est la variable aléatoire qui donne pour un tel échantillon le nombre de personnes non infectées par le VIH.

Si le vaccin n'a pas plus d'effet que le placebo, alors X suit la loi binomiale $\mathcal{B}\left(739\,;\dfrac{741}{762}\right)$.

• **Résolution du problème**

À l'aide de la calculatrice ou du tableur, on calcule la probabilité $P(X \leqslant k)$ pour tout nombre entier k
compris entre 0 et 739. On cherche les plus petits nombres entiers a et b tels que $P(X \leqslant a) > 0,025$ et
$P(X \leqslant b) \geqslant 0,975$. On trouve $a = 709$ et $b = 727$.

L'intervalle de fluctuation au seuil de 95 %, ainsi obtenu, de la fréquence des personnes non infectées

par le VIH est donc $\left[\dfrac{709}{739}\,;\dfrac{727}{739}\right]$.

La fréquence observée dans l'échantillon est : $\dfrac{739 - 24}{739} = \dfrac{715}{739}$.

• **Conclusion**

La fréquence observée appartient à l'intervalle de fluctuation, par conséquent on ne peut pas rejeter
l'hypothèse selon laquelle la proportion de personnes non infectées est la même avec le vaccin qu'avec
le placebo. On ne peut donc pas affirmer que ce vaccin est efficace.

● **À votre tour**

8 Une des conséquences de la pollution
d'une rivière est la modification de la proportion de femelles pour une certaine espèce de
poissons. On a observé cette proportion dans
deux rivières, dont on sait que l'une est saine.
Que peut-on
conclure de
cette étude ?

	Femelles	Total
Rivière saine	45	87
Autre rivière	49	117

9 Lors d'une enquête réalisée par l'INSEE en
2012, 380 personnes sur les 1 002 interrogées
avaient utilisé Internet pour faire des achats.
Dans une grande ville, on a posé la même question à 251 personnes, parmi lesquelles 109 ont
déclaré faire des achats par Internet.
Un journaliste affirme que la proportion d'ache-
teurs par Internet est différente dans cette ville.
Est-ce correct ?

10 Comparer des échantillons

Objectif

Utiliser le tableur pour étudier des échantillons.

Les centres de tri des déchets estiment à 23 % le pourcentage d'erreurs de tri en France. Chaque organisme de collecte multiplie donc les campagnes d'information pour améliorer la qualité de la collecte sélective. Dans une commune, sur un échantillon de 1 500 sacs de déchets triés, 307 ont été refusés.

Dans un quartier de cette commune, sur un échantillon de 30 sacs triés, 12 ont été refusés. On considère ces échantillons comme prélevés au hasard et avec remise.

Pour étudier les performances du tri dans cette commune et dans ce quartier, on a réalisé la feuille de calcul reproduite ci-contre.

	A	B	C	D	E	F	G	H
1	**Commune / France**			**Quartier / France**			**Quartier / Commune**	
2	Taille n	Probabilité p		Taille n	Probabilité p		Taille n	Probabilité p
3	1500	0,23						
4								
5	k	P(X≤k)		k	P(X≤k)		k	P(X≤k)
6	0	5,446127E-171		0			0	
7	1	2,445594E-168		1			1	
8	2	5,487376E-166		2			2	

1 Performances de la commune

On suppose que la proportion de sacs refusés est la même dans cette commune que dans la France entière.

X est la variable aléatoire qui, pour un échantillon de taille 1 500, donne le nombre de sacs refusés.

a) Justifier que X suit une loi binomiale, dont on précisera les paramètres.

b) Réaliser la feuille de calcul avec le tableur.

c) Dans la cellule B6, on a saisi la formule =LOI.BINOMIALE(A6;A3;B3;1) avant de la recopier vers le bas. Expliquer cette formule.

d) Déterminer les bornes de l'intervalle de fluctuation obtenu à l'aide de la loi suivie par X.

e) Que peut-on conclure ?

2 Performances du quartier

Dans un premier temps, on suppose que la proportion de sacs refusés est la même dans ce quartier que dans la France entière.

Y est la variable aléatoire qui, pour un échantillon de taille 30, donne le nombre de sacs refusés.

a) Quelle est la loi suivie par la variable aléatoire Y ?

b) Quelles valeurs faut-il saisir dans les cellules D3 et E3 ?

c) Quelle formule faut-il saisir en E6, puis recopier vers le bas ?

d) Déterminer les bornes de l'intervalle de fluctuation obtenu à l'aide de la loi suivie par Y.

e) Que peut-on conclure ?

f) On suppose maintenant que la proportion de sacs refusés dans ce quartier est égale à celle observée dans l'échantillon de 1 500 sacs de la commune.

Reprendre les cinq questions précédentes dans ce cas.

3 Compte-rendu

Résumer les conclusions de cette étude en comparant la qualité du tri en France, dans cette commune et dans ce quartier.

11 Utiliser plusieurs intervalles de fluctuation

Étudier une situation à l'aide de différents intervalles de fluctuation.

En France, la proportion de jeunes de 21 ans qui portent des lunettes est de 32 %.

Une récente étude scientifique affirme que la longueur des études a un impact sur le fait de porter des lunettes.

Pour tester cette affirmation, on interroge 150 étudiants âgés de 21 ans en troisième année de licence. Parmi eux 60 portent des lunettes.

On considère que cet échantillon est réalisé par des tirages avec remise.

1 Avec l'intervalle de Seconde

L'intervalle de fluctuation au seuil de 95 % vu en Seconde est $\left[p - \dfrac{1}{\sqrt{n}} ; p + \dfrac{1}{\sqrt{n}}\right]$, où p est la proportion dans la population totale et n la taille de l'échantillon.

a) Déterminer cet intervalle de fluctuation pour la fréquence des porteurs de lunettes dans des échantillons de taille 150.

b) Calculer la fréquence des porteurs de lunettes dans l'échantillon. Que peut-on en conclure ?

2 Avec plusieurs intervalles obtenus à l'aide d'une loi binomiale

a) On suppose que le pourcentage de porteurs de lunettes parmi les étudiants de troisième année de licence âgés de 21 ans, est le même que dans l'ensemble de cette tranche d'âge.

X est la variable aléatoire qui donne, pour un échantillon de taille 150 pris au hasard, le nombre de porteurs de lunettes.

• Préciser la loi suivie par X ainsi que ses paramètres.

• À l'aide de la calculatrice ou du tableur, déterminer l'intervalle de fluctuation au seuil de 95 % obtenu avec la loi de la variable aléatoire X.

• Que peut-on conclure ?

b) Dans cette situation, on se demande si la proportion dans la population particulière étudiée est **supérieure à** celle observée dans l'ensemble de la tranche d'âge.

Il est donc plus pertinent de mettre en place un **test unilatéral** au seuil de 95 %, c'est-à-dire de trouver le plus petit nombre entier c tel que $P(X \leqslant c) \geqslant 0{,}95$.

• À l'aide de la calculatrice ou du tableur, déterminer la valeur de ce nombre entier c.

• Que peut-on alors conclure ?

c) Quel serait le nombre entier à trouver pour un test unilatéral au seuil de 99 % ? La conclusion serait-elle alors la même ?

3 Compte-rendu

À la lumière des études précédentes, dans quelle mesure peut-on confirmer ou contredire les conclusions de l'étude scientifique ?

Pour s'entraîner

Intervalle de fluctuation

12 Un caractère est présent dans une population avec la proportion 0,2.
Quelle loi binomiale peut-on utiliser pour déterminer l'intervalle de fluctuation de la fréquence observée dans les échantillons de taille 60 ?

13 Un caractère est présent dans une population avec la proportion 0,3. On prélève dans cette population des échantillons de taille 40.
X est la variable aléatoire qui donne le nombre d'occurrences du caractère dans un tel échantillon pris au hasard. X suit la loi binomiale $\mathcal{B}(40\,;0,3)$. On donne ci-dessous un extrait de la table des valeurs de $P(X \leqslant k)$.

k	$P(X \leqslant k)$	k	$P(X \leqslant k)$
4	0,002 6	17	0,968 0
5	0,008 6	18	0,985 2
6	0,023 8	19	0,993 7
7	0,055 3	20	0,997 6

a) Lire les valeurs des nombres entiers a et b qui permettent de déterminer l'intervalle de fluctuation au seuil de 95 % associé à cette loi binomiale.
b) Donner cet intervalle de fluctuation.

14 Un caractère est présent dans une population avec la proportion 0,7. On prélève dans cette population des échantillons de taille 25.
X est la variable aléatoire qui donne le nombre d'occurrences du caractère dans un tel échantillon pris au hasard.
X suit la loi binomiale $\mathcal{B}(25\,;0,7)$.
On donne ci-dessous un extrait de la table des valeurs de $P(X \leqslant k)$.

k	$P(X \leqslant k)$	k	$P(X \leqslant k)$
10	0,002	20	0,910
11	0,006	21	0,967
12	0,017	22	0,991
13	0,044	23	0,998

a) Déterminer l'intervalle de fluctuation au seuil de 95 % associé à cette loi binomiale.
b) Comparer avec l'intervalle de fluctuation au seuil de 95 % vu en Seconde.

15 Un caractère est présent dans une population avec la proportion 0,4. On prélève dans cette population des échantillons de taille 10.
X est la variable aléatoire qui donne le nombre d'occurrences du caractère dans un échantillon pris au hasard. X suit la loi binomiale $\mathcal{B}(10\,;0,4)$.
Voici le diagramme en barres de cette loi.

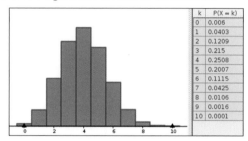

k	$P(X = k)$
0	0.006
1	0.0403
2	0.1209
3	0.215
4	0.2508
5	0.2007
6	0.1115
7	0.0425
8	0.0106
9	0.0016
10	0.0001

Déterminer l'intervalle de fluctuation au seuil de 95 % associé à cette loi binomiale.

16 Dans un lycée, 30 % des élèves de 1re ES ont pour matière préférée l'anglais.
On prélève au hasard et avec remise des échantillons de 15 élèves de 1re ES de ce lycée.
X est la variable aléatoire qui donne le nombre d'élèves préférant l'anglais dans un échantillon pris au hasard. X suit la loi binomiale $\mathcal{B}(15\,;0,3)$.
Voici le diagramme en barres de cette loi.

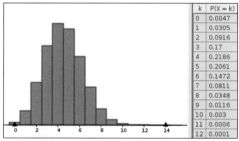

k	$P(X = k)$
0	0.0047
1	0.0305
2	0.0916
3	0.17
4	0.2186
5	0.2061
6	0.1472
7	0.0811
8	0.0348
9	0.0116
10	0.003
11	0.0006
12	0.0001

Déterminer l'intervalle de fluctuation au seuil de 95 % associé à cette loi binomiale.

17 Un caractère est présent dans une population avec la proportion 0,31. On prélève dans cette population des échantillons de taille 35.
X est la variable aléatoire qui donne le nombre d'occurrences du caractère dans un tel échantillon pris au hasard.
a) À l'aide de la calculatrice, calculer $P(X \leqslant k)$ pour $k = 4$, $k = 5$, $k = 6$, $k = 14$, $k = 15$ et $k = 16$.
b) Déterminer l'intervalle de fluctuation au seuil de 95 % associé à cette loi binomiale.

18 Dans un grand club sportif, 20 % des inscrits font du tennis de table.

À l'aide de la calculatrice ou du tableur, déterminer, avec la loi binomiale, un intervalle de fluctuation au seuil de 95 % de la fréquence des joueurs de tennis de table dans les échantillons de taille 80.

19 Dans un grand lycée, le pourcentage de réussite au baccalauréat 2014 était 83 %.

À l'aide de la calculatrice ou du tableur, déterminer, avec la loi binomiale, un intervalle de fluctuation au seuil de 95 % de la fréquence des lauréats dans les échantillons de taille 30.

20 Un caractère est présent dans une population avec la proportion 0,17. Johanna a utilisé GeoGebra pour trouver un intervalle de fluctuation au seuil de 95 % de la fréquence de ce caractère dans les échantillons de taille 30.

a) Préciser l'intervalle trouvé par Johanna.

Est-ce bien un intervalle de fluctuation au seuil de 95 % ? Expliquer.

b) Cet intervalle est-il le même que celui obtenu à l'aide de la calculatrice avec la méthode vue p. 238 ?

21 Un caractère est présent dans une population avec la proportion 0,4. Rachid et Léa doivent trouver avec la loi binomiale un intervalle de fluctuation au seuil de 95 % de la fréquence de ce caractère dans les échantillons de taille 40.

Rachid utilise GeoGebra et trouve $a = 9$ et $b = 21$.

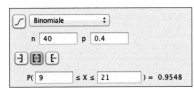

Léa utilise un tableur et trouve $a = 10$ et $b = 22$.

k	$P(X \leqslant k)$	k	$P(X \leqslant k)$
9	0,015 6	21	0,960 8
10	0,035 2	22	0,981 1

Commenter ces résultats différents.

Prise de décision

Questions rapides

22 On suppose qu'un caractère est présent dans une population avec la proportion p.

I est un intervalle de fluctuation au seuil de 95 % de la fréquence de ce caractère dans les échantillons de taille n.

f est la fréquence observée dans un tel échantillon.

Dans chaque cas, indiquer si l'on peut rejeter l'hypothèse émise.

a) $I = [0,65 ; 0,85]$ et $f = 0,7$

b) $I = [0,459 ; 0,463]$ et $f = 0,45$

c) $I = [0,17 ; 0,24]$ et $f = 0,24$

23 On suppose qu'un caractère est présent dans une population avec la proportion 0,62.

On prélève au hasard et avec remise dans cette population des échantillons de taille 50.

X est la variable aléatoire qui donne le nombre d'occurrences du caractère dans un échantillon de taille 50 pris au hasard.

X suit la loi binomiale $\mathscr{B}(50 ; 0,62)$.

Voici quelques valeurs de $P(X \leqslant k)$.

k	$P(X \leqslant k)$	k	$P(X \leqslant k)$
23	0,015 5	37	0,973 6
24	0,030 5 5	38	0,988

Dans un échantillon de taille 50, on observe 36 fois le caractère étudié.

Cette observation amène-t-elle à rejeter l'hypothèse sur la proportion dans la population totale.

24 On se demande s'il y a autant de filles que de garçons en classe préparatoire ECS (enseignement commercial option scientifique).

Pour cela on prélève au hasard et avec remise un échantillon de 45 élèves de ces classes dans un fichier national.

On observe que 28 d'entre eux sont des garçons.

a) Préciser la loi binomiale que l'on doit utiliser dans ce cas.

b) Déterminer, avec cette loi binomiale, l'intervalle de fluctuation au seuil de 95 % de la fréquence des garçons dans les échantillons de taille 45.

c) Que peut-on conclure ?

25 On se demande si un dé à six faces numérotées de 1 à 6 est bien équilibré. On lance 120 fois ce dé et on obtient 27 fois le numéro 5.

a) Fatih affirme : « On aurait dû obtenir le numéro 5 exactement 20 fois. Ce dé n'est pas équilibré. »
Ce raisonnement est-il correct ?

b) Préciser la loi binomiale que l'on doit utiliser.

c) Déterminer, avec cette loi binomiale, l'intervalle de fluctuation au seuil de 95 % de la fréquence du numéro 5 dans les échantillons de taille 120.

d) Que peut-on conclure ?

26 **Une étude médicale**

En France, 6,27 % de la population souffre d'asthme. Un médecin se demande si cette proportion est valable dans sa région. Il prélève un échantillon de 100 personnes. La population de la région est assez importante pour qu'on considère que cet échantillon est constitué par des tirages avec remise. Sur cet échantillon, 13 personnes sont asthmatiques.

a) Préciser la loi binomiale que l'on doit utiliser.

b) Déterminer, avec cette loi binomiale, l'intervalle de fluctuation au seuil de 95 % de la fréquence des asthmatiques dans les échantillons de taille 100.

c) Que peut-on conclure ?

27 Selon un sondage BVA publié à l'automne 2014, 58 % des Français craignaient que le virus Ebola ne se propage en France.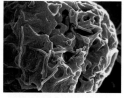

Pour vérifier ce pourcentage, des journalistes interrogent un échantillon de 150 personnes dans deux régions.

Les populations de ces régions sont assez importantes pour que l'on considère que ces échantillons sont obtenus par des tirages avec remise.

En Auvergne, 13 des personnes interrogées craignent que le virus ne se propage.

En Île-de-France, 98 des personnes interrogées craignent que le virus ne se propage.

a) Préciser la loi binomiale que l'on doit utiliser.

b) Déterminer, avec cette loi binomiale, l'intervalle de fluctuation au seuil de 95 % de la fréquence de cette crainte dans les échantillons de taille 150.

c) Que peut-on conclure pour chaque région ?

Sans intermédiaire

28 Selon un sondage, 60 % des Français pensent que le baccalauréat est donné trop facilement aux élèves.

On se demande si cette proportion est la même parmi les professeurs du second degré.

À partir d'un fichier de l'Éducation Nationale, on interroge 300 professeurs au hasard.

Le nombre de professeurs est assez important pour qu'on puisse considérer que cet échantillon est obtenu par des tirages avec remise.

On observe que, dans cet échantillon, 214 professeurs partagent ce point de vue.

Que peut-on en déduire ?

29 On lance n fois une pièce équilibrée. Noëlle affirme : « Si $n \geq 6$, l'intervalle $\left[\dfrac{1}{n} ; \dfrac{n-1}{n} \right]$ contient l'intervalle de fluctuation au seuil de 95 % de la fréquence de Pile observée dans les échantillons de taille n obtenu à l'aide de la loi binomiale ».
A-t-elle raison ?

S'entraîner à la logique

30 **Contraposées**

La contraposée de l'implication « Si P, alors Q » est « Si non Q, alors non P ».

La règle de décision à partir d'un intervalle de fluctuation I est la suivante :

• si la fréquence observée f appartient à I, alors on ne rejette pas l'hypothèse ;

• si la fréquence observée f n'appartient pas à I, alors on rejette l'hypothèse.

Énoncer les contraposées de ces deux implications.

31 **Contre-exemples**

Utiliser un contre-exemple pour prouver que chacune des affirmations ci-dessous est fausse.

L'intervalle de fluctuation considéré est celui obtenu à l'aide d'une loi binomiale.

Affirmation 1 : si la taille de l'échantillon augmente, alors l'amplitude de l'intervalle de fluctuation au seuil de 95 % augmente aussi.

Affirmation 2 : si le seuil de l'intervalle de fluctuation diminue, alors l'amplitude de l'intervalle de fluctuation augmente.

32 Dans chaque cas, donner **la** réponse exacte **sans justifier**.

À la fin de l'année 2013, 25 % de la population française avait 20 ans ou moins.

Un maire se demande si cette proportion est valable dans sa ville. Pour répondre à cette question, en l'absence de données exhaustives, il relève l'âge de 50 personnes recensées dans cette ville, en procédant à des tirages aléatoires avec remise dans un fichier. X est la variable aléatoire qui donne, pour un échantillon de taille 50 pris au hasard, le nombre de personnes âgées de 20 ans ou moins.

		A	B	C	D
1	X suit la loi binomiale …	$\mathscr{B}(20\,;25)$	$\mathscr{B}(50\,;0,25)$	$\mathscr{B}(25\,;0,5)$	$\mathscr{B}(50\,;0,20)$
2	L'intervalle de fluctuation au seuil de 95 % donné par la loi suivie par X est …	$[7\,;19]$	$[0,1\,;0,4]$	$[0,7\,;0,19]$	$[0,14\,;0,38]$
3	Si la fréquence observée f n'appartient pas à l'intervalle de fluctuation, alors …	la proportion annoncée en France est fausse	l'échantillon n'est pas bon	on peut considérer que la proportion est différente dans cette ville	on ne peut rien conclure

33 Dans chaque cas, donner **la ou les** réponses exactes **sans justifier**.

Un caractère est présent dans une population avec la proportion p.

X est la variable aléatoire qui donne, pour tout échantillon de taille n prélevé dans cette population, le nombre d'occurrences de ce caractère. X suit la loi binomiale $\mathscr{B}(n\,;p)$.

a et b sont les nombres entiers qui définissent l'intervalle de fluctuation au seuil de 95 % donné par cette loi.

		A	B	C	D
1	La probabilité $P(a \leqslant X \leqslant b)$ est toujours …	égale à 0,95	inférieure ou égale à 0,95	supérieure ou égale à 0,95	est comprise entre 0,95 et 0,96
2	La probabilité $P(X \leqslant a)$ est toujours …	égale à 0,025	supérieure à 0,025	égale à $P(X \geqslant b)$	égale à $1 - P(X > a)$
3	L'intervalle de fluctuation au seuil de 95 % ainsi obtenu est …	$\left[\dfrac{a}{n}\,;\dfrac{b}{n}\right]$	$[a\,;b]$	inclus dans $[0\,;1]$	inclus dans $[0\,;n]$

34 Pour chaque affirmation, dire si elle est **vraie ou fausse en justifiant**.

Dans une académie, 25 % des élèves étudient l'allemand.

Le graphique ci-contre représente la loi binomiale $\mathscr{B}(30\,;0,25)$.

On s'intéresse à l'intervalle de fluctuation I au seuil de 95 % de la fréquence d'élèves germanistes dans les échantillons de taille 30, donné par cette loi binomiale.

1. L'intervalle I est $\left[\dfrac{4}{30}\,;\dfrac{14}{30}\right]$.
2. La borne inférieure de l'intervalle I est 0,1.
3. La borne supérieure de l'intervalle I est 12.

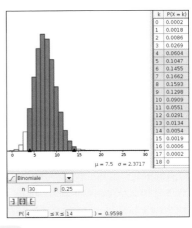

k	P(X = k)
0	0.0002
1	0.0018
2	0.0086
3	0.0269
4	0.0604
5	0.1047
6	0.1455
7	0.1662
8	0.1593
9	0.1298
10	0.0909
11	0.0551
12	0.0291
13	0.0134
14	0.0054
15	0.0019
16	0.0006
17	0.0002
18	0

$\mu = 7.5 \quad \sigma = 2.3717$

Binomiale
n 30   p 0.25

$P(\,4 \leqslant X \leqslant 14\,) = 0.9598$

Vérifiez vos réponses : p. 264

35 **Avec un guide**

Mathias affirme «Quand une tartine de confiture tombe, elle tombe 3 fois sur 4 sur le côté portant la confiture».

Lana lui répond : «Ce n'est pas vrai, sur les 20 dernières fois où j'ai fait tomber ma tartine, elle est tombée 16 fois sur la confiture, ce qui fait 4 fois sur 5».

a) Lana a-t-elle raison de contredire Mathias?

> **Conseil**
>
> Utiliser l'intervalle de fluctuation au seuil de 95%, obtenu à l'aide d'une loi binomiale bien choisie.

b) Si Mathias avait affirmé que la tartine tombait 1 fois sur 2 du côté de la confiture, Lana aurait-elle eu raison de le contredire?

36 **Utiliser différents seuils**

Un constructeur automobile affirme que 95% de ses véhicules ne subissent aucune réparation avant cinq ans.

Afin de vérifier la véracité de cet argument commercial, une société d'expertise étudie 200 véhicules de plus de cinq ans de cette marque, tirés au sort.

Le parc automobile national de cette marque est assez grand pour qu'on puisse considérer que cet échantillon est constitué par des tirages avec remise.

26 de ces véhicules ont nécessité des réparations au cours des cinq premières années.

On fait l'hypothèse que le constructeur dit vrai.

a) Quelle variable aléatoire et quelle loi faut-il utiliser dans cette situation?

b) Déterminer l'intervalle de fluctuation au seuil de 95% obtenu à l'aide de cette loi.

c) Adapter la définition de l'intervalle de fluctuation au seuil de 95% pour déterminer deux nouveaux intervalles, aux seuils respectifs de 90% et 99%.

d) Quelles conclusions peut-on énoncer en utilisant chacun de ces intervalles de fluctuation?

37 **Comprendre un algorithme**

Dans sa bibliothèque musicale, Leslie a 15% de titres instrumentaux. Elle écoute 15 titres en mode shuffle. Ces 15 titres constituent un échantillon dont on peut considérer qu'il est constitué par des tirages avec remise.

X est la variable aléatoire qui pour tout échantillon de 15 titres donne le nombre de titres instrumentaux. X suit la loi binomiale $\mathscr{B}(15\,;0,15)$.

Voici un algorithme.

Variables :	k est un nombre entier naturel
	p est un nombre réel
Traitement :	Affecter à k la valeur 0
	Affecter à p la valeur $P(X = k)$
	Tant que $p \leqslant 0,025$
	Affecter à k la valeur $k + 1$
	Affecter à p la valeur $p + P(X = k)$
	Fin Tant que
Sortie :	Afficher k

a) Coder cet algorithme dans le langage de la calculatrice et exécuter ce programme.

b) Expliquer le rôle de cet algorithme.

c) Pourquoi est-on certain que l'exécution de cet algorithme se terminera?

d) Écrire un nouvel algorithme pour déterminer la borne supérieure de l'intervalle de fluctuation.

e) Comment faudrait-il modifier ces algorithmes pour déterminer, avec la loi suivie par X, l'intervalle de fluctuation au seuil de 90%?

38 **Imaginer une stratégie**

En France, on estime que la probabilité de contracter une maladie nosocomiale lors d'une hospitalisation est de 6,9%.

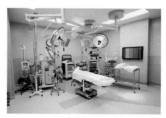

Lors d'une enquête, la fréquence des maladies nosocomiales à l'hôpital Bellevue a été estimée à 0,087 pour un échantillon de 623 patients, et celle observée à l'hôpital Charmant a été estimée à 0,08 pour un échantillon de 2 670 patients.

La situation dans ces deux hôpitaux peut-elle être considérée conforme à la situation en France?

39 **Testing a new treatment**

The success rate of a standard treatment for patients suffering from a particular disease is known to be 68%.

a) In a random sample of 100 patients, X is the number of patients for which the treatment is successful.

Find a suitable distribution for X.

b) A random sample of 100 patients receive a new treatment.

This treatment is successful for 74 of them.

Would you say that the efficiency of the new treatment is different from the standard one?

 40 **Vérifier une affirmation**

Une entreprise pharmaceutique propose un complément alimentaire avec le slogan publicitaire suivant :
« 90 % des personnes ayant utilisé ce complément alimentaire ont perdu plus de 6 kg en un mois ».

Voici les résultats obtenus lors de quatre études indépendantes.

Étude	Effectif total	Personnes ayant perdu plus de 6 kg
Étude 1	198	171
Étude 2	354	306
Étude 3	98	89
Étude 4	235	213

Chaque groupe teste l'affirmation de l'entreprise pour une des études. Un rapporteur présente les résultats aux autres groupes en détaillant la méthode.

41 **Établir un critère de réussite**

Rédiger les différentes étapes de la recherche, sans omettre les fausses pistes et les changements de méthode.

Problème Un concours d'entrée dans une école consiste à répondre à un QCM.

Ce QCM est constitué de 50 questions, avec à chaque fois quatre réponses proposées dont une seule est correcte. Les correcteurs souhaitent éliminer 95 % des candidats répondant au hasard. Déterminer le nombre de réponses correctes n qu'il faut exiger afin de respecter cette contrainte.

Prendre des initiatives

42 **Limiter les risques**

Un négociant revend des mélanges de graines pour oiseaux et annonce que 70 % des graines sont des graines de tournesol. Il sait cependant qu'il est possible que le pourcentage de graines de tournesol soit parfois seulement de 65 %.

Pour limiter le risque que cela soit visible lors d'un contrôle, quelle est la taille maximale d'un échantillon dont il peut accepter le prélèvement pour qu'on ne puisse pas, au seuil de 95 %, l'accuser du fait qu'il n'y ait pas assez de graines de tournesol ?

43 **Utiliser un test unilatéral**

Un pays d'Asie est touché par un nuage de criquets pèlerins qui ravagent ses récoltes.

Les autorités souhaitent acheter un nouveau produit déclaré efficace à 90 % dès la première pulvérisation. Au préalable, des experts testent ce produit sur 300 criquets. 45 survivent à la première pulvérisation. Dans ce cas, le fait que le produit soit plus efficace qu'annoncé n'est pas un problème. On doit donc utiliser un test unilatéral. Mettre en œuvre un tel test au seuil de 95 % et commenter le résultat.

Des défis

44 **Retrouver une proportion**

p est la proportion de conducteurs qui n'ont jamais perdu de points sur leur permis en 2013. L'intervalle de fluctuation au seuil de 95 %, obtenu avec une loi binomiale, de la fréquence de ce caractère pour des échantillons de taille 100 est [0,37 ; 0,57]. Retrouver la valeur de p, arrondie au centième.

45 **Trouver la taille**

a) Pour une proportion dans la population totale de 0,3, déterminer l'intervalle de fluctuation au seuil de 95 %, obtenu avec une loi binomiale, des fréquences dans les échantillons de taille 80.

b) Déterminer une taille d'échantillon telle que l'intervalle de fluctuation au seuil de 99 % de ces fréquences est à 1 centième près le même qu'au **a)**.

Accompagnement personnalisé

Déterminer un intervalle de fluctuation au seuil de 95 %

46 **Exercice test**

Carla lance 40 fois un dé équilibré.

X est la variable aléatoire qui compte le nombre de fois où elle obtient un multiple de 3.

a) Lors d'un lancer de dé, quelle est la probabilité d'obtenir un multiple de 3 ?

b) Quelle est la loi de probabilité suivie par X ?

c) Utiliser la calculatrice pour déterminer, à l'aide de la loi suivie par X, l'intervalle de fluctuation au seuil de 95 % de la fréquence des multiples de 3 dans un échantillon de 40 lancers.

Appelez le professeur pour qu'il contrôle vos réponses et qu'il vous indique la suite.

47 Yasmine s'apprête à lancer 50 fois une pièce de monnaie équilibrée.

X est la variable aléatoire qui compte le nombre de Face.

a) Justifier que X suit une loi binomiale. Préciser ses paramètres.

b) Voici quelques valeurs de $P(X \leqslant k)$.

k	$P(X \leqslant k)$	k	$P(X \leqslant k)$
16	0,0077	31	0,9675
17	0,0164	32	0,9836
18	0,0325	33	0,9923

Déterminer, à l'aide de la loi suivie par X, l'intervalle de fluctuation au seuil de 95 % de la fréquence d'apparition de Face dans les échantillons de taille 50.

c) Quelle est la probabilité, arrondie au millième, que Yasmine obtienne entre 18 et 32 fois Face ?

48 Un caractère est présent dans une population avec la proportion 0,1.

Marina doit trouver avec une loi binomiale l'intervalle de fluctuation au seuil de 95 % de la fréquence de ce caractère dans les échantillons de taille 30.

À l'aide d'un logiciel, elle a calculé :

$P(X \leqslant 6) = 0,9742$ et $P(X \leqslant 7) = 0,9922$.

a) Calculer $P(X = 0)$ et $P(X \leqslant 1)$.

b) Déterminer l'intervalle de fluctuation cherché. Quelle est la signification de cet intervalle ?

49 Une urne opaque contient 15 boules noires et 5 boules blanches. On prélève successivement et avec remise 40 boules de l'urne.

X est la variable aléatoire qui compte le nombre de boules blanches.

a) Quelle est la loi suivie par X ?

b) Déterminer à l'aide de la calculatrice ou du tableur les valeurs de $P(X \leqslant k)$ pour k nombre entier compris entre 0 et 40.

c) En déduire l'intervalle de fluctuation au seuil de 95 % de la fréquence d'apparition des boules blanches dans les échantillons de taille 40.

50 Un sac de céréales contient 8 % de graines de mauvaise qualité. On prélève un échantillon de 300 graines. Le nombre de graines dans le sac est assez important pour assimiler cet échantillon à 300 tirages successifs avec remise. Déterminer, avec une loi binomiale, un intervalle de fluctuation au seuil de 95 % de la fréquence des graines de mauvaise qualité dans les échantillons de taille 300.

Prendre une décision

51 **Exercice test**

Dans un pays, 40 % de la population est satisfaite de l'action du Président.

Sabrina soupçonne que le taux de personnes satisfaites est différent dans son département.

Elle fait réaliser un sondage auprès de 1 000 personnes.

La population du département est assez importante pour considérer que cet échantillon est constitué par des tirages avec remise.

Elle observe que 376 personnes sont satisfaites de l'action du Président.

a) On suppose que la proportion nationale est aussi valable dans ce département.

Déterminer, avec une loi binomiale bien choisie, un intervalle de fluctuation au seuil de 95 % de la fréquence des personnes satisfaites dans les échantillons de taille 1 000.

b) Que peut conclure Sabrina ?

Appelez le professeur pour qu'il contrôle vos réponses et qu'il vous indique la suite.

52 Paolo pense que son dé est truqué et que la probabilité d'obtenir la face 6 n'est pas $\frac{1}{6}$.

Pour vérifier son impression, il lance 100 fois de suite son dé.

On note X la variable aléatoire qui donne le nombre d'apparitions du 6 sur 100 lancers.

a) En supposant que le dé est bien équilibré, déterminer la loi de X et en préciser les paramètres.

b) Déterminer à l'aide de la calculatrice ou du tableur les valeurs de $P(X \leqslant k)$ pour k nombre entier compris entre 0 et 100.

c) En déduire l'intervalle de fluctuation au seuil de 95 %, obtenu avec la loi suivie par X, de la fréquence d'apparition du 6 dans les échantillons de taille 100.

d) Paolo a obtenu 11 fois la face 6.
La fréquence observée appartient-elle à l'intervalle de fluctuation ?

e) Que peut en conclure Paolo ?

53 Selon un sondage CSA effectué à l'automne 2014, 50 % des Français pensent que le problème de la faim dans le monde s'aggrave.

Cependant, sur un échantillon de 300 personnes diplômées (Bac +3 au moins), seulement 32 % pensent que le problème de la faim dans le monde s'aggrave.

a) On suppose que la proportion de personnes ayant cette opinion est la même parmi les diplômés que dans la population totale.

Déterminer, avec une loi binomiale bien choisie, un intervalle de fluctuation au seuil de 95 % de la fréquence des personnes qui pensent que le problème s'aggrave, dans les échantillons de 300 diplômés.

b) Que peut-on en conclure ?

54 Dans une entreprise, on a constaté que, chaque année, 5 % des employés étaient victimes d'un accident du travail.

Delphine se demande si ce pourcentage est valable dans le service où elle travaille. Elle prélève dans un fichier, au hasard et avec remise, les dossiers de 60 salariés et constate que 6 ont été victimes d'un accident du travail au cours de l'année.

a) Déterminer, avec une loi binomiale bien choisie, un intervalle de fluctuation au seuil de 95 % de la fréquence des salariés victimes d'un accident, dans les échantillons de 60 salariés.

b) Que peut-elle en conclure ?

Approfondissement

Choisir le bon test

55 Un laboratoire de recherche présente un vaccin contre la grippe grâce auquel 9 % seulement des personnes vaccinées peuvent être touchées par cette maladie.

Lors d'une étude indépendante, sur un échantillon de 134 personnes vaccinées, que l'on peut considérer obtenu par des tirages avec remise, 6 ont tout de même été atteintes par le virus.

a) Déterminer, avec une loi binomiale bien choisie, un intervalle de fluctuation au seuil de 95 % de la fréquence des personnes atteintes par le virus.

b) Quelle conclusion peut-on, dans un premier temps, tirer de cette étude ?

c) Un des organisateurs de l'étude remarque que le vaccin semble en fait être encore meilleur que ce qui a été annoncé et se demande si le test statistique utilisé était le bon.

Il recommande d'utiliser plutôt un test unilatéral au seuil de 95 %.

Élaborer, puis appliquer un tel test.

Approfondissement

Utiliser des méthodes d'échantillonnage

56 Adapté de J. Herrera et al., *Gouvernance, démocratie et lutte contre la pauvreté.*

Il y a quelques années, une enquête réalisée en Afrique sur deux ans auprès de 35 000 personnes a révélé que 13 % de cette population se déclarent victimes de la corruption.

Pour mettre à jour ces données, on a récemment interrogé 350 personnes. Parmi celles-ci, 52 % se déclarent victimes de la corruption.

Les indicateurs de corruption sont utilisés en géopolitique notamment pour déterminer le montant de l'aide au développement.

Les résultats de la nouvelle enquête doivent-ils amener à revoir le montant de cette aide ?

Utiliser des principes d'échantillonnage pour appuyer la réponse.

Logiciel téléchargeable gratuitement à l'adresse https://www.geogebra.org/download

Thème 1 Fonctions et dérivation

Exemple : f est la fonction définie sur $\mathbb{R}$ par $f(x) = \dfrac{1}{10}x^3 + \dfrac{3}{20}x^2 - \dfrac{9}{5}x + 1$.

1. Tracer la courbe représentative de la fonction f

• Dans le champ de saisie, saisir l'expression de la fonction.

• On peut définir la fonction f sur l'intervalle $[-5 ; 4]$ en saisissant :
Fonction[(1/10)x^3+(3/20)x²–(9/5)x+1,–5,4].

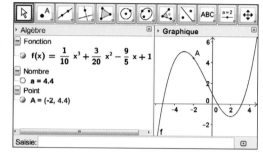

2. Calculer l'image de – 2 par la fonction f

• Dans le champ de saisie, saisir f(-2).

• On peut placer le point A d'abscisse -2 sur la courbe de la fonction f en saisissant A=(-2,f(-2)).

3. Calculer le nombre dérivé $f'(3)$

Dans le champ de saisie, saisir f'(3).

4. Tracer la tangente à la courbe au point d'abscisse 3

• Placer le point B d'abscisse 3 sur la courbe de la fonction f en saisissant B=(3,f(3)).

• Dans le menu, choisir l'outil Tangentes.

• Cliquer sur le point B, puis sur la courbe.

• L'équation de la tangente s'affiche dans la fenêtre Algèbre. On retrouve alors la valeur du nombre dérivé $f'(3)$.

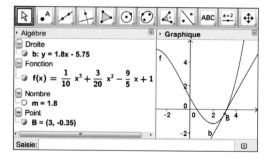

5. Tracer la courbe représentative de la fonction dérivée f'

• Dans le champ de saisie, saisir f'(x).

• On peut modifier la couleur et le type de trait pour la courbe de la fonction dérivée en la sélectionnant puis en ouvrant le menu Graphique, au-dessus de la fenêtre graphique.

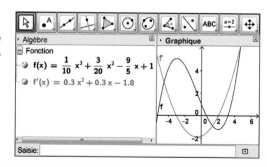

Thème 2 Calcul formel

Exemple : f est la fonction définie sur $\mathbb{R}$ par $f(x) = \dfrac{1}{10}x^3 + \dfrac{3}{20}x^2 - \dfrac{9}{5}x + 1$.

Dans le menu Affichage, choisir Calcul Formel ; on dispose alors des instructions utiles pour étudier la fonction f et sa fonction dérivée f'.

Pour accéder à ces instructions, on les saisit dans une ligne de commande. Un menu contextuel propose des informations sur ces instructions.

1. Définir la fonction f

On emploie le symbole := au lieu de = utilisé dans la fenêtre Algèbre.

1	f(x):=(1/10)x^3+(3/20)x^2-(9/5)x+1
○	$\rightarrow$ $f(x) := \dfrac{1}{10}\,x^3 + \dfrac{3}{20}\,x^2 - \dfrac{9}{5}\,x + 1$

2. Déterminer la fonction dérivée f'

On définit la fonction dérivée à l'aide de :=, on peut ainsi l'utiliser par la suite.

2	f'(x):=Dérivée[f(x)]
○	$\rightarrow$ $f'(x) := \dfrac{3}{10}\,x^2 + \dfrac{3}{10}\,x - \dfrac{9}{5}$

3. Factoriser l'expression de $f'(x)$

La forme affichée n'est pas toujours très naturelle.

3	Factoriser[f'(x)]
○	$\rightarrow$ $3\,(x-2)\,\dfrac{x+3}{10}$

4. Résoudre l'équation $f'(x) = 0$

4	Résoudre[f'(x)=0]
○	$\rightarrow$ $\{x = -3, x = 2\}$

5. Résoudre l'inéquation $f'(x) > 0$

L'ensemble des solutions est donné sous forme d'inégalités.

5	Résoudre[f'(x)>0]
○	$\rightarrow$ $\{x < -3, x > 2\}$

6. Obtenir la forme canonique de $f'(x)$

Cette instruction s'applique à toute fonction polynôme de degré 2.

6	FormeCanonique[f'(x)]
○	$\rightarrow$ $\dfrac{3}{10}\left(x+\dfrac{1}{2}\right)^2 - \dfrac{15}{8}$

7	Extremum[f'(x)]
○	$\rightarrow$ $(-0.5, -1.88)$

7. Déterminer l'extremum de la fonction f'

On peut indiquer un intervalle en saisissant Extremum[f'(x),-5,5].

• Les fonctions définies dans la fenêtre Calcul Formel apparaissent automatiquement dans la fenêtre Algèbre et dans la fenêtre Graphique.

• On peut afficher ces trois fenêtres dans un même écran.

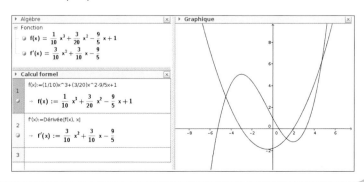

GEOGEBRA

Thème 3 Probabilités

Exemple : X est une variable aléatoire qui suit la loi binomiale de paramètres $n = 12$ et $p = 0{,}25$.

1. Afficher la loi de probabilité de X et son diagramme en barres

- Dans le menu Affichage, choisir Calculs de probabilités.
- Dans le menu déroulant en bas de la fenêtre, choisir Binomiale puis saisir les valeurs de n et p.
- La loi de probabilité de la variable X s'affiche, ainsi que le diagramme en barres.

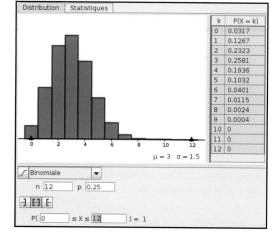

2. Lire l'espérance de la variable X

La valeur de l'espérance de la variable aléatoire X est affichée sous le diagramme (elle est notée μ).

3. Calculer la probabilité P(X ⩽ 4)

- En bas de la fenêtre, cliquer sur .
- Entrer la valeur 4.

4. Calculer la probabilité P(3 ⩽ X ⩽ 7)

- En bas de la fenêtre, cliquer sur .
- Entrer les valeurs 3 et 7.

5. Calculer la probabilité P(X ⩾ 6)

- En bas de la fenêtre, cliquer sur .
- Entrer la valeur 6.

6. Déterminer un intervalle de fluctuation au seuil de 95 %

- En bas de la fenêtre, cliquer sur .
- Sur l'axe des abscisses du diagramme en barres, déplacer les marqueurs des bornes de l'intervalle, jusqu'à trouver une

probabilité proche de 0,95 et supérieure à cette valeur. Dans chaque cas, la probabilité calculée est représentée sur le diagramme en barres et dans le tableau de la loi de probabilité.

Logiciels téléchargeables gratuitement à l'adresse :
https://fr.libreoffice.org/download/libreoffice-stable/ ou https://www.openoffice.org/fr/Telecharger/

Thème 1 Présentation de la feuille de calcul

Exemple : f est la fonction définie sur $\mathbb{R}$ par $f(x) = x^2 + 3x - 1$.

> Une feuille de calcul est un tableau à double entrée composé de cellules.

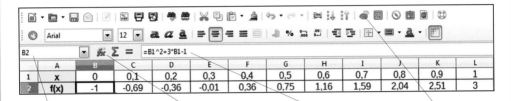

	A	B	C	D	E	F	G	H	I	J	K	L
1	x	0	0,1	0,2	0,3	0,4	0,5	0,6	0,7	0,8	0,9	1
2	f(x)	-1	-0,69	-0,36	-0,01	0,36	0,75	1,16	1,59	2,04	2,51	3

Barre de formule : =B1^2+3*B1-1

Chaque cellule est repérée par une lettre pour la colonne et un nombre pour la ligne.

Le bouton fx donne accès aux fonctions du tableur.

Une cellule peut contenir du texte, un nombre ou une formule.
La saisie d'une formule est précédée du signe =.

L'assistant graphique permet de représenter les données.

Thème 2 Formules

Exemple : u est la suite définie par $u_0 = 1$ et pour tout nombre entier naturel n, $u_{n+1} = 0{,}9u_n + 2$.
v est la suite définie sur $\mathbb{N}$ par $v_n = u_n - 20$.

On saisit respectivement les valeurs 0 et 1 dans les cellules A2 et B2.

	A	B	C
1	n	u_n	v_n
2	0	1	-19
3	1	2,9	-17,1
4	2	4,61	-15,39
5	3	6,149	-13,851
6	4	7,5341	-12,4659
7	5	8,78069	-11,21931
8	6	9,902621	-10,097379
9	7	10,9123589	-9,0876411
10	8	11,82112301	-8,17887699
11	9	12,63901071	-7,360989291
12	10	13,37510964	-6,624890362
13	11	14,03759867	-5,962401326
14	12	14,63383881	-5,366161193
15	13	15,17045493	-4,829545074
16	14	15,65340943	-4,346590566
17	15	16,08806849	-3,91193151

La cellule B3 contient la formule =0,9*B2+2.

La cellule B3 est recopiée vers le bas jusqu'à la ligne 17.

La cellule C2 contient la formule =B2-20.

La cellule C2 est recopiée vers le bas jusqu'à la ligne 17.

- Dans cette feuille de calcul, les formules sont définies à l'aide des opérations usuelles et font référence à des **adresses de cellules**.

- La recopie vers le bas d'une formule met à jour les adresses des cellules.

- Dans certains cas, on souhaite fixer tout ou partie de l'adresse d'une cellule lors d'une recopie, on utilise alors le signe $. Par exemple, dans D$1, la ligne 1 est fixée.

Thème 3 Fonctions du tableur

Exemple : on lance vingt fois de suite un dé équilibré dont les faces sont numérotées de 1 à 6.

	A	B	C
1	Partie	Numéro sorti	Nombre de « 6 »
2	1	1	4
3	2	6	
4	3	4	
5	4	1	
6	5	5	
7	6	2	
8	7	1	
9	8	3	
10	9	6	
11	10	2	
12	11	6	
13	12	5	
14	13	6	
15	14	1	
16	15	1	
17	16	3	
18	17	5	
19	18	2	
20	19	4	
21	20	5	

La cellule B2 contient la formule :
=ALEA.ENTRE.BORNES(1;6).

La cellule C2 contient la formule :
=NB.SI(B2:B21;6).

La cellule B2 est recopiée vers le bas jusqu'à la ligne 21.

Dans cette feuille de calcul, les formules font appel à deux fonctions du tableur :

- ALEA.ENTRE.BORNES(1;6) qui donne un nombre entier naturel aléatoire compris entre 1 et 6 ;
- NB.SI(B2:B21;6) qui donne le nombre d'occurrences du nombre 6 dans la plage B2:B21.

Thème 4 Représentation graphique

Exemple : X est une variable aléatoire qui suit la loi binomiale de paramètres $n = 10$ et $p = 0,4$.

La cellule B2 contient la formule :
=LOI.BINOMIALE(A2;10;0,4;0).

La cellule B2 est recopiée vers le bas jusqu'à la ligne 12.

	A	B
1	k	P(X=k)
2	0	0,006046618
3	1	0,040310784
4	2	0,120932352
5	3	0,214990848
6	4	0,250822656
7	5	0,200658125
8	6	0,111476736
9	7	0,042467328
10	8	0,010616832
11	9	0,001572864
12	10	0,000104858

Dans cette feuille de calcul, on utilise la fonction du tableur LOI.BINOMIALE(k; n; p; 0) qui donne la probabilité $P(X = k)$ lorsque X suit la loi binomiale de paramètres n et p.

On peut noter que la fonction LOI.BINOMIALE(k; n; p; 1) donne la probabilité $P(X \leqslant k)$.

Pour réaliser le graphique :

- on sélectionne la plage B2:B12 et on lance l'assistant graphique ;
- on choisit le type de graphique, la série des abscisses et d'éventuelles étiquettes.

Logiciel de programmation d'algorithmes téléchargeable gratuitement à l'adresse :
http://www.xm1math.net/algobox/download.html

La fenêtre principale

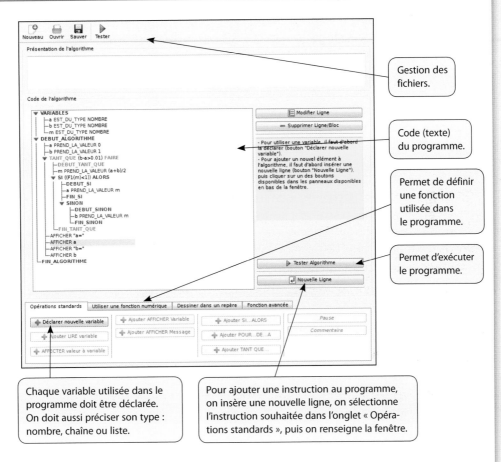

Gestion des fichiers.

Code (texte) du programme.

Permet de définir une fonction utilisée dans le programme.

Permet d'exécuter le programme.

Chaque variable utilisée dans le programme doit être déclarée. On doit aussi préciser son type : nombre, chaîne ou liste.

Pour ajouter une instruction au programme, on insère une nouvelle ligne, on sélectionne l'instruction souhaitée dans l'onglet « Opérations standards », puis on renseigne la fenêtre.

Les instructions essentielles

Saisir	Affecter	Afficher
➕ Ajouter LIRE variable	➕ AFFECTER valeur à variable	➕ Ajouter AFFICHER Variable
Si … alors … sinon …	Pour … allant de … à …	Tant que …
➕ Ajouter SI…ALORS	➕ Ajouter POUR…DE…A	➕ Ajouter TANT QUE…

Quelques commandes utiles

sqrt(x) : racine carrée de x

floor(x) : partie entière de x

random() : nombre aléatoire entre 0 et 1

pow(x,n) : x puissance n

round(x) : entier le plus proche de x

Thème 1 Variables, instructions d'entrée, de sortie et d'affectation

Un **algorithme** est une suite d'**instructions** qui s'appliquent, dans un ordre déterminé, à des **variables**.

- Une **variable** est repérée par un nom et a une valeur. Elle possède **un type** : nombre entier naturel, nombre réel, liste…

- On saisit les valeurs initiales de certaines variables en **entrée** et on affiche les valeurs finales après traitement en **sortie**.

- L'instruction d'affectation consiste à attribuer une valeur à une variable. On peut affecter à une variable, le résultat d'un calcul effectué sur les valeurs de variables (Affecter à x la valeur $x + y$).

5

x

La variable x a la valeur 5.

2

y

Affecter à y la valeur 2.

Exemple : échanger le contenu de deux variables

Algorithme

La valeur initiale de chacune des variables x et y est saisie en entrée.

La valeur finale de chacune des variables x et y est affichée en sortie.

```
01  Variables :    x, y, z sont des nombres réels
02  Entrées :      Saisir x, y
03  Traitement :   Affecter à z la valeur x
04                 Affecter à x la valeur y
05                 Affecter à y la valeur z
06  Sorties :      Afficher x, y
```

Les variables x, y, z sont du type : nombres réels.

Les instructions d'affectation permettent l'échange du contenu des variables x et y.

Exemple d'exécution

Ligne	02	03	04	05
x	2	2	3	3
y	3	3	3	2
z		2	2	2

AlgoBox

```
▼ VARIABLES
   ├x EST_DU_TYPE NOMBRE
   ├y EST_DU_TYPE NOMBRE
   └z EST_DU_TYPE NOMBRE
▼ DEBUT_ALGORITHME
   ├LIRE x
   ├LIRE y
   ├z PREND_LA_VALEUR x
   ├x PREND_LA_VALEUR y
   ├y PREND_LA_VALEUR z
   ├AFFICHER x
   └AFFICHER y
 └FIN_ALGORITHME
```

Codage

Casio

```
======ECHANGE ======
?→X↵
?→Y↵
X→Z↵
Y→X↵
Z→Y↵
X↵
Y↵
```

TI

```
PROGRAM:ECHANGE
:Prompt X
:Prompt Y
:X→Z
:Y→X
:Z→Y
:Disp X
:Disp Y
```

- **Instructions utiles à la calculatrice**

Casio				TI		
?	SHIFT	VARS (PRGM)	F4	Demander la saisie d'une valeur.	Prompt	prgm ▶ (E/S) 2
→	→			Affecter une valeur à une variable.	→	sto▶
◢	SHIFT	VARS (PRGM)	F5	Afficher la valeur d'une variable.	Disp	prgm ▶ (E/S) 3

ALGORITHMIQUE

Thème 2 Les instructions conditionnelles

- Une **condition** est une proposition qui peut être vraie ou fausse.
Par exemple $a = b$, n est pair ou $x < 5$.

- L'instruction conditionnelle «**Si** condition **alors** instructions» exécute une ou plusieurs instructions uniquement dans le cas où la condition est vraie.

- L'instruction conditionnelle permet aussi d'exécuter une ou plusieurs instructions dans le cas où la condition est fausse, elle s'écrit alors :
«**Si** condition **alors** instructions **sinon** instructions».

Exemple : déterminer la formule la plus économique

Sur un site de téléchargement de films, deux formules d'adhésion annuelle sont proposées.
Formule A : abonnement 30 € et 1,45 € par film téléchargé.
Formule B : abonnement 20 € et 1,75 € par film téléchargé.
L'algorithme suivant affiche la formule la plus économique suivant le nombre de films téléchargés dans l'année.

Algorithme

Variables : n est un nombre entier naturel
x, y sont des nombres réels

Entrée : Saisir n

Traitement
et sortie : Affecter à x la valeur $30 + 1,45n$
Affecter à y la valeur $20 + 1,75n$
Si $x \geqslant y$ alors
  Afficher «Formule B»
sinon
  Afficher «Formule A»
Fin Si

> La condition est $x \geqslant y$.

> Cette instruction est exécutée dans le cas où la condition $x \geqslant y$ est vraie.

> Cette instruction est exécutée dans le cas où la condition $x \geqslant y$ est fausse.

Exemple d'exécution

On saisit $n = 28$, $x = 70,6$ et $y = 69$.
La condition $x \geqslant y$ est vraie, l'algorithme affiche « Formule B ».

Codage

Casio

```
======FORMULE ======
?→N↵
30+1.45×N→X↵
20+1.75×N→Y↵
If X≥Y↵
Then ↵
"FORMULE B"↵
Else ↵
"FORMULE A"↵
```

TI

```
PROGRAM:FORMULE
:Prompt N
:30+1.45*N→X
:20+1.75*N→Y
:If X≥Y
:Then
:Disp "FORMULE B
:Else
:Disp "FORMULE A
```

AlgoBox

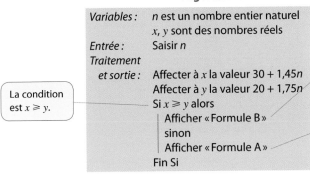

```
▼ VARIABLES
  ├─n EST_DU_TYPE NOMBRE
  ├─x EST_DU_TYPE NOMBRE
  └─y EST_DU_TYPE NOMBRE
▼ DEBUT_ALGORITHME
  ├─LIRE n
  ├─x PREND_LA_VALEUR 30+1.45*n
  ├─y PREND_LA_VALEUR 20+1.75*n
  ▼ SI (x>=y) ALORS
    ├─DEBUT_SI
    ├─AFFICHER "Formule B"
    ├─FIN_SI
    ▼ SINON
      ├─DEBUT_SINON
      ├─AFFICHER "Formule A"
      └─FIN_SINON
  └─FIN ALGORITHME
```

- **Instructions utiles à la calculatrice**

Casio		TI
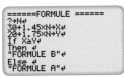 SHIFT VARS[PRGM] F1	Commandes If, Then, Else, IfEnd.	prgm (CTL)
SHIFT VARS[PRGM] F6 (▷) F3 (REL) F6	Symbole d'inégalité ⩽.	2nde math[tests] 6

Thème 3 Les instructions itératives

- Une boucle permet de répéter plusieurs fois de suite les mêmes instructions.
- Lorsque le nombre de répétitions est connu à l'avance, on utilise une boucle **Pour** avec un compteur qui s'incrémente de 1 à chaque répétition.
- Lorsque le nombre de répétitions n'est pas connu à l'avance et dépend d'une condition, on utilise une boucle **Tant que**. Les instructions de la boucle sont alors exécutées tant que la condition est vraie.

Exemple 1 : calculer une somme

Pour tout nombre entier naturel non nul n, $S_n = 1^2 + 2^2 + \ldots + n^2$.
L'algorithme suivant calcule et affiche la somme S_n pour un nombre entier naturel non nul n saisi en entrée.

Algorithme

Le compteur i varie de 1 à n.

À la sortie de la boucle, la valeur de S est affichée.

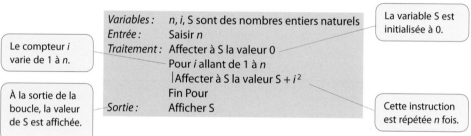

Variables :	n, i, S sont des nombres entiers naturels
Entrée :	Saisir n
Traitement :	Affecter à S la valeur 0
	Pour i allant de 1 à n
	$\quad$Affecter à S la valeur $S + i^2$
	Fin Pour
Sortie :	Afficher S

La variable S est initialisée à 0.

Cette instruction est répétée n fois.

Exemple d'exécution

On saisit par exemple $n = 8$.

i		1	2	3	4	5	6	7	8
i^2		1	4	9	16	25	36	49	64
S	0	1	5	14	30	55	91	140	204

L'algorithme affiche en sortie S = 204.

Codage

Casio

TI

AlgoBox

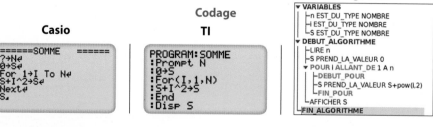

- **Instructions utiles à la calculatrice**

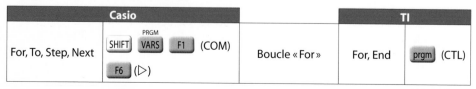

Casio		TI	
For, To, Step, Next	SHIFT VARS F1 (COM) F6 (▷)	Boucle « For »	For, End prgm (CTL)

Exemple 2 : simuler une expérience aléatoire

On lance un dé équilibré dont les faces sont numérotées de 1 à 6.
L'algorithme suivant simule cette expérience aléatoire et affiche le rang de la première apparition de la face numérotée 6.

Algorithme

Variables : a, k sont des nombres entiers naturels

Traitement : Affecter à a un nombre entier aléatoire entre 1 et 6

Affecter à k la valeur 1

Tant que $a \neq 6$

| Affecter à a un nombre entier aléatoire entre 1 et 6

| Affecter à k la valeur $k + 1$

Fin Tant que

Sortie : Afficher k

> La condition qui gère la boucle est $a \neq 6$.

> Ces instructions sont répétées tant que $a \neq 6$.

> À la sortie de la boucle, la valeur de k est affichée.

Exemple d'exécution

a	5	1	4	5	3	2	6
k	1	2	3	4	5	6	7

L'algorithme affiche en sortie $k = 7$ qui est le rang de la première apparition de la face numérotée 6.

a	6
k	1

Lorsque le premier nombre aléatoire obtenu est 6, la boucle n'est pas exécutée, l'algorithme affiche $k = 1$ en sortie.

Codage

Casio

```
======LANCER ======
Int (6×Ran# )+1→A↵
1→K↵
While A≠6↵
Int (6×Ran# )+1→A↵
K+1→K↵
WhileEnd↵
K◢
```

TI

```
PROGRAM:LANCER
:int(6*rand)+1→A
:1→K
:While A≠6
:int(6*rand)+1→A
:K+1→K
:End
:Disp K
```

AlgoBox

```
▼ VARIABLES
  ├─k EST_DU_TYPE NOMBRE
  └─a EST_DU_TYPE NOMBRE
▼ DEBUT_ALGORITHME
  ├─a PREND_LA_VALEUR floor(6*random())+1
  ├─k PREND_LA_VALEUR 1
  ▼ TANT_QUE (a!=6) FAIRE
    ├─DEBUT_TANT_QUE
    ├─a PREND_LA_VALEUR floor(6*random())+1
    ├─k PREND_LA_VALEUR k+1
    └─FIN_TANT_QUE
  └─AFFICHER k
└─FIN_ALGORITHME
```

Remarque : les fonctions Ran#, rand et random () donnent pour résultat un nombre aléatoire x tel que $0 \leqslant x < 1$.

- **Instructions utiles à la calculatrice**

Casio				TI	
While, WhileEnd	SHIFT · VARS (PRGM) · F1 (COM) · F6 (▷) · F6 (▷)		Boucle «Tant que»	While, End	prgm (CTL)

LOGIQUE ET RAISONNEMENT

Une proposition est un énoncé qui est soit vrai, soit faux. Il peut dépendre de variables.

Thème 1 Négation d'une proposition

La **négation** d'une proposition P, notée **non P**, est une proposition vraie lorsque P est fausse et fausse lorsque P est vraie.

Exemple : x désigne un nombre réel.
La négation de la proposition « $x < 1$ » est la proposition « $x \geq 1$ ».

Thème 2 Conjonction et disjonction de deux propositions

La **conjonction** de deux propositions P et Q, notée **P et Q**, est une proposition qui est vraie uniquement lorsque P et Q sont toutes les deux vraies.

Exemple : x désigne un nombre réel.
La proposition « $x^2 = 1$ et $x \geq 0$ » est vraie pour $x = 1$ et fausse pour toutes les autres valeurs de x.

La **disjonction** de deux propositions P et Q, notée **P ou Q**, est une proposition qui est vraie lorsque l'une au moins des propositions P et Q est vraie.
Elle est donc fausse uniquement lorsque P et Q sont toutes les deux fausses.

Exemple : n désigne un nombre entier naturel.
La proposition « n est pair ou n est multiple de 3 » est vraie pour $n = 6$, $n = 9$; elle est fausse pour $n = 11$.

- La négation de la proposition **P et Q** est la proposition **(non P) ou (non Q)**.
- La négation de la proposition **P ou Q** est la proposition **(non P) et (non Q)**.

Thème 3 Implication, réciproque et contraposée

- Une **implication** est une proposition de la forme **Si P, alors Q**,
P est appelée l'hypothèse et Q la conclusion.
- Pour établir que l'implication **Si P, alors Q** est vraie, on suppose que P est vraie et on démontre qu'alors Q est vraie.

Exemple : x désigne un nombre réel.
« Si $x \geq 2$, alors $x^2 \geq 4$ » est une implication vraie.

La **réciproque** de l'implication **Si P, alors Q** est l'implication **Si Q, alors P**.

Exemple : x désigne un nombre réel.
La réciproque de l'implication « Si $x \geq 2$, alors $x^2 \geq 4$ » est l'implication « Si $x^2 \geq 4$, alors $x \geq 2$ » qui est fausse pour les nombres de l'intervalle $]-\infty ; -2]$.

LOGIQUE ET RAISONNEMENT

- La contraposée de l'implication **Si P, alors Q** est l'implication **Si (non Q), alors (non P)**.

- Une implication et sa contraposée sont, soit toutes les deux vraies, soit toutes les deux fausses.

Thème 4 Équivalence

Deux propositions P et Q sont **équivalentes** lorsque les implications réciproques
Si P, alors Q et **Si, Q alors P** sont toutes les deux vraies.
On note alors **P si, et seulement si, Q** ou **P équivaut à Q**.

Exemple : x désigne un nombre réel. « $(x - 1)(x + 2) = 0$ si, et seulement si, $x = 1$ ou $x = -2$ ».

Thème 5 Condition nécessaire, suffisante

Lorsque l'implication **Si P, alors Q** est vraie, on dit que P est une **condition suffisante** à Q et
que Q est une **condition nécessaire** à P.

Exemple : ABCD est un quadrilatère.
« ABCD est un losange » est une condition suffisante à « ABCD est un parallélogramme ».
« ABCD est un parallélogramme » est une condition nécessaire à « ABCD est un losange ».

Lorsque les propositions P et Q sont **équivalentes,** P est une **condition nécessaire et
suffisante** à Q.

Exemple : Δ est le discriminant d'un trinôme du second degré.
« Δ > 0 » est une condition nécessaire et suffisante à « Le trinôme a deux racines distinctes ».

Thème 6 Les quantificateurs

L'expression « **Pour tout** » ou « **Quel que soit** » est appelée **quantificateur universel**.
On l'emploie pour exprimer que tous les éléments d'un ensemble vérifient une certaine
propriété.

Exemple : « Pour tout nombre réel x, $x^2 \geqslant 0$ » est une proposition vraie.

L'expression « **Il existe** » est appelée **quantificateur existentiel**.
On l'emploie pour exprimer qu'au moins un élément d'un ensemble vérifie une certaine
propriété.

Exemple : « Il existe un nombre entier naturel n tel que $n^2 \geqslant 50$ » est une proposition vraie.
En effet $8^2 \geqslant 50$.

- La négation de la proposition « Pour tout x d'un ensemble E, P est vraie » est la proposition
« Il existe x de E tel que P est fausse ».

- La négation de la proposition « Il existe x d'un ensemble E tel que P est vraie » est la proposition « Pour tout x de E, P est fausse ».

Corrigés

Tous les exercices **Bien démarrer** sont corrigés sur le site élève
www.nathan.fr/hyperbole1reESL-2015.

1 Second degré

Savoir-faire

2 **a)** L'altitude de départ est l'altitude pour $x = 0$.
La forme développée
$f(x) = -12x^2 + 24x + 6,75$ donne $f(0) = 6,75$.
La fusée a donc été tirée d'une altitude de 6,75 m.
b) L'altitude maximale est l'ordonnée du sommet de la parabole.
D'après la forme canonique, les coordonnées du sommet sont $\left(1 ; \dfrac{75}{4}\right)$.
L'altitude maximale est donc de 18,75 m.
c) La fusée retombe au sol lorsque $f(x) = 0$.
La forme factorisée permet d'affirmer que les solutions de cette équation sont $\dfrac{9}{4}$ et $-\dfrac{1}{4}$.
C'est la valeur positive qui convient dans le problème, donc la fusée retombe au sol à 2,25 m de son point de départ.

5 **1. a)** Le discriminant est :
$\Delta = 11^2 - 4 \times (-2) \times (-12) = 25$.
$\Delta > 0$ donc l'équation a deux solutions :
$x_1 = \dfrac{-11-5}{-4} = 4$ et $x_2 = \dfrac{-11+5}{-4} = 1,5$.
b) Le discriminant est $\Delta = 1^2 - 4 \times 1 \times 1 = -3$.
$\Delta < 0$ donc l'équation n'a pas de solution.
c) Le discriminant est $\Delta = (-4)^2 - 4 \times 4 \times 1 = 0$.
$\Delta = 0$ donc l'équation a une solution unique :
$x_0 = \dfrac{-(-4)}{8} = 0,5$.
2. a) $2x + 7x^2 = 0$ équivaut à $x(2 + 7x) = 0$.
L'équation a donc deux solutions :
$x_1 = 0$ et $x_2 = -\dfrac{2}{7}$.
b) Pour tout nombre réel x, $2x^2 \geqslant 0$ donc $2x^2 + 25 > 0$.
L'équation n'a donc pas de solution.
c) $-3 + 4(x-2)^2 = 0$ équivaut à $(x-2)^2 = \dfrac{3}{4}$.
L'équation a donc deux solutions, qui sont telles que $x_1 - 2 = \dfrac{\sqrt{3}}{2}$ et $x_2 - 2 = -\dfrac{\sqrt{3}}{2}$,
c'est-à-dire $x_1 = 2 + \dfrac{\sqrt{3}}{2}$ et $x_2 = 2 - \dfrac{\sqrt{3}}{2}$.

9 **a)** Le discriminant est :
$\Delta = (-4)^2 - 4 \times 1 \times 2 = 8$.
$\Delta > 0$ donc le trinôme a deux racines :
$x_1 = \dfrac{4 - \sqrt{8}}{2} = 2 - \sqrt{2}$ et $x_2 = \dfrac{4 + \sqrt{8}}{2} = 2 + \sqrt{2}$.
Le coefficient de x^2 est positif, on peut donc établir le tableau de signes de $f(x)$.

x	$-\infty$		$2 - \sqrt{2}$		$2 + \sqrt{2}$		$+\infty$
$f(x)$		$+$	0	$-$	0	$+$	

b) D'après le tableau de signes, les solutions de l'inéquation $x^2 - 4x + 2 \geqslant 0$ sont les

nombres réels de l'ensemble :
$$]-\infty ; 2 - \sqrt{2}] \cup [2 + \sqrt{2} ; +\infty[.$$
À l'écran de la calculatrice, la courbe représentative de f semble bien être au-dessus de l'axe des abscisses sauf entre les racines du trinôme, environ égales à 0,6 et 3,4.

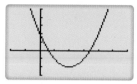

Pour s'entraîner

28 **a)** Le coefficient de x^2 est négatif, donc f admet un maximum en -3, qui est égal à -1.
b) Le coefficient de x^2 est positif, donc g admet un minimum en 1, qui est égal à 4.
c) Le coefficient de x^2 est positif, donc h admet un minimum en 0, qui est égal à -3.
d) Le coefficient de x^2 est négatif, donc k admet un maximum en 1, qui est égal à 2.

31 Les formes canoniques permettent de connaître les coordonnées du sommet de chaque courbe représentative. Celle de f est tracée en vert, celle de g est tracée en bleu, celle de h est tracée en rouge.

48 **a)** Le discriminant est :
$\Delta = 1^2 - 4 \times 3 \times (-2) = 25$.
$\Delta > 0$ donc l'équation a deux solutions :
$t_1 = \dfrac{-1-5}{6} = -1$ et $t_2 = \dfrac{-1+5}{6} = \dfrac{2}{3}$.
b) Le discriminant est :
$\Delta = (-28)^2 - 4 \times 4 \times 49 = 0$.
$\Delta = 0$ donc l'équation a une solution unique :
$x_0 = \dfrac{-(-28)}{8} = 3,5$.

73 **a)** Un produit est nul si, et seulement si, l'un de ses facteurs est nul.
Les solutions de l'équation sont donc les solutions des équations du premier degré
$2x + 1 = 0$ et $x - 2 = 0$, c'est-à-dire $x_1 = -\dfrac{1}{2}$, $x_2 = 2$.
b) Les coefficients de x sont positifs dans les deux facteurs, le coefficient de x^2 le sera donc aussi dans la forme développée. De plus, on sait que le trinôme est du signe de ce coefficient, sauf entre les deux racines. On en déduit le tableau de signes ci-dessous.

x	$-\infty$		$-\dfrac{1}{2}$		2		$+\infty$
$f(x)$		$+$	0	$-$	0	$+$	

Pour se tester

88 **1.** B **2.** D **3.** B **4.** A

89 **1.** A, C **2.** C, D **3.** A, C **4.** B, C

90 **1. Faux.** En effet, $c = f(0)$ et on observe sur la courbe que $f(0) < 0$.
2. Faux. En effet, d'après l'orientation de la courbe, $a < 0$.
3. Faux. En effet, d'après ce qui précède, a et c sont tous les deux négatifs.
4. Vrai. En effet, la courbe coupe l'axe des abscisses en deux points, donc le trinôme $f(x)$ admet deux racines.
5. Faux. En effet, $f(3) = 3$, donc 3 est une solution de $f(x) \geqslant 3$.

2 Fonction racine carrée. Fonction cube

Savoir-faire

2 La fonction racine carrée est croissante sur $[0 ; +\infty[$, donc deux nombres positifs et leurs racines carrées sont rangés dans le même ordre.
a) $0 < x < 3$ donc $0 < \sqrt{x} < \sqrt{3}$.
b) $x \geqslant 4$ donc $\sqrt{x} \geqslant \sqrt{4}$, c'est-à-dire $\sqrt{x} \geqslant 2$.
c) $4 < x \leqslant 9$ donc $\sqrt{4} < \sqrt{x} \leqslant \sqrt{9}$, c'est-à-dire $2 < \sqrt{x} \leqslant 3$.
d) $x > 0,25$ donc $\sqrt{x} > \sqrt{0,25}$, c'est-à-dire $\sqrt{x} > 0,5$.
e) $1,21 \leqslant x \leqslant 6,25$ donc $\sqrt{1,21} \leqslant \sqrt{x} \leqslant \sqrt{6,25}$, c'est-à-dire $1,1 \leqslant \sqrt{x} \leqslant 2,5$.
f) $x \geqslant 2,25$ donc $\sqrt{x} \geqslant \sqrt{2,25}$, c'est-à-dire $\sqrt{x} \geqslant 1,5$.

6 La fonction cube est croissante sur $\mathbb{R}$, donc deux nombres et leurs cubes sont rangés dans le même ordre.
a) $-1 < x < 2$ donc $(-1)^3 < x^3 < 2^3$, c'est-à-dire $-1 < x^3 < 8$.
b) $x < 0$ donc $x^3 < 0^3$, c'est-à-dire $x^3 < 0$.
c) $0,5 \leqslant x \leqslant 1,5$ donc $0,5^3 \leqslant x^3 \leqslant 1,5^3$, c'est-à-dire $0,125 \leqslant x^3 \leqslant 3,375$.
d) $x \leqslant 0,1$ donc $x^3 \leqslant 0,1^3$, c'est-à-dire $x^3 \leqslant 0,001$.
e) $-2 \leqslant x < 2$ donc $(-2)^3 \leqslant x^3 < 2^3$, c'est-à-dire $-8 \leqslant x^3 < 8$.
f) $x > -3$ donc $x^3 > (-3)^3$, c'est-à-dire $x^3 > -27$.

Pour s'entraîner

25 La fonction racine carrée est représentée sur l'écran ④.

26 Le tableau de variation de la fonction racine carrée est le tableau ②.

55 La fonction cube est représentée sur l'écran ②.

56 Le tableau de variation de la fonction cube est le tableau ②.

80 1. A 2. D 3. B 4. D

81 1. A, D 2. A, C 3. A, C 4. A

82 1. **Vrai.** En effet, les solutions sont -1, 0 et 1.
2. **Faux.** Par exemple, pour $x = 0{,}5$, $x^3 < x$.
3. **Vrai.** Si $x > 0$, $x^3 > 0$, et si $x < 0$, alors $x^3 < 0$.
4. **Vrai.** Pour $x = 2$, $x^3 - x = 8 - 2 = 6$.
5. **Vrai.** Pour $x = -2$, $x^3 - x = -6$ et $-6 < -1$.

3 Dérivation

Savoir-faire

2 La courbe $\mathscr{C}$ est la parabole de sommet $S(2\,;-3)$ et qui passe par le point $A(0\,;1)$ car $f(0) = (0-2)^2 - 3 = 1$.
$f(1) = (1-2)^2 - 3 = -2$ et $f'(1) = -2$ donc la tangente au point d'abscisse 1 est la droite de coefficient directeur -2 qui passe par le point $B(1\,;-2)$.
$f(2{,}5) = (2{,}5-2)^2 - 3 = -2{,}75$ et $f'(2{,}5) = 1$ donc la tangente au point d'abscisse 2,5 est la droite de coefficient directeur 1 qui passe par le point $C(2{,}5\,;-2{,}75)$.

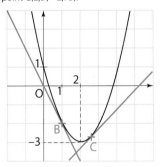

5 **a)** $f(2) = 2^3 = 8$.
Pour tout nombre réel x, $f'(x) = 3x^2$.
En particulier, $f'(2) = 3 \times 2^2 = 12$.
L'équation de la tangente à la courbe $\mathscr{C}$ au point d'abscisse 2 est :
$$y = f'(2)(x-2) + f(2)$$
$$y = 12(x-2) + 8$$
$$y = 12x - 16$$
b) $f(2) = \dfrac{1}{2}$.
Pour tout nombre réel $x > 0$, $f'(x) = -\dfrac{1}{x^2}$.
En particulier, $f'(2) = -\dfrac{1}{4}$.
L'équation de la tangente à la courbe $\mathscr{C}$ au point d'abscisse 2 est :
$$y = f'(2)(x-2) + f(2)$$
$$y = -\frac{1}{4}(x-2) + \frac{1}{2}$$
$$y = -\frac{1}{4}x + 1$$

c) $f(2) = \sqrt{2}$.
Pour tout nombre réel $x > 0$, $f'(x) = \dfrac{1}{2\sqrt{x}}$.
En particulier, $f'(2) = \dfrac{1}{2\sqrt{2}}$.
L'équation de la tangente à la courbe $\mathscr{C}$ au point d'abscisse 2 est :
$$y = f'(2)(x-2) + f(2)$$
$$y = \frac{1}{2\sqrt{2}}(x-2) + \sqrt{2}$$
$$y = \frac{1}{2\sqrt{2}}x + \frac{\sqrt{2}}{2}$$

9 **a)** f est une fonction polynôme de degré 2, c'est donc une somme de fonctions.
$f(x) = u(x) + w(x) + z(x) + t(x)$ avec $u(x) = 2x^3$, $v(x) = 3x^2$, $w(x) = -4x$ et $t(x) = -5$. Donc $u'(x) = 6x^2$, $v'(x) = 6x$, $w'(x) = -4$ et $t'(x) = 0$.
Pour tout nombre réel x, $f'(x) = 6x^2 + 6x - 4$.
b) Pour tout nombre réel x,
$$g'(x) = \frac{1}{6}(3x^2) - \frac{2}{3} - \frac{5}{x^2} = \frac{x^2}{2} - \frac{2}{3} - \frac{5}{x^2}.$$

Pour s'entraîner

33 **a)** $y = x$ **b)** $y = 3x$
c) $y = 3$ **d)** $y = 5x - 2$

35 **a)** $f'(-2) = 4$ et $f(-2) = -(-2)^2 = -4$.
L'équation de la tangente T est :
$$y = f'(-2)(x+2) + f(-2)$$
$$y = 4(x+2) - 4$$
$$y = 4x + 4$$
b)

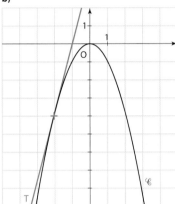

36 $g'(0{,}5) = 3$ et $g(0{,}5) = 2 \times 0{,}5^2 + 0{,}5 = 1$.
L'équation de la tangente à $\mathscr{C}$ au point d'abscisse 0,5 est :
$$y = g'(0{,}5)(x-0{,}5) + g(0{,}5)$$
$$y = 3(x-0{,}5) + 1$$
$$y = 3x - 0{,}5$$

45 **a)** Pour tout nombre réel x, $f'(x) = 2x$.
b) Pour tout nombre réel x, $g'(x) = 3x^2$.
c) Pour tout nombre réel x, $h'(x) = 5x^4$.

51 Pour tout $x \neq 0$, $f'(x) = -\dfrac{1}{x^2}$
donc $f'(1) = -1$ et $f'(2) = -\dfrac{1}{4}$.

67 1. **a)** $u(x) = x^2 + 1$ et $v(x) = 3x - 1$.
b) $u'(x) = 2x$ et $v'(x) = 3$, donc pour tout nombre réel x,
$$f'(x) = u'(x)v(x) + u(x)v'(x)$$

$$f'(x) = 2x(3x-1) + (x^2+1) \times 3$$
$$f'(x) = 6x^2 - 2x + 3x^2 + 3$$
$$f'(x) = 9x^2 - 2x + 3$$
2. **a)** $f(x) = (x^2+1)(3x-1)$
$$f(x) = 3x^3 - x^2 + 3x - 1$$
b) Pour tout nombre réel x, $f'(x) = 9x^2 - 2x + 3$.
3. On retrouve bien la même expression de $f'(x)$.

Pour se tester

83 1. B 2. A 3. A 4. C

84 1. B, C 2. D 3. D 4. B, C

85 1. **Faux.** En effet, la courbe coupe la droite d'équation $y = 2$ en deux points.
2. **Vrai.** En effet, la courbe est en-dessous de l'axe des abscisses sur l'intervalle $[0\,;0{,}5[$.
3. **Vrai.** En effet, le coefficient directeur de la droite T est :
$$\frac{5 - (-4)}{1 - 0} = 9.$$
Or, la droite T est la tangente à $\mathscr{C}$ au point A d'abscisse 0, donc $f'(0) = 9$.
4. **Faux.** En effet, la tangente à la courbe $\mathscr{C}$ au point d'abscisse 2,5 est parallèle à l'axe des abscisses, donc le nombre dérivé de f en 2,5 est 0.
5. **Vrai.** En effet, le maximum de la fonction f sur $[0\,;10]$ est égal à 4.

4 Applications de la dérivation

Savoir-faire

2 **a)** Pour tout x de $[-5\,;5]$,
$$f'(x) = \frac{1}{12} \times 3x^2 - \frac{1}{4} = \frac{1}{4}x^2 - \frac{1}{4} = \frac{1}{4}(x^2 - 1).$$
Donc $f'(x) = \dfrac{1}{4}(x-1)(x+1)$.
b) L'équation $f'(x) = 0$ admet deux solutions, $x_1 = -1$ et $x_2 = 1$. De plus, le coefficient de x^2 est positif. On en déduit le tableau de signes de $f'(x)$, puis le tableau de variation de f.

x	-5		-1		1		5
$f'(x)$		$+$	0	$-$	0	$+$	
$f(x)$	$-\dfrac{67}{6}$	↗	$-\dfrac{11}{6}$	↘	$-\dfrac{13}{6}$	↗	$\dfrac{43}{6}$

c) Les résultats sont cohérents avec la courbe obtenue à la calculatrice.
(Fenêtre : $-5 \leqslant X \leqslant 5$, pas 1 ; $-7 \leqslant Y \leqslant 8$, pas 2)

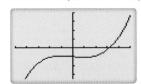

9 **a)** Pour tout x de $[-5\,;5]$,
$f'(x) = 3x^2 - 12 = 3(x^2 - 4) = 3(x-2)(x+2)$.
b) L'équation $f'(x) = 0$ admet deux solutions, $x_1 = -2$ et $x_2 = 2$. De plus, le coefficient de x^2 est positif. On en déduit le tableau de signes de $f'(x)$, puis le tableau de variation de f.

x	-5		-2		2		5
$f'(x)$		$+$	0	$-$	0	$+$	
$f(x)$	-63	↗	18	↘	-14	↗	67

c) 18 est un maximum local de f, atteint en -2.
-14 est un minimum local de f, atteint en 2.
d) $f(-1) = 13$ et f est décroissante sur $[-1\,;2]$ donc, pour tout x de $[-1\,;2]$, $-14 \leqslant f(x) \leqslant 13$.

Pour s'entraîner

44 Pour tout x de $[0\,;2]$, $f'(x) = 6x - 4$.
$f'(x)$ s'annule pour $x = \dfrac{2}{3}$. On en déduit le tableau de signes de $f'(x)$ et le tableau de variation de f.

x	0		$\dfrac{2}{3}$		2
$f'(x)$		$-$	0	$+$	
$f(x)$	1	↘	$-\dfrac{1}{3}$	↗	5

54 **1.** *Fenêtre :* $0 \leqslant X \leqslant 3$, pas 1 ; $-2 \leqslant Y \leqslant 8$, pas 1.

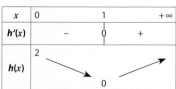

Il semble que la courbe représentative de f soit toujours au-dessus de la droite représentative de g.
2. a) Pour tout $x \geqslant 0$, $h(x) = x^3 - 3x + 2$, donc $h'(x) = 3x^2 - 3 = 3(x^2 - 1) = 3(x-1)(x+1)$.
b) L'équation $f'(x) = 0$ admet deux solutions, $x_1 = -1$ et $x_2 = 1$; x_1 n'appartient pas à l'intervalle d'étude. De plus, le coefficient de x^2 est positif. On en déduit le tableau de signes de $h'(x)$, puis le tableau de variation de h.

x	0		1		$+\infty$
$h'(x)$		$-$	0	$+$	
$h(x)$	2	↘	0	↗	

c) Le minimum de h sur $[0\,;+\infty[$ est 0, donc pour tout nombre réel $x \geqslant 0$, $h(x) \geqslant 0$, c'est-à-dire $f(x) \geqslant g(x)$. La courbe représentative de f est donc toujours au-dessus de la droite représentative de g.

59 f admet un maximum local égal à 7, atteint en -1.
f admet un minimum local égal à -5, atteint en 2.

61 **a)** Pour tout x de $[-3\,;2]$,
$f'(x) = 10x + 10$.
b) $f'(x)$ s'annule pour $x = -1$. On en déduit le tableau de signes de $f'(x)$ et le tableau de variation de f.

x	-3		-1		2
$f'(x)$		$-$	0	$+$	
$f(x)$	16	↘	-4	↗	41

c) f admet un minimum local égal à -4, atteint en -1.

71 **a)** Pour tout x de $[0\,;250]$,
$C'(x) = -4x + 580$.
b) $C'(x)$ s'annule pour $x = 145$. On en déduit le tableau de signes de $C'(x)$ et le tableau de variation de C.

x	0		145		250
$C'(x)$		$+$	0	$-$	
$C(x)$	$7\,950$	↗	$50\,000$	↘	$27\,950$

c) Le coût de production est maximal pour 145 m³ de liquide produit et vendu.

Pour se tester

79 **1.** C **2.** A **3.** C **4.** C

80 **1.** B, D **2.** A, B, C **3.** A, B **4.** A

81 **1. Faux.** En effet, l'équation $f'(x) = 0$ admet deux solutions, -2 et 2.
2. Faux. Par exemple, pour $x = 4$, $f'(x) < 0$.
3. Vrai. En effet, $f'(1,5) > 0$ et $f'(4) < 0$.
4. Vrai. En effet, f admet un maximum local égal à 1, atteint en 2, et un minimum local égal à -4, atteint en -2.
5. Vrai. En effet, la courbe représentative de f coupe l'axe des abscisses en un seul point.

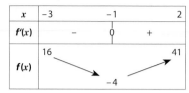

5 Pourcentages

Savoir-faire

2 Le taux d'évolution sur cette période est $t = \dfrac{10\,877 - 10\,696}{10\,696} = \dfrac{181}{10\,696}$ soit $t \approx 0{,}016\,9$.
L'augmentation est d'environ 1,69 %.

5 $25{,}99 \times \left(1 + \dfrac{53{,}87}{100}\right) \approx 39{,}99$.
Le prix en mars 2014 est donc d'environ 39,99 €.

7 Le taux d'évolution t % cherché vérifie :
$$1 + \dfrac{t}{100} = \dfrac{1}{1 + \dfrac{7}{100}}$$
donc $\dfrac{t}{100} = \dfrac{1}{1{,}07} - 1$, ce qui donne $t \approx -6{,}54$.
En 2014, la population de la ville a donc diminué d'environ 6,54 %.

9 **a)** Le coefficient multiplicateur global est $1{,}02^5 \approx 1{,}104\,1$, donc le taux d'évolution global est environ 10,41 %.
b) Le taux d'évolution t % cherché vérifie :
$$1 + \dfrac{t}{100} = \dfrac{1}{1{,}02^5}$$
donc $\dfrac{t}{100} = \dfrac{1}{1{,}02^5} - 1$, ce qui donne $t \approx -9{,}43$.
Il faut donc appliquer une baisse d'environ 9,43 %.

Pour s'entraîner

27 $35 \times \left(1 - \dfrac{40}{100}\right) = 35 \times 0{,}6 = 21$.
Donc le prix soldé d'un T-shirt est 21 €.

37 Le taux d'évolution entre juillet 2011 et juillet 2012 est :
$t = \dfrac{29\,994 - 16\,248}{16\,248} = \dfrac{13\,746}{16\,248}$ soit $t \approx 0{,}846$.
L'augmentation est donc d'environ 84,6 %.

53 **a)** Le coefficient multiplicateur global est :
$$\left(1 - \dfrac{40}{100}\right)\left(1 - \dfrac{10}{100}\right) = 0{,}6 \times 0{,}9 = 0{,}54.$$
$(0{,}54 - 1) \times 100 = -46$, donc le taux de réduction global est de 46 %.
b) Le prix P de l'article avant les deux démarques était tel que P $\times$ 0,54 = 29,99, soit P $= \dfrac{29{,}99}{0{,}54}$. Ce prix était donc d'environ 55,54 €.

77 Le taux d'évolution t % cherché vérifie :
$$1 + \dfrac{t}{100} = \dfrac{1}{1 - \dfrac{1{,}24}{100}}$$
donc $\dfrac{t}{100} = \dfrac{1}{0{,}987\,6} - 1$, ce qui donne $t \approx 1{,}26$.
Il aurait donc fallu une augmentation d'environ 1,26 %.

Pour se tester

87 **1.** D **2.** A **3.** C **4.** B

88 **1.** B, C **2.** A **3.** B, C **4.** B, C

89 **1. Vrai.** $\dfrac{52{,}11 - 44{,}35}{44{,}35} \approx 0{,}174\,97$, donc le taux arrondi au centième est 17,5 %.
2. Vrai. $\dfrac{50{,}19}{52{,}11} \approx 0{,}963\,2$, donc le coefficient multiplicateur arrondi au centième est 0,96.

3. Vrai. On note t % le taux moyen annuel d'évolution entre 2010 et 2012. Il vérifie :
$$44,35\left(1+\frac{t}{100}\right)^2 = 50,19.$$

Donc $\left(1+\frac{t}{100}\right)^2 = \dfrac{50,19}{44,35}$

soit $1+\dfrac{t}{100} \approx 1,063\,8$.

Ceci donne bien un taux moyen annuel arrondi au centième de 6,38 %.

4. Faux. $50,19\left(1-\dfrac{13,17}{100}\right) \approx 43,58$, ce qui n'est pas la valeur pour 2010.

5. Faux. En effet, $\dfrac{100 \times 50,19}{44,35} \approx 113,17$.

6 Suites

Savoir-faire

2 On trouve $v_{10} = 3\,905$.

Fenêtre : $0 \leqslant X \leqslant 10$, pas 1 ; $0 \leqslant Y \leqslant 10$, pas 1.

5 a) • Il semble que la suite u soit croissante.

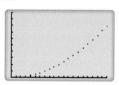

Fenêtre : $0 \leqslant X \leqslant 20$, pas 1 ; $0 \leqslant Y \leqslant 10$, pas 1.

• Il semble que la suite v soit croissante.

Fenêtre : $0 \leqslant X \leqslant 20$, pas 1 ; $0 \leqslant Y \leqslant 10$, pas 1.

b) • Pour tout nombre entier naturel n,
$u_{n+1} - u_n = 2n + 1$. Or, n est positif, donc $2n + 1$ est positif. Par conséquent, pour tout nombre entier naturel n, $u_{n+1} - u_n > 0$, ce qui prouve que la suite est croissante.

• Pour tout nombre entier naturel n,
$v_{n+1} = 2(n+1)^2 - 3(n+1) = 2n^2 + n - 1$, donc
$v_{n+1} - v_n = 2n^2 + n - 1 - (2n^2 - 3n) = 4n - 1$.
$4n - 1$ est positif pour n supérieur ou égal à 1. De plus, on observe que $u_0 = 0$ et $u_1 = -1$.
La suite v est donc croissante à partir du rang $n = 1$.

11 Graphique **A** : les points représentant les valeurs successives ne sont pas alignés, ils ne peuvent donc pas correspondre à des termes successifs d'une suite arithmétique.
Graphique **B** : les points semblent alignés. La différence entre deux valeurs successives est dans chaque cas égale à 2 et le point d'abscisse 1 a pour ordonnée 35. On peut modéliser ces valeurs par la suite arithmétique de raison 2 dont le terme de rang 1 est égal à 35. Pour tout nombre entier naturel $n \geqslant 1$, $u_n = 35 + 2(n - 1) = 33 + 2n$.

14 a) $1 \times 1,4 = 1,4$; $1,4 \times 1,4 = 1,96$ et $1,96 \times 1,4 = 2,744$.
Ces quatre nombres peuvent donc être les quatre premiers termes d'une suite géométrique.
b) Le terme général de cette suite serait $p_n = 1 \times 1,4^n = 1,4^n$.
c) Pour tout nombre entier naturel n,
$$\begin{aligned}\frac{p_{n+1} - p_n}{p_n} &= \frac{1,4^{n+1} - 1,4^n}{1,4^n}\\ &= \frac{1,4 \times 1,4^n - 1,4^n}{1,4^n}\\ &= \frac{1,4^n(1,4 - 1)}{1,4^n}\\ &= 0,4\end{aligned}$$
La variation relative entre deux mois consécutifs est toujours égale à 0,4.

Résoudre des problèmes

20 a) Voici le suivi des valeurs des variables i et u lors de l'exécution de l'algorithme.

i		1	2	3
u	2 000	2 200	2 250	2 262,5

La valeur affichée est 2 262,5.
Elle représente la somme en euros présente sur le compte de Pierre à la fin du troisième mois.
b) La suite qui intervient dans cet algorithme est définie par $v_0 = 2\,000$ et, pour tout nombre entier naturel n, $v_{n+1} = 0,25v_n + 1\,700$.

Pour s'entraîner

48 a) Pour tout nombre entier naturel n,
$u_{n+1} - u_n = (4 - (n+2)^2) - (4 - (n+1)^2)$
$u_{n+1} - u_n = -(n+2)^2 + (n+1)^2$
$u_{n+1} - u_n = -n^2 - 4n - 4 + n^2 + 2n + 1$
$u_{n+1} - u_n = -2n - 3$
b) Pour tout nombre entier naturel n,
$u_{n+1} - u_n < 0$, donc la suite u est décroissante.

53 a) • Il semble que la suite u soit décroissante.

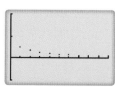

Fenêtre : $0 \leqslant X \leqslant 10$, pas 1 ; $-1 \leqslant Y \leqslant 2$, pas 1.

• Pour tout nombre entier naturel n,
$$u_{n+1} - u_n = \frac{1}{n+2} - \frac{1}{n+1}$$
$$u_{n+1} - u_n = \frac{n+1}{(n+2)(n+1)} - \frac{n+2}{(n+1)(n+2)}$$
$$u_{n+1} - u_n = \frac{n+1-n-2}{(n+1)(n+2)}$$
$$u_{n+1} - u_n = \frac{-1}{(n+1)(n+2)}$$
Pour tout nombre entier naturel n,
$u_{n+1} - u_n < 0$, donc la suite u est décroissante.
b) • Il semble que la suite v soit croissante à partir du rang 4.

Fenêtre : $0 \leqslant X \leqslant 10$, pas 1 ; $-10 \leqslant Y \leqslant 10$, pas 1.
• Pour tout nombre entier naturel n,
$v_{n+1} - v_n = (n+1)^2 - 8(n+1) + 6 - (n^2 - 8n + 6)$
$v_{n+1} - v_n = n^2 + 2n + 1 - 8n - 8 + 6 - n^2 + 8n - 6$
$v_{n+1} - v_n = 2n - 7$.
Pour tout nombre entier naturel $n \geqslant 4$,
$v_{n+1} - v_n > 0$.
Donc la suite v est croissante à partir du rang 4.

57 Pour tout nombre entier naturel n,
$$u_n = 5 + 3n.$$

69 a) $u_5 = u_0 + 5r$ avec $u_5 = -26$ et $u_0 = 9$, donc $-26 = 9 + 5r$ c'est-à-dire $5r = -35$ soit $r = -7$.
b) La raison est négative, la suite u est donc décroissante.
c) $u_{50} = u_0 + 50r = 9 + 50 \times (-7) = -341$.

79 a) Pour tout nombre entier naturel n,
$$u_n = 2 \times 1,2^n.$$
b) Pour tout nombre entier naturel $n \geqslant 1$,
$$u_n = 4 \times (-5)^{n-1}.$$

Pour se tester

95 1. D   2. B   3. C   4. C   5. B

96 1. B, C   2. A, C   3. C, D   4. C, D

97 1. **Vrai.** En effet, les points représentant les termes semblent alignés.
2. **Faux.** En effet, une suite géométrique ne peut pas avoir à la fois deux termes consécutifs de même signe (ce qui implique que la raison est positive) et deux termes consécutifs de signes contraires (ce qui implique que la raison est négative).
3. **Vrai.** En effet, d'après les valeurs lues graphiquement, il semble que la suite soit géométrique de raison 0,5.
4. **Faux.** Si un terme d'une suite géométrique est nul, tous les autres termes, à part éventuellement le premier, sont aussi nuls.
5. **Faux.** Si la suite b est arithmétique, alors sa raison est égale à 0,5. On aurait alors $b_{40} = b_0 + 40r = 2 + 20 = 22$.

7 Statistiques

Savoir-faire

2 **a)** L'effectif total de la série est N = 56.
- $\frac{1}{2} \times N = 28$. La médiane est la demi-somme des 28e et 29e valeurs, ainsi Me = 4.
- $\frac{1}{4} \times N = 14$. Le premier quartile est donc la 14e valeur, ainsi $Q_1 = 0$.
- $\frac{3}{4} \times N = 42$. Le troisième quartile est donc la 42e valeur, ainsi $Q_3 = 5$.

b)

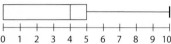

5 À l'aide de la calculatrice, on trouve
a) $\bar{x} = 50{,}42$ et $\sigma \approx 1{,}55$;
b) Me = 50, $Q_1 = 49$ et $Q_3 = 52$ donc l'écart interquartile est égal à 3.

Résoudre des problèmes

8 **a)** Sur l'écran de calculatrice ci-dessous, le diagramme du haut correspond à la rue Mozart et celui du bas à la rue Oasis.

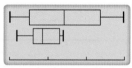

Fenêtre : $50 \leqslant X \leqslant 80$, pas 10; $-1 \leqslant Y \leqslant 2$, pas 1.
b) On remarque que les niveaux de bruit de la rue Oasis sont globalement moins élevés et moins dispersés que ceux de la rue Mozart.

Pour s'entraîner

16 **a)** Me = 502,5, $Q_1 = 489$ et $Q_3 = 510$.
b)

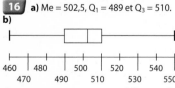

c) 13 masses appartiennent à l'intervalle [489 ; 510], soit un pourcentage égal à $\frac{13}{24}$, c'est-à-dire environ 54,17 % de ces pains de campagne. Le boulanger a donc tort.

26 **a)** Asie :
le minimum est 1, le maximum est 6,6.
Me = 2,4 ; $Q_1 = 1{,}8$ et $Q_3 = 3{,}4$.
Europe :
le minimum est 1,2, le maximum est 2.
Me = 1,4 ; $Q_1 = 1{,}3$ et $Q_3 = 1{,}7$.

b) Les taux de fécondité sont beaucoup moins dispersés en Europe qu'en Asie. Les taux de fécondité sont beaucoup plus élevés en Asie qu'en Europe. En effet le troisième quartile pour l'Europe est inférieur au premier quartile pour l'Asie.

38 À l'aide de la calculatrice, on obtient que le débit moyen est environ égal à 3,24 Mbit/s et l'écart-type est environ égal à 1,24 Mbit/s.

45 **a)**

	Musée 1	Musée 2	Musée 3
$\bar{x}$	100	100	72
σ	56,57	56,57	46,36
Me	100	100	60
$Q_3 - Q_1$	80	80	80

b) Pour les musées 1 et 2, on peut se contenter de prendre le couple (médiane ; écart interquartile) puisque les moyennes et les médianes sont égales.
Pour le musée 3, on peut prendre le couple (moyenne ; écart-type).

Pour se tester

57 1. C 2. C 3. B 4. A

58 1. A, B, C 2. B, C 3. B, D 4. C, D

59 1. **Vrai.** En effet, les valeurs de la série 1 sont globalement plus élevées que celles de la série 2.
2. **Vrai.** En effet, la série 1 est beaucoup moins dispersée que la série 2.
3. **Vrai.** Le graphique est presque symétrique.
4. **Vrai.** On peut le vérifier par le calcul $\bar{x} \approx 2{,}86$ et Me = 3, ou en remarquant que la répartition est désaxée vers la gauche.

8 Chaque feu tricolore peut être vert (V), orange (O) ou rouge (R).

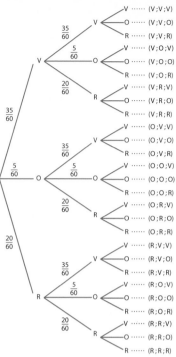

L'événement (X = 2) est réalisé par les issues (V ; V ; R) ; (V ; R ; V) ; (R ; V ; V) ; (V ; V ; O) ; (O ; V ; V). Donc :
$P(X = 2) = 3 \times P(V ; V ; R) + 3 \times P(V ; V ; O)$
$P(X = 2) = 3 \times \frac{35}{60} \times \frac{35}{60} \times \frac{20}{60} + 3 \times \frac{35}{60} \times \frac{35}{60} \times \frac{5}{60}$
$P(X = 2) \approx 0{,}43$.

Résoudre des problèmes

11 X est la variable aléatoire qui donne le gain, éventuellement négatif, du joueur lors d'une partie. L'espérance de X est :
$E(X) = 0{,}74 \times (-5) + \ldots + 0{,}0005 \times 995$
soit $E(X) = -2{,}35$.
Cela signifie qu'en jouant un grand nombre de fois, un joueur perd donc en moyenne 2,35 € par partie. Ainsi, en ayant acheté 100 tickets, on peut estimer que le joueur aura perdu environ 235 €.

Pour s'entraîner

28 **a)** Voici la loi de probabilité de X :

x_i	1	5	10
$P(X = x_i)$	$\frac{19}{32}$	$\frac{12}{32}$	$\frac{1}{32}$

b) $P(X \leqslant 5) = P(X = 1) + P(X = 5)$
$P(X \leqslant 5) = \frac{19}{32} + \frac{12}{32} = \frac{31}{32}$
La probabilité de gagner 5 points ou moins lors d'une partie est égale à $\frac{31}{32}$.

8 Probabilités

Savoir-faire

2 Voici la loi de probabilité de X :

x_i	-3	1	8
$P(X = x_i)$	$\frac{4}{10}$	$\frac{2}{10}$	$\frac{4}{10}$

5 On lit que l'espérance de X est :
E(X) = 2.
Cela signifie que, sur un grand nombre de jeux, le nombre moyen de Pile obtenu est 2.

38 a) Voici la loi de probabilité de X :

x_i	0	5	10
$P(X = x_i)$	0,8	0,15	0,05

b) L'espérance de X est :
E(X) = 0,8 × 0 + 0,15 × 5 + 0,05 × 10
soit E(X) = 1,25.
Cela signifie que, sur un grand nombre de parties, Chinda obtiendra, en moyenne, 1,25 point par partie.

55 a) La personne tirée au hasard peut être une femme (F) ou un homme (H).

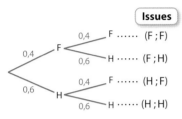

Issues

b) L'événement «Obtenir un homme et une femme» est réalisé par les issues (F ; H) et (H ; F). Donc la probabilité de cet événement est :
P(F ; H) + P(H ; F) = 0,4 × 0,6 + 0,6 × 0,4
P(F ; H) + P(H ; F) = 0,48
La probabilité d'obtenir un homme et une femme est donc 0,48.

Pour se tester

66 1. B   2. C   3. C

67 1. C, D   2. C   3. B, D   4. A, B

68 1. **Faux.** En effet, X donne la somme des deux amendes versées, elle peut donc prendre les valeurs 90, 113, 136, 225, 248, 360, 495, 518, 630 et 900.
2. **Faux.** P(X = 113) = P(45 ; 68) + P(68 ; 45)
donc P(X = 113) = 0,78 × 0,15 + 0,15 × 0,78
P(X = 113) = 0,234.
3. **Vrai.** P(X = 225) = P(45 ; 180) + P(180 ; 45)
donc P(X = 225) = 0,78 × 0,05 + 0,05 × 0,78
P(X = 225) = 0,078.
4. **Faux.** En effet,
P(X > 400) = P(X = 495) + P(X = 518)
              + P(X = 630) + P(X = 900)
P(X > 400) = 2 × 0,78 × 0,02 + 2 × 0,15 × 0,02
              + 2 × 0,05 × 0,02 + 0,02 × 0,02
P(X > 400) = 0,038 6.
5. **Vrai.** Voici la loi de probabilité de X.

x_i	90	113	136	225	248
$P(X = x_i)$	0,608 4	0,234	0,022 5	0,078	0,015

x_i	360	495	518	630	900
$P(X = x_i)$	0,002 5	0,031 2	0,006	0,002	0,000 4

Avec la calculatrice, on trouve
E(X) = 126,60 €.

9 Loi binomiale

Savoir-faire

2 a) On peut considérer comme succès S l'événement «Delphine tire une pièce jaune» dont la probabilité est $P(S) = \dfrac{44}{44 + 56} = 0,44$.
Chaque tirage est alors une épreuve de Bernoulli dont le succès a pour probabilité 0,44.
b) Cette épreuve de Bernoulli est répétée trois fois de manière indépendante. La situation peut donc être associée à un schéma de Bernoulli.
c)

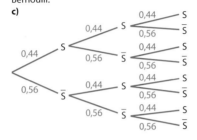

5 a) L'expérience aléatoire qui consiste à lancer la roue et à observer si le secteur rouge est obtenu est une épreuve de Bernoulli.
Le succès S est l'événement «Le secteur obtenu est rouge».
La probabilité du succès est égale à 0,25.
Cette épreuve est répétée trois fois de manière indépendante.
La variable aléatoire X qui donne le nombre de secteurs rouges obtenus suit donc la loi binomiale $\mathcal{B}(3 ; 0,25)$.
b) E(X) = n × p = 3 × 0,25 = 0,75.
Cela signifie qu'en moyenne, en lançant la roue trois fois de suite un grand nombre de fois, le nombre de secteurs rouges obtenus est égal à 0,75.

8 1. L'expérience aléatoire qui consiste à choisir au hasard un élastique et à observer s'il est en bon état est une épreuve de Bernoulli. Le succès S est l'événement «L'élastique est en bon état».
La probabilité du succès est égale à 0,95.
Cette épreuve est répétée sept fois de manière indépendante.
La variable aléatoire X qui donne le nombre d'élastiques en bon état suit donc la loi binomiale $\mathcal{B}(7 ; 0,95)$.
2. a) P(X = 5) ≈ 0,04.
b) P(X = 6) ≈ 0,26.

Résoudre des problèmes

11 a) P(X = 10) ≈ 0,035.
b) P(X ⩽ 10) ≈ 0,974.
c) P(X ⩾ 11) = 1 − P(X ⩽ 10) donc
P(X ⩾ 11) ≈ 0,026.

14 L'expérience aléatoire qui consiste à choisir au hasard la fiche d'un client à visiter et à observer s'il achète le produit est une épreuve de Bernoulli.
Le succès S est l'événement «Le client achète le produit».
La probabilité du succès est égale à 0,2.
Cette épreuve est répétée dix fois de manière indépendante.
La variable aléatoire X qui donne le nombre de clients qui achètent le produit suit donc la loi binomiale $\mathcal{B}(10 ; 0,2)$.
n × p = 10 × 0,20 = 2 donc l'espérance de X est égale à 2.
Le commercial perçoit 14 € par produit acheté (10 % de 140 €).
2 × 14 = 28 donc le montant moyen de la commission perçue pour une journée de travail est de 28 €.

Pour s'entraîner

25

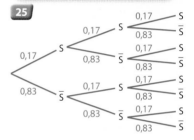

38 L'expérience aléatoire qui consiste à tirer au hasard une carte et à observer s'il s'agit d'un as est une épreuve de Bernoulli.
Le succès S est l'événement «La carte est un as». La probabilité du succès est égale à $\dfrac{4}{32} = \dfrac{1}{8}$.
Cette épreuve est répétée dix fois de manière indépendante.
La variable aléatoire X qui donne le nombre d'as tirés suit donc la loi binomiale $\mathcal{B}\left(5 ; \dfrac{1}{8}\right)$.

47 a) L'expérience aléatoire qui consiste à lancer une pièce équilibrée et à observer si le côté Pile apparaît est une épreuve de Bernoulli.
Le succès S est l'événement «Le côté Pile apparaît».
La probabilité du succès est égale à 0,5.
Cette épreuve est répétée dix fois de manière indépendante.
La variable aléatoire X qui donne le nombre de fois où Pile apparaît suit donc la loi binomiale $\mathcal{B}(10 ; 0,5)$.
b) P(X = 0) = (1 − 0,5)¹⁰ = 0,5¹⁰
P(X = 10) = 0,5¹⁰ donc P(X = 0) ≈ 0,001 et P(X = 10) ≈ 0,001.
c) n × p = 10 × 0,5 = 5 donc l'espérance de X est égale à 5.
Cela signifie qu'en moyenne, en lançant dix fois de suite une pièce équilibrée un grand nombre de fois, le nombre de côtés Pile obtenus est égal à 5.

77 1. D 2. B 3. C 4. A 5. B

78 1. B, D 2. C, D 3. A, C 4. A, B, C

79 1. **Vrai.** Le nombre de chemins avec exactement 2 succès est $\binom{7}{2}$ et le nombre de chemins avec exactement 5 succès est $\binom{7}{5}$. Or $\binom{7}{2} = \binom{7}{5} = 21$.

2. **Faux.** En effet, le nombre de chemins avec exactement 3 succès est $\binom{7}{3} = 35$.

3. **Vrai.** La probabilité d'avoir 7 échecs est $(1-p)^7$. Elle est égale à $0,6^7$ si $1-p = 0,6$, c'est-à-dire $p = 0,4$.

4. **Faux.** L'événement contraire de « Obtenir 0 succès » est « Obtenir au moins 1 succès ».

5. **Faux.** « Obtenir 7 échecs » est l'événement « Obtenir 0 succès ». Son événement contraire est « Obtenir au moins 1 succès ».

6. **Vrai.** La probabilité d'avoir 7 succès est p^7. Elle est égale à $0,15^7$ si $p = 0,15$. Alors, la probabilité d'avoir exactement 3 succès est $\binom{7}{3} \times 0,15^3 \times 0,85^4$ c'est-à-dire environ 0,062.

10 Échantillonnage

Savoir-faire

2 À l'aide de la calculatrice, on calcule les valeurs de $P(X \leq k)$ pour tout nombre entier naturel k allant de 0 à 150. a est le plus petit nombre entier naturel tel que $P(X \leq a) > 0,025$ et b est le plus petit nombre entier naturel tel que $P(X \leq b) \geq 0,975$. On lit $a = 94$ et $b = 116$. L'intervalle de fluctuation au seuil de 95 % de la fréquence des clients satisfaits dans les échantillons de taille 150 est donc $\left[\dfrac{94}{150}; \dfrac{116}{150}\right]$, c'est-à-dire environ [0,62 ; 0,78].

Résoudre des problèmes

5 X est la variable aléatoire qui donne le nombre de fumeurs dans un échantillon de 80 employés de cette entreprise. L'échantillon est constitué avec remise, donc si la proportion observée en France est aussi valable dans cette entreprise, alors X suit la loi binomiale $\mathcal{B}(80 ; 0,3)$.

À l'aide de la calculatrice ou du tableur, on calcule la probabilité $P(X \leq k)$ pour tout nombre entier naturel k compris entre 0 et 80. On cherche les plus petits nombres entiers naturels a et b tels que $P(X \leq a) > 0,025$ et $P(X \leq b) \geq 0,975$. On trouve $a = 16$ et $b = 32$. L'intervalle de fluctuation au seuil de 95 % obtenu à l'aide de la loi binomiale est donc $\left[\dfrac{16}{80}; \dfrac{32}{80}\right]$. La fréquence observée dans l'échantillon est $\dfrac{31}{80}$. La fréquence observée appartient à l'intervalle de fluctuation, par conséquent on ne peut pas rejeter l'hypothèse selon laquelle il y a 30 % de fumeurs parmi les employés de cette entreprise.

Pour s'entraîner

14 **a)** a est le plus petit nombre entier naturel tel que $P(X \leq a) > 0,025$ et b est le plus petit nombre entier naturel tel que $P(X \leq b) \geq 0,975$. D'après l'extrait de la table des valeurs de $P(X \leq k)$, on trouve $a = 13$ et $b = 22$. L'intervalle de fluctuation au seuil de 95 % est donc $\left[\dfrac{13}{25}; \dfrac{22}{25}\right]$, c'est-à-dire [0,52 ; 0,88].

b) L'intervalle de fluctuation au seuil de 95 % vu en classe de Seconde est $\left[0,7 - \dfrac{1}{\sqrt{25}}; 0,7 + \dfrac{1}{\sqrt{25}}\right]$, c'est-à-dire [0,5 ; 0,9]. Les deux intervalles sont différents mais proches.

15 Pour déterminer les plus petits nombres entiers naturels a et b tels que $P(X \leq a) > 0,025$ et $P(X \leq b) \geq 0,975$, on doit calculer les valeurs de $P(X \leq k)$ pour k nombre entier naturel allant de 0 à 10. Pour cela, on cumule les probabilités $P(X = k)$ affichées par le logiciel.

k	$P(X = k)$	$P(X \leq k)$
0	0,00605	0,00605
1	0,04031	0,04636
2	0,12093	0,16729
3	0,21499	0,38228
4	0,25082	0,63310
5	0,20066	0,83376
6	0,11148	0,94524
7	0,04247	0,98771
8	0,01062	0,99832
9	0,00157	0,99990
10	0,00010	1

On trouve $a = 1$ et $b = 7$. L'intervalle de fluctuation au seuil de 95 % obtenu à l'aide de la loi binomiale est donc $\left[\dfrac{1}{10}; \dfrac{7}{10}\right]$, c'est-à-dire [0,1 ; 0,7].

19 X est la variable aléatoire qui donne le nombre de lauréats dans un échantillon de 30 candidats de ce lycée.

L'échantillon est constitué avec remise, donc X suit la loi binomiale $\mathcal{B}(30 ; 0,83)$.

À l'aide de la calculatrice ou du tableur, on calcule la probabilité $P(X \leq k)$ pour tout nombre entier naturel k compris entre 0 et 30. On cherche les plus petits nombres entiers naturels a et b tels que $P(X \leq a) > 0,025$ et $P(X \leq b) \geq 0,975$. On trouve $a = 21$ et $b = 29$. L'intervalle de fluctuation au seuil de 95 % obtenu à l'aide de la loi binomiale est donc $\left[\dfrac{21}{30}; \dfrac{29}{30}\right]$, c'est-à-dire environ [0,7 ; 0,97].

25 **a)** Le raisonnement de Fatih n'est pas correct du fait des fluctuations d'échantillonnage. Même si la probabilité d'obtenir 6 est $\dfrac{1}{6}$, la fréquence d'apparition du 6 dans un échantillon n'est pas forcément égale à $\dfrac{1}{6}$.

b) Pour des échantillons de taille 120, et si on suppose que la probabilité d'obtenir un 6 avec ce dé est $\dfrac{1}{6}$, on doit utiliser la loi binomiale $\mathcal{B}\left(120 ; \dfrac{1}{6}\right)$.

c) À l'aide de la calculatrice ou du tableur, on calcule la probabilité $P(X \leq k)$ pour tout nombre entier naturel k compris entre 0 et 120. On cherche les plus petits nombres entiers naturels a et b tels que $P(X \leq a) > 0,025$ et $P(X \leq b) \geq 0,975$. On trouve $a = 12$ et $b = 28$. L'intervalle de fluctuation au seuil de 95 % obtenu à l'aide de la loi binomiale est donc $\left[\dfrac{12}{120}; \dfrac{28}{120}\right]$, c'est-à-dire environ [0,1 ; 0,24].

d) La fréquence observée dans l'échantillon est $\dfrac{27}{120}$. La fréquence observée appartient à l'intervalle de fluctuation, par conséquent on ne peut pas rejeter l'hypothèse selon laquelle la probabilité d'obtenir un 6 avec ce dé est $\dfrac{1}{6}$.

Pour se tester

32 1. B 2. D 3. C

33 1. C 2. B, D 3. A, C, D

34 1. **Faux.** En calculant la probabilité $P(X \leq k)$ pour tout nombre entier naturel k compris entre 0 et 30 on trouve que l'intervalle de fluctuation au seuil de 95 % obtenu à l'aide de cette loi binomiale est donc $\left[\dfrac{3}{30}; \dfrac{12}{30}\right]$.

2. **Vrai.** La borne inférieure de l'intervalle de fluctuation au seuil de 95 % obtenu à l'aide de cette loi binomiale est $\dfrac{3}{30}$, c'est-à-dire 0,1.

3. **Faux.** La borne supérieure de l'intervalle de fluctuation au seuil de 95 % obtenu à l'aide de cette loi binomiale est $\dfrac{12}{30}$.

Crédits photographiques

En couverture : Baz, wavemaker.free.fr ; **10 ht** THE PICTURE DESK Ltd / dagli-Orti ; **m** BRITISH MUSEUM ; **11** ROY Philippe / Epicureans ; **12** FOTOLIA / Paul Lampard ; **20** ANDIA / Wildlife ; **21** SHUTTERSTOCK / You can more ; **26 bas** CIT'IMAGES ; **ht** COHEN Manuel / Epicureans ; **30 bas** GETTY IMAGES France / Ken Whitmore ; **ht** CORBIS / Chris Hill ; **32 d** AKG Images ; **g** SIPA PRESS / LANCELOT FREDERIC ; **36 ht** AGE FOTOSTOCK / Lanni Dimitrov ; **m** ONLY France / DAN SHANNON ; **38** Courtesy genuineideas.com ; **39** Droits Réservés ; **44** CORBIS / AFLO / MAINICHI NEWSPAPER ; **46** ANDIA ; **47** FOTOLIA / anyaberkut ; **50** FOTOLIA / axe-olga ; **52** Droits Réservés ; **58 bas** AKG Images ; **ht** CHRISTOPHE L ; **m** BIS / Ph. © National Portrait Gallery - Archives Larbor ; **61** AFP / China Out ; **69** FOTOLIA / patungkead ; **81** SHUTTERSTOCK / hfng ; **84 ht** M(e)ister Eiskalt ; **m** COSMOS / SPL / SHEILA TERRY ; **86** FOTOLIA / Arabella Carter-John ; **87** REA / Lan Hanning ; **93** GAMMA RAPHO / YAMASHITA Michaël S. ; **95** ASK IMAGES / Anzenberger / Mario Weigt ; **96** GAMMA RAPHO / Patrick PIEL ; **101** FOTOLIA / Konstantin Yuganov ; **102 d** CORBIS / Hello Lovely ; **g** SIGNATURES / Philippe Schuller ; **108 ht** FOTOLIA / pab map ; **m** LES CAHIERS LOUIS BACHELIER ; **110 ht** 123RF Limited / Ingvar Bjork ; **m** SHUTTERSTOCK / Laborant ; **111** FOTOLIA / Thomas Paiot ; **113** FOTOLIA / Ulrich Müller ; **120** FOTOLIA / visdia ; **124 bas** FOTOLIA / magdal3na ; **125** COSMOS / SPL / PlanetObeserver ; **132 ht** BIOSPHOTO / Garden Collection / Liz Eddison ; **m** BRIDGEMAN IMAGES ; **134** FOTOLIA / Stephan Schurr ; **144** FOTOLIA / Alfonso de Tomas ; **151** SIPA PRESS / MALAFOSSE XAVIER ; **158 ht** GETTY IMAGES France / Jeffrey Coolidge ; **m** LEEMAGE ; **160** CORBIS / Ant Strack ; **161** SHUTTERSTOCK / Warren Goldswain ; **163** ANDIA / Delmarty / Alpaca ; **169** FOTOLIA / J. Patrick ; **172** SHUTTERSTOCK / Jason Salmon ; **182 ht** GETTY IMAGES France / Kenneth Garrett ; **m** ROGER-VIOLLET ; **183** Droits Réservés ; **184** Droits Réservés ; **185** GETTY IMAGES France / June Marie Sobrito ; **187** Droits Réservés ; **194** ANDIA / Blanchet ; **199** FOTOLIA / Pavel Losevsky ; **205** BIOSPHOTO / FLPA / Chris Brignell ; **208 ht** SIPA PRESS / Rex / Geoffrey Robinson ; **m** LEEMAGE ; **210** SHUTTERSTOCK / bibiphoto ; **211** FOTOLIA / Li-Bro ; **213** FOTOLIA / glemmephoto ; **215** FOTOLIA / auryndrikson ; **217** FOTOLIA / lucato ; **218** GETTY IMAGES France / ChinaFotoPress ; **222** FOTOLIA / Pavel Losevsky ; **227 d** FOTOLIA / xy ; **g** FOTOLIA / Elnur ; **228** AFP / Odd Andersen ; **230** FOTOLIA / Oleg Rodionov ; **231 bas d** FOTOLIA / Claudio Ventrella ; **bas g** Droits Réservés ; **ht d** FOTOLIA / SuriyaPhoto ; **ht g** FOTOLIA / Jackin ; **234 ht** CORBIS / Rick Dalton ; **m** BIOSPHOTO / Philippe Henry ; **237** FOTOLIA / WavebreakmediaMicro ; **243** MAXPPP / Ouest France / Béatrice Le Grand ; **246** BSIP / NIAID ; **248 d** CORBIS / Fabio Cardoso ; **g** PLAINPICTURE / Fancy Images / Helen King.

Édition : Élisabeth Pinard assistée de Cécile Sidambarompoulé
Conception graphique : Marc & Yvette
Couverture : Marc & Yvette
Schémas : Laurent Blondel, Blaise Fontanieu – Corédoc
Iconographie : Juliette Barjon
Fabriquant : Jacques Lannoy
Composition et photogravure : JPM

N° d'éditeur : 10210690 – Dépôt légal : avril 2015 – Imprimé en Italie par Grafica Veneta S.p.A.

CALCULATRICES ET STATISTIQUES

Exemple : dans 24 pays de l'OCDE, on a relevé la durée moyenne de scolarisation des individus entre 5 et 39 ans. Les résultats sont exposés dans le tableau ci-dessous.

Durée (en années)	16,3	16,4	16,5	16,8	17,0	17,2	17,3	17,5	17,6	17,9	18,1	18,2	18,4	18,6
Nombre de pays	2	3	1	1	1	2	1	2	4	1	2	1	2	1

Saisir la série de données statistiques

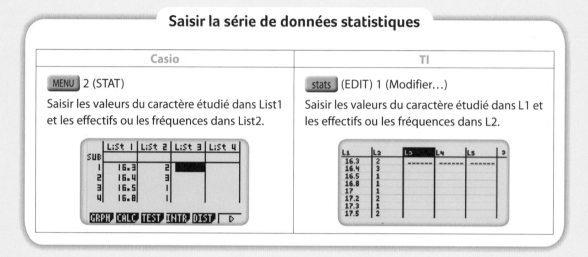

Casio	TI
MENU 2 (STAT)	stats (EDIT) 1 (Modifier…)
Saisir les valeurs du caractère étudié dans List1 et les effectifs ou les fréquences dans List2.	Saisir les valeurs du caractère étudié dans L1 et les effectifs ou les fréquences dans L2.

Afficher les caractéristiques d'une série

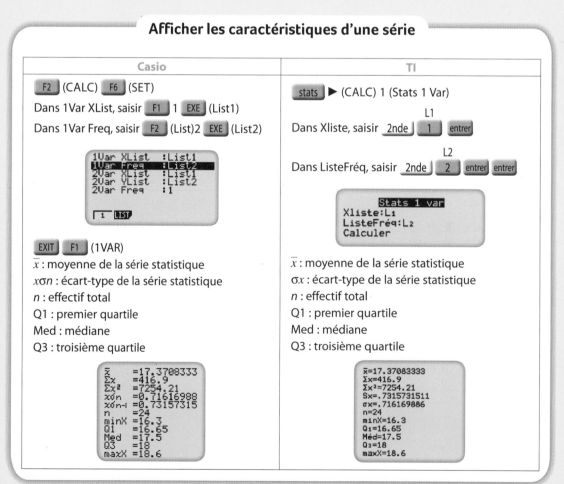

Casio

F2 (CALC) F6 (SET)

Dans 1Var XList, saisir F1 1 EXE (List1)

Dans 1Var Freq, saisir F2 (List)2 EXE (List2)

EXIT F1 (1VAR)

$\overline{x}$: moyenne de la série statistique

$x\sigma n$: écart-type de la série statistique

n : effectif total

Q1 : premier quartile

Med : médiane

Q3 : troisième quartile

```
x̄    =17.3708333
Σx   =416.9
Σx²  =7254.21
xσn  =0.71616988
xσn-1=0.73157315
n    =24
minX =16.3
Q1   =16.65
Med  =17.5
Q3   =18
maxX =18.6
```

TI

stats ► (CALC) 1 (Stats 1 Var)

Dans Xliste, saisir 2nde 1 (L1) entrer

Dans ListeFréq, saisir 2nde 2 (L2) entrer entrer

$\overline{x}$: moyenne de la série statistique

σx : écart-type de la série statistique

n : effectif total

Q1 : premier quartile

Med : médiane

Q3 : troisième quartile

```
x̄=17.37083333
Σx=416.9
Σx²=7254.21
Sx=.7315731511
σx=.716169886
n=24
minX=16.3
Q₁=16.65
Méd=17.5
Q₃=18
maxX=18.6
```